DICCIONARIO DE TÉRMINOS FILOLÓGICOS

BIBLIOTECA ROMÁNICA HISPÁNICA

DIRIGIDA POR DÁMASO ALONSO

III. MANUALES, 6

FERNANDO LÁZARO CARRETER

DICCIONARIO DE TÉRMINOS FILOLÓGICOS

TERCERA EDICIÓN CORREGIDA

BIBLIOTECA ROMÁNICA HISPÁNICA
EDITORIAL GREDOS
MADRID

© FERNANDO LÁZARO CARRETER, 1977.

EDITORIAL GREDOS, S. A.

Sánchez Pacheco, 81, Madrid. España.

PRIMERA EDICIÓN, septiembre 1953.
SEGUNDA EDICIÓN, febrero 1963.
TERCERA EDICIÓN, mayo 1968.
  1.ª reimpresión, marzo 1971.
  2.ª reimpresión, noviembre 1973.
  3.ª reimpresión, diciembre 1974.
  4.ª reimpresión, septiembre 1977.

Depósito Legal: M. 29083 - 1977.

ISBN 84-249-1111-3. Rústica.
ISBN 84-249-1112-1. Tela.

Gráficas Cóndor, S. A., Sánchez Pacheco, 81, Madrid, 1977. — 4691.

PRÓLOGO DE LA PRIMERA EDICIÓN

Hace tiempo que se deja sentir la necesidad de una obra como la que hoy ofrecemos al público. Si hasta ahora no existe en lengua española un trabajo semejante [1], ello se debe, seguramente, a su enorme dificultad. Si ésta no es insalvable, se debe en gran parte a la existencia de algunas obras de terminología extranjeras, bien generales, bien limitadas a un determinado grupo de lenguas. Y, en primer lugar, al extraordinario Lexique de la terminologie linguistique, *de Jules Marouzeau [2]. Sin este libro difícilmente hubiéramos podido componer el nuestro. Nos ha proporcionado el repertorio básico de términos que debían ser definidos, y nos ha suministrado, en gran parte, las equivalencias alemanas e inglesas. Ahora bien, si es justo que confesemos esto al comienzo de nuestro libro, es necesario también que resaltemos la total libertad con que hemos procedido, tanto en la selección de los términos definibles (cuyo número supera considerablemente al de Marouzeau), como en las definiciones. Podemos, pues, asegurar que hemos hecho un libro enteramente nuevo, responsable, por sí mismo, de aciertos o errores. Como una obsesión nos ha perseguido, durante la larga y laboriosa*

---

[1] M. Socorro publicó en 1936, en Las Palmas, un folleto titulado *La nomenclatura gramatical*, poco difundido y de escasa importancia.

[2] La primera edición apareció en 1934, con la traducción alemana de los términos definidos. La segunda, en 1943, con la incorporación de los términos ingleses. Y la tercera, en 1951, con las equivalencias italianas.

redacción del Diccionario, *el prurito, si no de originalidad —imposible en este tipo de trabajos—, el de independencia*[3].

El problema de la terminología lingüística en España no es más que un aspecto del problema general que tiene planteado la Ciencia del Lenguaje. El recuento de los términos usados unívocamente nos llevaría a un resultado desconsolador: tan sólo un escaso número de ellos posee valor general. Términos corrientes encubren frecuentemente conceptos distintos, cuando no contradictorios. A eso debe añadirse que muchos lingüistas, extranjeros sobre todo, escriben en un lenguaje enteramente personal, cuya clave es necesaria para comprenderlos. Parece urgente que la Comisión de Terminología, creada en el seno del Comité Internacional de Lingüistas desde 1931, proceda a la elaboración de un Léxico oficial que permita la mutua y fácil comprensión. Un importante paso, en ese sentido, se dio en el VI Congreso Internacional de Lingüística (París, 1948), en el cual eminentes científicos expusieron sus, frecuentemente encontrados, puntos de vista sobre la cuestión[4].

Problema particular de este libro ha sido el de trazar sus propios límites. Nos ha guiado el propósito de hacer una obra eminentemente útil a los estudiantes de Filología (especialmente de Filología Románica) de las Facultades españolas, y ello nos ha movido a ensanchar un tanto dichos límites. Se hallarán, pues, definidas algunas nociones de métrica y de retórica que justifican la calificación de filológica que hemos dado a nuestra terminología. Se han incorporado también abundantes términos de Fonología y Glosemática. Y, por fin, hemos incorporado los nombres y, en alguna ocasión, una sucinta referencia

---

[3] Me ha sido también muy útil el breve, pero excelente, *Wörterbuch der grammatischen und metrischen Terminologie*, de J. B. Hofmann y H. Rubenbauer. Heidelberg, Winter, 1950.

[4] Se encontrarán dichas opiniones en las *Actes du sixième Congrès International des Linguistes*, París, Klincksieck, 1949. Marouzeau, págs. 41-45, completa la bibliografía terminológica que había ofrecido en su *Lexique* y resume las comunicaciones presentadas al Congreso.

de las principales lenguas del mundo y de los más importantes dialectos románicos, que permita su inmediata localización. Hay casos en los que no nos hemos limitado a una simple definición del término, sino que hemos bosquejado ya sus vicisitudes históricas, ya una información sobre el estado actual de la noción que designa. En muchas ocasiones, cuando una definición nos ha parecido correctamente enunciada por un lingüista de gran autoridad, la hemos copiado literal o abreviadamente, citando siempre entre paréntesis al autor seguido. Con mayor motivo se ha hecho la cita, literal o abreviada, cuando el término era de empleo particular (exclusivo o no) de algún lingüista. En ocasiones, sobre todo en términos tradicionales, se ha incorporado la definición dada por la Gramática o el Diccionario de la Real Academia Española.

No se nos oculta que la empresa cuyos primeros frutos ofrecemos al público no puede considerarse como definitiva. Sabemos de antemano que, con toda facilidad, se nos podrán señalar deficiencias: falta de algunos, quizá muchos, términos, definiciones incorrectas, acepciones no señaladas... En cualquier caso, debemos pedir la colaboración de los filólogos, para los cuales los problemas terminológicos no pueden ser indiferentes. La primera ayuda, antes de aparecer el libro, me ha sido ya prestada por mis colegas Martín Sánchez Ruipérez y Valentín García Yebra; el primero me ha hecho importantes advertencias referentes a métrica clásica y el segundo ha revisado enteramente el original. Para ellos mi gratitud.

FERNANDO LÁZARO

Salamanca, 1953.

NOTA SOBRE LA SEGUNDA EDICIÓN

Agotada desde hace tiempo la primera edición de este *Diccionario*, aparece ahora la segunda, que, en lo sustancial, conserva las características y finalidades de aquélla, si bien la materia tratada se ha aumentado considerablemente: un crecido número de artículos aparece con adiciones y reformas, que van de la redacción completamente nueva al retoque de un pormenor; y se introducen alrededor de setecientas nuevas entradas; la extensión del libro aumenta así en más de un tercio. Análogo aumento experimentan los términos extranjeros.

Los perfeccionamientos que puedan observarse en esta edición son debidos, en gran parte, a la cortés y benévola atención con que fue recibida la primera por la crítica. Efectivamente, he tenido en cuenta las siguientes recensiones bibliográficas: Max L. Wagner, *ZRPh*, 1957, 505-511; Juan M. Lope, *NRFH*, 1955, 45-47; H. Bihler, *ASNS*, 1954, 121; E. Coseriu, *Reseñas*, 2, Montevideo, 1954, 14-15; J. Fantini, *Helmántica*, 1953, 501-503; B. Pottier, *BH*, 1954, 217; M. Dolç, *ER*, IV, 289-291, y *Arbor*, n. 97, 127-128; D. M. Atkinson, *BHS*, 1955, 239-240; F. Schalk, *RF*, 1955, 225-226; A. Carballo, *Clavileño*, 1953, 96-97; A. Martin Alves, *Rev. Port. de Filosofía*, 1959, 47-48; Zdeněk Hampejs, de Praga (la separata no ofrece referencias bibliográficas); G. V. Stepanov, *Voprosy jazykoznanija* (Moscú), 1957, 139-141; M. Fernández Galiano, *RFE*, 1954, 289-295; L. Poston, Jr., *RPh*, 1955, 48-50; J. García Morejón, *Paideia* (Sorocaba), 1954, 131-135; E. Alarcos Llorach, *Archivum*, III, 308-309; A. Tovar, *Emérita*, 1954, 291-295. Son las que han llegado a mis manos. Los señores Alarcos y

Tovar me hicieron particularmente advertencias no recogidas en sus respectivas reseñas. Acepten todos la expresión más sincera de mi gratitud. Conozco también la reseña que J. Corominas ha publicado en *Thesaurus*, 1958, 222-229. He podido tener en cuenta ahora los léxicos publicados por Mario A. Pei-Frank Gaynor, *Dictionary of Linguistics*, 1954; Richard Newal-Brigitte Ristow, *Sachwörterbuch zur deutschen Philologie*, 1954; E. de Felice, *La terminologia linguistica di G. I. Ascoli e della sua scuola*, 1954; Eric P. Hamp, *A Glossary of American Technical Linguistic Usage*, 1957. Cuando ya no puedo utilizarlo, por estar entregado el original a la imprenta, llega a mis manos el primer fascículo —verdaderamente admirable— del *Sprachwissenschaftliches Wörterbuch*, dirigido por Johann Knobloch (Heidelberg, 1961).

También he consultado ampliamente libros fundamentales, como los siguientes: A. Meillet-G. Cohen y colaboradores, *Les langues du monde*, 1952; H. Lausberg, *Handbuch der literarischen Rhetorik*, 1960; T. Navarro Tomás, *Métrica española*, 1956, y otros muchos, así como trabajos y artículos en las principales revistas. Sigo ofreciendo, literal o abreviadamente, las definiciones dadas por lingüistas o filólogos eminentes, dando sus nombres entre paréntesis. Quizá hubiera convenido hacer una referencia bibliográfica exacta. Si no nos hemos decidido a ello, se debe a razones de economía de espacio y al tipo de lector —un público escolar— a que nuestro *Diccionario* se dirige.

Al sacar a luz esta segunda edición de mi libro, deseo renovar a mis colegas la petición de que sus críticas continúen ayudándome a mejorarlo, para que alcance plenamente su finalidad pedagógica[1]. Muchas gracias, por adelantado.

F. L. C.

Salamanca, 1961.

[1] Debo expresar mi agradecimiento a mi amigo el profesor don Julio Calonge, que ha tenido la amabilidad de leer las pruebas del libro y de hacerme importantes sugerencias.

ADVERTENCIAS SOBRE EL MANEJO DEL DICCIONARIO

1. Algunas palabras, en el texto de las definiciones, van seguidas de un asterisco. Ello indica que el lector debe tener en cuenta la acepción que de dicha palabra se da en el lugar correspondiente. Entiéndase bien que el asterisco no acompaña a todas las palabras que son definidas en el *Diccionario*. Es, simplemente, un auxiliar en algunos casos en que la consulta del término señalado es imprescindible.

2. Las abreviaturas empleadas son:

A. = Alemán; I. = Inglés; F. = Francés.

GRAE. = *Gramática* de la Real Academia Española, 1931.

DRAE. = *Diccionario* de la Real Academia Española, 1939.

TCLP. = *Travaux du Cercle linguistique de Prague,* tomo IV, Praga, 1931, en donde se incluye un *Projet de terminologie phonologique standardisée.*

3. Junto al término español van los términos correspondientes alemán, inglés y francés *sólo cuando la forma de éstos difiere notablemente de la española.* Al final del libro se ordenan alfabéticamente dichos términos extranjeros.

Abecedario. Alfabeto.

Abertura. A. *Oeffnung;* I. *Opening;* F. *Ouverture.* Anchura que los órganos fonadores conceden al paso del aire al producirse una articulación. El grado de abertura es muy variable, según los sonidos que hayan de ser emitidos. Así, p. ej., dentro de las vocales, la mayor abertura corresponde a *a*, y la mínima a *i*, en la serie anterior, y a *u*, en la serie posterior. El concepto de abertura es relativo, y se opone al de *cerrazón.*

Abierto. A. *Offen;* I. *Open;* F. *Ouvert.* **1.—**Se dice del sonido en cuya articulación el grado de abertura es mayor que el de otro sonido que se considera cerrado. **2.—** **Sílaba abierta.** Se da este nombre alguna vez a la *sílaba* libre.*

Ablación. Nombre anticuado de la aféresis*.

Ablativo. 1.—Caso introducido en el estudio gramatical por los latinos, que lo llamaron *casus sextus* o *latinus,* ya que no coincidía con ninguno de los cinco casos griegos (nom., gen., dat., acus., voc.). Expresa, en principio el alejamiento, la separación de algo. En latín asumió por sincretismo las funciones del *instrumental* y del *locativo* indoeuropeos. Estas tres nociones (alejamiento, instrumento, lugar) no agotan las funciones descriptivas del ablativo, aunque los gramáticos latinos redujeron artificiosamente a la primera las restantes funciones: expresión de *origen* (de personas o cosas), *materia, comparación, tiempo, compañía, modo, limitación, cualidad, precio, causa, abundancia, relación,* etc. Vid. *Sincretismo.* **2.— Ablativo absoluto.** Está constituido, en latín, por un participio y un nombre, por dos sustantivos en aposición o por un sustantivo y un adjetivo concertados entre sí, formando una cláusula absoluta. Vid. *Participio.* **3.—Nominativo absoluto.** Vid. *Nominativo.*

Abreviada (Forma). Vid. *Plena (Forma)*.

Abreviamiento. A. *Kürzung;* I. *Shortening, Abridgement;* F. *Abrègement*. **1.**—Reducción del cuerpo fónico de una palabra: *cine* por *cinematógrafo*. **2.**—Reducción de la cantidad vocálica, por paso de la cantidad larga a la cantidad breve (Vid. *Ley de Osthoff**). En latín clásico, toda vocal larga seguida de vocal, se abrevia («vocalis ante vocalem corripitur»). Así, *flĕo* frente a *flēre*. **3.**—**Abreviamiento yámbico.** Está regido en latín por la *ley de las breves abreviantes* [A. *Jambenkürzungsgesetz*], según la cual, cuando dos vocales forman yambo, con acento en la breve o sobre la sílaba siguiente a la larga, el yambo pasa a pirriquio (‿_>‿‿; ‿—'>‿‿'), aunque la segunda vocal sea larga por naturaleza. **4.**—**Abreviamiento ático.** Abreviamiento prosódico de una vocal larga por posición ante el grupo formado por consonante + sonante, peculiar del ático. Ello comporta una silabación distinta. Así, el grupo que en Homero es heterosilábico (πατ-ρός) se hace tautosilábico en ático (πα-τρός). El fenómeno se denomina también *correptio attica*. **5.**—**Abreviamiento métrico.** Reducción de la cantidad de una vocal por necesidades métricas. Así, en Homero se lee φοινι-κόεσσα (en lugar de -νῖκ- para evitar el pie crético (_‿_) incompatible con el hexámetro.

Abreviatura. A. *Abkürzung;* I. *Abbreviation;* F. *Abréviation*. Representación de una palabra en la escritura con una o varias de sus letras. Por ejemplo, *Kg.* en vez de *kilogramo*.

Abrupto (Encabalgamiento). Vid. *Encabalgamiento*.

Absoluto. 1.—La cualidad de absoluto se opone a la de relativo. Atribuida a cualquier elemento sintáctico, indica que no depende de nada ajeno a él. Así, por ejemplo, *cláusula* u *oración absoluta* es la que mantiene su independencia dentro de la frase en que se halla, sin que ninguno de sus términos dependan gramaticalmente de dicha frase. **2.**—En Fonética, un sonido es **inicial absoluto** o **final absoluto** cuando es inicial de una palabra, tras una pausa larga, o es final de una palabra, a la que sucede una pausa larga. **3.**—**Verbo absoluto** es el verbo *ser*, usado sin atributo. **4.**—**Caso absoluto.** Caso caracterizado por la ausencia de desinencia (desinencia cero). **5.**—**Nombre absoluto.** Nombre que no postula un complemento preposicional. Se opone a nombre relativo*. **6.**—**Posición absoluta.** Vid. *Posición inclusa** **7.**—**Forma absoluta.** Forma de una palabra o frase cuando se pronuncian aisladas. Las formas que aparecen en posición inclusa son sus *sandhi-forms* (Bloomfield). Así, en inglés, la forma absoluta del artículo indefinido es *a* ['ej], que aparece en posición inclusa* sólo cuando el artículo es un elemento enfático y la palabra siguiente empieza por consonante *(not* a *house, but the house)*. Si la palabra siguiente empieza por vocal, ·tenemos una sandhi-form, *an* ['ɛŋ], como en *not* an *uncle, but her uncle*. Vid. *Comparativo, Superlativo, Homonimia, Tiempo, Ablativo, Participio, Adjetivo, Acusativo, Nominativo*.

Absorción. 1.—Fenómeno por el cual una vocal desaparece al incorporarse a un sonido consonántico vecino. **2.**—Más concretamente, desaparición de una vocal por acción de una sonante vecina. Así, tesalio Λᾱρισσα⟩ eolio Λᾱσσα.

Abstracto. 1.—La distinción entre *nombres abstractos* [A. *Begriffsnamen;* I. *Thought-names*] y *nombres c o n c r e t o s* [A. *Dingnamen, Substanzbezeichnende Substantiva;* I. *Reality nouns*] no es fácil. Se dice tradicionalmente que son abstractos los nombres que designan seres que sólo se perciben por la inteligencia, y concretos, los nombres que designan objetos perceptibles por los sentidos. Ortega y Gasset propone otro criterio de distinción: son concretos los nombres de objetos independientes y abstractos, los de objetos no independientes, es decir, que necesitan apoyarse en algo para subsistir. Una *mesa,* un *árbol,* son objetos independientes; la *blancura,* la *honradez,* sólo existen abstrayéndolas de seres que las poseen. «Como los distintos grados de concreción y de abstracción corren sin interrupción de un extremo al otro, resulta que, por la misma naturaleza del asunto, es imposible trazar la división exacta entre los nombres concretos y los abstractos». (A. Alonso-P. Henríquez Ureña). **2.**—**Verbo abstracto** es el verbo *ser,* usado con atributo, y por tanto, sin contenido significativo concreto. **3.**—**Formas abstractas** [I. *Abstract forms*]. Formas de idéntica significación léxica, pero que se emplean en posiciones sintácticas diferentes. Así, un verbo como inglés *run* o un adjetivo como *smooth* no pueden funcionar como agentes, pero existen para esta función las formas abstractas *run* (como .*the run will warm you up*) y *smoothness* (Bloomfield).

Abundancia. Término retórico con que se alude a la riqueza de pensamientos o procedimientos expresivos.

Abusión («Abusio»). Nombre que también se da a la catacresis*.

Académico (Estilo). E s t i l o cuidado, solemne y tradicional.

Acarnanio. Vid. *Griego.*

Acataléctico. Se aplica esta denominación al pie métrico completo o al verso que tiene todos sus pies completos. En caso contrario, el pie o el metro reciben el nombre de *cataléctico*. Así, $\_\_\cup$ es un troqueo acataléctico; pero $\_$ es cataléctico. El verso $\_\cup\_\cup\_\cup$ es una tripodia trocaica acataléctica, mientras $\_\cup\_\cup\_$ es una tripodia trocaica cataléctica. Las nociones de **acatalexia** y **catalexia** son, pues, muy artificiosas, y han sido creadas para poder reconocer en la escansión pies determinados.

Accesatio. Término latino con que, en Retórica, se designa también el polisíndeton*.

Accesoria. 1.—Se da alguna vez este nombre a la oración* subordinada. **2.**—También, a la palabra que no goza de autonomía fonética en la frase [A. *Nebenwort;* I. *Grammatical word, Independent morpheme;* F. *Mot outil*]. Vid. *Enclisis, Proclisis, Palabra principal*.

Accidente gramatical. I. *Inflexion.* Modificación que sufren las palabras para expresar las categorías gramaticales.

Acción. 1.—Término frecuentemente usado. como contrapuesto a estado. Así, verbos de acción *(correr, leer, mirar)* son los que expresan actividad del sujeto, frente a los verbos de estado*. Nombres de acción son aquellos cuyo significado implica alguna actividad *(manifestación)*, frente a los nombres de estado, que no la implican *(manifiesto)*. **2.**—Acción verbal. Vid. *Verbo.* **3.**— Clase, modo de acción. Vid. *Modo.*

Acéfalo (Hexámetro). En la versificación griega, falta de una mora en el primer pie métrico. Presenta, pues, un tríbraco ($\cup\cup\cup$) en vez de un dáctilo ($\_\cup\cup$), o un yambo ($\cup\_$) en vez de un espondeo ($\_\_$). Vid. *Miuro.*

Acento. A. *Akzent, Betonung, Tonfall.* **1.**—Elemento articulatorio mediante el cual se destaca una sílaba en el seno de la palabra. Hay lenguas (inglés, alemán, español, etc.) en las que dicho elemento consiste en una mayor intensidad, esto es, en un mayor esfuerzo espiratorio. Recibe por eso los nombres de acento de intensidad, dinámico, espiratorio, articulatorio o de sonoridad [A. *Intensitätsbetonung, Tonstärke, Druckakzent*]. En o t r a s lenguas (griego, por ejemplo), consiste en una elevación del tono de la voz, es decir, en una mayor tensión de las cuerdas vocales al emitir la sílaba acentuada, y entonces recibe los nombres de **acento tónico, musical, de altura, cromático** o **melódico** [A. *Tonhöhe, Hochton, Ton;* I. *Tone, Pitch*]. En español se da el nombre de *acento tónico* al *acento de intensidad.* Ambos acentos pueden existir en una misma lengua, pero pueden darse con exclusividad uno u otro; en muchos casos, coexisten prevaleciendo uno u otro. Se habla también a veces de un **acento de cantidad** [A. *Quantitätsakzent, Quantitätsbetonung;* I. *Quantitative stress*] que se manifestaría por el alargamiento de la sílaba acentuada. Se reconocen tradicionalmente tres grados de intensidad en el acento: *fuerte, medio* y *débil,* en el dinámico; *largo, normal* y *breve,* en el cuantitativo, y *agudo, circunflejo* y *grave,* en el melódico. A veces se da el nombre de *acento glotal* al ataque duro*. Hay lenguas de **acento fijo** [A. *Fest, Fester*], en las que el acento recae sobre una sílaba determinada, según la estructura de la lengua (latín, céltico, lenguas germánicas), y otras que poseen **acento condicionado** [A. *Gebunden*] o **libre** [A. *Frei;* I. *Free*], cuya sede está determinada por circunstancias fonéticas, morfológicas o sintácticas (así, esp. *canto - cantó*). Como dice Battisti, el término *libre* no debe hacer pensar en una libertad absoluta, ya que, en la práctica, depende de la tradición; de ahí el nombre que también recibe de **acento tradicional** [A. *Traditioneller Ak-*

zent; I. *Traditional stress*]. Referidos el acento de intensidad o el musical a la palabra aislada, se habla de **acento silábico** [A. *Silbenakzent, Silbenton*] o de **acento léxico** [A. *Wortakzent, Wortton;* I. *Word accent* o *Word stress*]. El término francés *accent à coupe forte,* correspondiente a los alemanes *stark geschnittener Akzent* (Sievers), *fester Anschluss* (Jespersen), *scharf geschnittener Akzent* (Dieth), y a los ingleses *close stress* (Sweet), *close nexus* (Heffner), que podríamos llamar **acento de nexo fuerte,** designa, en la cadena hablada, la aparición de la consonante cuando la articulación de la vocal precedente se halla en plena tensión*; e inversamente, podría darse el nombre de **acento de nexo flojo** [A. *Schwach geschnittener Akzent; Loser Anschluss;* I. *Open stress, Loose nexus;* F. *Accent à coupe faible*], la aparición de la consonante cuando la vocal se halla en fase de distensión*. Existe también el llamado **acento de insistencia, retórico, enfático, expresivo** o **afectivo,** que recae sobre una sílaba, átona en el sistema, y que pone de relieve la palabra a que pertenece. Este acento aumenta, no sólo la intensidad de la sílaba afectada, sino también su altura y su duración, ordinariamente. En francés, p o r ejemplo, el acento intensivo cae sobre una consonante, cuyo alargamiento o geminación produce el aumento de intensidad de la vocal si-

guiente: *Ah, le* [*m*]M**ɪ**sérable!*; Tu
es a*[*d*]*Dorable*. Se distingue entre
acento afectivo [A. *Affektbetónung,
Wertdruck; I. Contrasting stress,
Emphasis of intensity*] (ejemplos
anteriores) y **acento intelectivo** [I.
*Emphasis of prominence, Highest
stress*], que tiene por objeto resaltar
una noción, para caracterizarla, distinguirla o definirla *(Ce que nous
voulons, c'est la* [*l*]L**é***galité).* Se da el
nombre de **acento de grupo** [A. *Gruppenakzent; I. Group-stress*] al acento principal del grupo* de intensidad. En ciertas lenguas, existe el
acento de frase [A. *Satzakzent; I.
Sentence-stress*], que, al recaer sobre palabras distintas, sirve para
diferenciar frases. Así, en checo, en
una frase como *tvoje sestra přinesla
knihu* 'tu hermana ha traído un
libro', cada una de las cuatro palabras puede resaltarse con un acento
expiratorio más fuerte en la primera sílaba, con lo que la significación
de dicha frase recibe cuatro matices distintos (*'tu* y no mi hermana...', *'tu hermana* y no tu madre...',
'ha·traído ya el libro y no lo ha
olvidado', 'ha traído un *libro* y no
otra cosa distinta'). Por fin, se denominan **acentos gráficos** algunos
signos de la escritura, aunque, a
veces, no resalten peculiaridades fónicas. Vid. *Agudo, Grave, Circunflejo, Apex, Campo* acentual, Leyes
de Vendryes* y de Wheeler*, Inacentuación.* **2.**—Se habla muchas veces
de **acento andaluz, catalán,** etc., y

del **acento personal** dé alguien. Debe tenerse en cuenta que el acento,
en esta acepción (= *tonillo*) hace
alusión a un complejo de circunstancias articulatorias: entonación,
intensidad, cualidad de los sonidos, etc. **3.**—**Acento principal. Acento secundario.** Pueden desarrollarse
ambos acentos en la palabra, en el
grupo de intensidad, en el grupo fónico y en el verso. A) *En la palabra
aislada.* El *a c e n t o* principal [A.
*Haupton; I. Main, Primary, High,
Ordinary stress*] aparece, en el sistema, en una sílaba de cada palabra,
Cuando ésta es muy larga, se desarrolla un acento, normalmente menos intenso, llamado *secundario* [A.
*N e b e n t o n; I. Secondary, Low
stress*]. Lo encontramos, por ejemplo, en la primera sílaba de *perfectamente.* B) *En el grupo de intensidad.* Su acento principal coincide
con el de la palabra más. significativa o preponderante desde el punto de vista gramatical; si el grupo
está formado por dos o más palabras, los acentos de las palabras
menos relevantes son secundarios
(tódas las tárdes); y si hay palabras
accesorias, en una de ellas se desarrolla el acento secundario *(á los
árboles);* C) *En el grupo fónico.*
Sus acentos principales y secundarios coinciden con los de los grupos
de intensidad que lo integran; D)
En el verso. Los versos cuya extensión excede la de un grupo fónico,
suelen llevar acentos de intensidad
principales, obligatorios sobre cier-

tas sílabas, llamados *ictus,* que pueden o no pertenecer a palabras relevantes. La aparición regular de dichos acentos engendra un ritmo (de ahí su nombre de *acentos métricos* o *rítmicos).* Los acentos no obligatorios son acentos secundarios. Vid., como ejemplo, *endecasílabo.*

Acepción. A. *Sinn, Bedeutung;* I. *Sense, Meaning;* F. *Sens, Acception.* Significado que una palabra recibe en el habla*. Así, *cabo* posee varios significados en la lengua*, pero una sola acepción cuando decimos *el cabo de Finisterre. Acepción* puede alternar con *sentido** en todos los usos de esta palabra, menos en el segundo.

Acomodación. A. *Anpassung.* Asimilación en la cual el sonido asimilador sólo propaga al sonido asimilado uno de sus caracteres. Por ejemplo, la *n* final de sílaba ante bilabial sorda se hace *m,* pero continúa implosiva, nasal y sonora: *en paz = em-paz.* El término es poco frecuente entre los lingüistas españoles, que designan este fenómeno bajo la rúbrica general de *asimilación.*

Acomodativo (Aspecto). Se da en lenguas no indoeuropeas e implica que la acción del verbo se acomoda en beneficio de alguien. Recibe también los nombres de *aplicativo, benefactivo* e *indirectivo.*

Aconsonantado. Se dice de los versos o de la estrofa que tienen rima consonante.

Acortada (Forma). Así puede traducirse el término alemán *Stümmelform,* con que se designa la reducción de una forma lingüística por causas afectivas. Se aplica, sobre todo, al imperativo: *to* (= toma); it. *guà* [= guarda].

Acriollado (Idioma). Vid. *Idioma criollo*.*

Acrofonética (Escritura). A. *Akrophonisches Alphabet* I. *Acrophonetic writing.* Escritura mediante signos originariamente ideográficos, convertidos en signos fonéticos con el valor de la inicial del nombre que poseía el objeto por ellos designado. Así, en hebreo, *bêth,* 'casa' y nombre de la segunda letra del alfabeto.

Acronía. Ausencia de factores temporales en el estudio de los hechos lingüísticos.

Acróstico. Composición poética en la cual las iniciales de los versos, leídos verticalmente, componen una palabra o una frase. El término se extiende a las composiciones en las cuales son las letras media o final de cada verso las que componen la palabra o la frase. Hay filólogos alemanes que dan a estos últimos acrósticos los nombres griegos de *Mesosticha* y *Teles-ticha*, respectivamente.

Activa tantum. Expresión latina con que se designa a los verbos que sólo poseen voz activa: *ser, nacer,* etc.

Activo. 1.—Voz activa. Expresa que la acción del verbo es ejecutada por un sujeto. Vid. *Voz.* **2.—Verbo activo.** Se da este nombre al verbo transitivo. En principio, la designación se aplicaba al verbo que expresa acción, frente al verbo de estado y al verbo pasivo. «Transitivo era el verbo de la oración transitiva, y oración transitiva quería decir que podía pasar *(trans-ire)* de activa en pasiva. Después se fue olvidando esta intención originaria, y se interpretó el término «transitivo» como que hace «pasar» la acción del sujeto al complemento directo. Intransitivo, según esta explicación tardía, es el verbo cuya acción no pasa al complemento. Esta explicación se debe a los gramáticos escolásticos de la Edad Media y, evidentemente, está formada por la etimología del término mismo «transitivo» (A. Alonso-P. Henríquez Ureña). Vid. *Primera* y *Segunda.* **3.—Caso activo.** Se da este nombre al nominativo, frente a los demás casos, llamados *no activos* o *inactivos.* En vasco y otras lenguas, el *caso activo* es un caso especial, llamado también *ergativo** o *agencial.* **4.—Organo activo.** Es el órgano que

se aproxima a otro órgano, activo o pasivo, para constituir el punto de articulación.

Actualización. 1.—Proceso mediante el cual los elementos virtuales de la lengua adquieren una significación y una función reales en la frase (Bally). **2.—Por actualización de los medios de la lengua [A.** *Aktualisierung von Sprachmitteln;* I. *Actualization of the means of language]* entiende Havránek el empleo de los medios lingüísticos que atrae la atención por sí mismo, que choca por su carácter inusitado, no automático; así, una audaz metáfora poética.

Actualizador. Se da este nombre, propuesto por Bally, a cualquier procedimiento que ofrece la lengua para que pueda operarse el mecanismo de la actualización. Al decir *aquella casa,* el demostrativo es un actualizador que refiere el concepto virtual de *«casa»* a una *casa* concreta a la que se alude en el discurso; en *esperaba,* el morfema de imperfecto *-aba* refiere la noción virtual de *esperar* a una espera del pasado. *Casa* y *esperar* son, pues, nociones actualizadas por los actualizadores *aquella* y *-aba.*

Acuidad. Cualidad del sonido, que depende de la nota musical que corresponde a su resonador. Por dicha cualidad los sonidos se dividen en *agudos* y *graves*, y pueden ordenarse según una escala de acuidad. La escala de acuidad de las vocales españolas es: *i, e, a, o, u*.

Acumulación («Accumulatio» o «Frequentatio»). Figura retórica que consiste en una enumeración concisa: *Illi non parcas: est fur, latro, leno, superbus; / Invidus, exactor, ambitiosus, iners* (Everhardus). Es un procedimiento de la amplificatio*.

Acusativo. Caso llamado por los primeros gramáticos griegos αἰτιατική, es decir, caso causal. Apolonio Díscolo vio que el acusativo no era el caso de la causa, sino el caso del efecto. Los latinos le dieron el nombre vigente, por falsa traducción. A partir de F. Ast (1808), se acostumbra a ver en el acusativo la expresión de una relación inmediata entre el verbo y el objeto al que se refiere la acción verbal. Es, por tanto, el caso por excelencia del complemento directo. En latín, se distinguen, entre otros, los siguientes empleos particulares del acusativo: A) **Acusativo complemento de nombre,** con los sustantivos verbales de un verbo transitivo: *legatos ad Caesarem mittunt auxilium rogatum* 'envían una embajada a César para pedirle auxi-

lio'; B) **Acusativo exclamativo:** *me miserum!* '¡pobre de mí!'; C) **Acusativo absoluto,** en construcción autónoma como el ablativo absoluto, en el bajo latín: *regina... neminem scientem* [= 'sin que nadie lo supiera'] *subterfugit;* D) **Acusativo proléptico.** Con verbos transitivos acompañados de una oración completiva, el sujeto de ésta se halla, a veces, anticipado, como complemento directo de la principal: *metuo fratrem ne intus sit* 'temo que el hermano esté dentro'; E) **Acusativo de cualificación,** normalmente, determinando a un verbo intransitivo de la misma raíz o significación: *vitam beatam vivere;* se denomina también **acusativo interno** [A. *Akkusativ des Inhalts;* I. *Cognate accusative*]. F) **Acusativo de extensión:** *Fossa ducentos pedes longa;* G) **Acusativo de duración:** *Per triduum iter fecimus;* H) **Predicativo o adjunto,** que sirve de predicado inmediato al complemento directo de un verbo predicativo transitivo: *Romani apellaverunt Ciceronem patrem patriae;* I) **De dirección:** *Tendimus iter Romam versus;* J) **Doble acusativo,** propio de los verbos que significan atribución de una cualidad a alguien, los compuestos de *trans-* y los que significan enseñar, preguntar, pedir, etc.: *exercitum Ligerim traducit* 'hace pasar el Loire a su ejército'; K) Neutro o adverbial: *ma-ximam partem lacte vivunt.*; L) Se llama acusativo griego, de relación o de parte, al que precisa en qué sentido es válido el enunciado: *flaua comas* 'rubia en cuanto a los cabellos'. Por extensión, damos en español este nombre a construcciones literarias del tipo *los alemanes / el fiero cuello atados* (Garcilaso); *lasciva el movimiento / mas los ojos honesta* (Góngora). Vid. *Oblicuo, Ilativo.*

Acústica (Fonética). I. *Acoustic phonetics.* Rama de la Fonética, especialmente desarrollada a partir de la última guerra en los Estados Unidos y otros países, merced al empleo de instrumentos de análisis del sonido, el oscilógrafo y el espectrógrafo acústico, sobre todo. Se ocupa de la naturaleza de las ondas sonoras y de sus efectos en el oído. La cultivan, entre otros investigadores, los americanos M. Joos, B. P. Bogert, F. S. Cooper, R. K. Potter, A. G. Kopp, H. C. Green, G. E. Peterson, H. L. Barney, el francés P. C. Delattre, la danesa Eli Fischer-Jørgensen, etc.

Acústico. El término hace referencia a la impresión que los sonidos producen en el oyente. Entre el sonido emitido y el percibido puede existir un desajuste que provoca el fenómeno llamado **equivalencia*** **acústica.**

Adagio. Fórmula breve que resume un principio de moral o una observación de carácter general: *Lo bueno, si breve, dos veces bueno.*

Addubitatio. Vid. *Dubitación.*

Aditivo. 1.—Morfemas aditivos [I. *Additive morphemes*]. Así llama Nida a los morfemas* que se ligan por adición: raíces, prefijos, sufijos, infijos, etc. Frente a ellos están los morfemas **reemplazantes** [I. *Replacive morphemes*], que se ponen en lugar de alguna parte del tema, y los **sustractivos.** [I *Substractive morphemes*], que consisten en quitar alguna parte del tema. **2.**—**Caso aditivo.** Vid. *Adlativo.*

Adjetivación. 1.—Conjunto de adjetivos de un texto; en tal sentido la calificamos de *pobre* o *rica,* atendiendo a su cantidad, a su calidad o a ambas. **2.**—Metábasis* por la cual una palabra pasa a desempeñar una función típica del adjetivo.

Adjetivo. A. *Eigenschaftswort.* **1.**—Palabra que funciona ordinariamente como complemento nominal adjunto y, por tanto, de rango secundario. Los gramáticos greco-latinos no hacían distinción entre sustantivo y adjetivo, y ambos constituían la categoría del nombre ὄνομα - *nomen).* Durante la Edad Media se introdujo la distinción entre *nomen substantivum* y *nomen adiectivum.* Girard (1747) y Bodmer (1768) iniciaron la consideración del adjetivo como categoría independiente. Se distingue entre **adjetivos atributivos** (unidos asindéticamente al nombre: *noche oscura* u *oscura noche)* y **adjetivos predicativos** (ligados al nombre mediante un verbo copulativo: *la noche era oscura).* En la terminología francesa es frecuente utilizar como sinónimos los términos *adjetivo atributivo* y *predicativo.* En alemán, se emplea a veces *Beiwort* para designar al primero. Y es frecuente que, por influjo de los gramáticos franceses, se le denomine también *epíteto.* Se distingue también entre **adjetivos calificativos** y **determinativos.** Los primeros expresan una cualidad del sustantivo *(luz brillante),* mientras que los segundos delimitan la extensión en que se toma el sustantivo, añadiéndole diversas notas; sus especies son: **numerales** *(capítulo primero),* **posesivos** *(tus guantes),* **demostrativos** *(esa puerta),* **interrogativos** *(¿qué calle?),* **exclamativos** *(¡qué calle!)* e **indefinidos** *(algunas personas)* Sintácticamente, se diferencian en español en que, en

la oración enunciativa, los calificativos no pueden funcionar como actualizadores del nombre para la función de sujeto, mientras que los determinativos pueden hacerlo. En gramática francesa, se da el nombre de *adjectif détaché, adjectif en apposition, attribut implicit* y *prédicat* o *attribut indirect* (Sandfeld), al adjetivo separado del sustantivo por pausa *(Et la morte semblait leur obeir, docile).* Se da el nombre de **adjetivo atributivo - adverbial** al que funciona como complemento atributivo* *(el agua cae lenta),* y el de **adjetivo adverbial** al que funciona como complemento del verbo exclusivamente *(la bala dio alto).* **Adjetivo sustantivado** o **absoluto** es el que desempeña en la frase la u n c i ó n de sustantivo mediante transposición *(lo alegre, un desaprensivo).* Vid. *Epíteto, Explicativo, Especificativo, Atributo, Adyectício.* **3.—Adjetivo verbal** es el participio en función adjetiva, cuando no ha perdido aún su naturaleza verbal; en español resulta difícil trazar un límite entre el adjetivo y el participio; en francés, sin embargo, el adjetivo verbal concierta con el sustantivo, mientras que el participio permanece invariable: *Il n'avait jamais vu son amie dormant* (participio).— *Il n'avait jamais vu une femme si vivante* (adjetivo verbal).

Adjunción. Nombre alguna vez dado al zeugma*.

Adjunto. Se dice de toda palabra que funciona como complemento asindético de otra. Vid. _Acusativo_ y _Rango_.

Adlativo. A. _Allativus;_ I. _Allative;_ F. _Allatif._ Caso del vasco, del turco, etc., llamado también _aditivo_, que indica la dirección.

Adnominal. 1.—Aplicado este término a una forma gramatical, indica que dicha forma depende de **un** nombre. Por ejemplo, es adnominal el genitivo en _domus patris._ Se opone a _adverbal*._ **2.**—Caso **adnominal,** es, en ciertas lenguas, el caso único regido por el nombre y las formas nominales.

Adnominatio. Término latino con que se designa la paronomasia*.

Adónico. A. _Adoneus;_ F. _Adonien._ Verso clásico que responde al esquema ‿‿‿‿‿‿. Se le da este nombre por poseer el esquema del lamento por la muerte prematura de Adonis: ὦ τὸν ’Αδῶνιν. Es elemento final de la estrofa sáfica*. En español, trató de reproducirlo acentualmente Villegas: _céfiro blando._

Adopción lingüística. Término que propone A. Castro (y también

el de importación lingüística) para sustituir el de _préstamo*,_ ya que cuando un elemento de una lengua es adquirido por otra, nunca se devuelve.

Adstrato. **1.**—Término propuesto por M. Valkhoff para designar el influjo entre dos lenguas que, habiendo convivido algún tiempo en un mismo territorio, luego viven en territorios vecinos. Es sinónimo de _parastrato._ Vid. _Sustrato, Superestrato._ **2.**—El mismo término se aplica actualmente por muchos lingüistas para designar el influjo mutuo de dos lenguas o dialectos vecinos: catalán y castellano, gallego y asturiano, etc.

Advenediza (Palabra). A. _Lehnwort, Entlehnung._ Palabra que no ha llegado a nosotros transmitida por vía oral desde los orígenes del idioma (A. Castro). Vid. _Préstamo_ y _Adopción* lingüística._

Adverbal. 1.—Aplicado este término a una forma gramatical, indica que dicha forma depende de un verbo. Por ejemplo, es adverbal el genitivo en _miserere nostri._ 2.—Caso adverbal es, en ciertas lenguas, el caso único regido por el verbo.

Adverbial. 1.—Locución, modo o frase adverbial. Vid. _Locución._ 2.—

Oración adverbial. Vid. *Circunstancial.*

Adverbialización. Proceso mediante el cual una palabra, normalmente un adjetivo, pasa a ejercer funciones de adverbio.

Adverbio. A. *Umstandswort.* 1.— Parte invariable de la oración, instituida por los gramáticos griegos con el nombre de ἐπίρρημα (adición al verbo), que designaba, en principio, palabras cortas que no cabían en las cuatro clases aristotélicas (nombre, verbo, artículo y preposición). Por ello, los estoicos llamaban a esta categoría πανδέκτης 'receptáculo universal'. Se clasificaban en ella palabras que expresaban grado, modo, lugar, tiempo, afirmación, negación y hasta interjecciones. La palabra latina *adverbium* es un calco del griego. Scaligero (1540) señaló que el adverbio podía modificar la significación no sólo del verbo *(anda despacio)*, sino también de un adjetivo *(muy alto)* y de un adverbio *(muy mal)*. Posteriormente se ha señalado que el adverbio puede afectar a un sustantivo *(muy hombre)* y a una frase completa *(desgraciadamente, ocurrió así)*. En general, en las lenguas románicas, el adverbio funciona como elemento de rango sintáctico terciario. Los adverbios pueden ser de tiempo *(hoy, ayer mientras)*, de lugar *(aquí, cerca, arriba)*, de cantidad *(mucho, muy, excepto...)*, de modo *(bien, tal, así...)*, de afirmadad *(sí, también, efectivamente...)*, de negación *(no, tampoco)*, de duda *(quizá, posiblemente, acaso)*. 2.— **Adverbios pronominales.** Son aquellos que pueden desempeñar la función de pronombres; pueden ser interrogativos *(cuándo, cuánto...)*, relativos *(donde, como, cuanto, cuando...: la casa donde nací)*, demostrativos *(aquí, allí, así ahí, tanto...)*, indefinidos *(siempre, nunca, nada...)* 3.—**Adverbio conjuntivo.** Es el que puede funcionar como conjunción: latín *inde*, español *bien*.

Adversativo. 1. — Designación que se aplica a conjunciones, frases conjuntivas, adjetivos y adverbios que significan oposición, contrariedad: *mas, pero, aunque, sino, antes bien, fuera de, salvo, excepto, menos*, etc. 2.—**Oraciones adversativas** son aquellas oraciones coordinadas cuyos significados se oponen parcial o totalmente. En el primer caso, la coordinación es **restrictiva** o **correctiva** [A. *Einschränkende, Beschränkende*]: quería dinero, pero no obtuvo mucho; en el segundo, es **exclusiva** [A. *Ausschliessende*]: *no tengo alegría, sino dolor.* Se relacionan mediante conjunciones, frases conjuntivas, adjetivos y adverbios adversativos.

Adversivo (Caso). Caso que, en ciertas lenguas, expresa el fin a que tiende un movimiento.

Adyecticio (Adjetivo, Sustantivo). Vid. *Traiectio.*

Afasia. 1.—Trastorno del lenguaje, consistente en la imposibilidad o dificultad de hablar, producido por una lesión en los centros nerviosos. Una modalidad importante es la *afasia amnésica,* en la que se da una disociación absoluta entre el significante y el significado. Vid. *Afemia* y *Parafasia.* **2.—Afasia sensorial (de Wernicke).** Alteración de la capacidad perceptiva del lenguaje. Existe cuando se perciben los sonidos de un modo normal, pero no son reconocidos como lenguaje *(sordera verbal)* o bien las palabras no son comprendidas *(afasia sensorial propia o cortical)* o lo son incorrectamente *(afasia sensorial trascortical).*

Afectación. Defecto que comete un escritor u orador cuando se aparta viciosamente de lo natural.

Afectividad lingüística. Manifestación que en el lenguaje adquieren las formas peculiares del pensamiento, los deseos, las voliciones, los juicios de valor, los sentimientos, etc., del hablante mediante elección de vocabulario, pronunciación más o menos enfática, variaciones tonales, ordenación de palabras, etc. Recibe también el nombre de **expresividad lingüística.** El lenguaje, al permitir al hablante tal participación subjetiva, cumple una de sus funciones* principales: la de expresión. Bally ha desarrollado una rama de la Lingüística, la Estilística*, dedicada al estudio de la afectividad.

Afectivo. 1.—Lenguaje, pronunciación, entonación, orden de palabras, etc., reciben la denominación de *afectivos* para señalar que están teñidos de afectividad. **2.—Caso afectivo** se llama al caso de algunas lenguas caucásicas que denota al objeto afectado por la acción del verbo. **3.—Verbo afectivo** [A. *Verbum des Affizierens*], por oposición a efectivo*, es el verbo transitivo con complemento [A. *Affiziertes Objekt*] que recibe la acción: *veo a tu padre.* Vid. *Productivo*. **4.—**Acento afectivo. Vid. *Acento.*

Afemia. Fenómeno patológico, descrito por Broca, consistente en la pérdida del lenguaje articulado, sin que se altere el sistema de significados. Se diferencia de la afasia amnésica en que en ésta se encuentra afectado dicho sistema y, por tanto, el intelecto del enfermo.

Aféresis. Pérdida de un sonido o grupo de sonidos al comienzo de una palabra: l e c t o r i l e > *letril* > *latril* > *atril*. Vid. *Deglutinación*.

Afijación. Adición de un afijo.

Afijo. A. I. *Affix* F. *Affixe*. Elemento formativo, que, con la raíz, contribuye a la constitución de la palabra. Puede aparecer al principio de la palabra *(prefijo)*, en medio *(infijo)* o al final *(sufijo* y *desinencia)*.

Afinidad lingüística. T é r m i n o propuesto por Ginneken para designar la semejanza de estructura (sintáctica, morfológica o fonológica) que reúne a varias lenguas contiguas en una asociación*, sean dichas lenguas de un mismo origen, sean de ascendencia diferente.

Afirmativo. 1.—**Frase afirmativa** aseverativa o asertiva es aquella que ofrece un enunciado compatible con el adverbio *sí;* se opone a frase negativa*. **2.**—**Adverbio afirmativo o de afirmación** es el adverbio *sí* o cualquier otro que lo implica. Se opone a adverbio negativo.

Afonemático (Signo demarcativo). Variante combinatoria de un fonema, que sólo se emplea en posición de límite (Vid. *Demarcativo)*. Ejemplo: el ataque* vocálico duro del alemán, ya que no es un fonema, sino un tipo de realización de la vocal, en posición inicial del morfema.

Aforismo. Frase breve que resume en pocas palabras un conocimiento esencial, muchas veces médico o jurídico: *Excusatio non petita, accusatio manifesta.*

Africada. A. *Affrikata;* **I.** *Semi-Affriquée.* **1.**—**Articulación africada,** *occlusive, Affricate;* F. *Mi-occlusive,* **semioclusiva u oclusivofricativa** es aquella que resulta de combinar una oclusión con una fricación verificadas en el mismo punto de articulación y con los mismos órganos; el tiempo que se emplea en ambos movimientos es, aproximadamente, el mismo que se emplea en la emisión de un sonido oclusivo. **2.**—Fonema o sonido resultante de una articulación africada. En español hay un fonema africado, *ch,* y una variante africada de *y: ɏélmo, kóɏɏuxe.*

Afrikaans. Recibe este nombre el holandés hablado en Africa del Sur (Transvaal, Orange y parte de la colonia del Cabo). Ha incorporado elementos lingüísticos indígenas.

Afronegrismo. Palabra o rasgo lingüístico procedentes de una lengua del Africa negra.

Agencial. Vid. *Activo.*

Agente. Ejecutante de la acción verbal.

Aglomerantes (Lenguas). Vid. *Incorporantes (Lenguas).*

Aglutinación. 1.—Fenómeno por el cual dos o más palabras, originariamente distintas, pero que constituyen frecuentemente sintagma*, se funden en una unidad permanente y difícilmente analizable. Es un proceso mediante ·el cual la lengua obtiene nuevas palabras y que se verifica mecánicamente, sin participación voluntaria de los hablantes. Por ejemplo, h a c h o r a > *ahora, cantar he > cantaré.* **2.**—Encuentro efímero de dos o más elementos en úna palabra, que se realiza en las llamadas lenguas aglutinantes

Aglutinantes (Lenguas). A. *Agglutinierende, Anleimende, Anfügende Sprachen.* I. *Agglutinative languages.* Son aquellas cuyas relaciones gramaticales se traban por

medio de la aglutinación en una sola palabra de varios elementos, cada uno de los cuales posee una significación fija, una total individualidad. Ello les permite unirse efímeramente, y separarse, en el complejo usado como palabra. Son lenguas aglutinantes el finés y otras lenguas fino-ugras, idiomas malayopolinesios, el turco, etc. En este idioma, por ejemplo, *sev* significa «amor»; *sev-mek,* «amar»; *sev-er,* «él ama»; *sev-er-im,* «yo soy un amador, yo amo»; *sev-me-mek,* «no amar»; *sev - dir - mek,* «provocar amor»*, etc.

Agma. En griego, nasal velar representada por una gamma. En latín se representó normalmente por *n,* pero a veces se usó *g;* así, Accio escribe *aggulus, agceps.*

Agrafía. Alteración de la facultad de escribir, debida a lesiones en los centros nerviosos.

Agudo. A. *Akut, Hoch, Stoss.* **1.**—Acento agudo [A. *Steigend*]. En griego, «consiste en una elevación uniforme de la voz, repartida por toda la duración del elemento vocálico, sea éste una vocal breve, una vocal larga o un diptongo: φλέψ, θήρ, Ζεύς» (Bally). Su representación gráfica es ('). **2.**—En francés, el acento agudo (') sirve para denotar que la vocal es cerrada. **3.—Palabras agudas.** Palabras que reciben el acento de intensidad en la última sílaba. **4.— Verso agudo.** Verso que acaba con palabra aguda. **5.—Sonido agudo.** Vid. *Tono* y *Timbre.* **6.—Consonantes agudas.** Término propuesto por Jakobson para designar las consonantes palatales y dentales. Su razonamiento es el siguiente: «¿Cómo explicar fenómenos tan frecuentes y extendidos en las lenguas del mundo como los cambios de velares en labiales y viceversa, y sus recíprocas sustituciones acústicas?... Ocurre... que las velares y las labiales adquieren su cualidad en un resonador bucal largo e indiviso; por el contrario, para las palatales y las dentales, la lengua divide la cavidad bucal en dos cortas cajas de resonancia. Además, ... la faringe se estrecha y reduce para las velares y las labiales, mientras que se ensancha para las palatales y dentales correspondientes... Se debe a un resonador largo e indiviso y a su orificio posterior estrecho y reducido, la nota característica de las consonantes velares y labiales; nota relativamente baja, correspondiente a la de las vocales velares y opuesta a la de las consonantes palatales y dentales. Esta última es relativamente alta, y corresponde,

aproximadamente, a la nota característica de las vocales palatales... No se trata... de alturas musicales absolutas, sino únicamente de una oposición de dos timbres que no pueden descomponerse y, en nuestro caso particular, se trata de una oposición de consonantes agudas y graves.»

Aimará. Familia lingüística indígena de Perú y Bolivia, que cuenta con unos 500.000 hablantes.

Aislacionista (Método). Vid. *Integral (Método).*

Aislada (Oposición). En ella la relación que existe entre sus términos es exclusiva de dichos términos, dentro del sistema. Por ejemplo, en español, la oposición r|rr es aislada, pues su relación (vibración simple-vibración múltiple), no se da más que en esos dos fonemas.

Aislantes (Lenguas). Vid. *Isolantes* (Lenguas).*

Aislativo-enfático (Nominativo). Vid. *Nominativo.*

Alamán. Vid. *Alemán.*

Alargada. 1.—Fricativa alargada (A. *Spaltförmig*) es aquella en cuya articulación los órganos forman una estrechez a modo de hendidura: *b*, *f*. Se oponen a fricativa redondeada*. **2.**—Forma alargada. Vid. *Forma plena*.

Alargamiento. A. *Dehnung, Längung;* I. *Lengthening;* F. *Allongement.* 1.—Aumento de la duración de una vocal con valor distintivo* o no. En las lenguas que poseen cantidad* vocálica se produce el llamado **alargamiento compensatorio** (A. *Ersatzdehnung).* Así, en griego o latín, si en un grupo de dos consonantes, siendo la primera sonora, ésta perdía su articulación, sus vibraciones sonoras se incorporaban a la vocal precedente, alargándola si era breve: *cŏnventio* > *cōventio,* λύρᾰνς > λύρᾱς. **2.**—**Alargamiento rítmico.** Se produce en griego para evitar la presencia de tres o más sílabas breves en una palabra: σοφός — σοφώτατος. En la poesía trata de evitar la presencia de tres sílabas breves seguidas (tríbraco) o de larga - breve - larga (crético), prohibidas en el hexámetro: Así, μέλᾰνῐ es, en Homero, μείλᾱνῐ **3.**— Con el término *alargamiento* se designa también el aumento del cuerpo fónico de una palabra. Se debe éste a multitud de causas: analogía*, toscano *egli(no) cantano;* afectividad*, como la preferencia por el

diminutivo en el latín vulgar: *auricula, soliculum,* etc.

Alavés. Castellano hablado en Alava, con escasos rasgos vascos y riojanos.

Albanés. Lengua indoeuropea de la moderna Albania, cuya relación con el ilírico, antiguamente postulada, se ha desechado. Su filiación no es conocida. Su primera manifestación escrita es muy tardía: data de 1462. La hablan 1.800.000 personas, de las cuales un millón vive en Albania.

Alcaica (Estrofa) Estrofa, utilizada por los poetas eolios Safo y Alceo (de este último ha recibido el nombre) e introducida en latín por Horacio, que se compone de los siguientes **versos alcaicos:** dos endecasílabos (◡ _ ◡ _ ◡ _ ◡ ◡ _ ◡ _), un eneasílabo (◡ _ ◡ _ _ _ ◡ _ ◡) y un decasílabo (_ ◡ ◡ _ ◡ ◡ _ ◡ _ _), cuya escansión se realiza de diversos modos, según los tratadistas de métrica.

Alegoría. 1.—Procedimiento retórico mediante el cual se expresa un pensamiento, traduciéndolo a imágenes poéticas, de tal suerte que entre los elementos de la rama «real» y de la imaginativa, exista correspondencia.· Ordinariamente, se parte de una comparación o de una metáfora; así, Berceo, en su Introducción de los «Milagros», parte del supuesto *el Paraíso* (término real) *es como un prado* (imagen), y expone su visión deleitosa del Paraíso como un prado, en el que hay fuentes (= los evangelios), aves (= los santos), flores (= los nombres de la Virgen), etc. Cuando la correspondencia entre la imagen con sus notas y el término real con las suyas, no se percibe con claridad, se produce el enigma: *En la redonda / encrucijada / seis doncellas / bailan. / Tres de carne / y tres de plata. / Los sueños de ayer las buscan / pero las tiene abrazadas / un Polifemo de oro* [= la guitarra] (García Lorca). 2.—Cada una de las figuras que simbolizan una idea abstracta, en una obra literaria.

Alejandrino (Verso). 1.—Verso español de catorce sílabas, de origen francés. Navarro Tomás expone las siguientes variantes: A) **Trocaico** (o óo óo óo : o óo óo óo): *Lanzóse el fiero bruto con ímpetu salvaje.* B) **Dactílico** (oo ó oo óo : oo ó oo óo): *La princesa está triste. ¿Qué tendrá la princesa?* C) **Mixto.** Suma de dos heptasílabos con acentos en primera y sexta de cada hemistiquio (óoo oo óo : óoo oo óo):

Ráfaga repentina... Pálida e ilusoria. D) **Ternario.** Es el mismo tridecasílabo* ternario, que se mezcla con las variedades anteriores de alejandrino: *azucena tronchada por un cruel destino, / rebusca de la dicha, persecución del mal.* E) **Alejandrino a la francesa.** Primer hemistiquio con terminación aguda o con sinalefa o encabalgamiento respecto al segundo: *En cierta catedral una campana había / que sólo se tocaba algún solemne día; / con el más grave son y sonoro compás / cuatro golpes o tres solía dar no más.* F) **Polirrítmico.** Combinación de los distintos tipos indicados. G) **Tetradecasílabo trocaico** (óo óo óo:óo óo óo óo): *Soplo de los mares, mensajera del verano.* H)· **Tetradecasílabo dactílico** (óoo óoo óoo óoo óo): *Dijo el Centauro, meciendo sus crines hirsutas.* 2.—En la métrica francesa, verso de doce sílabas, que aparece por vez primera en la literatura gala en el *Roman d'Alexandre* (s. XIII). Cayó en desuso; y fue rehabilitado por Ronsard y la Pléiade (s. XVI). El alejandrino clásico contiene, en general, cuatro acentos, repartidos en cuatro miembros, con pausa muy marcada en el hemistiquio: *Que toujóurs, / dans vos vérs, // le séns, / coupant les móts* (Boileau). Los románticos cultivaron un alejandrino de tres miembros, ya conocido antes: *J'ai disloqué / ce grand niais / d'alexandrin* (V. Hugo). Hoy son muy variados los acentos. y miembros.

Alemán. A. *Deutsch;* I. *German.* Lengua germánica* occidental, hablada hoy por cerca de cien millones de personas. Se dividía antiguamente en **alto alemán,** al S., documentado desde el siglo VIII, que comprendía en la Edad Media: el **bávaro** (Baviera, Austria, parte del Tirol y Carintia); el **alamán o alemánico,** que, junto con el bávaro, recibe a veces el nombre de **alemán superior** [A. *Oberdeutsch*], y el **fráncico** [A. *Fränkisch*], algunas de cuyas lenguas, emparentadas con **el bajo alemán,** reciben el nombre de **alemán medio** [A. *Mitteldeutsch*], grupo muy diversificado, del que surgirá el alemán actual. El **bajo alemán** [A. *Niederdeutsch*] o **sajón antiguo,** documentado desde el siglo IX, del que proceden el *holandés*, el *flamenco* y el *frisón*. La unificación idiomática de Alemania se realizó, durante la Reforma, a través de la Biblia, traducida por Lutero. Esta traducción se basó en el dialecto de Sajonia, que se generalizó como lengua literaria y escrita en toda Alemania, no sólo en su parte alto-alemana, sino también en la bajo-alemana, y esa lengua escrita neo-alto-alemana se hizo, del si-

glo XVII al XVIII, lengua conversacional general: el *alemán* actual, que se habla en Alemania, Austria, parte de Suiza y de Luxemburgo, y por grupos numerosos de alemanes en U. S. A., Brasil, Argentina, etcétera. Vid. *Yiddish*.

Alemánico. Vid. *Alemán*.

Alentejano. Vid. *Portugués*.

Aleutiano-Esquimal (Grupo). Conjunto de lenguas habladas en las islas Aleutianas y por el pueblo esquimal (A. I. F. *Eskimo),* al N. de Alaska, en las orillas de la bahía del Hudson, en las costas de Labrador y en Groenlandia. Parecen relacionadas con el grupo altaico*.

Alexia. Alteración de la facultad de leer, debida a lesiones en el sistema nervioso.

Alfabética (Transcripción no). Vid. *Transcripción*.

Alfabeto. 1.—Sistema de signos gráficos usados en la escritura fonética alfabética. **2.—Alfabeto fonético** es un sistema convencional de caracteres gráficos, usado por los lingüistas para la exacta transcripción de los textos hablados o escritos; cada signo representa rigurosamente un sonido. Se ha intentado, en alguna ocasión, crear un alfabeto fonético único, de validez internacional; sin embargo, existen variaciones, a veces importantes, entre los sistemas de transcripción usados por las diversas escuelas.

Algarvés. Vid. *Portugués.*

Alguerés. Dialecto catalán que se habla en el enclave* de Alguer (Cerdeña), ciudad de unos 12.000 habitantes.

Alianza de lenguas. [A. *Sprachbund*]. Designación propuesta por Trubetzkoy para los grupos de lenguas que poseen entre sí semejanzas notables en su estructura sintáctica, morfológica o fonológica. En este sentido se diferencia de la familia* de lenguas.

Alicantino. Vid. *Catalán.*

Aliteración. [A. *Stabreim, Anreim*]. Repetición de un sonido o de una serie de sonidos acústicamente semejantes, en una palabra o en un enunciado. Es usada frecuentemente en el lenguaje poético: *el silbo de los aires amorosos.* El sonido repetido *(s,* en el ejemplo anterior) se llama **sonido aliterado**

[A. *Alliterierend;* I. *Alliterative;* F. *Allitérant*]. La aliteración constituyó en germánico antiguo y en celta el principal artificio retórico.

Aliteradas (Fórmulas). Vid *Gemelas (Fórmulas).*

Aljamía. Nombre que daban los moros a la lengua castellana. Hoy se aplica especialmente a lo escrito en nuestra lengua con caracteres arábigos.

Allegro (Forma). Nombre que puede recibir también la *forma abreviada.* Vid. *Forma plena*.*

«Alloglota». Vid. *Enclave.*

Alófona o **alófono.** Término con que podemos traducir el I. *allophone,* usado por Hockett, Bloch y otros lingüistas norteamericanos, en la acepción de variante* combinatoria.

Alomorfo. Con este término podemos traducir el I. *allomorph,* empleado por algunos lingüistas norteamericanos para designar la variante combinatoria de un morfema* (Téngase en cuenta la especial acepción de esta palabra entre ciertos lingüistas de aquel país). Así, *ve* es un alomorfo de *ir,* condicionado por la presencia de *tú.*

Alosema. I. *Alloseme.* **1.**—Unidad de significación que corresponde al *alomorfema**. **2.**—Subunidad de un semema (Nida).

Alótropo. A. *Scheidewort.* Cada una de las formas divergentes que proceden de una misma base: c o - l l o c a r e, *colgar* y *colocar.* Vid. *Doblete* y *Homeótropo.*

Altaico. Vid. *Uralo-altaico.*

Alteración del signo. Se da este nombre a cualquier desplazamiento que se produce en la relación entre significante* y significado*.

Alternación. Término utilizado frecuentemente como sinónimo de *alternancia**.

Alternancia. A. *Wechsel, Abstufung,* *Stufenwechsel;* **I.** *Gradation.* **1.**—Fenómeno frecuente en la morfología de las lenguas indoeuropeas antiguas y modernas, que consiste en la «correspondencia entre dos sonidos o grupos de sonidos determinados, que se permutan regularmente entre dos series de formas existentes» (Saussure). Por ejemplo, en francés, toda ŏ en sílaba libre se ha hecho ŏ cuando era tónica, y *u* (escrito *ou*), en posición protóni-

ca. De ahí, parejas como *pouvons-peuvent, ouvrier - oeuvre, nouveau-neuf,* etc., en las que se distingue claramente una alternancia. Esta, según afecte a las consonantes o a las vocales, puede ser **consonántica** o vocálica. Es consonántica la llamada **alternancia gramatical** del germánico común*, que consiste en el distinto resultado de una misma consonante, según el lugar del acento. Así, el alto medio alemán ofrece la siguiente alternancia: *ferliesen-ferloren, kiesen - gekoren, friesen-gefroren,* etc. La alternancia **vocálica** o apofonía [A. *Ablaut, Vokalablaut;* I. *Vowel-gradation*] puede ser de tres clases: A) **Cuantitativa**: permite distinguir morfemas según la cantidad de la vocal, que puede tener cuatro grados [A. *Stufen;* I. *Grades;* F. *Degrés*], según la vocal se presente con su cantidad normal, más larga, más breve o haya desaparecido: *normal* o *pleno* [A. *Vollstufe;* I. *Full* o *normal grade;* F. *Degré plein*], alargado [A. *Dehnstufe;* I. *Prolonged grade;* F. *Degré long*], reducido [A. *Reduktionsstufe;* I. *Reduced grade;* F. *Degré reduit*], y grado cero* [A. *Nullstufe,* *Schwundstufe;* I. *Zero-grade;* F. *Degré-zéro*]. B) **Cualitativa** [A. *Abtönung*]: afecta al timbre de la vocal; latín *tego* «cubro»-*toga* «manto». C) **Acentual**: permite distinguir, por ejemplo, τόμος «corte» de τομός «cortante». Vid. *Morfonema.* **2.—Alternancia temática** [A. *Stammabstufung;* I. *Stemgradation*] es la que origina temas distintos en los paradigmas casuales o verbales. Vid. *Forma fuerte*, débil*.* **3.—Alternancia morfológica** [A. *Morphologische Alternation;* I. *Morphological alternation*]. «Alternancia de un fonema con *a)* un fonema correlativo, o *b)* con un fonema disjunto, o *c)* con un grupo de fonemas, o *d)* con el cero fónico, en el interior de un mismo morfema» (TCLP). Así, alemán *geben-gab, gib.* **4.—Alternancia de rimas.** Práctica fijada en la poesía francesa por la Pléiade (s. XVI), consistente en alternar regularmente versos de rima masculina* y femenina*, de dos en dos *(m-m-f-f-m-m-f-f,* etc.).

Alternante. Los fonólogos dan este nombre a cada uno de los miembros que componen un morfonema*. Vid. *Modificación fonética.*

Alto. A. *Hoch-;* I. *High-,* F. *Haut-.* Adjetivo que funciona como prefijo, antepuesto al nombre de un idioma o un dialecto, para indicar la modalidad que éste presenta en la parte montañosa del país, alejada de las grandes llanuras o del mar: *Alto-aragonés.*

Altura. A. *Höhe, Tonhöhe.* I. *Pitch;* F. *Hauteur.* Grado de elevación en el tono de la voz, producida por la mayor o menor tensión de las cuerdas vocales. De la sílaba que posee una mayor altura en la palabra, se dice que es portadora del acento de altura o tono. Las diversas alturas, al sucederse en la cadena oral, describen una línea que denominamos *entonación.*

Alusión. Vid. *Perífrasis.*

Alveolar. I. *Gingival.* Articulación cuyos órganos activo y pasivo son la punta de la lengua y la cara interna de los alvéolos, respectivamente.

Amalgamantes (Lenguas). Vid. *Flexivas (lenguas).*

Amárico. Vid. *Etiópico.*

Ambiguo. 1.—Género ambiguo. Es el género atribuido por la gramática tradicional a los sustantivos que pueden usarse indistintamente en masculino o femenino: *mar, azúcar, puente, calor,* etc. **2.—Se llama vocales ambiguas** a las vocales griegas α, ι, υ, que pueden ser breves o largas, frente a ε, o breves, y η, ω largas necesariamente.

Amebeo. A. *Amoibaion, Wechselgesang.* Cantar o recitado en el que toman parte dos o más personas alternativamente. Es frecuente en las églogas.

Americanas (Lenguas). Se designan así, por excelencia, las lenguas indígenas del continente americano, que, en número de unas 900, se hablaban, a principios del siglo XVI, por menos de 20 millones de individuos. Hoy subsisten muchas de ellas, habladas por las poblaciones indígenas (unos 12 millones de personas). Sin que esto responda a criterios lingüísticos, se dividen en A) Lenguas norteamericanas (unos 400.000 hablantes): *Algonquín, iroqués, siux, tunika, yuki,* etcétera. B) **Lenguas de Méjico y Guatemala** (unos ·4.600.000 hablantes): *azteca** o *náhuatl, amusgo, maya*, zapoteco, tarasco,* etc. C) **Lenguas centroamericanas** (salvo Guatemala), **antillanas** y **sudamericanas** (unos 7.000.000 de hablantes), con importantes grupos lingüísticos, como el *araucano** (o *mapuche*), *arahuaco*, aimará*, chibcha*, quechua** o *quichua, tupi*-guaraní,* etc.

Americanismo. Palabra de procedencia indígena americana, incorporada a cualquier lengua no americana. Vid. *Indigenismo.*

Amorfo. Término empleado por Sommer para designar el vocablo que intenta reproducir un ruido o un sonido animal. Alude al hecho de que una imitación perfecta de uno de tales sonidos *(guau, miau,* por ejemplo), presupone la renuncia a los rasgos articulatorios constitutivos de estas palabras.

Ampliada (Forma). A. *Streckform;* F. *Forme étirée.* Forma lingüística que presenta una ampliación de su cuerpo normal. Así, alemán *scherwenzeln* < *schwenzeln; stitzen* < *stibitzen.* El fenómeno está en relación con lo que Corominas ha llamado **ampliación consonántica** [A. *Zerdehnung*], alargamiento de una palabra por razones expresivas. Así, *cuculla* 'capucho' > cat. *cucurulla.*

Amplificación («Amplificatio» o «Dilatatio»). Este término «era ya empleado por los retóricos de la Antigüedad; pero entra en la Edad Media con una acepción enteramente nueva. Por *amplificar,* los antiguos entendían 'realzar (una idea), resaltarla'; así lo hacen aún, en una época tardía, algunos de sus imitadores directos como Alcuino. Pero los teóricos de los siglos XII y XIII, entendían por *amplificar* 'desarrollar, alargar un tema'» (Faral).

La amplificación es, en la Edad Media, la misión principal del escritor. Para lograrla, los teóricos indican muchos procedimientos; los principales son: *interpretatio**, *expolitio**, *perífrasis**, *comparación* o *símil**, *apóstrofe**, *prosopopeya**, *digresión**, *exclamatio**, *conduplicatio**, *subjectio**, *dubitatio**, etc.

Amplitud. En un diagrama sinusoidal obtenido por el registro del sonido mediante un oscilógrafo, máxima desviación con relación a la línea que sirve de referencia o línea cero. [I. *Zero line*]. Vid. *Ciclo.*

Amredita. Vid. *Compuesto.*

Anaclasis. Intercambio de cantidades que se establece entre el pie final de un metro y el inicial del siguiente. Así, por ejemplo, un metro yámbico* (◡ _ ◡ _) puede pasar, por anaclasis, a coriambo* (_ ◡ ◡ _).

Anacoluto. Abandono de la construcción sintáctica exigida por un período, para adoptar otra más acorde con lo que el hablante piensa en aquel momento, con olvido de la coherencia gramatical: *El alma que por su culpa se aparta desta fuente y se planta en otra de muy mal olor, todo lo que corre della es la mesma desventura y suciedad* (Santa Teresa).

Anacrusis. Con este término, introducido por Bentley y G. Hermann (siglos XVIII-XIX) en la métrica clásica, se designa la primera sílaba de un verso, que algunas veces no se cuenta, para poder obtener, convencionalmente, un número exacto de pies.

Anadiplosis. Figura retórica, llamada también *reduplicación*, y *anástrofe*, consistente en la repetición de la última parte de un grupo sintáctico o de un verso, al comienzo del siguiente (... *x* / *x* ...): *Vos haec facietis maxima Gallo,* / *Gallo cuius amor tantum mihi crescit in horas* (Virgilio). *Oye, no temas, y a mi ninfa dile,* / *dile que muero* (Villegas).

Anáfora. 1.—Figura que consiste en la repetición de una o varias palabras al comienzo de una frase (en cuyo caso se llama mejor *epanalepsis*), o al comienzo de diversas frases en un período (Se llama entonces también *epanáfora*: *x* ... / *x* ... / *x* ...). *Traed, traed de vino vasos llenos* (Arias Montano). *¿Qué trabajo no paga el niño a la madre, cuando ella le tiene en el regazo desnudo, cuando él juega con la teta, cuando la hiere con la manecita, cuando la mira con risa, cuando gorjea?* (Fr. Luis de León). **2.**—Tipo de deixis* que desempeñan ciertas palabras (pronombres, adverbios, verbos), consistente en asumir el significado de una palabra anteriormente mencionada en el discurso: *¿Qué hemos ganado con esta conversión de la cantidad a la cualidad? Muy sencillo: por medio de ésta comprendemos la génesis de* aquélla. La anáfora pura escasea en la lengua conversacional. «La anáfora en el diálogo es más sobria y más inmediata. Predomina en él la anáfora con pronombre adjetivo acompañando al nombre ya mencionado, y sobre todo la que podríamos llamar **anáfora difusa**, en la que el pronombre adjetivo va con un sustantivo que no se repite, sino que es el resultado de una elaboración conceptual, mediante la cual se interpreta una palabra o el sentido de un grupo de palabras ya pronunciadas» (S. Fernández Ramírez): *No he bailado porque a Julianita nadie la decía nada, y como se muere de envidia, no he querido darle ese mal rato.* El término que realiza la anáfora se llama **anafórico**. Vid. *Campo*.

Anagrama. Palabra o palabras formadas por la reordenación de las letras que constituyen otra u otras palabras: *Gabriel Padecopeo* (= Lope de Vega Carpio).

Análisis. 1.—Descomposición de un complejo lingüístico en sus elementos componentes. F. de Saussure distingue entre *análisis subjetivo,* que es el que realiza el hablante, y *análisis objetivo,* llevado a cabo por el lingüista basándose en la historia de aquel complejo lingüístico. Ambos pueden no coincidir. Así ocurre en el **falso análisis** [F. *Fausse coupure*], que suele tener consecuencias importantes. En latín vulgar, por ejemplo, el diminutivo *avicella* fue erróneamente analizado como *avica + ella,* y el falso positivo *avica* dio, en español, *oca.* Vid *Sandhi.* **2.**—En Glosemática*, el análisis se ha convertido en método imprescindible para los estudios sintácticos [I. *Immediate constituent method*] y consiste en partir de la unidad más grande, el texto*, para dividirlo en unidades cada vez más pequeñas, hasta llegar a los elementos. **3. Análisis gramatical. A.** *Wortanalyse;* I. *Parsing.* Ejercicio que consiste en describir la naturaleza morfológica y la función sintáctica de las palabras en la frase.

Analíticas (Lenguas). Son aquellas que necesitan morfemas independientes (preposiciones, conjunciones, artículos, etc.) para expresar l a s relaciones sintácticas, frente a las *lenguas sintéticas,* que se sirven de la simple flexión de sus semantemas. El latín es una lengua sintética, frente a la mayor parte de las lenguas modernas, que son analíticas: *ubi terrarum?* «*¿en qué parte de la tierra?*»

Analogía. 1.—Antiguamente se indicó con este término la coherencia de formas en el lenguaje. El principio de analogía rigió durante siglos la gramática griega y latina. El principal representante de esta concepción es Aristarco (siglo III a. J. C.). Según él, el lenguaje es un sistema coherente de signos, estructurados en paradigmas regulares, y gobernado por leyes que rigen la relación entre las formas lingüísticas y las categorías lógicas. Tal idea se apoya en una concepción filosófica representada por Heráclito, Demócrito y, probablemente, Platón, según la cual el lenguaje significaba φύσει, es decir, según una correspondencia natural, no arbitraria, entre concepto y palabra. Nigidio, p. ej. (siglo I a. J. C.), encontraba una admirable concordancia natural entre la palabra *vos* y la segunda persona, ya que al pronunciar dicho vocablo dirigimos el soplo expiratorio. hacia nuestro interlocutor. Así, pues, si el lenguaje procedía de la naturaleza, debía mostrar en su organización la regularidad fatal de la naturaleza, es decir la *analo-*

gía. Vid. *Anomalía.* **2.**—Parte de la Gramática que estudia la forma de las palabras. Tal designación es anticuada y ha dejado paso modernamente a la de Morfología. Fue introducida en la terminología española por Fr. Benito de San Pedro (1769) y aceptada por la Gramática de la Real Academia Española (que la conserva aún) a partir de 1796. La Gramática anterior prefirió la designación de *Etimología**. **3.**—En la actualidad, el término se emplea casi exclusivamente para designar ciertas alteraciones que sufren determinadas palabras con el fin de acomodarse a un modelo morfológico que les atribuye el hablante, pasando así a hacerse semejantes a otra forma más normal o abundante en la lengua. Saussure ha descrito gráficamente él fenómeno: «Una forma analógica es una forma hecha a imagen de otra o de otras muchas, según una regla determinada». Grammont distingue entre **analogía morfológica** (adhesión a un paradigma), como el español vulgar *vistes, dijistes,* formas influidas analógicamente por *ves, dices,* o bien *andé andaste(s),* incorporadas al paradigma *amé, amaste...;* y **analogía léxica** (adaptación a la forma de otra u otras palabras), como *invierno* (de *hibernum*), adaptada a las palabras que empiezan por *in-,* o *lámpara* (de *lampada*), adaptada a *cándara, cántara*, etc. La analogía supone, pues, una actividad espiritual del hablante en contra de las leyes mecánicas del lenguaje. Los lingüistas alemanes dan el nombre de *Leitwort* o *Analogiemuster* a la forma que ha servido de modelo para la acción analógica. Vid. *Inducción*.

Anamita. Vid. *Austroasiático*.

Anantapódoton. Anacoluto* producido por la supresión de uno de dos términos correlativos en el período: *O vienes..., porque no estoy dispuesto a esperar más.*

Anapéstico (**Endecasílabo**). Vid. *Endecasílabo, Gaita* gallega, Arte* mayor*.

Anapesto. Vid. *Pie*.

Anapódoton. Anacoluto* consistente en que una frase, interrumpida por la inclusión de una incidental, vuelve a ser enunciada bajo otra forma distinta: *Puesto que es ese tu deseo, tan extraño por otra parte, puesto que así lo quieres, así se hará.*

Anaptixis. A. *Vokalentfaltung.* Epéntesis* que se produce por des-arrollo de una vocal entre líquida o nasal y consonante o grupo de consonantes, o, más frecuentemente, entre consonante o grupo de consonantes y líquida o nasal: *Ingalaterra, corónica*, etc. La vocal desarrollada se llama **anaptíctica** [A. *Einschubvokal, Sprossilbe;* I. *Glide*].

Anario. Término especialmente usado por los lingüistas italianos para significar «no indoeuropeo».

Anartria. Imposibilidad de articular, motivada generalmente por paresia. Recibe también el nombre de **disartria.**

Anástrofe. Hipérbaton* que consiste en posponer la preposición al sustantivo cuyo caso rige: *aequam memento* rebus in *arduis servare mentem.* Vid. *Anadiplosis.*

Anceps (**Sílaba**). (Plural: **ancipites**). En la métrica cuantitativa clásica, sílaba de cantidad indiferente. 1.—En Prosodia, sílaba que funciona como larga o como breve, según las necesidades del verso (*pat-ris, pă-tris*). En los tratados tradicionales recibe el nombre de **syllaba communis.** Vid. *Correptio attica.* 2.—Lugar del verso en que puede aparecer indiferentemente una sílaba larga o breve. Así, la primera sílaba de un metro yámbico: ‿ _ ‿ _ (la indiferencia ante la cantidad puede notarse gráficamente con los signos ‿ o *x)* o la sílaba final de un verso. En la métrica tradicional, que, para el metro yámbico, p. ej., sólo admite el yambo puro (‿ _), la sílaba sobrante del dáctilo o del anapesto que pueden aparecer en ese lugar, recibe el nombre de **irrationalis**, por salirse de una pretendida escansión regular.

Andalucismo. 1.—Rasgo lingüístico de procedencia andaluza. **2.**— **Andalucismo dialectal de América.** Teoría que pretende explicar ciertos rasgos del español de América, coincidentes con otros de las hablas de la España meridional, por el supuesto mayor contingente de andaluces y extremeños que participaron en la colonización, y por el papel que desempeñaron Sevilla y Cádiz, durante los siglos XVI y XVII, en las relaciones de la metrópoli con las posesiones de ultramar.

Andalusí. Vid. *Arabe.*

Andaluz. Modalidad adoptada por el castellano en Andalucía, parte de Extremadura y Murcia, caracterizada por los rasgos especiales que tomó en dicha zona el reajuste fonético del siglo XVI, el cual originó un sistema fonético, y en algunas partes fonológico (en Granada, por ejemplo) distinto al castellano. Propiamente, el andaluz no es un dialecto uniforme, sino una suma de variantes regionales.

Andorrano. Vid. *Catalán.*

Anectiva (Fuerza). F. *Force* *annective.* «Se dice del poder atractivo de un enclítico susceptible de ligar un término (o un grupo lógico) que le sigue, uniéndolo regresivamente a otro término (o un grupo lógico) que precede inmediatamente al enclítico en cuestión». (Meillet-Cohen).

Anejo. Vid. *Rango.*

Anfibolia («**Amphibolia**»). Término retórico muy usado como sinónimo de anfibología*.

Anfibología. Oscuridad que resulta de emplear palabras de doble sentido. También se aplica este nombre al cazafatón*.

Anfíbraco. Vid. *Pie.*

Angevino. Vid. *Francés.*

Anglicismo. Palabra de procedencia inglesa: *tranvía, yate, mitin,* etcétera.

Anglonormando. Vid. *Francés.*

Animado (Género). A. *Belebtes Genus;* I. *Animate Gender.* Es el género* que ciertas lenguas de India, Africa y América atribuyen a los seres vivos frente al género **inanimado** [A. *Unbelebtes Genus;* I. *Inanimate Gender*], propio de seres carentes de vida. La distinción animado-inanimado, si bien no constituyendo sistema fijo y constante, aparece en multitud de lenguas. Francés: *Le chien court vers son maître et gambade autour de lui.— Le chien s'élance vers la table et gambade tout autour.* Español: *He visto un libro.—He visto a tu padre.*

Anit (Bases). Vid. *Base.*

Annominatio. Término latino con que se designa la paronomasia*.

Anomalía. 1.—Los Gramáticos griegos y latinos indicaron con este nombre el hecho de que el lenguaje carecía de estructura regular y de que, por tanto, no estaba gobernado por leyes. En este sentido oponían anomalía a analogía*. Crates de Malos (siglo II a. J. C.) es el principal representante de la gramática anomalista, que se apoya en la concepción aristotélica y estoica del lenguaje como θέσις, es decir, como *convención* humana, sin apoyo alguno en la naturaleza, **2.**— Irregularidad que manifiesta cualquier fenómeno o elemento lingüístico (llamado **anómalo**) con relación a otros fenómenos o elementos considerados como normales o regulares.

Anómalo. Vid. *Irregular.*

Anorgánico (Sonido). Sonido que aparece en una palabra, sin que pueda explicarse su aparición por razones etimológicas o fonéticas. Así llama, por ejemplo, Corominas la *-r-* de *alcurnia* (< ár. *kúnya*). El término aparece ya en Ascoli.

Antanaclasis («Traductio» o «Diaphora»). Figura retórica que consiste en repetir una misma palabra en dos sentidos diferentes. Es un caso particular del *juego de palabras: Cruzados hacen cruzados, / escudos pintan escudos* (Góngora). A veces se juega con palabras de significante parecido: *Non consul, sed exul* (Cicerón).

Antapódosis. Segunda parte de un símil o de dos enunciados contrapuestos, que se corresponden y oponen miembro a miembro. *Todos dicen mal de mí / y yo digo mal de todos.*

Antecedente. Primero de los términos de una correlación gramatical, o término que es mencionado en una deixis* anafórica: *C o m o m e l o d i j i s t e*, así ocurrió. *E l l i b r o que me prestaste.* Vid. *Consecuente.*

Antecopretérito. Término usado por Bello para designar el pretérito pluscuamperfecto de indicativo *(había cantado).*

Antefuturo. 1.—Así llama Bello al futuro perfecto de indicativo *(habré cantado). 2.*—**Antefuturo hipotético.** Tiempo de indicativo (Bello), llamado también **condicional compuesto** y **potencial compuesto**, que expresa una acción futura en relación con un momento pasado, siendo aquélla anterior a otra acción: *Confesó que si hubiera tenido estímulo, habría estudiado.*

Antelatino. Término usado por Ascoli y otros lingüistas italianos en el sentido de 'prelatino' o 'indoeuropeo'.

Antepospretérito. Designación aplicada por Bello al antefuturo[t] hipotético.

Antepresente. Bello llama así al pretérito perfecto de indicativo *(he cantado).*

Antepretérito. Nombre d a d o por Bello al pretérito anterior *(hube cantado).*

Anterior. 1.—**Sonido anterior.** Es el articulado en la primera mitad de la cavidad bucal. **2.**—**Serie anterior de vocales.** Está constituida por las vocales anteriores. Se llama también *serie palatal*, y las vocales que la constituyen *anteriores* o *palatales*. En español son: ạ, ẹ, e, ị, i. **3.**—**Consonantes anteriores** [*A. Vordere Konsonanten; I. Front consonants*]. «Hay una diferencia específica que opone las velares y las palatales... a las labiales y a las dentales. Reuniendo las primeras bajo el nombre de **posteriores** y las segundas bajo el de **anteriores**, se puede enunciar la fórmula siguiente. para las posteriores, el punto de articulación está en la parte de atrás, y para las anteriores en la de delante de la caja de resonancia única o dominante... Las consonantes posteriores se oponen a las anteriores correspondientes por un grado más alto de perceptibilidad, acompañada a menudo *ceteris paribus* de un más alto grado de duración». (Jakobson). **4.**—Pretérito anterior o antepretérito. Es un tiempo relativo de indicativo, que expresa acción pasada inmediatamente anterior a otra también pasada: *Cuando hubo leído el libro, lo devolvió.*

Antesufijo. Vid. *Infijo.*

Antibaquio. [F. *Bacchée renversé*]. Vid. *Pie.*

Anticadencia. Vid. *Tonema.*

Anticipación. 1.—Figura retórica («Anticipatio») que consiste en refutar de antemano una objeción prevista: *Dirás que muchas barcas / con el favor en popa, / saliendo desdichadas, / volvieron venturosas. / No mires los ejemplos / de las que van y tornan; / que a muchas ha perdido / la dicha de las otras.* (Lope de Vega). Se denomina también *prolepsis, presunción* («praesumptio») y *ocupación* («occupatio»). **2.**—Vid. *Prolepsis* y *Secuencia.*

Anticlímax. Disposición de los términos de una gradación de modo que se pase de un climax* a una tensión descendente.

Antiestrofa. Vid. *Antístrofa.*

Antifonema. Término usado por Ascoli como sinónimo de metafonía.

Antífrasis. A. *Gegensinn.* Modo de expresión consistente en exponer una idea por la idea contraria, con entonación ordinariamente irónica: *¡Bonita respuesta!*, es decir, '¡qué respuesta tan inadecuada!' *¡Su comportamiento ha sido correctísimo!*, es decir, 'su comportamiento ha sido muy incorrecto'. Vid *Ironía.*

Antihiático. Se dice de todo lo que tiende a evitar un hiato.

Antilatino. Término usado por Ascoli en la acepción de 'no latino'.

Antilogía. Vid. *Paradoja.*

Antimentalismo. Concepción mecanicista o materialista del lenguaje, que se ha desarrollado en Estados Unidos a partir de la publicación del libro de L. Bloomfield, *Language*, New-York, 1933, en el cual se dice: «La teoría materialista, o mejor, mecanicista, supone que la variabilidad de la conducta humana, incluido el lenguaje, es debida sólo al hecho de que el cuerpo humano es un sistema complejo». Este sistema está regido por los nervios.

Es, pues, según Bloomfield, del sistema nervioso del que debe partir el lingüista para su estudio, y no de un elemento presupuesto por los *mentalistas** y tan problemático como el espíritu, la mente o la voluntad. El lenguaje es una reacción, un «behavior» ante un estímulo estrictamente físico. Con este mecanicismo, una parte de la Ciencia del lenguaje norteamericana se opone a la tradición de la Lingüística europea.

Antiptosis. Atracción del antecedente al caso del relativo: *in creta et uligine et rubrica et ager* (= agro) *qui aquosus erit, semen... serito* (Catón). El fenómeno se designa también con la expresión latina *Attractio inversa.*

Antisigma. Letra sigma al revés empleada en la transcripción de textos para señalar el lugar en que se supone existe una inversión de palabras.

Antispasto. Vid. *Pie.*

Antístrofa o Antiestrofa. [A. *Gegenstrophe*]. Vid. *Estrofa.*

Antítesis. Contraposición de una frase o una palabra a otra de significación contraria: *Lloran los jus-* *tos y gozan los culpables. Amas a quien te aborrece.*

Antonimia. 1.—Significación contraria de dos vocablos, llamados antónimos: *frío-calor, alto-bajo.* 2.— Fenómeno que se produce cuando un vocablo posee dos significados opuestos. *Huésped* significa a la vez 'el que hospeda' y 'el que es hospedado'. Muy *leído* es un libro que leen muchos lectores, pero también, un lector que lee muchos libros.

Antonomasia. Sustitución de un nombre por el de una cualidad que le corresponde de manera inconfundible. La fórmula **por antonomasia** alterna equívocamente con la fórmula **por excelencia.** J. Casares propone «establecer una distinción entre ambas, que consistiría en reservar *por excelencia* para los casos en que se da el efecto cuantitativo, y dejar disponible *por antonomasia* para los restantes». Según esto, diríamos que Jesucristo es el *Salvador* «por excelencia», puesto que la universalidad y la trascendencia de su acción salvadora es la máxima que se puede concebir; y el *Angel* sería «por antonomasia» San Gabriel, que no es un ángel en más alto grado que los demás, «sino un determinado espíritu celeste, que por cierto no pertenece al noveno coro..., al que no cabe confundir con ningún otro, porque sólo a él le correspondió anunciar a María el misterio de la Encarnación».

Antropomórficas (Imágenes, Metáforas). Imágenes y metáforas en que se dan nombres humanos o se conciben como humanos objetos inertes: *mira el gesto sutil que los dedos del viento* (R. Darío).

Antroponimia. 1.— Rama de la Onomástica que se ocupa de los nombres de personas. **2.—Antroponimia de una región, de una raza,** etcétera. Conjunto de nombres de persona que se dan en tal región o en tal raza.

Antropónimo. A. *Personenname;* I. *Personal name.* Nombre de persona.

Anudātta. Término tomado de la gramática india. En la palabra, la sílaba de tono alto era llamada udātta. «La sílaba que seguía a la sílaba alta tenía el **svarita,** es decir, una entonación descendente, que comenzaba en el ápice de la *udātta.* La que precedía o seguía al grupo sílaba *udātta* + sílaba *svarita,* era baja (anudātta)... Estas relaciones valían también, generalmente, para

un conjunto de palabras; así, la sílaba inicial no alta de una palabra recibía el *svarita* tras una sílaba *udātta* final de la palabra precedente». (Brugmann). *Svarita* equivale a circunflejo*, según unos lingüistas, y al *tono medio,* según Grammont. Vid. *Tono.*

Anunāsika. Vid. *Anusvāra.*

Anusvāra. Término sánscrito empleado para designar «una resonancia nasal que sigue a la vocal; la **anunāsika** representa un sonido nasal sobrepuesto a la vocal misma, una vocal nasal» (Renou).

Aorístico (Aspecto). Aspecto que presenta la acción como acabada en un momento del pasado: *ha debido de ganar millones.*

Aoristo. 1.— Forma verbal del griego, de difícil y problemática definición, algunos de cuyos valores describe J. Humbert (1945) del siguiente modo: «Los estoicos distinguían dos tipos de tiempos: *determinados* (ὡρισμένοι) e *indeterminados* (ἀόριστοι). Consideraban como «determinados» el «durativo» (παρατατικός), es decir, el *presente* y el *imperfecto,* y el «acabado» (συντελικός), es decir, el *perfecto* y el *pluscuamperfecto;* por el contrario, son «indeterminados» el *aoristo* y el *futuro*. El *aoristo* es, efectivamente, el que carece de los valores subjetivos de duración o acabamiento, que expresan presente y perfecto, y está colocado en el mismo plano que el futuro, el cual está desprovisto de aspecto... El *aoristo indicativo* expresa un hecho pasado cuya duración no tiene interés a los ojos del hablante... Todo hecho pasado, cualquiera que haya sido su duración o su brevedad, puede ser expresado, en principio, tanto por el imperfecto como por el aoristo... En el aoristo, la noción verbal, carente de toda duración, tiende a reducirse a un punto *(aspecto puntual)*». **2.—Aoristo gnómico.** A veces se confunde con el aoristo de experiencia. Humbert los distingue así: Este último «es realmente un pasado; expresa a menudo que siempre se ha visto (o «que no se ha visto nunca») producirse un fenómeno; el aoristo es siempre modificado por un adverbio que le da el valor generalizador de verdad de experiencia. Por el contrario, el *aoristo gnómico* se basta a sí mismo para expresar una verdad reconocida».

Aparato. 1.— Aparato fonético. Cualquier tipo de aparato usado en Fonética experimental, que sirve para registrar, medir o cualificar mecánicamente el sonido *(diapasón, fonógrafo, quimógrafo, oscilógrafo,* etcétera). **2.—Aparato crítico.** Conjunto de informaciones que el editor de un texto ofrece, de ordinario a pie de página, sobre lo que aportan en cada pasaje los materiales de la tradición* diplomática que ha empleado, y sobre los criterios con que los ha aceptado o rechazado. El aparato crítico puede ser *positivo* (cuando ofrece todas las variantes de los manuscritos y ediciones, aun cuando éstos contengan la lectura que ha aceptado el editor) y *negativo* (cuando reseña sólo las variantes que disienten de la que él ha elegido; la no alusión a los restantes materiales indica que sus lecturas coinciden con la aceptada). **3.—Aparato vocal.** Conjunto de órganos que colaboran en la emisión del sonido articulado. Dichos órganos pueden considerarse divididos en tres grupos: **órganos de la respiración** (pulmones, bronquios y tráquea), **órganos de la fonación** (laringe, cuerdas vocales, glotis) y **órganos de la articulación** (labios, mandíbulas, dientes, lengua, velo del paladar, cavidad faríngea y cavidad nasal).

Apareado (Fonema). A. *Paariges Phonem;* F. *Phonème de cou-*

ple, Phonème apparié. El que forma parte de una pareja* correlativa. Llamamos no apareado [A. *Unpaariges Phonem;* F. *Phonème hors de couple, Phonème non apparié*] al fonema que no entra a formar parte de ninguna pareja correlativa. Son fonemas apareados, p. ej., las vocales largas y breves simples en latín, y no apareados, los diptongos latinos que no van acompañados de fonemas correlativos breves.

Aparicional (Aspecto). Aspecto por el cual se denota que una acción o estado parece tener lugar. Existe en lenguas del Senegal y Guinea.

Apelación. Término c o n que puede expresarse la noción de *Appel**, acuñada por K. Bühler. Vid. *Funciones del lenguaje.*

Apelativo. Nombre común. Los gramáticos griegos distinguían ya entre ὄνομα προσηγορικόν (latín *nomen appellativum*) y ὄνομα κύριον *(nomen proprium,* «nombre propiamente dicho»). Vid. *Nombre.*

Apex. Signo gráfico (') empleado a veces en las inscripciones latinas sobre las vocales largas.

Apical (Articulación). [A. *Zungenspitzenlaut*]. Es aquella cuyo ór-gano activo es la punta de la lengua o *ápice,* pudiendo actuar como órganos pasivos los dientes, los alvéolos o el paladar.

Apice silábico. A. *Schallgipfel;* F. *Point vocalique.* Punto* vocálico predominante de la sílaba.

Apico-alveolar. Articulación cuyos órganos activo y pasivo son, respectivamente, el ápice o punta de la lengua y la cara posterior interna de los alvéolos; así, la *s* española.

Apitxat. Vid. *Catalán.*

Aplicación. «La *aplicación* de un proceso designa de una manera general aquello sobre lo que recae el proceso; el objeto [complemento directo o indirecto] puede constituir un caso particular de aplicación» (Meillet-Cohen).

Aplicativo. 1.—Se dice de la forma verbal empleada con el dativo commodi o incommodi. **2.**—Aspecto aplicativo. Vid. *Acomodativo (Aspecto).*

Apócope. Pérdida del final de una palabra: r e t e > *red,* s o l e > *sol,* s a n t o > *san,* etc.

Apocorístico. Término usado por Goidanich en la acepción de superlativo.

Apócrifo. 1.—Se dice del libro cristiano que no figura en el canon y al que la Iglesia no reconoce el carácter de revelado. **2.**—Por extensión, escrito que no es de la época o del autor a que pretende pertenecer.

Apódosis. Vid. *Prótasis.*

Apofántica. Con este nombre, y con el de Gramática General pura, designa la Lógica moderna una ciencia previa que investiga las leyes y operaciones que permiten evitar los sinsentidos lógicos.

Apofonía. A. *Ablaut.* I. *Vowelgradation.* Alternancia vocálica.

Apofónicas (Fórmulas). Vid. *Gemelas (Palabras).*

Apógrafo. Manuscrito de una obra, no autógrafo*, copiado del original* del autor. Vid. *Arquetipo.*

'Ἀπὸ χοινοῦ [I. *Asymmetry*]. Con esta expresión griega se designa el fenómeno que se produce al mantener el mismo antecedente para dos consecuentes heterogéneos, unidos por una conjunción copulativa como si fueran homogéneos: *dijo la verdad y que no. iría.*

Aporesis. Vid. *Dubitación.*

Aposición. Yuxtaposición de dos palabras, de una palabra y de una frase o de dos frases, de idéntica categoría gramatical; el segundo miembro ejerce con relación al primero una función explicativa **(Aposión explicativa o epexegética)**: *Lope de Vega, comediógrafo bien conocido;* o **especificativa** (Bally la llama *determinativa), Lope comediógrafo no es superior a Lope lírico.* Vid. *Adjetivo, Equivalentes nominales de frase.*

Aposiopesis. Interrupción brusca del discurso con un silencio «porque es tal lo que se había de decir que cualquiera lo entiende; o por no decir cosas indignas; o porque parece al que habla que ya se desvía demasiadamente del asunto; o porque sobreviene otra persona; lo cual suelen practicar los cómicos y los trágicos y los dialoguistas» (Mayáns): *Debo decirte... Pero no; ya sabes a qué vengo. Es de una soberbia...*

Apóstrofe («Apostropha» o «Exclamatio»). A. *Anrede;* F. *Apostrophe.* «Con este. término designan los retóricos antiguos el procedimiento, que consiste en no dirigir [el discurso] al juez, para dirigirse directamente al adversario. Pero lo que entienden por ello los autores de las artes poéticas [medievales] es la figura que los antiguos llamaban *exclamatio* y que consiste, simplemente, en interpelar a una persona o a un objeto cualquiera» (Faral). Este es el sentido hoy prevalente; de ordinario, va en estilo directo: *En el mundo naciste, no a enmendarle, / sino a vivirle, Clito, y padecerle* (Quevedo); pero puede ir en indirecto: *Mil veces digo a mis males / que en los agravios que siento, / si es tiempo para sufrir, / para quejarse no es tiempo* (Esquilache).

Apóstrofo. A. *Apostroph;* I. F. *Apostrophe.* Signo gráfico (') que se emplea para indicar la elisión de una vocal: *l'aspereza, D'Ancona.*

Apotegma. Dicho memorable, máxima.

Apoyada (Consonante). Término propuesto por M. Grammont (1933) [F. *Appuyée*] para designar toda consonante que en la palabra va precedida de otra consonante, que él llama *appuyante* «que proporciona apoyo», «apoyante». La consonante apoyada es muy resistente.

Apoyo. 1.—Apoyo (Vocal de). A. *Stützvokal, Hilfsvokal, Einschubvokal;* I. *Glide;* F. *Voyelle d'appui, de soutien.* Vocal que permite la mejor articulación de un grupo consonántico; dicha vocal puede ser anaptíctica*, o bien ha podido sobrevivir cuando, obedeciendo a las leyes fonéticas, debía haber desaparecido. Se le da también por algunos lingüistas el nombre de *schwa* secundum.* **2.—Oclusión de apoyo.** Vid. *Oclusión.*

Appel. Vid. *Funciones del lenguaje* y *Apelación.*

Aquelindo. Nombre que se le da al perqué* en *El rufián dichoso,* de Cervantes.

Aqueo. Vid. *Griego.*

Aquitano. «Lengua no indoeuropea, de claro cuño éuskaro, de la antigua Aquitania, de la que no tenemos otro testimonio que algunos nombres propios» (L. Michelena). Vid. *Provenzal.*

Arabe. Lengua semítica* de los árabes, fechada desde el año 328 d. J. C.; hacia el siglo VI se cultiva una lengua literaria, la de la poesía preislámica, parte de la cual se usó en el Corán; la lengua de este libro se denomina *árabe literario, antiguo, clásico, literal, culto, coránico* o *re-*

gular; junto a él, se desarrollaba el *árabe hablado,* muy fragmentado, que es hoy lengua de unos cincuenta millones de hablantes (árabes, bereberes, negros sudaneses, etc.). Entre sus manifestaciones se cuentan: el *sirio,* el *árabe egipcio,* el *mogrebí,* el *maltés*,* el *libio,* el *tripolitano,* el *tunecino,* el *argelino,* el antiguo *arábigo-andaluz* o *andalusí,* el *marroquí,* etc.

Arábigo-andaluz. Vid. *Arabe.*

Arabismo. Palabra de procedencia árabe: *aceite, alcázar,* etc.

Aragonés. Dialecto hablado en Aragón y gran parte del S. de Navarra, muchos de cuyos rasgos penetran en Albacete, Murcia, Soria, Rioja, Guadalajara y Cuenca. El aragonés ha cedido mucho terreno al castellano; sin embargo, hasta en las grandes ciudades, los hábitos lingüísticos, fonéticos sobre todo, tiñen el idioma invasor. Sus fronteras con el catalán y valenciano son mejor conocidas que las que tiene con el castellano. Se acostumbra a llamar **navarro-aragonés** las lenguas antiguas de ambos reinos, con caracteres casi uniformes. En el domino aragonés moderno los rasgos arcaicos más vivos se encuentran en las hablas pire-naicas, en valles que se extienden, con límites muy imprecisos, hasta el campo de Ayerbe. El **bajoaragonés** o **baturro** es un castellano rústico, con rasgos fónicos propios muy acusados y peculiaridades gramaticales regionales.

Arahuaco. Importante familia lingüística indígena de América, con manifestaciones que se extienden desde el S. de Florida al N. de Paraguay, y desde la costa peruana hasta la desembocadura del Amazonas.

Arameo. A. *Aramäisch;* I. *Aramaic;* F. *Araméen.* Lengua cananea cuya época de mayor extensión y vitalidad se sitúa entre los años 300 a. J. C. y 650 d. J. C. Hoy lo hablan unos 200.000 individuos. Una parte de la Biblia está escrita en arameo. Variedad suya es el *siríaco* (habla de Urfa, en Mesopotamia).

Aranés. Dialecto hablado en el Valle de Arán, que constituye un enclave gascón en dominio lingüístico catalán.

Araucano. Importante familia lingüística indígena de Chile, que comprende dialectos poco diferenciados de una misma lengua, el *mapuche.*

Arbitrario (Signo). Con tal nombre, y con los de **inmotivado** y **contingente** (A. *Zufällig)*, se denomina el signo lingüístico en que no existe relación de necesidad entre el significante y el significado. La arbitrariedad como rasgo constante y característico del signo lingüístico en general, fue formulada en la lingüística contemporánea por F. de Saussure (1916). Vid. *Motivado (Signo).*

Árbol genealógico (Teoría del). A. *Stammbaumtheorie;* I. *Pedigree-theory.* Teoría formulada por A. Schleicher, en 1868, que explica la formación y desarrollo de las lenguas indoeuropeas a partir de un tronco genealógico común, del cual se fueron originando dialectos y subdialectos, en una continuada ramificación. Contra esta concepción, J. Schmidt formuló (1872) la teoría de las *ondas*.*

Arcado-chipriota. Vid. *Griego.*

Arcaísmo. 1.—Forma lingüística o construcción anticuadas con relación a un momento dado [A. *Erstarrte Form*]. **2.**—Conservación de formas lingüísticas o construcciones anticuadas [A. *Überleben, Erstarrung;* I. *Survival;* F. *Survivance*].

Arcaizante. A. *Archaisierend;* I. *Obsolescent.* Que emplea o posee arcaísmos.

Archifonema o arquifonema. Nombre usado por los fonólogos para designar el conjunto de los rasgos distintivos* que son comunes a los dos miembros de una oposición* neutralizada. Vid. *Neutralización.*

Archimorfema o arquimorfema. Conjunto de rasgos comunes a dos o más morfemas, que, por otra parte, son los únicos que poseen tales rasgos. Así, fr. *il*, neutro en *il pleut*, tiene la forma del pronombre de tercera persona singular, que es, a la vez, el término no marcado de la oposición de género *(il / elle).* La forma *il*, pues, representa el archimorfema del pronombre personal singular de tercera persona, en los contextos gramaticales en que se neutraliza la oposición masculino / femenino.

Área. 1.—Zona de terreno comprendida dentro de una o varias isoglosas*. Así se habla, p. ej., del área de *h-* aspirada, del área de conservación de sordas intervocálicas, etcétera. **2.**—Área relegada. Es la que conserva una fase antigua de un fenómeno lingüístico. Vid. *Nor-*

ma. 3.—Area de isoglosas. Vid. *Isoglosa*.

Argelino. Vid. *Arabe*.

Argivo. Dialecto griego de Argólide.

Argot. Vid. *Jerga*.

Ario. A. *Arisch;* I. *Aryan;* F. *Aryen, Arien*. Se usa este término como sinónimo de *indoeuropeo*. Propiamente, debería aplicarse sólo al indio y al iranio, cuyos primitivos hablantes se daban a sí mismos el nombre de arios.

Armenio (Grupo). Grupo de lenguas indoeuropeas localizadas en la región montañosa que se extiende a orillas del Mar Negro, al S. del Cáucaso y N. de Mesopotamia. Según una tradición antigua, no comprobada, los armenios eran colonos frigios. Sus primeras manifestaciones escritas datan del siglo IX d. J. C. El armenio actual se habla en las repúblicas soviéticas de Armenia, Georgia y en las regiones del Don, en las de Azerbayán y Persia del N. O., así como en colonias aisladas de Asia Menor, Siria, Estambul, Bulgaria, Rumania, Francia, India, Egipto y U. S. A. Lo hablan alrededor de tres millones y medio de personas.

Armonía. 1.—En la literatura, arte de producir una sensación agradable por la sonoridad de las palabras y el ritmo. 2.—Armonía **imitativa**. Evocación de una sonoridad por las palabras que la representan. Vid. *Aliteración, Onomatopeya*. 3.—Armonía vocálica o armonización. Fenómeno fonético que se da en ciertas lenguas, por el cual se palatalizan o velarizan las vocales finales de palabra, por acción de una vocal vecina. Es fenómeno distinto del *sinarmonismo**. 4.—Asimilación a distancia. También en esta acepción el fenómeno recibe el nombre de armonización.

Armónico. 1.—Cada una de las vibraciones secundarias que se suman al tono* en la producción de un sonido, para constituir el timbre* peculiar de dicho sonido. Se denomina también *hipertono*. 2.—Análisis armónico. [I. *Harmonic analysis*]. Descripción de las ondas sonoras registradas por un oscilógrafo, con métodos matemáticos.

Armonización. Vid *Armonía*.

Aromúnico. Vid. *Rumano*.

Arquetipo. Término de la crítica* textual que recubre dos nociones diversas. 1.—Texto, conocido o no, del que proceden uno o varios manuscritos o impresos de la tradición* diplomática. 2.—El más antiguo testimonio de dicha tradición, en que el texto de un autor se encuentra representado en la forma que ha llegado hasta nosotros. Si hay varias formas de tradición, hay varios arquetipos. Puede ocurrir que el arquetipo se confunda con el original*; así acontece con el ms. Vaticano lat. 1801, que contiene la versión latina de Tucídides, hecha por L. Valla, el cual, tras haber realizado su traducción, la hizo transcribir cuidadosamente y procedió después a su revisión, de tal modo que este ejemplar es, a la vez, original, apógrafo y arquetipo de la tradición (A. Dain). Pero esta coincidencia se da pocas veces en los textos modernos. Vid. *Prearquetipo.*

Arrizotónica. Forma lingüística que no lleva acento en el radical. Se opone a *rizotónica.*

Ars dictaminis o **dictandi.** En la Retórica medieval, conjunto de reglas para la redacción de cartas y documentos. «Ya desde la época merovingia y carolingia existían modelos de cartas (llamados *formulae*), que se divulgaban en colecciones especiales; eran cosa indispensable para la cancillería real y ecle-

siástica. Pero desde fines del siglo xi se pasó de la práctica a la teoría, y los modelos epistolares iban precedidos ahora de introducciones y preceptos». (E. R. Curtius).

Arsis. Término con que en un principio se designó, en la métrica clásica, el levantamiento del pie con que se regulaba el ritmo, coincidiendo con el elemento no caracterizado, es decir, con la sílaba breve o anceps. Los gramáticos latinos tardíos, cuando la métrica pasa a basarse en la intensidad, dan a este término el valor contrario y pasa a significar el elemento caracterizado. Este término se oponía al de *tesis*. Para evitar la ambigüedad se prefiere hoy hablar de *tiempo no marcado* [A. *Senkung;* F. *Temps levé, Temps faible*] frente a *tiempo marcado*.

Arte. 1.—Arte mayor castellano. Se designa así un tipo de verso que nace en Castilla en el siglo xiv y se cultiva hasta mediados del siglo xvi. En él compone Juan de Mena (1411-1456) su *Laberinto.* Consiste en un dodecasílabo dividido en dos hemistiquios, en cada uno de los cuales hay dos sílabas tónicas separadas por dos átonas (ι _ _ ι). Se dan, aunque raramente, hemistiquios con un solo acento. Obedece, pues, a principios acentuales y no silábicos. Ello hace que los hemistiquios tengan variada longitud:· el de dos acentos puede poseer de cuatro a siete sílabas. El dodecasílabo suele combinarse con el endecasílabo dactílico: *(Dáme licéncia / mudáble fortúna)*. Vid. *Gaita gallega (Versos de)*. **2.—Versos de arte mayor o menor.** Se denominan versos de *arte menor* los que no tienen más dé ocho sílabas, y de *arte mayor*, los que poseen más de ocho. No debe confundirse esta acepción con la primera.

Articulación. 1.—Posición adoptada conjuntamente por los órganos de la articulación (Vid. *Aparato vocal)* en el momento de producir un sonido. Frecuentemente, por *articulación* se entiende también el movimiento de los órganos que la producen. **2.—Punto de articulación** [A. *Artikulationsstelle*]. Zona o región de la boca en que un órgano activo se aproxima a otro, activo o pasivo, en el momento de la articulación. Las articulaciones españolas, por el punto en que se producen, se dividen en *bilabiales, labiodentales, interdentales, dentointerdentales, dentales, alveolares, palatales, velares, bilabiovelares* y *uvulares*. **3.—Modo de articulación** [A. *Artikulationsart; I. Manner of articulation*]. Modo de

producirse la salida del aire en el momento de la articulación. **Vid.** *oclusivo, fricativo, africado, vibrante, vocal, oral, nasal*. **4.—Tiempos de la articulación.** En el desarrollo completo de una articulación pueden observarse tres momentos: *intensión*, tensión** y *distensión**.

Articulado (Lenguaje). A. *Artikulierte Sprache.* Así se designa el lenguaje oral del hombre, para oponerlo al lenguaje gráfico o de señales, y al lenguaje de los animales. Vid. *Sonido.*

Articulatorio (Acento). V i d. *Acento.*

Artículo. A. *Artikel.* Palabra accesoria que se antepone al sustantivo, para mostrarlo como signo de un objeto determinado *(el libro)* o de un objeto indeterminado *(un libro)*. En el primer caso, recibe el nombre de **artículo determinado, determinante** o **definido** [A. *Bestimmter Artikel;* I. *Definite article*]; en el segundo, **artículo indeterminado, indeterminante** o **indefinido** [A. *Unbestimmter Artikel;* I. *Indefinite article*], Existe también el **artículo partitivo** [A. *Teilungsartikel*], el cual indica que el significado del nombre debe ser tomado en parte de su extensión (F. du pain). Gramaticalmente, el artículo es un morfema exclusivo del sustantivo, que expresa el género y el número del mismo. El ser morfema exclusivo del sustantivo le otorga la función de traspositor* de dicha categoría: *el reir, la tonta*, etcétera. El artículo determinado desempeña en español múltiples funciones que desbordan el simple marco de la determinación. De su origen pronominal conserva empleos anafóricos *(la del pañuelo azul)*; hay casos en que no determina *(deme la mano)*; en ocasiones interviene en oposiciones semánticas del tipo *otro día* 'un día futuro' / *el otro día* 'un día pasado'. Algunos lingüistas niegan el carácter de artículo al *indeterminado*, adscribiéndolo a los pronombres indefinidos. Vid. *Prenombre, Autosemántico*.

Artificial (Lengua). A. *Künstliche Sprache.* 1.— Lengua jergal creada con fines esotéricos. 2.—Lengua inventada con el fin de facilitar una comprensión internacional. Entre los precursores de tal invento deben contarse los españoles Ramón Llull (s. XIII-XIV), y Pedro Bermudo (1653). Desde entonces hasta nuestros días se han sucedido tales intentos; unos con fines simplemente instrumentales, sin pretender su-

plantar las diversas lenguas históricas (**lenguas auxiliares**); otros, más ambiciosos, pretendiendo encontrar una **lengua universal**, valedera para toda la humanidad. Las lenguas artificiales más importantes son: el *Volapük*, creado en 1880 por J. M. Schleyer, que utilizó para ello elementos de las lenguas modernas; el *Esperanto*, creado a fines del siglo XIX por el judío ruso L. L. Zamenhof; la *Interlingua*, formada exclusivamente a base de latín, por el matemático italiano G. Peano; el *Ido*, el *Novial*, el *Gloro*, el *Iala*, etc.

Asemántico. Se aplica a cualquier elemento lingüístico desprovisto de significación.

Asertiva (Frase). Vid. *Frase enunciativa**.

Aseverativa (Frase). Vid. *Frase enunciativa**.

Asibilación. A. *Assibilierung.* Desarrollo de un elemento fricativo silbante (alveolar o palatal) tras una oclusiva, en ciertas condiciones. Así, la velar latina k, seguida de e, i, fue atraída hacia el paladar por la vocal siguiente y desarrolló dicho elemento fricativo (kei $> k' > t\check{s} > ts > s$) en las lenguas románicas. El italiano quedó en la fase $t\check{s}$ (= *ch)*: c e r-

v u m it. *cervo;* el francés pasó a *s (cerf)* y el español avanzó su punto de articulación hasta θ *(ciervo),* pero hasta el siglo XVI mantuvo el resultado *ts.* La asibilación es ordinariamente un caso particular de palatalización*.

Asilábico (Fonema). A. *Unsilbiges Phonem.* Es el que no puede constituirse en ápice* silábico, y que, por tanto, debe unirse a otro u otros fonemas silábicos para constituir una sílaba. Se opone a *vocal* y a *sonante.*

Asimétrica (Entonación). A. *Asymmetrische Intonation.* Así llama Karcevskij la que sirve para que, de dos unidades contiguas de significación, la primera pueda ponerse de relieve a expensas de la segunda, que se pronuncia en un tono neutro: *me está engañando, pensé.* Vid. *Simétrica (Entonación).*

Asimilación. A. *Angleichung.* Proceso mediante el cual los movimientos ·articulatorios de un sonido se propagan a otro sonido vecino, invadiéndolo parcialmente (Vid. *Acomodación)* o totalmente [A. *Ausgleichung;* F. *Assimilation totale*]. Este sonido se asemeja, se *asimila,* por tanto, al anterior. Se distinguen los siguientes tipos importantes de

asimilación: A) **Progresiva,** cuando el sonido asimilador precede al a s i m i l a d o (mb > *m*: p a l u m- b a > *paloma);* B) **Regresiva,** cuando el asimilado precede al asimilador; es la más frecuente en todos los idiomas (pt > *tt* > *t:* s e p - t e > *siete);* C) **Recíproca,** si dos sonidos se influyen entre sí (ai > *ei* > *e:* c a r r a r i a > *carraira* > *carreira* > *carrera);* D) **Orgánica o en contacto** [A. *Nähassimilation;* I. *Juxtapositional assimilation*], cuando los sonidos asimilador y asimilado son contiguos; E) **Armónica o a distancia** [A. *Fernassimilation, Harmonisierung;* I. *Incontiguous assimilation;* F. *Harmonisation*], si dichos sonidos están separados (directu > *derecho,* cuando el resultado esperable era *directo;* cfr. it. *diritto);* G) **Epentética** [A. *Assimilatorischer Lautzuwachs*], cuando provoca la aparición de un sonido no etimológico (latín *oct*[r]*obris*). Grammont reserva el término *asimilación* para la asimilación en contacto, y llama **dilación** a la asimilación a distancia. Todos los movimientos asimilatorios y disimilatorios obedecen, según él, a la *ley del más fuerte* (1895), que no tiene excepciones. «El trabajo del fonetista debe consistir, en cada caso, en investigar por qué tal fonema ha sido más fuerte que otro, en reconstruir el proceso de la evolución y, cuando la ley no ha operado o parece no haber operado, en determinar la causa».

Asinarteto. En la métrica clásica, verso compuesto cuyos miembros, separados por diéresis*, conservan su independencia.

Asíndeton. A. *Asyndese;* F. *Asyndète.* Se produce este fenómeno cuando dos o más términos que podrían o deberían ir unidos mediante cópulas, carecen de ellas: *Veni, vidi, vici.* Constituye una figura retórica, por su frecuente uso en la lengua literaria, y recibe entonces los nombres de *disjunción* y *disolución* (lat. *Dissolutio).* Se opone a *polisíndeton.*

Asintácticos (Compuestos). Vid. *Sintácticos (Compuestos).*

Asirio. Vid. *Camito-semítico.*

Asociación de lenguas. Término propuesto por Jakobson para designar la alianza* o la familia* de lenguas (siempre que esta última sume a su parentesco léxico un parentesco estructural). Coincide con la *alianza* (Sprachbund)* de Trubetzkoy.

Asociativo. 1.—Relaciones asociativas. Son las que entablan, en la lengua*, los distintos elementos del sistema. Pueden ser de muchos tipos: fonéticas *(casar, casa, catar, calar,* etc.); morfológicas *(hacía, temía, escondía, solía,* etc.); semánticas *(romper, rasgar, destrozar, quebrar, fracturar,* etc.). Saussure enfrenta estas oposiciones a las sintagmáticas, de las que se diferencian por producirse en un orden indeterminado y en número indefinido; este último carácter puede faltar: las relaciones que unen a todas las formas declinadas de una palabra son asociativas, y esas formas declinadas lo son en un número determinado. El hecho de que estas relaciones se establezcan en la lengua hace que ésta sea designada muchas veces con el nombre de **plano asociativo** y también con el de **plano paradigmático** (Hjelmslev). **2.—Gramática asociativa.** Designación propuesta por A. Sechehaye (1926) para el estudio de los elementos lingüísticos del plano asociativo. **3.—Campo asociativo de una palabra.** Término propuesto por Ch. Bally (1940) para designar el conjunto de asociaciones de todo tipo que establece una palabra en el plano asociativo.

Asonancia. Igualdad de los sonidos vocálicos, a partir de la última vocal acentuada, en dos o más versos. Se constituye así la llamada

rima asonante. En la terminología francesa, italiana, etc., es frecuente oponer *rima* [F. *Rime*] = 'rima consonante', a *asonancia* [F. *Assonance*] = 'rima asonante'.

Asonantados. Se dice de los versos o de las estrofas que tienen rima asonante.

Aspecto. A. *Aktion, Aktionsart, Aspekt;* I. F. *Aspect.* Se trata de una de las nociones más difíciles y debatidas en la Lingüística actual. Con este término se designan los matices no temporales del desarrollo de la acción verbal, que evocan las diversas formas verbales. Así, *canté - cantaba* son formas que explican ambas un tiempo pasado; pero *canté* implica el término de la acción, mientras que *cantaba* no lo implica. La palabra *aspecto* es traducción del ruso *vid';* en la gramática eslava —como en el verbo indoeuropeo antiguo, en otras lenguas de este tronco y en semítico— el aspecto juega un papel primordial, dado que para cada noción verbal el eslavo posee, por lo general, dos verbos diferentes: uno *imperfectivo,* con el cual el hablante se representa la acción en curso de realización, y otro *perfectivo,* con que ve la acción en su totalidad, fuera de toda idea de desarrollo. De este modo, el aspecto, en eslavo, es de carácter subjetivo. Esta noción, desde que, en 1846, la introdujo en la lingüística greco-latina Georg Curtius, con un término poco afortunado *(Zeitart* 'modo de tiempo'; pero el aspecto no alude a nociones temporales) ha conocido un gran éxito, se ha aplicado a los más diversos sistemas gramaticales, y ha recubierto nociones distintas, c u a n d o no contradictorias. Así, Brugmann la definió de este modo: «El aspecto indica la manera como se desarrolla la acción» (punto de vista objetivo); mientras que Wackernagel asegura que «el aspecto indica la manera como el hablante se representa la acción» (punto de vista subjetivo). La noción de aspecto recubriría así dos hechos tan diversos como los que se producen en las formas *repicar* (manera iterativa de la acción, aneja a su significado) o *han repicado* (que añade a su significado iterativo, la consideración de hecho terminado, por parte del hablante). Para evitar esta duplicidad de significados, Agrell (1908), seguido por otros muchos lingüistas (Jacobsohn, Porzig, Hermann, Van Wijk, Faddegon, etc.), propuso la distinción entre *aspecto* y *Aktionsart.* El aspecto presentaría el punto de vista subjetivo del hablante, y le convendría la definición dada por J. Brunel (1946): «El aspecto es la categoría gramatical con que se expresan los puntos de vista positivos o negativos del desarrollo y el fin del proceso».

La _Aktionsart_, por el contrario, expresaría los caracteres objetivos del proceso y tendría un carácter fundamentalmente semántico; así, la oposición _canta mucho / canta una copla_ se basaría en la existencia de dos _Aktionsarten_ distintas. El mismo carácter tendría la oposición entre verbos desinentes* y permanentes, establecida por Bello. No obstante estos esfuerzos por separar ambas nociones, los términos _Aktionsart_ y _aspecto_ se emplean muchas veces como estrictamente sinónimos. En el verbo románico, como en el latino, la categoría de aspecto se da entremezclada con la de tiempo; una forma como _cantaba_ explica tiempo pretérito e implica aspecto inacabado o imperfecto. Para la expresión de matices aspectuales o de Aktionsart, se acude a recursos morfológicos (afijos y perífrasis, sobre todo) no bien estudiados (cfr.: _golpear / golpetear; iba a entrar_, etcétera). Y se han señalado numerosas clases de aspectos y Aktionsarten: _durativo*, momentáneo*, ingresivo*, complexivo*, perfectivo*, iterativo*, frecuentativo*, terminativo*, imperfectivo*, sintagmático*, aorístico*, resultativo*, intensivo*, puntual*, progresivo*, cursivo*, acomo-

dativo*, aparicional*, comitativo*, extensivo*_. Vid. _Modo*_ de acción.

Áspero (Espíritu). Vid. _Espíritu._

Aspiración. 1.—Uno de los tiempos de que consta la respiración, durante el cual el aire penetra en los pulmones [A. _Einatmung;_ I. F. _Inspiration_]. Nada tiene que ver este hecho con el fenómeno fonético de aspiración, descrito a continuación, que se produce mediante _espiración*._ **2.**—Soplo sordo, velar o uvular [A. _Hauch_], producido mediante espiración, que acompaña a ciertos sonidos, llamados **aspirados** [A. _Gehaucht_]. Es frecuente en muchas lenguas: griego (Vid. _Espíritu_), inglés, alemán, etc. En español es menos frecuente, pero aparece alguna vez en pronunciación descuidada, acompañando a las oclusivas _(oclusivas aspiradas); kʰása, pʰádre._ En zonas dialectales del castellano (andaluz, extremeño, e s p a ñ o l de América, por ejemplo) subsiste una aspiración arcaizante, inicial de palabra, representada gráficamente por _h-_ (_h_ aspirada), procedente de _f-_ inicial latina. También se han convertido en aspiración, en el habla popular madrileña, de Toledo, la Mancha, Extremadura, Andalucía, Murcia y Canarias, _s_ y _z_ implosivas. Y en algunas de estas regiones también *r* implosiva ha producida aspiración: *los hombres* > loʰ[ʰ] ombreʰ, *haz* > [ʰ]aʰ; *burla* > buʰla, etc. Sobre la *h aspirada* en francés, vid. *Mudo*.

Asturiano. Dialecto del grupo leonés, llamado también bable*, hablado en Asturias, que constituye el resto mejor conservado del antiguo *leonés*. Se divide en tres zonas con rasgos propios: occidental, emparentado con el gallego, desde el Navia hasta el Nalón; central, hasta el Sella, y oriental, hasta la provincia de Santander.

Ataque. A. *Einsatz;* I. *Initial glide.* Movimiento de las cuerdas vocales ·que se produce al articular una vocal inicial. Puede ser de dos tipos: A) Ataque duro [A. *Fester* o *Harter Einsatz;* I. *Rough glide;* F. *Attaque dure, claire* o *forte*], en el cual «las cuerdas vocales empiezan juntándose entre sí, sin ponerse a vibrar hasta que el aire acumulado detrás de ellas las separa produciendo una cierta explosión». El ataque duro se produce en alemán. B) Ataque suave [A. *Leiser* o *Weicher Einsatz;* I. *Soft glide; Gradual beginning;* F. *Attaque douce, graduelle* o *progressive*], caracterizado porque «las cuerdas vocales toman desde

el principio la posición necesaria para producir sus vibraciones, sin llegar a formar oclusión ni explosión ninguna» (Navarro Tomás). Es el ataque propio de las vocales románicas.

Atemático. A. *Athematisch, Unthematisch, Themavokallos.* Se aplica a toda forma en la cual el sufijo flexivo se une directamente a la raíz o al tema, sin morfema temático*.

Atenuación. Término alguna vez usado como sinónimo de sonorización y lenición. Vid. *Lítotes.*

Aticismo. 1.—Corriente artística arcaizante que, a partir del siglo I a. J. C., adopta el ático como norma del griego. 2.—Estilo propio de los grandes escritores atenienses (siglos V-IV a J. C.), por oposición al estilo helenístico, más recargado y superficial. 3.—Por extensión, se aplica a cualquier escrito moderno, correcto, puro, elegante y sencillo.

Ático. Vid. *Griego.*

Atlas lingüístico. Colección de mapas lingüísticos. Vid. *Geografía lingüística.*

Átomo. Término usado por Ascoli en la acepción de elemento lingüístico con función morfológica y semántica.

Átono. A. _Unbetont, Tieftonig._ Vocal, sílaba o palabra desprovista de acento* musical o de acento de intensidad.

Atracción. 1.—Fenómeno por el cual una palabra en la frase tiende a igualarse morfológicamente con otra, con la cual se relaciona sintácticamente, adoptando para ello su género, número, caso, tiempo o modo: _mi hijo y mis hijas son altas._ Vid _Antiptosis, Modal (Atracción)._ **2.**—Atracción de un sonido. Fenómeno que consiste en el desplazamiento de un sonido no tónico dentro de la palabra, para situarse junto a otro, articulatoria o tónicamente más fuerte. Es muy frecuente la **atracción de yod:** caldariu > _caldairo_ (... > _caldero_). **3.**—Atracción paronímica. Vid. _Etimología._ **4.**—Atracción inversa. Vid. _Antiptosis._ **5.**—Atracción analógica. La que tiene lugar en la analogía (3.ª acepción). **6.**—Atracción afectiva. Así llama Sperber [A. _Affektische Attraktion_] a la adaptación y uso de palabras para evitar un tabú. Así, en latín, _serpens_, para evitar _anguis;_ en esp. fam., _bicha_, para evitar _culebra_, etc.

Atributivo. 1.—Oración atributiva. Oración de predicado nominal, es decir, que posee verbo copulativo. **2.**—Adjetivo atributivo. Vid. _Adjetivo._ **3.**—Función atributiva. Aplicado a una palabra, término equívoco, ya que unas veces significa que funciona como adjunto asindético de un sustantivo _(las casas altas)_, y otras, que funciona como miembro del predicado nominal _(las casas son altas)._ **4.**— Complemento atributivo Adjetivo que funciona, a la vez, como atributo del sujeto y como complemento del verbo _(la gente desfila silenciosa);_ se le ha llamado también **adjetivo atributivo-adverbial.**

Atributo. A. F. _Attribut;_ I. _Predicate._ **1.**—Adjetivo* atributivo. **2.**— Adjetivo, sustantivo o palabra empleada en función nominal que se une a un sustantivo u oración sustantivada mediante un verbo copulativo _(el monte es alto)._ En esta acepción, muy frecuente, el atributo forma, pues, parte del predicado nominal. **3.**—En la terminología francesa, o que sigue sus orientaciones, _atributo_ es muchas veces término sinónimo de predicado nominal _(el monte es alto)._ **4.**—Atributo del complemento. Nombre o adjetivo que funciona como predicado de un complemento verbal _(nombraron a su padre alcalde);_ otros gramáticos lo llaman **predicado del complemento**. Vid., para el uso de *atributo* en Bloomfield, *Construcción exocéntrica**.

Attractio inversa. Vid. *Antiptosis*.

Auctoris Datiuus). Vid. *Dativo*.

Aumentativo. A. *Vergrössernd;* I. *Augmentative, Amplificative;* F. *Augmentatif.* **1.—Sufijo aumentativo.** Es el que añade al nombre la noción de gran tamaño. Son en español: *-ón, -azo, -acho, -ote,* con los femeninos correspondientes. **2.—Con** este término se designa el nombre provisto de sufijo aumentativo: *hombrón, caserón,* son aumentativos.

Aumento. 1.—En las formas verbales del griego, indoiranio y armenio, adición de un preverbio indoeuropeo, ĕ-, con valor morfológico. **2.—Aumento silábico.** Es el aumento que ocasiona en la palabra la existencia de una sílaba más. **3.—Aumento temporal.** Alargamiento de la vocal inicial de la raíz, al fundirse con ella el aumento: ὄζω >impf. ὦζον.

Auslösung. Vid. *Funciones del lenguaje.*

Ausónicos (Dialectos). Vid. *Itálico (Grupo).*

Australiano (Grupo). Conjunto de un centenar de lenguas próximas geográficamente, pero no integradas en un grupo lingüístico, que se hablan en Australia.

Austroasiático (Grupo). Nombre dado por el Padre Schmidt a un conjunto de lenguas habladas desde Anam hasta la meseta de Chota Nagpour. No se trata, al parecer, de un grupo homogéneo. Suele dividirse en lenguas *mundā* o *kōl,* al Oeste; lengua *anamita,* al Este, y lenguas *monkhmer,* en el Centro (Cambodge).

Autógrafo. Manuscrito de una obra escrito por el propio autor. Vid. *Apógrafo, Original.*

Automatización. A. *Automatisierung.* «Entendemos por automatización... el empleo de los medios lingüísticos, bien aislados, bien unidos entre sí, que es usual en una expresión dada, esto es, un empleo cuya expresión no llama la atención; desde el punto de vista de la forma, es concebida y recibida como convencional, y quiere ser comprensible como parte del sistema lingüístico y no solamente cuando va completada en la manifestación lingüística concreta por el contexto y la situación» (Havránek).

Autónoma (Palabra). Vid. *Principal (Palabra).*

Autonomía. Vid. *Constelación.*

Autoridad. Texto de un literato reputado que apoya la exactitud de una definición lexicográfica.

Autosemántico. Que es propio de la significación de la palabra, destacándola de su función. A. Alonso ha explicado, por ejemplo, la extensión gradual del uso del artículo románico como resultante del hábito de acentuar y recalcar las representaciones autosemánticas del nombre, ya que, en latín, la significación estaba fundida con la función: no había una palabra que significara 'padre', sino formas para combinar esa noción con otras en el contexto: *pater* ('padre' como sujeto de frase), *patrem* ('padre' como complemento directo), etc.

Auvernés. Vid. *Provenzal.*

Auxiliar. 1. — Palabra auxiliar [A. *Hilfswort;* I. *Auxiliary word*]. Palabra que carece por sí misma de sentido o que, teniéndolo, lo pierde para contribuir al significado o función de una palabra principal. La preposición, por ejemplo, es siempre palabra auxiliar con relación a su régimen, el artículo con relación al sustantivo, etc. **2.**—**Verbo auxiliar** [A. *Hilfsverbum;* I. *Auxiliary verb*]. Verbo que sirve para formar los tiempos compuestos en la conjugación activa o pasiva, y las perífrasis verbales. Carece de significación y desempeña sólo la función de morfema. Hay verbos empleados únicamente como auxiliares (*haber, ser* y, muchas veces, *estar,* en castellano) y otros que pierden su sentido ordinario, en un proceso más o menos avanzado de gramaticalización*, para desempeñar una función auxiliar. Se produce frecuentemente este fenómeno entre los verbos de movimiento: *ir, venir, andar,* etcétera, en frases como *el negocio va tirando, lo vengo diciendo, anda enamorado,* etc. **3.**—**Lengua auxiliar.** Vid. *Artificial (Lengua).*

Avéstico. Vid. *Indo-iranio.*

Avulsivo (Sonido). A. *Schnalzlaut, Sauglaut.* Sonido producido no con la corriente de aire que viene de los pulmones, sino con el aire que existe en la cavidad limitada por la glotis y los labios. Vid. *Clic.*

Azorés. Vid. *Portugués.*

Azteca. Lengua indígena de Méjico y Centro-América, que cuenta hoy con unos 700.000 hablantes, llamada también **náhuatl,** dividida en tres grandes grupos: el **tlaskalteka,** el **nahual** y el **nahuat** (con los dialectos *olmec, pipil, nahuatlato, nicarao, desaguadero* (desembocadura del río San Juan, en Costa Rica), *sigua,* etc.

Babilónico. Vid. *Camito - semítico.*

Bable. 1.—Asturiano*. **2.**—Por extensión, se da este nombre a hablas locales modernas, muy circunscritas, de cualquier región dialectal (A. *Mundart, Platt;* F. *Patois).*

Bahuvrīhi. Vid. *Compuesto.*

Bajo latín. [A. *Spätlatein;* I. *Low Latin;* F. *Bas-latin*]. Vid. *Latín.*

Balada. F. *Ballade.* **1.**—En las literaturas francesa y occitana medievales; «poema lírico de forma fija, compuesto de tres estrofas y un envío que comienza generalmente por la palabra *Prince.* Cada estrofa y el envío terminan con el mismo verso. Las tres estrofas son simétricas por el mismo número de versos (6, 8, 9, 10, 11 ó 12), por la posición y naturaleza de las rimas, por la medida de los versos, todos de la misma longitud (8 ó 12 pies)». (Bénac). **2.**—En el siglo xix, poema épico-lírico, de naturaleza melancólica, en que se refieren sucesos legendarios o fantásticos. El género procede de Alemania e Inglaterra.

Balcanorrománico o **Balcanorromance.** Se designa así el conjunto de modalidades y fenómenos lingüísticos que el latín ha originado en los Balcanes. Su único resto actual es el rumano; pero a este ámbito pertenecía el dálmata. Hay elementos latinos en albanés, griego moderno y lenguas eslavas meridionales.

Báltico (Grupo). Grupo lingüístico indoeuropeo, compuesto por un idioma desaparecido (el *prusiano antiguo,* hablado hasta el siglo xvii en. Prusia oriental), el letón [A. *Lettisch;* I. *Lettish* o *Latvian;* F. *Lette*], que se habla en la antigua Letonia por millón y medio de personas, y el lituano [A. *Litauisch;* I. *Lithuanian;* F. *Lituanien*], que cuenta con unos dos millones y medio de hablantes en la antigua Lituania.

Bantu o **Bantú.** Vid. *Negro-africanas (Lenguas)* y *Clase.*

Baquío. [A. *Bakcheus;* F. *Bacchée*]. Vid. *Pie.*

Barallete. Jerga gremial de los afiladores gallegos.

Barbarismo. 1.—Falta del lenguaje que cometen los extranjeros al adaptar a la lengua que pretenden hablar palabras de su propio idioma o de otra lengua que tal vez conocen mejor. Es frecuente, por ejemplo, el uso de *exprimir* por *expresar* entre extranjeros, que así hispanizan bárbaramente el francés *exprimer* o el italiano *esprimere* 'expresar'. **2.**—La Academia Española clasifica además como barbarismos: *a)* las faltas de ortografía; *b)* las acentuaciones erróneas: *périto, méndigo,* etc.; *e)* el ceceo*; *d)* las formaciones erróneas: *haiga* por *haya, cuala,* etc.; *e)* los extranjerismos; *f)* los nombres extranjeros pronunciados conforme a su nombre originario cuando tienen nombre español: *Brutus* por Bruto, *pachá* por bajá, *Bâle* por Basilea, *London* por Londres; *g)* los arcaísmos: *asaz, empèro,* etc.; *h)* los vocablos nuevos contrarios a la índole de nuestra lengua: *presupuestar, coloridad, extemporaneidad,* etc.; *i)* las palabras usadas indebidamente: *reasumir* por resumir, *bajo esta base* por sobre esta base, etc. Vid. *Solecismo, Barbarismo.*

Barcelonés. Vid. *Catalán.*

Barítona. 1.—Palabra paroxítona*. **2.**—En griego, palabra que lleva acento grave en la vocal final o cuya vocal final es átona. **3.**—Alguna vez se llama así a la sílaba trabada. **4. Ritmo barítono.** Se da tal nombre al ritmo que concede el primer lugar a los elementos fuertes de la fonación: intensidad, duración, altura o volumen de las palabras. Es propio de la anticipación*: *Grande fue mi extrañeza* (frente a *Mi extrañeza fue grande,* cuyo ritmo es oxítono).

Baritonesis. «Particularidad acentual del dialecto eolio [F. *Barytonèse* o *barytonie*], que no conocía los oxítonos, sino que retiraba siempre el acento tan lejos como era posible del final de la palabra, de ›donde, por ejemplo, eolio σόφος, πόταμος, frente a σοφός, ποταμός de los otros dialectos griegos. No debe confundirse con fr. *barytonaison* [baritonización] que designa, en gramática griega, el paso del acento agudo de las sílabas finales al acento grave, en el cuerpo de la frase» [Niedermann]. La baritonización no afecta a los monosílabos τίς, τί ni a los oxítonos que preceden a una pausa o a una palabra enclítica.

Base. A. *Grundlage.* **1.**—Parte de la palabra que resulta de separar los sufijos y elementos de flexión*. Si se separan los morfemas temáticos, queda sólo la **raíz*** o **base radical** [A. *Wurzelbasis;* I. *Root basis*]; latín *ag-* (de *ag-i-mus);* si dichos morfemas no se separan, queda el **tema,** llamado también **base sufijal** [A. *Suffixbasis;* I. *Stem basis*]. La base, considerada como lugar en donde se producen las alternancias vocálicas, se denomina **base de alternancia.** [A. *Ablautbasis;* I. *Gradation basis*]. Se distingue en lingüística indoeuropea entre **bases monosilábicas** [A. *Einsilbige Basen*] y **bases bisilábicas** [A. *Zweisilbige Basen*], y, en ambas, se distingue también entre **bases pesadas** [A. *Schwere Basen,* F. *Bases lourdes*] (en las monosilábicas si tienen una vocal larga: *dhē-* 'colocar'; en las bisilábicas, una vocal breve en la primera sílaba, y una larga en la segunda: *pelā-* 'aproximar') y **bases ligeras** [A. *Leichte Basen*] (en las monosilábicas, si tienen una vocal breve: *es-* 'ser'; en las bisilábicas, una vocal breve en cada sílaba: *teres-* 'temblar'). Se denominan también, respectivamente, *bases sēt* y *bases aniṭ.* **2.**—**Base de articulación.** Colocación de los órganos articulatorios en posición de reposo, distinta en los hablantes de cada grupo lingüístico. Según algunos lingüistas, es de naturaleza biológica; A. Alonso ha defendido la naturaleza psíquica, originada por herencia cultural, de la base de articulación. **3.**—**Base de comparación.** Los fonólogos dan tal nombre al conjunto de particularidades que son comunes a los términos de una oposición. En la oposición *b / p,* la base de comparación está constituída por los rasgos que caracterizan a estas consonantes como bilabiales, oclusivas y orales. Dos fonemas que no posean base de comparación no pueden formar oposición. **4.**—**Base de analogía** [A. *Leitwort*]. Palabra que provoca una acción analógica*. **5.**—En métrica grecolatina, pie completo de dos sílabas, eliminado a efectos métricos por anacrusis*. **6.**—**Base del sintagma.** Vid. *Sintagma* (acep. 5). **7.**—**Base morfológica virtual** [A. *Virtuelle morphologische Basis*]. Así llama Trnka a la base que, en la lengua, sólo puede recibir un determinado y único morfema. Así, inglés, *flabby,* analizable en un sufijo *by* y una base *flab;* ésta no puede recibir más que aquel morfema, y no sirve, por tanto, de base para formar otras palabras; se trata de una base morfológica virtual.

Básico. A. *Fundamental.* Este adjetivo, unido al nombre de un idioma *(inglés básico, español básico,* etc.), indica el conjunto de elementos fonéticos, morfológicos y sintácticos que constituyen el mínimo imprescindible para hablar y comprender dicho idioma elementalmente.

Batología. Repetición enojosa de vocablos, como la que se produce en el tartamudeo.

Bávaro. Vid. *Alemán.*

Beach-la-mar. F. *Bech-la-mar, Bichlamar, Bèche - de - mer.* Idioma mixto*, con léxico inglés adaptado al sistema gramatical malayo, hablado en islas occidentales del Pacífico.

Bearnés. Dialecto del Bearne (Francia), considerado como subdialecto gascón. Sin embargo, ningún bearnés consentiría en admitir esta filiación (Elcock). Presenta numerosos puntos de contacto con el aragonés pirenaico.

Bédier (Método de). Método de crítica* textual propuesto por J. Bédier, en el prólogo a su edición del *Lai de l'Ombre* (1913) y en *Romania* (1928); fundamentalmente, se trata de un método subjetivo, basado en la confianza que debe concederse al manuscrito más autorizado, corrigiéndolo por razones de gusto. Vid. Lachmann, Quentin.

Beirano. Vid. *Portugués.*

Benefactivo (Aspecto). Vid. *Acomodativo (Aspecto).*

Bengalí. Vid. *Indo-iranio (Grupo).*

Beocio. Vid. *Griego.*

Bereber. Vid. *Líbico-bereber.*

Bergamasco. Vid. *Italiano.*

Bermudina. Nombre que también recibe la octava* aguda endecasílaba, por haberla empleado especialmente Salvador Bermúdez de Castro (1814-1883).

Biceps (Plural, bicepites). En el ritmo cuantitativo, lugar del verso en que pueden aparecer una sílaba larga o dos breves indistintamente.

Bielorruso. Vid. *Eslavo (Grupo).*

Biextensivo (Aspecto). F. *Aspect bi-extensif.* «Aspecto doblemente compuesto [fr. «surcomposé»] representado por auxiliar + participio pasivo del auxiliar + participio pasivo del verbo = fr. *avoir eu marché*, y que llamaremos *aspecto biextensivo* en consideración a que vuelve a dar tensión*, en el momento en que expira, a la extensión antes obtenida por el mismo medio [en el aspecto extensivo*]» (Guillaume). Vid. *Tensivo*.

Bilabial. Articulación cuyos órganos activo y pasivo son los labios inferior y superior, respectivamente: *p, b, m*.

Bilabiovelar. Articulación en la cual actúan los labios y el postdorso de la lengua, como órganos activos, y el velo del paladar, como pasivo: *w, ɥ, u, ʮ, ʋ, ɑ*.

Bilateral (Oposición). Oposición cuya base* de comparación es exclusiva de los dos fonemas que la constituyen, y no se produce entre otros términos del sistema. Por ejemplo, en español *k/g* (consonantes velares oclusivas orales). Vid. *Simple (Oposición)*.

Bilingüismo. A. *Zweisprachigkeit;* I. *Bilingualism.* Capacidad que posee un individuo o una comunidad de poder usar normalmente dos idiomas. El bilingüismo actúa decisivamente en los fenómenos de sustrato* y superestrato*.

Binario. Se aplica a un complejo lingüístico formado por dos elementos. Vid. *Sintagma*.

Blancos (Versos). Son los que, sujetándose a las demás leyes rítmicas (acentos, pausas, número de sílabas, etc.), carecen de rima: *Esta corona, adorno de mi frente, / esta sonante lira y flautas de oro / y máscaras alegres que algún día / me disteis, sacras musas, de mis manos / trémulas recibid, y el canto acabe* (L. F. de Moratín). Vid. *Sueltos (Versos), Verso* libre*.

Blandas (Consonantes). Denominación que se da a algunas consonantes, aludiendo a la facilidad con que el aire atraviesa el obstáculo que le opone la articulación. Alude, pues, el término a la intensidad espiratoria. Y se opone a *consonantes duras**.

Boloñés. Vid. *Italiano*.

Borgoñón. Vid. *Francés*.

Bosquímano. Vid. *Negro-africanas (Lenguas)*.

Braquilogía. 1.—Empleo de una expresión corta equivalente a otra más amplia o complicada: *me creo honrado (creo que soy honrado).* **2.** Expresión de naturaleza semejante a la elipsis, pero que se diferencia de ella porque los términos sobrentendidos no están en el contexto: *¡Qué horror!*

Brasileño. Vid. *Portugués.*

Bretón. Vid. *Celta.*

Breve (Vocal, Sílaba). V i d . *Cantidad.*

Breves abreviantes (Ley de las). Vid. *Abreviamiento.*

Británico. Vid. *Celta.*

Broken-English. Lengua mixta, con léxico inglés adaptado al sistema gramatical indígena, que se habla en Sierra Leona y Liberia.

Bron. Vid. *Jerga.*

Bucal. Vid. *Oral.*

Bucólica (Cesura, Diéresis). Vid. *Cesura.*

Búlgaro. Vid. *Eslavo.*

Burgalés. Castellano hablado en Burgos, con escasos influjos vascos, navarro-aragoneses y leoneses.

Bustrófedon. «Manera de escribir que consiste en trazar un renglón de izquierda a derecha y el siguiente de derecha a izquierda. Usóse en Grecia antigua y tomó nombre de su semejanza con los surcos que abren los bueyes arando: βοῦς 'buey' στρέφω 'volver, tornar'» (DRAE).

Cabo roto (Versos de). Vid. *Rima.*

Cacofonía. Repetición o encuentro de varios sonidos con efecto acústico desagradable: *Dales las lilas a las niñas.*

Cacofónico. Se usa este término para designar todo lo que contribuye a la cacofonía. Se opone a *eufónico*.*

Cacografía. Ortografía viciosa.

Cacología. Expresión que, sin ser gramaticalmente incorrecta, atenta contra la lógica o el buen uso: *bajo este punto de vista* por *desde este punto de vista.*

Cacuminal. Articulación cuyo órgano activo es la lengua, en su borde anterior o, a veces, en su cara inferior, y cuyo órgano pasivo es la parte superior del paladar. Recibe también el nombre de **cerebral.** Dentro del dominio románico, aparece la articulación cacuminal, simple o geminada (representada fonéticamente *ḍ* o *ḍḍ),* en Cerdeña, Sicilia, Apulia, Calabria y en una región del asturiano occidental.

Cadena fónica o hablada. Con esta designación, que sugiere una serie de elementos eslabonados entre sí, se alude a una porción cualquiera de habla, resaltando, por una parte, el aspecto material y sonoro de la misma y, por otra, el hecho de que todos sus elementos constitutivos (sonidos, sílabas, palabras, oraciones) se ordenan lineal y sucesivamente. Para el significado de *cadena* en Glosemática, vid. *Clase.*

Cadencia. Vid. *Tonema.*

Caduco. A. *Schwund-;* I. *Losable.* Sonido con escaso poder distintivo*, que ha dejado de pronunciarse (aunque se siga representando en la escritura), o se pronuncia relajada e indistintamente. Así, por ejemplo, la *-e* final en francés, la *-d* de las terminaciones -*ado*, en español, etc.

Caída. A. *Schwund, Ausstossung;* I. *Disappearance;* F. *Chute.* Con este término metafórico se designa la desaparición de un sonido o un grupo de sonidos sin influir en la articulación de los sonidos vecinos. Hay caída en los fenómenos llamados síncopa, aféresis y apócope. No la hay en la desaparición de la *c* en la palabra lacte > *laite* > *leite* > *leche.*

Calabrés. Vid. *Italiano.*

Calambur. I. *Pun.* F. *Calembour.* Fenómeno que se produce cuando las sílabas de una o más palabras, agrupadas de otro modo, producen o sugieren un sentido radicalmente diverso. Por ejemplo: *A este lopico,* lo pico (Góngora); *Diamantes que fueron antes* / de amantes *de su mujer* (Villamediana).

Calco. A. *Abklatsch, Lehnübertragung.* 1.—**Préstamo*** (1.ª acepción) que imita el esquema o la significación· de una palabra o locución extranjeras, y no su entidad fonética. El alemán *Ausdruck* 'expresión' es un calco ·que reproduce el esquema del latín *expressio;* el italiano *miraggio* es un préstamo tomado al francés *(mirage),* mientras el español *espejismo* es un calco basado en el sentido (francés *miroir,* 'espejo'). Los lingüistas alemanes distinguen entre **calco del esquema** *(Uebersetzungslehnwort)* y **calco de la significación**(*Bedeutungslehnwort).* Los lingüistas ingleses utilizan un término único, *translation loan word,* como los franceses ·*(calque),* italianos y españoles *(calco).* **2.**—Proceso de incorporación de un calco, bien del esquema (A. *Lehnübersetzung),* bien de la significación (A. *Bedeutungslehnung).* Los lingüistas ingleses llaman a este proceso *loan translation.* Los lingüistas franceses, italianos y españoles no distinguen, en general, este matiz.

Calificativo (Adjetivo). Se denomina así el adjetivo que añade al sustantivo una nota de cualidad: *bueno, alto, azul.* Vid. *Adjetivo, Epíteto, Determinativo.*

Caló. Término usado como sinónimo de gitano*, y jerga* (acepción A).

Cambio. 1. — Cambio **fonético** [A. *Lautwandel, Lautwechsel* I. *Phonetic change;* F. *Changement phonétique, Affection*]. Modificación que un sonido sufre en la evolución de una lengua. Puede producirse mediante un salto *(mutación)*, o por evolución gradual. Hubo salto, por ejemplo, en la pérdida de *f-* inicial que sufrió el castellano, y cambio gradual, en el paso de *ç* a *θ*. El cambio fonético puede alterar el sistema fonológico, y recibe entonces el nombre de **cambio fonológico**, por ejemplo, el proceso que en el siglo XVI llevó a *ç* y *z* a pronunciarse *θ*, originando un nuevo fonema. El cambio fonético puede ser **independiente o espontáneo** [A. *Unbedingter;* F. *Spontané, Inconditioné*], cuando se produce por el sonido mismo, en virtud de su situación en el sistema; y **condicionado o combinatorio** [A. *Bedingter;* I. *Heteronomous*], cuando su realización ha dependido de determinado contacto fonético; por ejemplo, la diptongación de *ŏ* tónica en aragonés ante yod: *uello* 'ojo'. Si un hecho fonético es combinatorio, siempre es condicionado; y, en el espontáneo, puede haber algún condicionamiento; por ejemplo, la ausencia de ciertos factores perturbadores; así, la *ŏ* tónica se hace espontáneamente *ué* en castellano, pero a condición de no ir seguida de yod: así b ŏ n u m > *bueno*, pero o c u l u m > *ojo* (en vez de *uejo*). Vid. *Esporádico*. 2.—**Cambio semántico** [A. *Bedeutungswandel, Bedeutungswechsel;* I. *Semantic change;*

F. *Changement sémantique*]. Cambio de significación de una palabra. Puede realizarse: A) Por restricción del significado primitivo [A. *Bedeutungsverengerung; I. Narrowing*]; por ejemplo, latín *vota* 'votos' > esp. *bodas*. B) Por *extensión* [A. *Bedeutungserweiterung; I. Widening*]: *vándalo* ha pasado a significar 'destructor'. C) Por **desplazamiento**; es el fenómeno que caracteriza a los tropos*. Todos estos cambios van frecuentemente mezclados con fenómenos de eufemismo y disfemismo, etimología* popular, forma* interior del lenguaje, etcétera. 3.—**Cambio funcional**. Vid. *Transposición funcional*. 4.—**Cambio cuantitativo, cualitativo**. Vid. *Cualidad*.

Cámbrico. Vid. *Celta*.

Camito-semíticas (Lenguas). Conjunto de lenguas, al que pertenecen los grupos **semítico***, **egipcio***, **líbico*-bereber** y el **cusita***. Cubre un vasto domino, por Arabia y países vecinos del N., y la mayor parte de Africa septentrional. Se acostumbra a reunir los tres últimos grupos bajo el nombre de **camítico o camita** [A. *Hamitisch;* I. *Hamitic;* F. *Chamitique*].

Campidanés. Vid. *Sardo*.

Campo. A. *Feld.* **1.—Campo acentual** [F. *Champ intonable*] Lo constituyen, en la palabra griega, el conjunto de sílabas susceptibles de recibir el acento. Su extensión está regida por la *ley de limitación*, según la cual el acento no puede caer fuera de las tres últimas sílabas de la palabra, si la final es breve, ni fuera de las dos últimas, si la final es larga. Recibe también esta formulación el nombre de *ley de las tres moras*, y el quizá más ajustado de *ley de las tres sílabas* [A. *Dreisilbengesetz;* I. *Three syllable law*]. **2.—Campo asociativo.** Vid. *Asociativo.* **3.—Campo de entonación.** Conjunto de tonos comprendidos entre el más agudo y el más grave. Estos dos límites oscilan según los individuos y según las lenguas. El campo de entonación media del español es algo superior a una octava. **4.—** K. Bühler ha introducido dos importantes nociones de *campo* en la Lingüística: campo mostrativo o demostrativo [A. *Zeigfeld*] y campo simbólico [A. *Symbolfeld, Zeichenfeld*]. En efecto, una palabra puede hacer referencia a un lugar, a un tiempo, a una persona: *yo, ahora, esto,* mediante deixis*. La palabra se encuentra entonces en un *campo* que la rodea [A. *Umfeld*] y en el que desempeña el papel de señal indicativa. Pero su campo circundante pueden constituirlo otras palabras. Cuando decimos *el cielo es azul,* las palabras se relacionan entre sí como signos de determinados objetos y nociones: su *Umfeld* es ideal, contextual, simbólico.

Canal vocal. I. *Breath channel.* Espacio que dejan para la salida del aire los órganos articuladores. Dicho canal aparece obstruido en las articulaciones oclusivas y presenta su mayor abertura en las vocales.

Cananeo. Rama del grupo semítico*, que comprende como lenguas importantes el **hebreo*** y el **fenicio***

Canario. Modalidad del castellano hablado en el archipiélago canario. Sus rasgos son semejantes en lo esencial a los del andaluz.

Canción. 1.—En la poesía española de los siglos XVI y XVII, agrupación estrófica de versos heptasílabos y endecasílabos. La unidad estrófica de la canción es, muy frecuentemente, la **estancia** o **estanza,** formada por versos de ambos metros, combinados a gusto del poeta. Una vez fijada esta estructura, se repite a lo largo del poema. La última, sin embargo, podía ser más breve, y se denominaba **envío.** «La más típica forma de estancia consta de tres partes, designadas con los términos italianos de **capo, corpo y coda**: el capo está constituido por tres versos sin rima entre sí, seguidos de otros tres que riman con ellos; el *corpo* empieza en el séptimo verso, que generalmente es heptasílabo y rima con el último del capo; después continúa hasta llegar a un remate de dos o tres versos, que es la *coda*. Hubo otros tipos de estancia que no se ajustan a la triple división, teniendo por único requisito el que los versos formasen estrofas iguales» (Lapesa). **2.—Canción trovadoresca.** «Consta generalmente de una redondilla inicial como tema, de una segunda redondilla como mudanza y de una tercera que repite las rimas del tema, *abba : cdcd : abba*. En algunos casos, las redondillas eran sustituidas por quintillas. Otras veces el tema y la parte final de la copla sólo constaban de tres versos. Se empleaba el octosílabo o el hexasílabo... Hubo canciones múltiples en que el tema iba seguido por varias coplas en el orden indicado. La canción de coplas múltiples fue frecuente en las serranillas. Se propagó como danza provenzal y como virelai francés» (N. Tomás). Se cultivó, especialmente, en el siglo xv. **3.—** En las literaturas francesa y pro-

venzal medievales, poema breve (F. *Chanson*), dividido en estancias iguales, destinado al canto. Existen, por lo demás, muchos tipos de *chansons* líricas: *Chanson courtoise*, que exalta a la dama y, a través de ella, la purificación del alma y el culto del bien; sus metros son variados y complicados, ya que cada poeta debía inventar la melodía y una forma métrica original. *Chanson de dance*, con pareados ajustados a una melodía. *Chanson farcie*, en lengua vulgar mezclada con latín. *Chanson à personnages*, en pareados dialogados, como la *pastourelle*, etc. **4.— Canción paralelística.** Vid. *Cosaute.*

Cantidad. A. *Quantität, Dauer, Länge*; I. *Duration, Length*; F. *Quantité, Durée, Longueur*. Duración de un sonido consonántico o vocálico, de un diptongo o de una sílaba. Este carácter de los sonidos, no distintivo en español, era fundamental en sánscrito, griego y latín, que eran **lenguas cuantitativas**, es decir, distinguían entre vocales y sílabas largas, por un lado, y vocales y sílabas breves, por otro. La cantidad era distintiva: *vĕnit* 'viene', *vēnit* 'vino', etc. Se señalan dos tipos de cantidad: *breve* [A. *Kurz*; I. *Short*] y *larga* [A. *Lang*; I. *Long*; F. *Longue*] indicadas gráficamente con los signos ˘ y ¯, respectivamente, colocados sobre la vocal. La duración de una vocal larga suele ser inferior a la de dos breves, aunque en la métrica grecolatina, de carácter cuantitativo, se suponga que la duración de la larga equivale a dos moras*. En griego y latín, es sílaba larga la que contiene una vocal larga o un diptongo (**larga por naturaleza**), o bien una vocal breve seguida de dos o más consonantes, o de una consonante doble (**larga por posición**). Si las dos consonantes que siguen a la vocal breve son muda* y líquida formando grupo, la sílaba puede ser breve (Vid. *Correptio attica*). Es sílaba breve aquella que termina en vocal breve. El latín perdió hacia el siglo III la cantidad como rasgo distintivo. Las lenguas románicas carecen, por tanto, de cantidad distintiva, y la duración, en estas lenguas, está condicionada por el acento, por el contexto fonético, por circunstancias afectivas, etc. Vid. *Abreviamiento, Alargamiento, Cualidad, Acento* de *cantidad*.

Cantiga. Este término gallego se aplicó durante la Edad Media, tanto en Galicia como en Castilla, a toda poesía destinada al canto. Variedades juglarescas suyas son el cosaute*, el **zéjel*** y la **cantiga de estribillo** (formada por estribillo de tres o más versos, mudanza de una redondilla o quintilla y versos de enlace y vuelta; su forma fue heredada por el villancico). Las cantigas de métrica más culta, variada y de libre disposición se denominan **cantigas de maestría** (Navarro Tomás).

Cantonés. Vid. *Chino-tibetano.*

Capcinés. Vid. *Catalán.*

Capfinidas (Estrofas). Término procedente de la métrica provenzal con que se designan las estrofas que van unidas por anadiplosis: *La carrera as errado,* / *e andas como radío.* // *Radio ando, serrana...* (*Libro de Buen Amor*, estrofas 988 y sigs.).

Capicúa. I. *Palindrome.* Se dice de la frase o palabra que poseen el mismo orden de fonemas leídas de principio a fin, que de fin a principio: *Dábale arroz a la zorra el abad; In girum imus nocte et consumimur igni* (Virgilio).

Capo. Vid. *Canción.*

Característica. A. *Kennzeichen.* Rasgo que, por ser común a un grupo de elementos lingüísticos, los reúne en un sistema homogéneo, fonético, morfológico o sintáctico. Vid. *Sintagma* (5.ª acepción).

Caracterizado. Vid. *Término*.

Cardinal. A. *K a r d i n a l z a h l, Grundzahl*. 1.—Término creado por Prisciano (512-560) para aludir a los numerales que designan los números enteros. 2.—**Vocal cardinal** [A. *Grundvokal*]. Es la que «tiene cualidades acústicas conocidas y posiciones definidas de la lengua y de los labios» (D. Jones). Son, en español, *a, e, i, o, u.*

Carole. Canción francesa de la Edad Media que se bailaba en círculo.

Carta lingüística. Vid. *Mapa lingüístico*.

Caso. A. *Fall.* Forma que adopta un nombre para desempeñar una determinada función en la frase mediante flexión. Desde la Antigüedad se ha visto que era ésta la categoría primordial del nombre, al que se caracterizaba como una parte del discurso susceptible de caso, frente al verbo, que no lo admitía. El nombre latino *casus* es traducción del griego πτῶσις, que significa 'caída', porque los casos eran considerados como caída o desvia-

ción del nominativo, el caso *directo, recto*, por excelencia, del nombre (griego ὀνομαστική, latín *nominativus*). Los demás casos eran llamados *oblicuos*. En indoeuropeo se distinguen los siguientes casos: *nominativo, acusativo, genitivo, locativo, dativo, instrumental, ablativo* y *vocativo*. Las lenguas de este tronco fundieron algunos por sincretismo, y algunas —como las románicas occidentales— perdieron la declinación casual, sustituyéndola por relaciones preposicionales. Con todo, algunos gramáticos siguen hablando de casos en tales lenguas *(declinación preposicional)*. **Casos adverbales** son los que expresan la relación del nombre con un verbo; y **casos adnominales**, los que expresan relación con un nombre o pronombre. Se ha dado el nombre de **caso activo** al nominativo, y de **caso régimen** a los restantes, menos el vocativo. También se **denominan casos locales** el acusativo lativo, el ablativo y el locativo, y **casos gramaticales**, el nominativo, genitivo, dativo y acusativo complemento directo. Hay lenguas no indoeuropeas que poseen multitud de casos; Wundt señala, en ciertos idiomas caucásicos, 47 casos simples y 87 compuestos.

Castellano. 1.—Dialecto de Castilla, que, con la hegemonía de este reino y la unificación con Aragón, se hace lengua nacional de España. Comenzó a hablarse en Cantabria y avanzó hacia el S. con caracteres originales e innovadores, en forma de cuña inversa, entre el leonés, al O., y navarro-aragonés, al E. Su progresión, a costa de los dialectos laterales, continúa todavía. «En la época moderna, el idioma se ha mantenido sin cambios esenciales en Castilla la Vieja, donde nació, y en buena parte de Castilla la Nueva». Con todo, García de Diego habla del *burgalés*, *alavés*, *soriano* y *riojano* como modalidades dialectales del castellano, más o menos definidas. «En las regiones del Sur han tenido lugar desarrollos fonéticos peculiares, algunos de los cuales llegan hasta Madrid y la Mancha sin constituir en ellas dialectos especiales, ya que, por lo demás, el lenguaje responde al tipo castellano puro. Conforme se avanza hacia el Mediodía, aumenta el número e intensidad de particularidades» (Lapesa). Es frecuente hablar del *andaluz*, *murciano*, *extremeño* y *canario* como subdialectos del castellano. 2. Nombre que alterna con el de *español* para designar esta lengua. Esta alternancia fue muy favorecida por la Real Academia Española, que hasta 1924 utilizó el nombre de *castellano* en su Diccionario y en su

Gramática. A partir de ese año, estas obras aluden ya a la «lengua española». Refiriéndose a la designación de «lengua castellana», Menéndez Pidal escribió en 1918: «Este término i n d u c e erróneamente a creer, dado su valor geográfico restringido, que fuera de Castilla no se habla la lengua literaria sino como importación. El término *castellano* puede tener un valor preciso para designar la lengua del Poema del Cid, cuando la unidad nacional no se había consumado, y cuando el leonés y el aragonés eran lenguas literarias. Pero desde fines del siglo XV la lengua que comprendió en sí los productos literarios de toda España... no puede sino ser llamada española». En España hay una clara inclinación hacia el nombre de *español*. En Hispanoamérica, el problema vive: «Hay millones de hispanoamericanos que usan ambos nombres [castellano y español] indistintamente; pero, en general, se advierte preferencia —rara vez excluyente— por *castellano*. Los motivos son arcaísmo (sobre todo fuera de las grandes ciudades), academismo [actitud cultural, constructiva, que pone en el idioma puro de Castilla el ideal de lengua], academicismo [fidelidad a las normas de la Real Academia Española, hasta 1924, y, después ultraacademicismo, por

pensar que dicha institución se ha
salido de la ortodoxia] y celo patriótico» (A. Alonso).

Castellonense. Vid. *Catalán.*

Casticismo. Modalidad del lenguaje consistente en usar voces y
giros de casta, es decir, de tradición
en la lengua, evitando los extranjerismos. Vid. *Purismo.*

Casual. Lo referente al caso.

Catacresis. Empleo de una palabra en sentido traslaticio: *reírse
en sus barbas* (es decir, 'en su presencia'). La retórica tradicional con-
sideraba tal traslación como un abu-
so, aunque a veces era disculpable
y aun deseable por su gran fuerza
expresiva. También se utilizaba el
término para designar las metáforas excesivamente violentas, «como
cuando dijo Góngora, hablando de
Polifemo: *era un monte de miembros eminente;* porque es cierto que
Polifemo, por alto que fuese, no
podía tener proporción en la altura
con un monte eminente» (Mayáns).

Catáfora. Anticipación que realiza una palabra de lo que va a
venir en el discurso. En español
ejercen tal función, principalmente,
los demostrativos: *Y ése fue el mal:*
*que con esta broma nos quedamos
rezagados* (Benavente).

Catalán. Idioma hablado en Cataluña, Valencia, Baleares, Rosellón
(Francia) y Alguer (Cerdeña). Su límite con el aragonés es muy poco
preciso desde los Pirineos hasta
Benabarre, Purroy y Calasanz; se
perfila mejor desde Tamarite a Lérida y Fraga. Su línea de contacto
con el castellano, en Valencia, no
coincide con la frontera administrativa de las tres provincias, y los
catalanismos son, fuera de tales
fronteras, muy abundantes. A. Ba-
día (1951) divide el catalán en *oriental* y *occidental.* El catalán oriental
comprende el *central* (provincia de
Gerona, menos una ancha faja septentrional, que pertenece al rosellonés; toda la provincia de Barce-
lona, menos un pequeña ángulo al
O. de Calaf; cuenca del Cardoner,
en Lérida; NE. de Tarragona, hasta
el S. de Montroig); *balear* (Islas
Baleares); *rosellonés* (comarcas de
Rosellón, Conflent, Vallespir, Cap-
cir y Cerdaña, en Francia; N. de
Gerona y extremo NE. de Lérida);
y *alguerés* (Alguer, en Cerdeña, y
sus cercanías). Dentro de estos dialectos, se distinguen los siguientes
subdialectos: en el c e n t r a l, el
barcelonés, el *salat* (faja costera del
Ampurdán y La Selva, desde el Ter

hasta Blanes y, aisladamente, Cadaqués), *dialecto del Campo de Tarragona* o *tarraconense*, el *xipella* (fronterizo entre el catalán oriental y el occidental, desde Seo de Urgel hasta la Conca de Barberà y comarca de Santa Coloma de Queralt); en el b a l e a r, el *mallorquín* (a él pertenece el *manacorín*), el *menorquín* y el *ibicenco*. El catalán occidental comprende el *leridano* (Andorra; Lérida, salvo el valle de Arán, Cerdaña. Solsona y su comarca; O. y S. de Tarragona; N. de Castellón; una larga y estrecha faja al E. de Aragón) y el *valenciano* (Castellón, menos la zona septentrional; Valencia y Alicante). Dentro del l e r i d a n o se señalan: el *andorrano*, el *pallarés*, el *ribagorzano* y el *tortosino*, y en el v a l e n c i a n o, el *castellonense*, el *apitxat* (Valencia capital y casi toda la provincia), y el *alicantino*. Vid. *Lemosín*.

Catalanismo. Palabra de procedencia catalana: *seo, capicúa*, etc.

Cataléctico. Vid. *Acataléctico*.

Catálisis. I. *Catalysis;* F. *Catalyse*. Operación del análisis glosemático, consistente en reponer un funtivo cuando no está expreso. Si un texto latino, por ejemplo, aparece interrumpido tras la preposición *sine*, será preciso reponer, mediante catálisis, el caso ablativo, magnitudes ambas relacionadas por cohesión*. No debe confundirse con la *interpolación*.

Catarsis. Efecto purificador de las pasiones (κάθαρσις) que produce el arte, especialmente la tragedia.

Catástasis. F. *Catastase*. 1.— Nombre propuesto por Grammont (1933) para designar el momento de tensión* en la articulación de las oclusivas. 2.—Momento de una obra teatral en que culmina su interés argumental.

Catástrofe. Desenlace de una obra teatral. Se suele aplicar el término cuando tal desenlace es doloroso; pero no es significado exclusivo: *Catastrophe est conversio negotii exagitati in tranquillitatem non expectatam* (Scaligero).

Categoremática. Alguna vez se llama así a la palabra provista de significación, frente a la que, en la frasé, sólo sirve para ejercer oficios de relación.

Categoría lingüística. Se denomina así cada una de las clases generales en que se reparten todos los elementos de un sistema lingüístico. Para la determinación de categorías, puede atenderse a varios criterios. **1.**—Según la función que una palabra desempeña en la frase, se obtienen diversas categorías, como sustantivo, adjetivo, pronombre, verbo, adverbio, preposición, conjunción e interjección*. Son las llamadas **categorías funcionales, partes de la oración o partes del discurso** [A. *Wortarten, Redeteile;* I. *Parts of speech, Word-classes;* F. *Parties du discours*]. **2.**—Hay otras categorías, que se realizan en varias partes del discurso o exclusivamente en una de ellas, denotadas por morfemas específicos. Son las propiamente llamadas **categorías gramaticales**: género, número, caso, persona, aspecto, voz, tiempo y modo. Vid. *Oposición* gramatical. **3.** — Jespersen (1924) y Hjelmslev (1928) han hecho notar que, muchas veces, lo que se muestra a primera vista como una sola categoría, con un examen más atento ofrece la posibilidad de una serie de subdivisiones que parecen continuarse hasta el infinito. Cuando esto ocurre, podemos hablar de **grupos de categorías.** Así, por ejemplo, la parte del discurso *verbo* está constituida por multitud de categorías: verbo activo, pasivo, transitivo, intransitivo, medio, reflexivo, recíproco, intensivo, iterativo, etc. La categoría gra-

matical *caso* abarca un grupo de categorías, llamadas nominativo, acusativo, dativo, benefactivo, etc. **4.** Bally (1932) designa con el nombre de **categorías léxicas** [F. *Catégories lexicales*] «las clases de signos que expresan las ideas destinadas a combinarse en el discurso por medio de nexos gramaticales». Son estas cuatro: *sustantivo, adjetivo, verbo* y *adverbio.* **5.**—Atendiendo a la significación, Hjelmslev (1928) habla de **categorías lexicológicas**, constituidas por las palabras o grupos de palabras que contienen un mismo semantema: *certeza, certidumbre, cierto, cerciorar,* etc. **6.**—Para su acepción en Glosemática, vid. *Suma.*

Categorial. Vid. *Transpositor.*

Caucásicas (Lenguas). Nombre que se aplica a las lenguas no indoeuropeas del Cáucaso. Se dividen en **Norte-caucásicas** (*checheno-lesghio, artshi, udi,* etc.) y **Sud-caucásicas** (*georgiano, mingreliano, laz,* etcétera). N. Marr ha relacionado estas lenguas con otros idiomas pre-indoeuropeos, los llamados **idiomas mediterráneos** (*vasco, etrusco, pelásgico,* etc.), dando a dicho grupo el nombre de **jafético.**

Causal. A. *Ursächlich.* Se da este nombre a la oración subordinada que expresa una circunstancia de causa. «La gramática latina distinguía con claridad **coordinadas causales** y **subordinadas causales:** las primeras llevaban las conjunciones *nam, enim, etenim;* las segundas se introducían por medio de *quod, quia, quoniam, quare.* A imitación suya, las gramáticas de nuestra lengua estudian separadamente coordinadas y subordinadas causales; pero las definiciones en que fundan esta distinción son extremadamente oscuras, a causa de que adaptan artificiosamente al español las diferencias latinas entre los dos grupos de conjunciones... En las lenguas romances se borraron estas diferencias, con muy pocas excepciones». (Gili Gaya). Las subordinadas causales se unen a la principal mediante las **conjunciones causales,** que son en español: *que, pues, pues que, porque, puesto que, ya que, supuesto que, de que, como, como que,* etc.

Causativo. Se dice del verbo o forma verbal cuyo sujeto no realiza la acción, sino que obliga a que la realice otro. Así, latín *moneo* hacer recordar, advertir' frente a *memini* 'acordarse'. Se llama también **factivo** o **factitivo.**

Cazafatón. De este modo se hispanizó en el siglo XV el término griego καχέμφατον, con que se designa en Lingüística la concurrencia de varias sílabas, pertenecientes a palabras distintas, cuando forman o sugieren una palabra o expresión de sentido torpe o chusco. Tal posibilidad ha sido aprovechada en ocasiones por la poesía burlesca. Numerosos poemas, en los cancioneros del cuatrocientos, aparecen «fechos de caçafatones». Así, por ejemplo, se lee en un poema de Villasandino: *Non me ha por que rectar / ... amar a Blanca Garçya / ... su donayre acabado.*

Ceceo. «*Ceceo* ha significado desde antiguo: 1) el timbre particular de la *c* [española], 2) el acto de llamar a uno con la interjección *ce* (lo que hoy se dice *chistar*), 3) *ceceoso* por *tartajoso* (raro) y 4) desde el siglo XVII, el trocar la *s* con *c* [θ] contrafigura del seseo: *ci, ceñor, pace uzté.* Hoy esta última es la significación casi única» (A. Alonso). Practican dicho trueque las regiones meridionales españolas, en proporciones y circunstancias muy variadas, y en coexistencia con el seseo y la distinción entre *s* y *θ*. «En la mayor parte de los casos, el **ceceo andaluz** se produce con articulación coronal, sin que el ápice de la lengua se sitúe entre los dientes y sin que la fricación ocurra exactamente en el filo de los incisivos superiores. La corona lingual se estrecha contra la parte más baja de la cara de dichos incisivos, elevándose en forma más o menos convexa, de la cual participa también el predorso, y el ápice entretanto forma contacto con los dientes inferiores» (Navarro Tomás, Espinosa, R.-Castellano). Vid. *Ciceo, Seseo.*

Celta (Grupo). Familia de lenguas habladas por los celtas, dividida en dos secciones: la continental, representada sólo por el **galo,** y la insular, dividida en dos subgrupos, el **gaélico** o **goidélico,** formado por el *irlandés,* el *escocés* y el dialecto de la isla de Man, y el **britónico,** constituido por el *cámbrico* o *galés,* el extinguido *córnico* y el *bretón,* llevado a la península armoricana desde las Islas Británicas. Vid. *Címbrico.*

Celtibérico. «Hoy podemos hablar de lengua celtibérica, bastante bien conocida, al menos dentro de nuestra general ignorancia de las lenguas célticas del continente... Hoy sabemos con certeza que el celtibérico se habló en el territorio de las actuales provincias de Soria, Burgos, Logroño, Guadalajara, parte occidental de Teruel y Zaragoza y sur de Navarra. Si el estudio de las inscripciones monetales nos asegura, en cuanto a los límites orientales del celtibérico, la falta de escritura prerromana al oeste nos deja en incertidumbre sobre la difusión de la lengua en esa dirección y sobre sus límites» (A. Tovar).

Cenematemas. Nombre que se da, conjuntamente, a los cenemas y a los prosodemas. Vid. *Pleremática.*

Cenemática. Parte de la Glosemática* que estudia las unidades de expresión* o cenemas (κενός 'vacío'). Vid. *Pleremática.*

Cenetes (Idiomas). Vid. *Bereber.*

Cenismo. Mezcla de dialectos o lenguas en un mismo texto. El término aparece en Quintiliano (κοινισμός) como sinónimo de σαρδισμός.

Centón. Obra literaria, compuesta principalmente de sentencias, versos o expresiones pertenecientes a otras obras del mismo o distinto autor.

Central. [A. *Mittellaut, Medial;* F. *Médiane*]. 1.—Así se denomina cada una de las articulaciones cuyo canal vocal se forma en el centro de la boca. Se opone a *lateral**. El fenómeno por el cual una articulación lateral pasa a hacerse central se denomina **centralización**. Así, por ejemplo, el paso de *ll* a *y*, normal en muchos lugares del dominio castellano: *calle* > káye, *pollo* > póyo. **2.** — **Cenemas, Pleremas centrales.** Vid. *Pleremática*.

Centrífugas (Lenguas). Vid. *Centrípetas (Lenguas)*.

Centrípetas (Lenguas). Así llama L. Tesnière (1959) a las lenguas en que domina la ordenación regido-regente (inglés *white horse*). Serían lenguas centrípetas, entre otras, el griego, el latín, el inglés, el alemán (mitigadas), las lenguas hiperbóreas, dravídicas, caucásicas (intensas). Por el contrario, llama **lenguas centrífugas** a aquellas en que es dominante la ordenación regente-regido *(caballo blanco)*. A este grupo pertenecerían el italiano, el francés, el español, el vasco (mitigadas), el hebreo, el árabe (intensas).

Centro. 1.—Localidad cuya habla se tiene en cuenta en un mapa lingüístico. **2.**—**Centro silábico** [I. *Crest of sonority*]. «Parte de la sílaba que detenta particularidades prosó-

dicas distintivas... Según la lengua, un centro de sílaba puede ser: *a)* una vocal; *b)* un grupo polifonemático de vocales; *c)* una sonante; *d)* un grupo polifonemático vocal + sonante... En la mayor parte de las lenguas del mundo, las vocales son los únicos centros de sílaba» (Trubetzkoy). Vid. *Sílaba*.

Centum. Grupo de lenguas indoeuropeas, formado por el itálico, griego, germano, celta, véneto, tocario e hitita (opuesto al de las llamadas lenguas *satəm**), que ha conservado la velar oclusiva sorda, *k*. En latín, por ejemplo, *centum* se pronunció *kentum*.

Cerebral. Vid. *Cacuminal*.

Cero (Signo). Ausencia de característica morfológica, que resulta significativa porque se opone a otra forma dotada de característica. Bally ha definido el signo cero como «el signo revestido de valor determinado, pero sin ningún soporte material en los sonidos». Así, el **grado cero** en la alternancia* vocálica, que equivale a la ausencia de la vocal que la sufre: ruso, nom. *rot* — gen. *rta* 'boca'. Hay **desinencia cero** en el esp. *haz, sal, pon,* etc. Los fonemas *p, t, k* se oponen, respectivamente, a *b, d, g*, por su ausencia de sonoridad, es decir, por poseer una cualidad cero, etc. Para **morfema cero**, vid. *Sema.* Algunos lingüistas llaman al nominativo **caso cero**.

Cerrado. A. *Geschlossen;* I. *Close, Closed;* F. *Fermé;* It. *Chiuso.* **1.** Se dice del sonido en cuya articulación se estrecha el paso del aire, pudiendo llegar hasta la oclusión total. **2.**—**Sílaba cerrada.** Se da este nombre alguna vez a la sílaba trabada.

Cerrazón. A. *Schliessung, Verschluss;* I. *Closure;* F. *Fermeture;* Con este término se designa el concepto contrario al de abertura*.

Cesura. A. *Cäsur;* F. *Coupe.* **1.** En métrica clásica, fin de palabra fonética obligada dentro de un verso, en la poesía recitada, que, por su frecuencia dentro de cada tipo de verso, es parte de la estructura rítmica de la estrofa. **2.**—Muchos tratadistas especializan el término para designar el corte que se produce en el interior de un pie métrico, reservando el término *diéresis* para designar el corte que se produce entre dos pies. Se distinguen las siguientes clases de cesura: A) **Triemímeris** o **semiternaria,** cuando se halla después del tercer medio pie; B) **Pentemímeris** o **semiqui-**

naria, si va después del quinto medio pie; C) **Heptemímeris** o **semiseptenaria,** cuando cae tras el séptimo medio pie; D) **Masculina,** si se halla después de sílaba larga; E) **Femenina,** si sigue a sílaba breve; F) **Bucólica,** que se da en el hexámetro, antes del quinto pie; el cuarto pie suele ser dáctilo puro; hoy se prefiere hablar, en este caso, de **diéresis bucólica. 3.**—En la métrica románica, pausa que se introduce en muchos versos de arte mayor, los cuales quedan divididos en dos partes, iguales o no, denominadas hemistiquios: *Al muy prepotente // don Juan el segundo* (Mena); *el verso azul // y la canción profana* (R. Darío). La cesura es obligada en determinados versos, como el alejandrino, y no la hay sino excepcionalmente en el endecasílabo. En la métrica francesa, algunos tratadistas distinguen entre *césure,* a la que correspondería nuestra definición, y *coupe,* «mucho menos neta que la *césure,* que marca, simplemente, por la separación de dos palabras, el paso de un miembro a otro, sin que haya pausa ni detención. Por ejemplo, en este verso de Boileau: *Derrière elle faisait dire Argumentabor,* hay *coupe* tras *faisait,* pero no hay ninguna pausa tras el primer hemistiquio que permita hablar de *césure»* (Bénac).

Cetacismo. Proceso por el cual una consonante toma el sonido interdental fricativo sordo θ.

Champañés. Vid. *Francés*.

Chasquido. Término empleado por R. Lenz como sinónimo de clic*.

Checo. Vid. *Eslavo*.

Chiasmo. Vid. *Quiasmo*.

Chibcha. Familia lingüística indígena de América del Centro y del Sur.

Chicheante. Chicheo. Vid. *Siseo*.

Chino-Tibetano (Grupo). Familia de lenguas habladas por unos 500 millones de personas, en China, Tíbet, Birmania, gran parte de Siam, Anam y en el N. de Yenisei. Se distinguen dos subgrupos fundamentales: A) **Tibetano-birmano,** al cual dan nombre sus dos lenguas principales, que cuentan, respectivamente, con 3 millones y 18 millones de hablantes, y B) **Taichino,** cuya más importante lengua es el chino, dividido en multitud de dialectos muy diferenciados. Los predominantes son: al N., el de Pekín (*man-*

darín), y al S., el de Cantón (*cantonés*).

Chinook Jargon. Lengua mixta, ya extinguida, que se hablaba en la costa NO. de los Estados Unidos, formada por amalgama del inglés y la lengua indígena *chinook*.

Ciceante, Ciceo. Vid. *Siseo*.

Ciclo. 1.—Se denomina ciclo típico en el oscilograma de las vocales, el rasgo o rasgos que aparecen en todas las curvas de una determinada vocal, sean cualesquiera las condiciones en que es pronunciada. **2.**—Vid. *Período*.

Címbrico. Cámbrico*. El término es adaptación del *A. Kymrisch*.

Cinestésica. Se aplica a la metáfora en que se identifican sensaciones de procedencia diversa: *La luna nueva / es una vocecita en la tarde*. (Borges).

Cipriota. Chipriota.

Circunflejo (Acento). A. *Steigend-fallend*. **1.**—En griego el signo de circunflejo ($\tilde{\ }$) «no afecta más que a las largas y a los diptongos; consiste en una elevación de la voz seguida de un descenso en la misma sílaba. Así, δῆμος se lee _dèèmos_, οἶκος _ôikos_, etc.» (Bally). 2.— En francés, signo gráfico (ᴧ) que denota diversas particularidades: etimológicas (desaparición de _s_ implosiva: _baptême_ < b a p t i s m u), fonéticas _(a_ abierta en _bât),_ morfológicas (pretérito indefinido _il prit,_ imperfecto de subjuntivo: _qu'il prît),_ o sirve para distinguir en la escritura ciertos homónimos _(du_ preposición, _dû_ participio) (Marouzeau). [A. _Dehnungszeichen]._ Vid. _Entonación._

Circunlocución. A. _Umschreibung._ Figura retórica que consiste en expresar por medio de un rodeo algo que podría decirse con menos palabras. Obedece, a menudo, a la dificultad, al temor que se experimenta al decir algo, girando en torno a ello y evitando la expresión directa. El concepto no coincide exactamente con el de perífrasis*.

Circunstancial. A. _Umstands-._ 1. **Complemento circunstancial.** Palabra o conjunto de palabras que completan la significación del verbo, indicando alguna circunstancia de la acción. Galichet ha dado de él la siguiente definición: «El complemento circunstancial es un medio de situar la pareja agente-proceso en el mundo de los fenómenos. Esta función permite aportar las más variadas precisiones: lugar, tiempo, causa, finalidad, instrumento, modo, origen, precio, medida... [Estos complementos] determinan la pareja sujeto-verbo... por coordenadas exteriores al proceso. Estas coordenadas sitúan el proceso con relación a ciertos puntos de referencia convencionales». Recientemente, J.-P. Golay (1959) ha puesto en duda el carácter circunstancial del complemento de modo, dado que señala notas internas del proceso. 2.—**Oraciones circunstanciales.** Se da este nombre a las oraciones subordinadas que funcionan, en el seno de la oración compuesta, como un adverbio (de ahí el nombre también utilizado de **oraciones adverbiales),** o sea como un complemento circunstancial. Son las llamadas oraciones _finales, consecutivas, causales, concesivas, temporales, condicionales_ y _comparativas,_ a las que algunos gramáticos añaden las _locativas._ A veces se incluyen las consecutivas, causales y comparativas (o ciertos tipos de ellas) entre las coordinadas.

Cirílica (Escritura). Vid. _Eslavo._

Clara. A. _Hell;_ I. _Bright;_ F. _Claire._ Denominación dada alguna vez a las vocales anteriores y a las no redondeadas, frente a las posteriores y las redondeadas, que también reciben los nombres de *oscuras, sordas* [I. *Broad, Dark;* F. *Sourde*] o *sombrías*.

Clase. 1.—Se da el nombre de clases a unas categorías muy heterogéneas de palabras, que se producen en lenguas no indoeuropeas. En la lengua Isai, de Melanesia, por ejemplo, se distinguen dos clases: una comprende los nombres de partes del cuerpo, de relaciones, de cosas poseídas por alguien...; otra, los restantes nombres. La pertenencia a una clase se señala por medio de un afijo denominado **clasificador.** [I. *Classformative*]. Así, *ba-* es el clasificador de persona plural, en bantú; prefijado a la palabra *ntu* 'hombre' se forma *bantú* 'hombres'. He aquí la razón de dar este nombre a las lenguas africanas que emplean este procedimiento gramatical (Gray). Vid. *Yuxtaponentes (Lenguas).* **2.**—«El análisis [lingüístico en Glosemática] consiste en registrar ciertas dependencias o líneas de conexión entre determinados términos, los cuales, a su vez, existen gracias precisamente a aquellas dependencias. El objeto en que se efectúa el análisis o división será llamado *clase* [I. *Class*], y los objetos re- gistrados en una sola división como dependientes homogéneamente entre sí, y como dependientes de la clase, se llamarán *elementos* [o *segmentos*] de la clase en cuestión. Dentro del decurso* lingüístico, las clases se llamarán *cadenas* [I. *Chains*], y los elementos de éstas, *partes* [I. *Parts*]. Dentro del sistema, llamaremos a las clases *paradigmas* [I. *Paradigms*], y a los elementos de éstos, *miembros* [I. *Members*]. Igualmente, el análisis o división de un decurso lingüístico será una *partición* [I. *Partition*] (esto es, división de una cadena en partes), y el análisis o división en un sistema lingüístico será una *desmembración* [I. *Articulation*] (esto es, división de un paradigma en miembros)» (Alarcos Llorach). Vid *Derivado.* **3.**—Forma de clase. Vid. *Forma.* **4.**—Clase de acción. Vid. *Modo* de acción.*

Clásico. 1.—Se designa así el aspecto total que presenta una lengua en el momento de su apogeo literario. *Español clásico* es la lengua española tal como fue escrita por los grandes literatos de los siglos XVI y XVII. **2.**—Lingüística, filología clásica. Estudio de las lenguas y literaturas griega y latina.

Clasificación de los materiales. Se denomina así, en crítica* textual, la clasificación de los manuscritos e impresos no eliminados (Vid. _Eliminatio_), y que sirven, con mayor o menor valor, para reconstruir el original* perdido (que es la finalidad última de la edición* crítica), del cual derivan directa o indirectamente. Aun siendo tales materiales de procedencia independiente, pueden señalarse en ellos familias o grupos afines, bien de transmisión* vertical, bien de transmisión horizontal. Teniendo en cuenta todos estos datos, puede fijarse el _stemma_*. Vid. _Contaminatio_.

Clasificador. Vid. _Clase_.

Cláusula. A. _Klausel_. **1.**—Parte final de un período lingüístico, en la cual los escritores griegos y latinos intensifican los efectos rítmicos, con una especial disposición de cantidades, tonos o acentos. Aplicados a la prosa dichos efectos, surgió la **prosa rítmica,** cuyo primer teórico es el sofista Trasímaco (s. v antes J. C.). Vid. _Cursus_. **2.**—A veces se toma como sinónimo de frase u oración, sobre todo, en la expresión **cláusula absoluta*.**

Clic. A. _Schnalz, Schnalzlaut, Sauglaut;_ I. _Click, Suction-Sound;_ F. _Clic, Claquement, Son claquante._ Sonido especial, abundante en las lenguas bantúes, en hotentote, bosquimano y sandavé (lengua geográfica y genéticamente aislada, en la antigua Africa oriental alemana). El clic se produce por una oclusión principal, que se forma, bien por los labios, bien por la parte anterior de la lengua, y que produce los diferentes tipos de clics (labiales, dentales, retroflejos, palatales, laterales); y por otra, secundaria, llamada _oclusión de apoyo,_ que es siempre velar, es decir, producida por la elevación de la parte posterior del dorso de la lengua hacia el velo del paladar (Trubetzkoy). El lateral «recuerda el _clic_ que sirve usualmente de reclamo para estimular a los caballos». (Battisti).

Cliché. A. _Klischee;_ I. _Stereotyped expression._ Con este término francés se designa una expresión estereotipada, banal y escasamente significativa, a fuerza de ser repetida: _rojo como una amapola._ Vid. _Automatización._

Climax. 1.—Gradación ascendente: _Súbito, ¿dónde?, un pájaro sin lira, / sin rama, sin atril, canta, delira, / flota en la cima de su fiebre aguda_ (G. Diego). Los miembros de la gradación pueden estar unidos por anadiplosis: _Por un clavo se pierde una herradura, por una he-_

rradura un caballo, por un caballo un caballero, por un caballero un pendón, por un pendón una hueste, por una hueste una batalla, por una batalla un Reino (Refrán antiguo). **2.**—En los modernos estudios de estilística se utiliza el término para designar el lugar del texto (verso, poema, escena, drama, novela...) en que el autor acumula los mayores efectos expresivos y conceptuales, con el fin de lograr una culminante emoción.

Clisis. Término empleado por Ascoli (It. *clisi),* como el genérico, que incluye la enclisis* y la proclisis.

Coa. Jerga hablada por los ladrones y presidiarios, en Chile.

Coactivo. Se aplica a los verbos que significan acción que debe realizarse con esfuerzo: *acometer, abordar, pugnar, combatir,* etc.

Cocoliche. Argot hispano-italiano practicado a orillas del Plata por algunas clases sociales bajas (A. Castro).

Coda. Vid. *Canción.*

Códice. Libro manuscrito, ordinariamente antiguo.

Codicología. Ciencia que atiende todos los aspectos materiales e históricos de los manuscritos que no se refieran a la escritura misma, de la que se ocupa la *Paleografía*.* Con este término traducimos el de *Codicologie,* acuñado por A. Dain (1949), correspondiente al alemán *Handschriftenkunde.*

Cohesión. En Glosemática, función* en que intervienen una o dos constantes*. Son cohesiones, por tanto, la interdependencia* y la determinación*.

Cohortativo. I. *Hortatory.* Modo del semítico, normalmente limitado a las primeras personas de singular y plural, que expresa una exhortación. El término se usa también como sinónimo de *exhortativo.*

Coincidencia. I. *Coalescence.* En Glosemática, manifestación del sincretismo*, «que, desde el punto de vista de la sustancia, es idéntica a la manifestación de todos o de ninguno de los funtivos que entran en el sincretismo» (Hjelmslev). Así, hay coincidencia, en inglés, entre /o/, /u/ > ə, en 'Gladstone', 'pressure'. Vid. *Implicación.*

Coiné. A. *Gemeinsprache.* **1.—** Lengua común (κοινή), de base ática, que adoptan los griegos desde fines del siglo IV a. J. C., dando fin al período dialectal. Vid. *Griego*. 2.—Por extensión del significado anterior, cualquier lengua común que proceda de una reducción a unidad, más o menos artificial, de una variedad idiomática. Por ejemplo, el *gallego-portugués* de los Cancioneros, coiné lograda en el siglo XIII, y cuya vida, estrictamente literaria, se extiende hasta el siglo XVI.

Colación. Vid. *Collatio*.

Colectivo. 1.—Sustantivo que en singular denota un número indeterminado de personas u objetos: *ejército, arboleda*, etc. 2.—**Numerales colectivos.** «Son sustantivos que representan como unidad un número determinado, v. gr.: *decena, docena, veintena, centenar, millar, millón*» (Bello). Obsérvese que varios de estos numerales aluden a un número aproximado: *Hay una veintena de personas.*

Coliambo. Vid. *Escazonte*.

Collatio. 1.—Fase preparatoria de una edición* crítica que sigue a la *recensio**, consistente en comparar entre sí el contenido de todos los materiales de la tradición* diplomática directa de un texto. A veces, por imposibilidad de colacionar los materiales en toda su extensión, se seleccionan ciertos *loci critici*, fragmentos especialmente significativos por sus graves corrupciones (errores, supresiones, interpolaciones, sustitución de una *lectio** *difficilior* por una *lectio facilior*, etc.). Todo ello se hace con vistas a jerarquizar y relacionar los materiales disponibles. 2.—Para su acepción retórica, vid. *Comparación*.

Colon. 1.—En la métrica clásica, miembro de frase, dentro de un verso o período, no delimitado por pausa. Se denomina también *miembro*. 2.—Cada uno de los miembros en que pueden considerarse divididos una frase o un período. Vid. *Isocolon*.

Coloquial (Lengua). Vid. *Uso*.

Color. Término usado por algunos lingüistas como sinónimo de *timbre**

Colores retóricos. Nombre que la Retórica tradicional da a las figuras, especialmente a las figuras de palabra, siguiendo, en general, el libro IV de la *Rhetorica ad Herennium*.

Combinación. 1. — A. *Verbindung.* Fenómeno de asimilación* por el cual un sonido adquiere algún rasgo articulatorio del sonido próximo. Así, hay combinación cuando la *n* de *antes* se hace dental *(ṇ)*, la de *ancho*, palatal *(ṇ)*, la de *anca*, velar *(ŋ)*, la de *once*, interdental *(ṇ)*. A veces, la combinación es recíproca: a r e a > *aira* > *eira* > *era*. **2.** — Para su significación en *Glosemática*, vid. *Constelación.*

Comitativo. 1.—**Aspecto comitativo.** Se da en lenguas primitivas americanas, expresando que la acción se desarrolla en asociación con algo a alguien. **2.**—**Caso comitativo.** Indica acompañamiento. En algunas lenguas tiene forma especial; en griego se confunde con dativo y en latín con el ablativo.

Commodi (Dativo). Tanto este tipo de dativo como el *incommodi* son dos variedades del dativo de interés. Mencionan, respectivamente, «a la persona con la cual el enunciado verbal establece una relación de signo favorable o desfavorable: *Cortó una rama de avellano que le* nublaba *el sol; Toda mujer se le* volvía *insoportable*» (S. Fernández Ramírez).

Communis (Syllaba). Vid. *Anceps (Syllaba).*

Compactas (Vocales). Término que alterna con el de vocales *densas*.

Comparación. A. *Vergleichung;* I. *Comparison.* **1.**—Simil*. **2.**—Objetivo de la Gramática comparada*. **3.**—**Grados de comparación** [A. *Vergleichungsstufen, Komparationsbildungen;* I. *Degrees of comparison;* F. *Degrés de comparaison*]. Son, dentro de los grados de significación del adjetivo, el comparativo*, el positivo* [A. *Grundstufe*] y el superlativo* [A. *Höchststufe*]. **4.**—En su acepción retórica («Comparatio», «Collatio», «Similitudo», «Homoiosis»), procedimiento de la amplificatio* y del adorno, consistente en comparar un hecho real (objeto, cualidad, proceso, etc.) con una imagen*. Cornificio la define como «un desarrollo que aplica a una idea ciertos elementos tomados de una idea diferente». Los retóricos antiguos distinguen cuatro clases: p e r c o n-t r a r i u m *(el cielo es tan alto como el mar profundo);* p e r n e g a-t i o n e m *(en la ribera del mar / no hay palma que se le iguale / ni emperador coronado / ni lucero caminante.* García Lorca); p e r b r e-v i e t a t e m, en que lo real y su comparación se mezclan en una misma frase (el pandero de pergamino es como una pequeña lu-

na = *su luna de pergamino*. García
Lorca); p e r c o l l a t i o n e m o
comparación normal entre dos términos (dos luchadores en su pelea
están abrazados *cual duros olmos
de implicantes vides*. Góngora). **5.—**
Comparación analítica [A. *Analytische Vergleichung*]. Comparación
entre lenguas de tipos diferentes,
sin tener en cuenta sus relaciones
genéticas (Mathesius).

**Comparada (Gramática o
Lingüística).** A. *Vergleichende
Grammatik;* I. *Comparative philology*. Se da este nombre, en general, al estudio comparado de dos o
más lenguas, en su aspecto sincrónico o diacrónico. Pero más precisamente se aplica tal designación a
un movimiento que se opera en la
Lingüística a partir de fines del siglo XVIII. El período precientífico de
tal movimiento lo constituyen los
siguientes autores y obras: P. S. Pa-
llas, *Linguarum totius orbis vocabu-
laria comparativa* (1786-1789); L. Her-
vás y Panduro, *Catálogo de las lenguas de las naciones conocidas* (1800-
1805); J. Adelung y J. S. Vater, *Mi-
thridates, oder allgemeine Sprachen-
kunde* (1806-1817). El período científico comienza cuando empiezan a
compararse y a verse las relaciones
que ligan el remoto idioma sánscrito, ya conocido antes, pero puesto

al alcance de los europeos occidentales por Sir William Jones (1786),
con lenguas occidentales. En 1808,
F. von Schlegel publica su obra *Ueber die Sprache und Weisheit der
Inder*, en la cual, por vez primera,
se habla de una «*gramática comparada*, que nos dará información
completamente nueva sobre la genealogía del lenguaje, de igual modo
que la anatomía comparada ha dado
luz sobre la más alta historia natural». El danés R. K. Rask, sin estar
al corriente de las ideas que, por
entonces, elaboraba Bopp, y con
métodos semejantes, señaló el parentesco de las lenguas germánicas
con el griego, el latín y el baltoes-
lavo. En 1816, F. Bopp publicó su
célebre libro *Ueber das Conjuga-
tionssystem der Sanskritsprache in
Vergleichung mit jenem der grie-
chischen, lateinischen, persischen
und germanischen Sprache*. Como
m é t o d o comparativo, confrontó
principalmente los sistemas morfológicos, ya que la fonética y el parecido de las palabras podían engañar
fácilmente. Quien se ocupó especialmente del vocabulario fue A. Pott,
en sus *Etymologische Forschungen*
(1833-1836). Por estos años, como
hijuelas de la Gramática comparada, surgen también la *Lingüística
germánica*, fundada por J. Grimm
(1819-1837), la *Lingüística románica*

(F. Díez, 1836-1844), la *Lingüística eslava* (F. Miklosich, 1874-1879) y la *Lingüística céltica* (J. K. Zeuss, 1853). El método comparativo, en Bopp, carecía de perspectiva histórica. Fue A. Schleicher, *Compendium der vergleichenden Grammatik der indogermanischen Sprachen* (1861), quien se la dio. El no se conforma con ecuaciones de palabras y formas flexivas, como por ejemplo, indio antiguo *áśva* 'caballo' = griego ἵππος = latín *equus*, sino que de ahí inducía la forma fundamental de la que, según él, habían salido las tres formas: *akvas*. Esa forma fundamental pertenecería al indoeuropeo común. Por entonces la Gramática comparada fue dejando de ser designada con tal nombre, para adquirir el que actualmente posee: *Lingüística indoeuropea*.

Comparatismo. Se da, abreviadamente tal nombre a la Gramática comparada y al período científico en que se desarrolla (1808-1890, aproximadamente).

Comparatista. Se designa así a los lingüistas del comparatismo y, en general, a quien se dedica a la comparación científica de lenguas.

Comparativo. 1.—Grado de significación del adjetivo. Presenta la cualidad expresada por el mismo en comparación con la misma cualidad referida a otro sustantivo. Puede ser de igualdad *(tan alto como)*, de superioridad *(más alto que)* y de inferioridad *(menos alto que)*. Existen también comparativos absolutos, que expresan la cualidad como poseída en grado notable por un sustantivo *(niño bastante alto)*. 2.— **Comparativo orgánico.** Recibe tal nombre el adjetivo que expresa la superioridad y la inferioridad sin *más* y sin *menos*, respectivamente: *mejor, peor, superior, inferior*, etc. 3.—**Oraciones comparativas.** Oraciones clasificadas unas veces como coordinadas y otras como subordinadas, que se constituyen en término de comparación de la oración principal o de un miembro de ella (en cuyo caso funcionan como inordenadas): *Lloraba como si el mal no hubiera pasado.*

Compensación. Vid. *Encabalgamiento*.

Compensatorio (Alargamiento). Vid. *Alargamiento*.

Complejo. 1.—Término usado vagamente, para designar determinados tractos lingüísticos —fonéticos, morfológicos o sintácticos—, integrados por otros elementos, que pueden constituir una unidad lingüística, o formar parte de una unidad. **2.** — **Sonido complejo.** Sonido *compuesto*, o sea dotado de armónicos. Vid. *Vibración*. **3.** — **Forma compleja** [I. *Complex form*]. «Algunas formas lingüísticas tienen parecidos fonético-semánticos parciales con otras formas; ejemplos son *John ran, John fell, Bill ran, Bill fell; Johnny, Billy; playing, dancing; blackberry, cranberry; strawberry, strawflower*. Una forma lingüística que tiene un parecido fonético-semántico parcial con otra forma lingüística es una *forma compleja*. La parte común de una, dos o más formas complejas es una forma* lingüística; es un **constituyente** [I. *Constituent*] o **componente** [I. *Component*] de esas formas complejas. Se dice que el constituyente está *contenido en* (o *incluido en* o que *entra en*) las formas complejas. Si una forma compleja, fuera de la parte común, contiene un residuo, tal como *cran-* en *cranberry*, que no aparece en ninguna otra forma compleja, este residuo es también una forma lingüística; es un **constituyente único** de la forma compleja. Las formas constituyentes en los ejemplos anteriores son: *John, ran, Bill, fell, play, dance, black, berry, straw, flower, cran-* (constituyente único en *cranbarry*), *-y* (cons-

tituyente final en *Johnny, Billy*), *-ing* (constituyente final en *playing, dancing*). Una forma lingüística que no tiene parecido fonético-semántico parcial con otra forma es una forma simple o **morfema.** Así, *bird, play, dance, cran-, -y, -ing* son morfemas, que pueden tener parecidos fonéticos parciales, como ocurre, por ejemplo, entre *bird* y *burr*, y aun homonimia, como *pear, pair, pare,* Mas este parecido es puramente fonético, y no tiene correspondencia en los significados». Los morfemas son *constituyentes* últimos [I. *Ultimate constituens*] (Bloomfield). Vid. *Semema.* **4.** — **Oposición compleja.** Oposición entre dos elementos lingüísticos, «consistente en la diferencia basada en más de un elemento distintivo» (S. Ruipérez). Vachek la define así, en su aspecto fonológico: «Diferencia fónica no mínima susceptible de servir, en una lengua dada, para diferenciar significaciones intelectuales». Así, *bl-* / *gr-* en inglés *blow* / *grow; feim-* / *kɔnšˮenš-,* en *fam - ous* / *conscienti - ous.* Vid. *Oposición simple*.*

Complementaridad. Vid. *Interdependencia.*

Complementario. Se d i c e de cualquier entidad lingüística que funciona como complemento.

Complemento. A. *Ergänzung.* *Ergänzendes Objekt;* I. *Extensión,* *Object;* F. *Complément.* 1.—Palabra o palabras que completan la significación de algún elemento de la frase. Ordinariamente, los elementos completados son el sujeto *(el padre de Luis ha escrito)* o el verbo, aunque puede haber complemento de complementos *(leo un libro de Cervantes).* El *complemento del verbo* puede ser: A) **Directo** o de **objeto** [A. *Näheres Objekt],* cuando recibe la acción verbal, y expresa, por tanto, la cosa actuada por el sujeto: *leo un libro;* B) **Indirecto** [A. *Entfernteres Objekt;* I. *Enlargement;* F. *C. relatif, secondaire, circonstanciel],* que expresa la persona o cosa que recibe daño o provecho de la acción del verbo, o el fin a que dicha acción se dirige: *escribo una carta para él.* C) **Circunstancial,**Vid. *Circunstancial.* 2.— Complemento predicativo. Algunos gramáticos dan este nombre al complemento atributivo*.

Completiva (Oración). A. *Ergänzender Satz.* Término empleado en diversas acepciones. A veces se limita a designar la subordinada que funciona, en el período, como complemento directo. Otras, designa a toda subordinada indispensable para el sentido de la oración completa. Así, A. Sechehaye considera completivas las oraciones en función de sujeto, aposición, complemento directo, término predicativo (= *llueve;* n o s a l g o), y las relativas especificativas.

Complexión. Nombre que, a veces, se da a las figuras anáfora* y epífora*. En ocasiones, repetición de una palabra al principio y otra al final de una serie de frases o miembros de frase: *Quem senatus damnarit, quem populus romanus damnarit, quem omnium existimatio damnarit eum vos sententiis absolvetis?* (Cicerón).

Complexivo (Aspecto). Aspecto que señala «acciones que objetivamente tienen duración, pero que la persona que habla imagina como terminadas y las concreta, por así decir, en un punto, abarcando con una sola mirada su principio y su fin» (Bassols): *Colón descubrió América;* la forma *descubrió* subsume una serie de acciones.

Componente. A. *Kompositionsglied.* Cada uno de los elementos que intervienen en una composición*. **Componente productivo** es el susceptible de formar muchos compuestos; así, el sufijo *-mente.* Vid. *Forma compleja*.*

Comportamiento. En Fonética, modo constante o variable de presentarse las diversas cualidades que componen un sonido: tono, timbre, cantidad e intensidad.

Composición. A. *Zusammensetzung.* Uno de los procedimientos de que la lengua se sirve para obtener palabras nuevas, consistente en la reunión de dos o más palabras en una sola, la cual, casi siempre (composición elíptica), adquiere un significado que excede al de la simple agregación de los significados de las palabras componentes: *contraofensiva, ferrocarril.* Los elementos que entran en una composición se llaman componentes, y la palabra que resulta, palabra compuesta o compuesto. Formalmente, la composición puede ser: A) Propia, en la cual sólo el último elemento recibe accidentes gramaticales: latín *arti-fex*, genitivo *arti-ficis;* español *bocamangas.* B) Impropia, en la que reciben accidentes también los otros elementos componentes: latín, *respublica*, genitivo *rei-publicae;* español *ricos-hombres.* Vid. *Compuesto.*

Comprensión. Noción lógica que, referida a una palabra, alude al número más o menos grande de notas o elementos que comprende la idea por ella significada. Su ex-

tensión, por el contrario, es el número más o menos grande de seres a los cuales puede aplicarse. Así, la idea de *vertebrado* tiene más extensión que la de *ovíparo*, pues se aplica no sólo a los ovíparos, sino también a los vivíparos. Inversamente, la idea de *vertebrado* tiene menos comprensión que la de *ovíparo*, ya que ésta añade a los elementos de la idea de vertebrado, los que son propios de la idea de ovíparo. A mayor extensión de una idea, corresponde menor comprensión, y viceversa.

Compuesto. A. *Zusammengesetztes Wort;* I. *Compound.* 1.—Se da este nombre a la palabra que resulta de una composición. Puede ser A) Copulativo (o Dvandva 'dos y dos', en sánscrito), formado por dos o más nombres meramente enumerados. Es raro fuera del sánscrito latín *quatuordecim*, francés coloquial *Monsieur, (Ma)dame* B) Determinativo, subdividido en: a) *Dependiente (Tatpuruṣa)*, en el cual el primero o primeros componentes están en relación casual* con el último: latín *juris-consultus, sacrosanctus;* b) *Descriptivo (Karmadhāraya)*, en el cual uno de los componentes, actuando como un adjetivo o un verbo, cualifica al otro *amarillo trigo;* c) *Aposicional o Atribu-*

tivo [A. *Worteinung*], cada uno de cuyos componentes es explicador del otro; excepto por la ausencia de inflexión del primer componente, tal compuesto es, en realidad, una frase nominal: *físico-químico*. C) **Posesivo o exocéntrico** (Bahuvrīhi), resulta de la transformación de un nombre compuesto en un adjetivo que indica una cualidad poseída por otro sustantivo: latín *magnanimus, in-animus*. D) **Iterativo** (Amredita), compuesto por repetición del componente, que así obtiene fuerza enfática: *bueno-bueno*, latín *quis-quis*, francés coloquial, *très-très-très joli*, inglés *goody-goody* 'bueno-bueno'. E) Se habla también de **compuestos en contacto** [A. *Kontaktkomposita*] (tipo: *aguardiente*) y de **compuestos a distancia** [A. *Distanzkomposita*] (tipo: lat. *ne... quidem;* fr. *ne... pas)*. Estos términos alemanes —y los conceptos correspondientes— han sido acuñados por K. Brugmann; W. Horn, con nombres que parecen igualmente felices a Wackernagel, los llama, respectivamente, *Nahkomposita* y *Fernkomposita*, respectivamente. Para compuestos **sintácticos*** y **asintácticos***, vid. estas palabras. Vid. *Composición*. **2.—Oración compuesta.** Es la que consta de más de un predicado. **3.— Tiempo compuesto.** Por oposición a tiempo simple, se da este nombre al tiempo que comporta, al menos gráficamente, dos elementos morfológicos distintos: *he venido*. Los tiempos compuestos constituyen, con relación a los simples, a modo de pequeñas perífrasis, de donde el nombre de *perifrásticos* que se les da alguna vez (L. Tesnière). Uno de los elementos es un tiempo simple de un verbo auxiliar, y el otro, el participo pasivo del verbo conjugado.

Común (Lengua). A. *Gemeinsprache, Ursprache;* I. *Primitive, Common Language;* F. L. *commune.* **1.**—Idioma conocido o supuesto, que ha dado origen a un tronco lingüístico o a una familia de lenguas. Se supone, por tanto, una lengua común indoeuropea (o *indoeuropeo* común) una lengua común céltica (o *céltico* común), etc. El latín es la lengua común románica. **2.**—Coiné*. **3.**—Nombre común. Vid. *Nombre*.

Comunicación («Communicatio»). Figura retórica con la que el escritor o hablante consulta a los lectores u oyentes, contando de antemano con el asentimiento a su propio parecer: *Decidme: la hermosura, / la gentil frescura y tez / de la cara, / la color y la blancura, /*

cuando viene la vejez, | ¿qué se para? (Manrique).

Comunidad hablante. I. *Speechcommunity.* Conjunto de personas que usan el mismo sistema lingüístico.

Conativo A. *Zielstamm.* 1.—Se aplica este término a las formas verbales que expresan un esfuerzo en la ejecución de la acción. 2.— **Aspecto conativo.** Se produce en semítico, e indica que el sujeto trata de realizar una acción.

Conatu (De). Término latino que se aplica al presente y al pretérito imperfecto para expresar que significa acción que se inicia o intenta, pero que no llega a verificarse: *Salía,* cuando lo detuvieron. Es también frecuente el término traducido **de conato.**

Concatenación. Vid. *Gradación.*

Concertar. Término usado alguna vez por *concordar.*

Concesión («Concessio»). Figura retórica que consiste en conceder al adversario algo que parece perjudicarnos; a pesar de lo cual, la argumentación prosigue victoriosa.

Concesivo. 1.—**Oración concesiva.** Es aquella oración subordinada que expresa una objeción o dificultad para el cumplimiento de la acción indicada en la oración principal, sin que este obstáculo impida el cumplimiento de dicha acción: *aunque no lo deseaba,* sucedió así. 2. **Conjunción concesiva.** Es la que liga a una subordinada concesiva con su principal: *aunque, así, si bien, siquiera, ya que, a pesar de que, bien que, mal que,* etc. 3.—**Subjuntivo concesivo.** Empleo del subjuntivo para conceder algo al interlocutor, o suponer algo: lat. *sit hoc verum = admitamos que sea esto cierto.*

Conciencia lingüística. A. *Sprachliches Selbstbewusstsein;* I. *Linguistic consciousness.* Reflexión consciente sobre los usos de una lengua por parte de sus hablantes. Muchos fenómenos, como los de etimología popular, se explican por ella. El gramático que habla una lengua, tiene en su propia conciencia lingüística un excelente medio para controlar sus observaciones científicas sobre tal idioma, que falta, como es natural, al lingüista que no lo posee o lo conoce en grado insuficiente. Con todo, algunos lingüistas, limitan grandemente su validez e importancia.

Concinidad. 1.—Armonía y buena disposición del discurso. **2.**—**Plural de concinidad.** Así llama Havers a la forma plural que adopta una palabra por simetría con otro miembro de la misma frase: *Perfidiae laudes gratiasque habemus merito magnas* (Plauto), en lugar de *gratiam*. Existe igualmente un **singular de concinidad,** que es el fenómeno inverso: *Amicitiam atque inimicitiam in fronte promptam fero* (Ennio), con *inimicitia* en singular. **3.**—Mantenimiento de una misma estructura en dos o más frases seguidas. Vid. *Paralelismo.*

Conclusiva (Función). «Se dice que una palabra variable está colocada en función conclusiva cada vez que interviene en conclusión del discurso, esto es, al final de una frase completa» (Meillet-Cohen). Vid. *Entonación.*

Concordancia. A. *Uebereinstimmung, Kongruenz;* I. *Concordance, Agreement;* F. *Accord.* **1.**—Medio de relación interna entre los elementos de la frase, que consiste en la igualdad de género y número (y caso) entre el sustantivo, el adjetivo, el artículo y el pronombre. Y en la igualdad de número y persona entre un verbo y su sujeto. El término español recubre a la vez los significados que, en francés, poseen *accord* y *concordance.* Bally señala una diferencia entre ambos conceptos; el *accord* es la expresión gramatical de la relación de inherencia*, y la *concordance,* el conjunto de procedimientos de unificación formal que pueden relacionar* términos (en *accord* o en rección*), por ejemplo, la concordancia en género y número *(la tierra es redonda),* la correlación de los tiempos *(yo creía que Ud. había salido)* etc. H. Frei ha propuesto para la *concordance* el nombre de *conformisme.* **2.**—**Concordancia de tiempos.** Se da este este nombre alguna vez a la correlación de tiempos. Vid. *Consecutio temporum.*

Concreción o Concretización. Término usado por algunos lingüistas italianos como sinónimo de aglutinación* (1.ª acep.), sobre todo cuando ésta tiene lugar con el artículo.

Concreto. 1.—**Nombre concreto.** Vid. *Abstracto.* **2.**—**Verbo concreto.** Es, por oposición al verbo abstracto, el susceptible de ser empleado como predicado.

Concurrencia. Coincidencia de dos elementos lingüísticos en una misma forma, función o significación. Vid. *Equivalencia* funcional.*

Condensación léxica. A. *Lexikalische Kondensation.* Así llama Isačenko el fenómeno por el cual los dos elementos que entran en la composición y derivación, así como los grupos de palabras, llegan a fundirse en un todo, significativamente unitario: *boca-manga, relojero, Tras-os-montes,* etc.

Condicionado. Vid. *Cambio* y *Acento.*

Condicional. A. *Bedingungs-.* **1.** Se designa así la oración subordinada que expresa una condición. El conjunto de prótasis condicional y apódosis recibe el nombre de **período hipotético.** La relación entre prótasis y apódosis puede ser: *necesaria,* cuando la apódosis se concibe como cierta, si la condición se realiza *(si vuelves, te espero); imposible,* cuando la prótasis afirma un hecho consumado *(si hubieras venido, lo habrías visto); contingente,* cuando no se afirma ni se niega la conexión entre la condición y lo condicionado *(si me ayudaras, te lo agradecería).* Vid. *Potencial.* **2.—Conjunción condicional.** Es la que sirve de nexo entre la oración subordinada condicional y su principal: *si, como, cuando, con tal que,* etc. **3.—Modo condicional.** Con este nombre y con el de *modo potencial,* se de-signa en la gramática de corte académico un supuesto modo integrado por un tiempo simple *(cantaría)* y otro compuesto *(habría cantado).* Hoy se consideran ambos tiempos como integrantes del modo indicativo. A. Bello los denomina, respectivamente, *pospretérito* y *antepospretérito,* y S. Gili Gaya, *futuro* hipotético.* Vid. *Irreal.*

Conduplicatio. Anáfora (1).

Conectivos. I. *Connectives.* Término genérico con que se designan todos los elementos lingüísticos que funcionan como nexos* (conjunciones, preposiciones, pronombres relativos, verbos atributivos, etc.).

Conexión. I. *Connection.* En Glosemática, función cuyos funtivos* están en la relación «tanto... como» [I. *Function both-and*], esto es, que coexisten en una cadena* dada. Son conexiones las funciones llamadas *solidaridad, selección* y *combinación.* Los funtivos de la conexión se denominan *relatos,* y se dan en el texto*. Vid. *Correlación.*

Confidenciales (Pronombres). Término propuesto por L. Spitzer (1941) para designar los pronombres que figuran en un texto sin antecedente: *buena la has hecho.*

Conformatio. Vid. *Prosopopeya.*

Congeries. Vid. *Sinatroísmo.*

Conjugable. Dícese de las palabras o formas que admiten flexión verbal.

Conjugación. A. *Abwandlung.* **1.** Ordenación en paradigmas* de las diversas formas a que da origen la flexión de un verbo. **2.**—Cada uno de los paradigmas que adoptan en su flexión los verbos de una lengua. La clasificación en conjugaciones se basa casi siempre en la coincidencia de los verbos en la desinencia de infinitivo; pero esta coincidencia no es determinante: se precisa la coincidencia de todas las desinencias de un verbo con las que ofrece el paradigma de una conjugación, para que podamos asegurar que pertenece a ella. Por ejemplo, en catalán, el verbo *dir* sigue el paradigma de los verbos que acaban en -*er*, y pertenece, por tanto, a la segunda conjugación. La ordenación que se establece entre las conjugaciones es convencional. En español, se habla de primera, segunda y tercera conjugación, cuyos infinitivos terminan, respectivamente, en -*ar*, -*er*, -*ir*. A cada voz verbal corresponde un paradigma distinto en cada una de las conjugaciones. Hay verbos —los llamados **irregulares**— que presentan discrepancias con el paradigma de la conjugación a que pertenecen. **3.** — **Conjugación perifrástica*.** En general, paradigma de las formas a que da origen la conjugación de un verbo perifrásticamente. Se aplica, a veces, estrictamente esta designación (que alterna con la de **conjugación de obligación**) al uso de los auxiliares *haber* y *tener*, conjugados en unión con un infinitivo mediante *que* o *de: haber de ir, haber que ir, tener de ir, tener que ir.* Vid. *Compuesto, Perífrasis.*

Conjunción. A. *Bindewort.* Parte de la oración, llamada por los griegos σύνδεσμος 'vínculo', que los latinos tradujeron por *coniunctio.* Sirve para ligar dos miembros de frase o dos frases. Tomás de Erfurt (hacia 1350) establece una profunda división de las conjunciones, basada en Apolonio Díscolo, Donato y Prisciano: *coniunctiones per vim,* que «unen extremos que no guardan dependencia entre sí», y *coniunctiones per ordinem,* que «unen dos extremos sometidos a un orden». Perfeccionada esta doctrina a fines del siglo pasado, se distinguió entre **conjunciones coordinantes** [A. *Beiordnende Konjunktionen*], que ligan oraciones coordinadas *(copulativas, disyuntivas, ilativas, adversativas)* y **conjun-**

ciones subordinantes [A. *Unterord-nende K.*], que ligan una oración principal y una subordinada *(condicionales, consecutivas, concesivas, causales)*.

Conjuntivo. A. *Verbindend.* **1.—**Elemento que sirve para unir dos miembros de la frase: *que, y, de, por,* etc. **2.—Adverbio conjuntivo.** Vid. *Adverbio.* **3.—Modo conjuntivo.** Por influjo de la terminología alemana, se da alguna vez este nombre al modo subjuntivo*. La gramática tradicional designa también con este término «cada una de ciertas locuciones compuestas de dos o más voces que hacen oficio de conjunciones». Para evitar la confusión, hoy se suele utilizar la designación de **frase conjuntiva.** Pero es frecuente la designación más vaga de **locución* conjuntiva. 4.— Oración conjuntiva.** Término con que alguna vez se designa la oración de relativo.

Conjuntos semejantes. «La realidad física o ultrafísica ofrece con gran frecuencia al escritor una serie de fenómenos semejantes entre sí. Por ejemplo...: *La fiera* (A_1) *corre* (B_1) *por la tierra* (C_1); *el ave* (A_2) *vuela* (B_2) *por el aire* (C_2); *el pez* (A_3) *nada* (B_3) *por el agua* (C_3). Decimos que estos tres fenómenos de la realidad son semejantes entre

sí, porque todos pertenecen a un mismo género próximo, a saber: *El animal* (A) *se mueve* (B) *por su elemento* (C). A la expresión lógica y gramatical de un fenómeno la llamamos *conjunto.* Así, la expresión de los tres fenómenos de nuestro ejemplo constituye una serie de tres conjuntos, a saber: A_1 B_1 C_1; A_2 B_2 C_2; A_3 B_3 C_3» (D. Alonso). Vid. *Correlación* (4).

Conmoración («**Commoratio**»). Figura retórica por la cual se insiste en alguno de los puntos tratados, para grabarlo más profundamente en el espíritu del lector u oyente: *Parece que, al tiempo que esperabas mayor reposo, te ha sucedido mayor trabajo; y es que, cuando pensamos tener ya hecha la paz con la fortuna, entonces nos pone una nueva demanda. Ya que están en flor, hiélanse los árboles; al tiempo de desenhornar, se quebrantan los vidrios; en seguimiento de la victoria, mueren los capitanes; al tiempo de echar la clave, caen los edificios; y a vista de tierra, perecen los pilotos* (Guevara). A veces se confunde esta figura con la expolición* y la epímone*.

Conmutación. I. *Commutation.* **1.—**«Correlación en un plano [el de la expresión o el del contenido] que tiene relación con el otro plano del lenguaje» (Hjelmslev). Así, hay conmutación entre las magnitudes* /p/ y /s/ en el plano de la expresión, ya que tienen relación con las magnitudes *pon, son,* en el plano del contenido. La magnitud cuya variación en un plano produce variación en el otro, se denomina *invariante;* la magnitud que no la produce, se llama *variante.* Esta posible variación permite, pues —según haya cambios o no en el otro plano—, distinguir entre variantes e invariantes; como método del análisis lingüístico, recibe el nombre de **prueba de la conmutación** [I. *Commutation test*]. **2.**—Figura retórica (lat. «*Commutatio*») que consiste en contraponer dos frases que contienen las mismas palabras con otro orden y régimen: *In pace bellum quaeritas, in bello pacem desideras. ¿Cómo creerá que sientes lo que dices, / oyendo cuán bien dices lo que sientes?* (B. Argensola). Se denomina también **retruécano.**

Connotación. I. *Connotation.* **1.** Nota cualitativa que comporta la significación de una palabra. Vid. *Connotativo (Nombre).* **2.** — Valor secundario que rodea a una palabra o a un uso, dentro del sistema de valores de un hablante. Así, *culebra* tiene para muchos hablantes una connotación supersticiosa; *club* aparece como palabra extranjera y refinada; *hidrato* como técnica; *hame parecido* se nos presenta como un uso arcaico, etc. (Bloomfield).

Connotativo (Nombre). Así llama J. Stuart Mill al nombre que designa un objeto con todas sus cualidades. Por ejemplo, la palabra *manzana* evoca enseguida en el oyente un objeto y las cualidades que le son inherentes, de forma, tamaño, sabor, color, olor, etc. Nombres connotativos son, pues, todos los nombres comunes, frente a los nombres propios, que son **no connotativos.**

Consecuente. A. *Folgend.* Segundo de los términos de una correlación gramatical.

Consecutio temporum. Con esta expresión latina (que puede traducirse por *correlación de tiempos*), se designa la relación que existe, en el período compuesto, entre los tiempos de una oración subordinada y los de la principal. Obedece en latín a las siguientes reglas: 1.ª Presente o futuro en la principal exige presente o pretérito perfecto en la subordinada. 2.ª Tiempo pasado en la principal exige imperfecto o pluscuamperfecto en la subordinada. En español se presenta así: «1.º Verbo subordinado en indicativo. Puede usarse cualquier tiempo en el verbo subordinado, lo mismo si el principal está en presente que si está en pasado o en futuro. Los verbos de percepción sensible deben coexistir con el tiempo de su subordinado, a no ser que se altere la significación del principal. 2.º Verbo subordinado en subjuntivo. A) Con verbos de voluntad, el subordinado puede hallarse en cualquier tiempo posterior al del verbo principal. B) Con los demás verbos, en presente o en futuro, el subordinado puede hallarse en cualquier tiempo; si el subordinante está en pasado, el subordinado debe estar también en pasado (imperfecto o pluscuamperfecto)». (Gili Gaya).

Consecutiva. 1.—Oración consecutiva. A. *Folgesatz.* Subordinada con la que «expresamos alguna consecuencia que se deduce de la intensidad con que manifestamos una cualidad, circunstancia o acción: *Había tanta gente, que no pudimos entrar».* (Gili Gaya). **2.—Conjunción consecutiva.** Es la que liga una subordinada consecutiva con su principal. Vid. *Ilativa.*

Conservador. A. *Erhaltend.* Se dice de un idioma o un dialecto poco evolucionado con relación a los demás idiomas o dialectos derivados de una misma lengua común. Por ejemplo, el leonés y el aragonés son dialectos conservadores con relación al castellano.

Consonadores (Sonidos). A. *Geräuschlaute; F. Bruyantes.* Son los sonidos oclusivos y fricativos, frente a los sonantes (E. Alarcos).

Consonancia. 1.—Ascoli usó este término en la acepción de homofonía* 2.—Igualdad de terminaciones que se produce en la rima consonante*.

Consonante (Rima). Rima conseguida por la igualdad de todos los sonidos a partir de la última vocal acentuada.

Consonante. Articulación que consiste en «un movimiento de cierre seguido de otro de abertura, con un mínimum articulatorio entre estos dos puntos», frente a la *vocal* que consiste en «un movimiento de abertura, seguido de otro de cierre, con un mínimum articulatorio entre uno y otro» (P. Menzerath). Trubetzkoy (1939) señala que «la característica de una *consonante* es el establecimiento de un obstáculo y el franqueamiento de este obstáculo, mientras que la característica de una *vocal* es la ausencia de obstáculo o impedimento». El gran fonólogo añade una definición funcional: «las *vocales* son fonemas que pueden funcionar como centros silábicos*; las *consonantes* son, por el contrario, fonemas que no aparecen como centros de sílaba». Para una clasificación de las consonantes, vid. *Punto* y *Modo de articulación*.

Consonantismo mínimo. A. *Minimalkonsonantismus.* Término

utilizado por Jakobson (1939) para designar el conjunto de las dos oposiciones *p / t*, *m / n*, que aparecen en primer lugar en el lenguaje infantil de todos los hablantes del mundo.

Consonantización. A. *Konsonantisierung.* Proceso por el cual una

semiconsonante se convierte en consonante: herba > *hierba (yerba)*.

Consonantoides. Nombre que

da Bloomfield o ciertas sonantes* cuya calidad de fonemas* silábicos se produce sólo en sílabas átonas; así, *m*, *n*, *l*, en inglés.

Constans (Epithetum). V i d. *Epíteto.*

Constante. 1.—Oposición constante. Oposición fonológica que se

mantiene en cualquier posición de sus fonemas. Por ejemplo, en español, la oposición *e / i* es constante, porque su poder distintivo se mantiene siempre. Se opone a *oposición neutralizable**. **2.**—En Glosemática, «funtivo cuya presencia es condición necesaria para la presencia del funtivo con relación al cual desempeña su función» (Hjelmslev). Se opone a *variable**. Vid. *Interdependencia* y *Determinación*. **3.**—Términos constantes. Vid. *Interdependencia*.

Constelación. I. *Constellation.*

En Glosemática, dependencia entre dos términos, de tal suerte que no se implican (como en la interdependencia*) ni se suponen unilateralmente (como en la determinación*); un término, pues, no presupone al otro, pero ambos son compatibles. Cuando la constelación se produce en el texto*, recibe el nombre de *combinación;* así, existe combinación, en español, entre *aunque* e incativo, y entre *aunque* y subjuntivo, al tener una coexistencia posible, pero no necesaria. Si la constelación se produce en el sistema de la lengua, se denomina *autonomía;* se da, por ejemplo, en la compatibilidad, sin coexistencia necesaria, entre las categorías de género y número. Vid. *Constelativo.*

Constelativo. Funtivo* de una constelación* (Alarcos Llorach).

Constituyente. Vid. *Pleremática y Compleja (Forma).*

Construcción. A. *Wortfügung.* **1.**—Estructura que preside la ordenación de las palabras en la frase y sus mutuas relaciones gramaticales. **2.**—Construcción ad sensum [A. *Synesis*]. Está basada en el sentido, con descuido de las concordancias gramaticales: *una multitud de personas* llenaron *el salón.* **3.**—Bloomfield ha especializado este término para designar la unión de dos o más formas como constituyentes* de una forma compleja*. Así, «los rasgos gramaticales por los que el inglés *duke* y *-esse* se combinan en la forma *duchess,* o los rasgos gramaticales por los que *poor John* y *ran away* se combinan en la forma gramatical* *poor John ran away».* **4.**— Con este término podemos traducir el inglés *construct,* que se aplica a una estructura habitual en la lengua; así, por ejemplo, la ordenación tema + sufijo *(ac + tor)* es una construcción **morfémica;** la ordenación agente + verbo + complemento directo *(el niño rompió el cristal)* es **sintáctica.**

Consultivo. Subjuntivo empleado en una oración interrogativa para preguntar la opinión, deseo o voluntad del interlocutor: *quid faciam?,* 'qué deseas que haga'. En español, se habla de **presente de indicativo consultivo** *(¿abro?),* que, por lo demás, existe ya en latín *(Eon, voco huc hominem?* Plauto); también se da el nombre de **futuro consultivo** al empleado en frases como *ubi ego ero?* (Plauto).

Contagio. A. *Ansteckung.* Fenómeno mediante el cual un carácter de un elemento lingüístico pasa a otro que no lo posee. Hay, pues, **contagio fonético** (en la asimilación, por ejemplo); **contagio morfológico** *(cafeses,* por *cafés,* como *mieses, meses, reses,* etc.); **contagio sintáctico** (atracción)*; **contagio semántico** *(indígena,* vulgarmente se identifica a veces con «salvaje», por aparecer frecuentemente en contextos en los cuales se alude a indígenas salvajes).

Contaminación. A. *Mischbildung;* I. *Blending.* **1.**—Fenómeno por el cual dos o más elementos lingüísticos (palabras, formas, construcciones) se combinan entre sí, dando origen a otro elemento Así, las palabras latinas *pedalis* y *pedaneus,* que podían significar «escalón», se contaminaron, formando un hipotético p e d i l a n e u s > *peldaño*. Este elemento resultante se denomina **forma contaminada**. El fenómeno se designa también con el nombre de *cruce**. 2. — Particularidad de la transmisión de un texto (latín **Contaminatio**) consistente en que el copista sustituye lecturas auténticas por otras halladas en los márgenes de su modelo o ejemplar de copia, tomando por lecturas válidas lo que pueden ser simples anotaciones o conjeturas de un copista anterior.

Contenido. 1.—Término usado en Glosemática para designar el *significado**. Se distingue entre **forma de contenido**, que es el orden gramatical característico en que un significado se nos presenta, y **sustancia del contenido**, que es la significación. Una misma sustancia de contenido puede poseer diversas formas, según las lenguas: *yo no sé, je ne sais pas, ich weiss nicht, I do not know*. 2.—Contenido fonológico del fonema [A. *Phonologischer Gehalt eines Phonems*]. «Conjunto de rasgos fonológicos pertinentes del fonema, es decir, de rasgos que son comunes a todas las variantes de ese fonema y que lo distinguen de los restantes fonemas de la misma lengua, en particular de los fonemas que guardan con él mayor parentesco» (Trubetzkoy).

Contexto fónico. F. *Entourage phonique*. Conjunto de fonemas contiguos a un fonema en una situación dada. En *rosa, r* y *s* constituyen el contexto fónico de *ó*.

Contingente (Signo). Vid. *Arbitrario (Signo)*.

Continua. A. *Stellungslaut;* F. *Tenue.* Vid. *Fricativa.*

Continuidad (Función de). Vid. *Entonación.*

Contracción. A. *Zusammenziehung.* 1.—Fenómeno por el cual dos o más vocales contiguas que no forman originariamente diptongo se reducen a una sola [A. *Verschmelzung;* F. I. *Coalescence*] o constituyen un diptongo decreciente (si el diptongo es creciente, el hecho recibe el nombre de *sinicesis**). Por ejemplo, *baúl > bául.* Cuando se produce una sola vocal, si es la primera la que prevalece, la contracción se llama *progresiva* (latín v ī - g ĭ n t ī > español dialectal *vente*, t r ē g ĭ n t a > *trenta*, etc.), y si es la segunda, *regresiva* (latín o s - t r e a > español *ostra*). La vocal y la palabra resultantes de una contracción, son llamadas **contractas** [A. *Zusammengezogen*]. En griego se llaman **declinación** y **conjugación**

contractas aquellas en las cuales hay contracción entre la vocal final del tema y la vocal inicial de la desinencia. **2.**—«Metaplasmo denominado *contracción:* es una figura por la cual se forma de dos vocablos uno solo, omitiendo la vocal en que acaba o con que empieza uno de ellos: *del, al, estotro, esotro,* por *de el, a el, este otro, esto otro, ese otro, eso otro»* (GRAE). Este tipo de contracción se denomina más especialmente, *crasis* [F. *Crase*]. **3.**—**Contracción métrica.** Vid. *Resolución.* **4.**—En general, reducción de dos sonidos o grupos de sonidos a uno solo. Cfr. *Haplología.*

Contrafinal. Con este nombre, y con los de **contratónica o intertónica,** se designa la vocal protónica no inicial. Así, por ejemplo, la *i* de *sanctitátem.* Su evolución, en francés, ha sido explicada de muy diversos modos. Brachet (1866) enunció una ley, según la cual la vocal contrafinal se pierde en francés cuando es breve y se conserva cuando es larga. Dejaba, sin embargo, muchos casos sin explicar. Storm (1872) supone que su suerte, en la palabra, dependió de que, en ésta, dicha vocal estuviera defendida por otra palabra del mismo tema, en la cual la vocal fuera acentuada. Así, se conservó en *sentiment,* por ir defendida por *sentir.* Por fin, en 1876, A. Darmesteter enunció su famosa ley, hoy vigente, según la cual la vocal contrafinal corre la misma suerte que si fuera final, si no hay perturbaciones analógicas. Darmesteter no enunció esta ley con vigencia para toda la Romania, pero, en general, es seguida por todos los romances, menos por el español y el portugués.

Contrarios. Término que alterna con el de *antónimos*.*

Contraste. Trnka da el nombre de contraste de contacto de los fonemas [I. *Contactual contrast of phonemes*] a la relación de un fonema con los que se encuentra, en el enunciado, en vecindad inmediata; viene dado por las diferencias cualitativas de los fonemas vecinos, y permite distinguir un solo fonema del grupo de fonemas.

Contrepetterie o Contrepèterie. A. *Schüttelform, Schüttelreim;* I. *Spoonerism.* Término francés que designa una metátesis errónea, entre dos o más sonidos pertenecientes a palabras distintas, con lo que se obtiene un resultado absurdo: *cota de sopas* (por *sota de copas*). No existe en español término para designar este fenómeno, que podríamos denominar *metátesis recíproca entre vocablos.*

Convención (Teoría de la). Vid. *Anomalía.*

Conveniencia. Término alguna vez usado como sinónimo de *concordancia.*

Converbal (Función). «T o d a palabra variable afectada de un sufijo que la coloca en la dependencia de una palabra verbal, es considerada como utilizada en *función converbal*» (Meillet-Cohen).

Convergencia. A. *Wahlverwandschaft.* Fenómeno por el cual dos lenguas (llamadas **lenguas convergentes**) nacidas de sistemas no emparentados han llegado a poseer estructuras semejantes. Cfr. *Afinidad de lenguas.*

Conversacional. Se da este nombre a la lengua hablada, de uso cotidiano, para diferenciarla de las modalidades escrita, culta y literaria.

Conversión. Formación de palabras mediante medios morfológicos que no alteran la base: *libr- (-ero, -ito, -aco,* etc.). El término ha sido usado por Poldauf y Dokulil.

Convertido (Morfema). En Glosemática, morfema que pertenece a un paradigma, ninguno de cuyos miembros es susceptible de ser regido heterosintagmáticamente*. «Analizando un pronombre personal, como el latín *nos,* observamos que se trata de un sintagma* constituido por una base (un plerema) y una característica que encierra los morfemas de caso (nominativo y acusativo en sincretismo), de número (plural), susceptibles de ser regidos heterosintagmáticamente; pero también contiene un elemento morfemático de persona (primera) que no puede ser regido heterosintagmáticamente, sino que, al contrario, rige otros morfemas en rección heterosintagmática: *nos vicimus,* donde la primera persona de *nos* rige, exige la primera persona del verbo. Se trata, por tanto, de un morfema convertido, de una persona convertida, esto es, incapaz de ser regida» (Alarcos Llorach). Vid. *Fundamental (Morfema).*

Cooperativo. Comitativo.

Coordinación. A. *Beiordnung.* Relación que une términos sintácticamente equivalentes e independientes entre sí. Los términos así relacionados (oraciones, normalmente) se denominan **coordinados.** [A. *Bei-*

geordnet]. Gramaticalmente, los términos coordinados pueden ir yuxtapuestos o unidos por conjunciones coordinantes.

Copla. 1.—Abundancia*. **2.**—Texto escrito que reproduce un modelo u original.

Copla. 1.—Estrofa formada por cuatro versos octosílabos, con rima asonante en los pares. **2.**—Copla castellana o de arte mayor castellano. Pareja de redondillas con 4 rimas: *ABBA : CDDC*. **3.**—Copla caudata. Estrofa en versos tetrasílabos repartidos en dos partes simétricas, cada una de las cuales termina en un octosílabo que rima con el de la otra mitad; por ejemplo: *a b a b c : d e d e c*. **4.**—Copla de arte mayor, formada por dos cuartetos en versos de arte mayor, con sólo tres rimas; ejemplos: ABBA : ACCA; ABBA : ACAC, etc. **5.**—Copla de arte menor. Como la de arte mayor, pero con versos cortos. **6.**—Copla de pie quebrado. «Estrofa octosílaba en que interviene algún tetrasílabo. Entre sus numerosas formas, la más antigua y consistente es la sestilla de semiestrofas simétricas, en unos casos con dos rimas, *a a b : a a b*, y *a a b : a a b*, y en otros con tres, en disposición paralela, *a a b : c c b*, o correlativa, como en la llamada co-

pla de Jorge Manrique, *a b c : a b c*. En el siglo XV fue corriente agrupar las sextillas de dos en dos». **7.**—Copla mixta. «Se compone de semiestrofas octosílabas de distinta extensión, 4-3, 4-5, 5-6. Combina dos, tres o cuatro rimas... Alguna vez ha sido construída en arte mayor o en endecasílabos». **8.**—Copla real. «Conjunto de diez octosílabos ordenados en dos grupos, 4-6, con dos o tres rimas, o más comúnmente, como dos quintillas rimadas de manera independiente, *ababa : cdcdc :abaab : cdccd*, etcétera» (Navarro Tomás). A esta última se le da también el nombre de falsa décima.

Copretérito. Término utilizado por A. Bello para designar al pretérito imperfecto de indicativo, porque su acción coexiste con otra en el pasado: *cuando llamaste, estaba en casa*.

Copto. Vid. *Egipcio*.

Cópula. Toda palabra que sirve para unir dos términos de una frase o dos frases. Las cópulas por excelencia son las conjunciones y verbos copulativos. Vid. *Nexo*.

Copulativo. 1.—Conjunción copulativa. Es la conjunción que liga aditivamente elementos de frase o frases entre sí, de igual rango sintáctico. **2.—Verbo copulativo.** Es el que sirve de nexo entre el sujeto y el atributo, sin que añada nada al significado de la oración. En español, son copulativos *ser* y *estar*, y numerosos verbos pueden desempeñar una función copulativa: *yo soy pintor, el agua está fría, el río baja crecido.* **3.—Oraciones copulativas.** Oraciones coordinadas, cuyas acciones son simultáneas o sucesivas, y se añaden, aditivamente y sin dependencia, una a la otra: *Durante el verano, se divierte y no estudia.*

Coreano. Lengua hablada por unos 17 millones de personas, que parece afín al japonés por su sintaxis, pero se separa de él en otros rasgos. Se ha intentado, en alguna ocasión relacionarla con el grupo indoeuropeo.

Coriambo. Vid. *Pie.*

Córnico. Vid. *Celta.*

Corografía. Estudio de los topónimos con especial atención a las condiciones físicas del terreno. (Ascoli).

Coronal. Articulación cuyo órgano activo es el predorso de la lengua (o corona). Son coronales las articulaciones palatales, y una variedad de la *s* andaluza, articulada entre los incisivos superiores y los alvéolos, con la lengua plana.

Coronis. Signo gráfico igual al espíritu suave (ʼ), que en muchos manuscritos griegos y en las ediciones de textos helénicos se coloca sobre las vocales largas o los diptongos resultantes de crasis* entre dos palabras en la frase, o entre προ- y un segundo componente.

Corpo. Vid. *Canción.*

Corrección. A. *Sprachrichtigkeit.* **1.—**Acomodación de la lengua a las exigencias gramaticales y expresivas del sistema. La corrección oscila entre límites muy distintos. Para los gramáticos de corte académico y tradicional, es correcto, exclusivamente, el idioma que se adapta a las normas más o menos arbitrarias de una gramática oficial. Para algunos lingüistas (Noreen, Wiwel), el límite de la corrección lo señala sólo la ambigüedad. Se admite como lengua correcta, en general, la de las capas sociales más cultas, hablada en un centro urbano, con vida artística e intelectual que puedan considerarse como representativas de una cultura nacional. 2.— Figura retórica por la que el hablante o escritor se desdice, para expresarse enseguida con más propiedad; o bien, insiste sobre lo mismo, con nuevas notas que considera más ajustadas.

Correctivas (Conjunciones). Así llama A. Bello a las que «rectifican una idea precedente: *Mas yo sé bien el sueño con que Horacio / antes el mismo Rómulo me enseña* (B. de Argensola). *Antes* es aquí *o más bien*».

Correlación. 1. — «Sistema de oposiciones fonológicas caracterizadas por una propiedad* de correlación común. Ejemplo: en latín, *ā-a, ō-o, ē-e, ū-u, ī-í*» (TCLP). Las más importantes correlaciones fonológicas son las siguientes: **correlación de timbre** [A. *Eigentonkorrelation*], cuya propiedad de correlación (p. de c.) es la diferencia del timbre de las consonantes o de las vocales o de unas y otras a la vez; **correlación vocal** de las consonantes [A. *Stimmbeteiligungskorrelation*] o **correlación de sonoridad**, cuya p. de c. es la vibración o no vibración de las cuerdas vocales en las articulaciones; **correlación de nasalidad** [A. *Nasalitätskorrelation*], cuya p. de c. está constituida por la presencia o

ausencia de resonancia nasal; **correlación de cantidad** [A. *Quantitätskorrelation*], en la cual la diferencia de cantidad* constituye la p. de c.; **correlación tónica** [A. *Tonstufenkorrelation*], cuya p. de c. es la diferencia de intensidad*; **correlación melódica** [A. *Tonverlaufkorrelation*], cuya p. de c. es la «diferencia del movimiento del tono vocal, en los límites de una vocal, o de una palabra, en cuanto entidad indivisible. Ejemplo de correlación melódica de las vocales: correlación *entonación ascendente - entonación descendente* de las vocales largas en griego antiguo; ejemplo de correlación melódica de las palabras: oposición de palabras con elevación del tono vocal hacia el fin de la palabra y de palabras sin esta elevación, en el dialecto japonés del sur». (T C L P). **2.**—Término especializado por la Glosemática [F. *Corrélation, Disjonction*] para designar la función cuyos funtivos* están en la correlación «o ... o» [I. *Function either-or*], esto es, que pueden alternar en el mismo puesto de una cadena*. Son correlaciones las funciones llamadas *complementaridad*, especificación* y autonomía*. Los funtivos de la conexión se denominan **correlatos**, y se dan en el sistema. «Si en este ejemplo de dos cadenas:

c a l
s o n

combinamos los diferentes **fonemas,** obtenemos diferentes palabras: *cal, can, col, con, son, sol, san, sal.* Cada una de ellas es una cadena que puede entrar en el decurso* lingüístico, mientras que /c/ y /s/ juntas, /a/ y /o/ juntas, y /l/ y /n/ juntas forman un paradigma que entra en el sistema de la lengua; en *cal* hay coexistencia entre /c/, /a/ y /l/, y tenemos, efectivamente, ante nosotros *tanto* /c/, *como* /a/ *como* /l/ [Vid. *Conexión*]; pero entre /c/ y /s/ hay alternancia: lo que ante nosotros tenemos es *o bien* /c/, *o bien* /s/... Las mismas magnitudes* son, pues, partes de una cadena y miembros de un paradigma; lo que en un caso y otro las diferencia es la función en que intervienen: en el primer caso, es una *relación* («tanto... como»), función entre partes de una cadena (en el texto* o decurso lingüístico), y sus términos se llaman *relatos;* en el segundo caso, es una *correlación* («o bien... o bien»), función entre miembros de un paradigma (en el sistema), y sus funtivos son *correlatos»* (Alarcos Llorach). 3.—**Correlación gramatical.** Es la relación mutua que se establece entre dos términos de la frase, llamados **términos correlativos,** de tal modo que la presencia de uno exige la del otro, bien elíptico, bien expreso: tal *el* padre, cual *el* hijo,

no sólo *no acepta,* sino que *él pone condiciones.* 4. — Término empleado para designar la ordenación de varios conjuntos* semejantes (Vid. *Semejanza)* conforme al siguiente esquema general:

A₁ A₂ A₃... An
B₁ B₂ B₃... Bn
C₁ C₂ C₃... Cn
....
P₁ P₂ P₃... Pn

Ejemplo: La correlación existente en estos cuatro versos puede resaltarse así:

Pací (A₁), cultivé (A₂), v e n c í (A₃), pastor (B)₁, labrador (B₂), soldado (B₃), cabras (C₁), campos (C₂), enemigos (C₃), con hoja (D₁), azadón (D₂), y mano (D₃).

O empleando sólo la notación:

A₁ A₂ A₃
B₁ B₂ B₃
C₁ C₂ C₃
D₁ D₂ D₃

Cada línea horizontal de dicho esquema recibe el nombre de **pluralidad de correlación** o simplemente **pluralidad** (D. Alonso). 4.—**Correlación de tiempos.** Consecutio* temporum. 5.—**Haces de correlaciones.** Vid. *Haces.*

Correlativo. Vid. *Correlación.*

Correlativos fonológicos. Vid. *Unidad.*

Correlato. Vid. *Correlación.*

Correptio attica. Vid. *Abreviamiento.*

Corrupción lingüística. Se interpretó así hasta el siglo XIX (Max Müller, 1861, habla todavía de ello) el cambio que se produce en una lengua. Se partía de considerar un estado bien conocido y delimitado, el período clásico ordinariamente, como estado perfecto de una lengua; las evoluciones que sufre ese sistema por acción del tiempo, en diversas zonas de su dominio, constituirían una corrupción.

Corso. Vid. *Italiano.*

Cortado (Plural). A. *Pluralis fractus;* I. *Broken Plural;* F. *Pluriel brisé.* Con este nombre, y con los de plural interno o fracto, se designa un tipo de plural semítico, hoy vivo en árabe, caracterizado por un cambio de vocal en el tema. En árabe, singular *himār* 'asno', tiene como plural *hamīr.* «El procedimiento es tan vivo en árabe, que ha sido aplicado a palabras tomadas recientemente del español o francés: *resibo* 'un recibo', plural, *ruāseb; bābor* 'vapor', plural, *buāber,* etc.» (Vendryes).

Cosante. Vid. *Cosaute.*

Cosaute. «Canción gallego-portuguesa y castellana formada por una serie de pareados, generalmente en versos fluctuantes, en la que cada pareado recoge parte del sentido del anterior y añade algún nuevo concepto. Figura además un breve estribillo, que se repite después de cada pareado, a a b : c c b : d d b. Se le ha llamado también **canción paralelística**» (Navarro Tomás). Tradicionalmente ha recibido el equivocado nombre de **cosante.**

Crasis. Término especialmente utilizado por los helenistas para designar la contracción o formación de diptongo que se produce entre la vocal final de una palabra y la inicial de la siguiente, que quedan expresadas gráficamente como si fueran una sola palabra. Se señala en los textos con el signo llamado **coronis*.**

Creación. A.*Erschöpfung, Schöpfung.* Producción de cualquier acto de lenguaje, por parte del hablante, según una interpretación que arranca de W. v. Humboldt (1836). Para éste, el lenguaje es un trabajo continuamente repetido de la mente para domeñar los sonidos y adaptarlos a la expresión del pensamiento. La idea es filosóficamente elaborada por B. Croce (1900), que duda de la existencia de un sistema lingüístico exterior al hombre: éste *crea* continuamente su medio expresivo. Surge así el llamado *idealismo lingüístico*, cuyo principal representante es K. Vossler, el cual (1905) se adhiere a la concepción del lenguaje como creación, pero modifica la ideología de Croce, que convierte el lenguaje en un caos: «millones de creadores del lenguaje, millones de creaciones lingüísticas, desde las más pequeñas frases... hasta la obra de arte más pensada...; cada una de ellas libre, cada una autónoma y dueña de sí». Para salvar esta caótica concepción del lenguaje, Vossler propone otro nuevo criterio caracterizador del mismo: la *evolución**.

Creciente. A. *Steigend:* I. *Rising;* F. *Croissant.* Vid. *Explosiva, Diptongo.*

Cretense. Vid. *Griego.*

Crético. Vid. *Pie.*

Criollo (Idioma). A. *Kreolische Sprache;* I. *Creolized language;* F. *Parler créole.* En español, *criollo* significa 'hijo de padres europeos, nacido fuera de Europa, principal-mente en América'; y también, 'negro nacido en América'. Pero el término *idioma criollo* nada tiene que ver con estos significados; se trata de una traducción del fr. *créole* o, mejor, *créoliolisé* 'adaptado a las colonias». *Idioma criollo* es, por tanto, el idioma europeo adaptado como instrumento de comunicación con los indígenas de las colonias. En tal sentido, quizá fuera preferible hablar en español de idioma **acriollado,** ya que existe el verbo *acriollarse* 'adaptarse un extranjero a las costumbres del país'. Pero el término *idioma criollo* tiene ya carta de naturaleza en nuestra terminología (Cfr. R. Lenz, *El papiamento, la lengua criolla de Curaçao*, S. de Chile, 1926-7; antes publicado en los Anales de la Universidad de Chile). Por lo demás, se aplica con poca precisión. En algunas ocasiones, recubre por completo el concepto de *idioma mixto** o de *lingua** *franca*, es decir, lengua para el comercio; en tal sentido, sería lengua criolla el Pidgin English, por ejemplo. Pero la acepción más frecuente de *idioma criollo* es la de lengua hablada fuera de Europa, que excede los fines comerciales para convertirse en medio único de comunicación entre personas que mantienen permanente contacto y poseen lenguas maternas distintas. En este sentido, son idiomas criollos: el *Taki-Taki*, el *Jew Tongo*, constituidos ambos por el inglés y las hablas vernáculas de los negros, en la Guayana holandesa; el *Gulla Negro*, en Carolina del Sur; el *malayo-español* (Filipinas), el *annamito-francés* (Cochinchina), etc. Por fin, algunos lingüistas prefieren reservar la designación exclusiva de *criollo* para el idioma mixto de lengua europea y lengua indígena negra. Vid. *Emergencia.*

Criptografía. Alteración convencional de la escritura, con el fin de que no pueda ser comprendida si no se está en posesión de su clave.

Criptolalia. Alteración convencional de la lengua hablada, con el fin de que no pueda ser comprendida si no se está en posesión de su clave.

Crítica textual. Conjunto de operaciones que tienden a reconstruir un texto literario, jurídico, etcétera, cuando éste se nos ha transmitido con corrupciones. Ordinariamente, la crítica textual proporciona correcciones que se plasman en una edición* crítica.

Cromático (Acento). Nombre dado alguna vez al acento* de altura.

Cronema. I. *Chroneme.* Así llama D. Jones (1950) a la reunión de un crono* fundamental con sus variantes, condicionadas por el contexto fonético. El español, que no es cronodistintivo, no tiene más que un cronema correspondiente a cada vocal.

Crono. I. *Chrone.* Término propuesto por D. Jones (1905) para designar cada grado de duración. La lengua en la cual el crono es distintivo puede ser denominada **lengua cronodistintiva** [I. *Chrone language*].

Cronotipos. F. *Chronotypes.* En la terminología de Guillaume, las parcelas, una inmediatamente pasada *(cronotipo real y decadente)* y otra inmediatamente futura *(cronotipo virtual e incidente)* que integran lo que llamamos tiempo presente. «La yuxtaposición de estos dos cronotipos es una condición necesaria de la concepción del presente. Con un solo corte del tiempo al nivel del pasado, el presente no se distinguiría del futuro; con un solo corte al nivel del futuro, el presente no se distinguiría del pasado».

Cruce. A. *Kreuzung;* **I.** *Crossing;* **F.** *Croisement.* Los lingüistas españoles prefieren este término al de

contaminación*, con que se designa el mismo fenómeno.

Cuaderna vía. Estrofa formada por cuatro versos alejandrinos monorrimos, usada por los poetas cultos del Mester de Clerecía.

Cuadrilátero de vocales. Representación gráfica de las posiciones de la lengua en la articulación de las vocales, debida a Daniel Jones. Los ángulos del cuadrilátero irregular están ocupados así: los dos ángulos superiores, por las vocales cerradas *i*, *u*, articuladas mediante la elevación de la punta de la lengua; y los dos ángulos inferiores, por dos variedades abiertas de la *a*, articuladas, respectivamente, mediante la elevación de la punta de la lengua y de su dorso. Estas cuatro vocales, juntamente con *o* y *e*, abiertas y cerradas, que se sitúan en lugares intermedios del cuadrilátero, constituyen las llamadas *vocales cardinales*.

Cualidad. A. *Eigenschaft, Qualität;* I. *Quality.* 1.—Conjunto de peculiaridades de un sonido referentes a su timbre o a su modo de articulación. Se opone esta noción a la de *cantidad* y, así, se habla de **cambios cualitativos** (el paso $\check{\imath} > e$,

por ejemplo) frente a **cambios cuantitativos** $(\check{\imath} > \bar{\imath})$. 2.—Cualidad **distintiva**. Marca* de correlación.

Cuantitativo. Se dice de todo lo referente a la cantidad. Vid. *Cualidad*.

Cuarteta. Estrofa aconsonantada de versos de arte menor que riman del siguiente modo: *a b a b*.

Cuarteto. Estrofa aconsonantada de versos de arte mayor que riman del siguiente modo: *A B B A*.

Cuasi-afijo. Así llama A. Bello a la palabra «que se antepone a toda clase de palabras, modificando su significado». Por ejemplo, *aun*, en usos como *conmovióse al verle*, y *aun se le arrasaron los ojos de lágrimas*.

Cuasi - comunes (Nombres). Así se llama alguna vez a los nombres epicenos*.

Cuasi-refleja. Así llama A. Bello a la oración «en que la reflexividad no pasa de lo material de la forma, ni ofrece al espíritu más que una sombra débil y oscura»: *Yo me alegro, tú te irritas, ella se enfada.* Incluye en la construcción cuasi-refleja la pasiva refleja. Vid. *Pronominal* (*Verbo*).

Cuchicheo. A. *Flüstern;* I. *Whisper;* F. *Chuchotement.* Pronunciación de intensidad escasa, en la que se evita la vibración de las cuerdas vocales.

Cuerdas vocales. A. *Stimmbänder, Stimmlippen, Stimmfalten.* «Son dos músculos gemelos elásticos, a modo de pliegues o labios, formados por la capa muscular que reviste interiormente los cartílagos de la laringe. Por uno de sus extremos, dichas cuerdas se hallan sujetas al vértice o parte delantera del tiroides; por el extremo opuesto, acaba cada una de ellas en un aritenoides [cartílago de la laringe], pudiendo ambas, según los distintos movimientos de los aritenoides, tenderse o aflojarse, aproximarse entre sí hasta poner sus bordes en contacto, o separarse más o menos, dejando entre ellas una abertura triangular, cuyo nombre es *glotis.* Cuando respiramos de una manera normal, la glotis está ampliamente abierta; cuando hablamos, las cuerdas se juntan, la glotis se cierra, la presión del aire, empujado desde los pulmones, obliga a las cuerdas a entreabrirse, pero su propia elasticidad les hace volver instantáneamente a cerrarse, produciéndose de este modo una serie rapidísima de movimientos uniformes y regulares que, al poner en vibración la columna de aire que va escapándose al exterior, producen el sonido que llamamos *voz*». (Navarro Tomás).

Cuestionario. Repertorio de conceptos y frases cuya expresión lingüística, peculiar de un centro* dado, se inquiere en las investigaciones dialectales.

Cuir. En francés, error de *liaison*, cometido por adición de *t*: *Il va-t-à la foire.* Otras falsas ligazones son las llamadas **velours** (con adición de *s*: *J'ai-s-obtenu*), **pataquès** (confusiones de ligazones: *Ce n'est pas-t-à moi*). En un sentido más amplio, *pataquès* se dice de todo error grosero de lenguaje.

Culminativa (Función). Vid. *Funciones fónicas.*

Culta (Lengua). Vid. *Vulgar.*

Cultismo. Con este nombre, y con el de *voz culta* [A. *Buchwort;* I. *Learned word;* F. *Mot savant*], se designa a todas aquellas palabras que han entrado en un idioma en épocas diversas por exigencias de cultura (literatura, ciencia, filosofía, etcétera), procedentes de una lengua clásica, ordinariamente del latín. Tales voces mantienen su aspecto latino, sin haber sufrido las transformaciones normales en las voces populares: *fructífero, benévolo, colocar,* etc. Son abundantes los **dobletes,** constituidos por una voz vulgar y un cultismo introducido posteriormente, con sentidos diversos: *colocar-colgar, artículo-artejo, título-tilde,* etc.

Cultura (Lengua de). A. *Kultursprache, Hochsprache,. Schriftsprache;* I. *Cultural language;* F. *Langue de civilisation.* Lengua que ha servido o sirve de medio expresivo a una literatura y a una civilización importantes. Está caracterizada, en general, por el desarrollo de su léxico y por una organización compleja y estable de sus sistemas fonológico, morfológico y sintáctico.

Cúmulo. F. *Cumul.* Se produce este fenómeno «cuando un significante único e indescomponible encierra varios valores que asociaciones memoriales permiten analizar claramente» (Ch. Bally). Así, *vaca* hembra del toro', *peor* 'más malo'.

Cuneiforme (Escritura). Sistema de escritura empleado en el sumerio y en numerosas lenguas del Asia occidental. Sus trazados son combinaciones de agujeros y pequeñas cuñas, lo que motiva su nombre.

Cursivo (Aspecto). Variedad del aspecto durativo* (H. Frey), el cual indica que la acción está en curso de desarrollo: *está leyendo.* Vid. *Aspecto progresivo*.*

Cursus. Tipo de adorno usado por los prosistas medievales, que consiste en «adornar la prosa, particularmente al fin de los períodos y de los miembros del período, con una cadencia o cláusula rítmica» (Schiaffini). Aparece a partir del siglo III d. J. C. y duró hasta. el Renacimiento. Adopta estos tres tipos principales: **cursus planus** (paroxítona, seguida de trisílaba paroxítona: *retributiónem merétur);* **cursus tardus,** llamado también **ecclesiasticus** o **durus** (paroxítona, seguida de tetrasílaba proparoxítona: *víncla perfrégerat);* **cursus velox** (proparoxítona seguida de tetrasílaba paroxítona: *vínculum fregerámus).* El cursus era característico del estilo llamado *romano* o de la Curia romana.

Curva oral. Gráfico de una inscripción de la voz, realizada con un aparato registrador.

Cusita (Grupo). Grupo de lenguas camitas, al SE. del bajo Nilo. A él pertenecen el *bedia,* el *somalí,* el *caffa,* etc.

Dacorrumano. Vid. *Rumano.*

Dactílico (**Endecasílabo**).Vid. *Endecasílabo, Gaita* gallega, Arte* mayor.*

Dáctilo. Vid. *Pie.*

Dálmata o Dalmático. Lengua románica que se habló en las costas dálmatas, entre Segna (al· S. de Fiume) y Cattaro. Sus dos dialectos principales eran el **ragusano**, que se extinguió en el siglo XV, y el **veglioto**, cuyo último hablante, Antonio Udina, murió en 1898.

Danés. A. *Dänisch;* I. *Danish;* F. *Danois.* Lengua nórdica* hablada en Dinamarca; uno de sus dialectos se habla en las islas Feroe. Es lengua de unos tres millones y medio de personas. Vid. *Noruego.*

Darmesteter (Ley de). Vid. *Contrafinal.*

Darstellung. Vid. *Funciones del lenguaje.*

Datismo. «Empleo inmotivado de vocablos sinónimos o con los cuales no se viene a decir sino una misma cosa» (DRAE): *Siendo eso un* menester *y ejercicio que*

va *desviado de todo lo que* hacen *y* deben hacer *las personas principales que están* constituidas *y* guardadas *para otros* ejercicios *y* entretenimientos (Cervantes). A veces, como en este caso, el datismo desempeña una función estilística.

Dativo. Caso fijado por los gramáticos griegos, que lo llamaron δοτιϰῇ o (por Dionisio Tracio, siglo II a. J. C.) ἐπισταλτιϰῇ, es decir, el caso regido por los verbos que significan 'dar' o 'dirigir'. Varrón (116-27 a. J. C.) le llamó *casus dandi* 'caso de dar'. Efectivamente, «el dativo indica a quién se destina una cosa...; no marca el término del movimiento, como lo haría un acusativo, sino la persona (o el objeto) hacia quien se hace el movimiento. El ejemplo típico es el latín *alicui aliquid dare...* Todos los empleos se reducen fácilmente a este sentido general; el dativo con los verbos que significan 'oir'... indica la persona a quien se escucha, para obedecerle: lat. *alicui auscultare...* El dativo no va, de ordinario, determinado por ninguna preposición» (Meillet). Las lenguas románicas, que perdieron la flexión casual, tuvieron que apelar, sin embargo, a las preposiciones (esp. *a* o *para*) para señalar la función de complemento indirecto, típica del dativo. Se distinguen varios tipos de dativos: **commodi***, **incommodi***, de **interés**, que se identifica con los dos anteriores, y que comprende también el **ético***, el **simpatético***, el **iudicantis** o de **relación** (expresa persona a juicio de la cual una opinión es verdadera: *namque erit ille* m i h i *semper deus.* Virgilio) y el **de agente** o **auctoris** (que expresa persona agente: *Faciendum est* m i h i *illud* Plauto); el de **finalidad** *datiuus finalis:* indica la intención con que se realiza la acción; se aplica, esencialmente, a una cosa: c a s t r i s *idoneum locum delegit.* César). Se habla también de dativos **de aproximación** (d e x t r a e *se paruus Iulus / implicuit.* Virgilio), **exclamativos** *(Vae* v i c t i s), de **dirección** (vid. *Dirección),* etc.

Débil. A. *Schwach;* I. *Weak;* F. *Faible.* **1.—Forma débil.** Se llama así en el verbo aquella que lleva el acento en la desinancia: *hacía, atendí,* frente a la **forma fuerte,** que la lleva en el tema: *hecho, cupe.* **2.—** También se da el nombre de **forma débil** a la que presenta una palabra que en la frase depende del acento de intensidad de otra: *San Luis,* frente a la **forma fuerte:** *Luis es un santo.* **3.—Vocal débil.** Se ha llama-

do así algunas veces a *i* y *u.* **4.—Posición débil.** Es la que ocupa un sonido cuando su articulación no se halla defendida por las condiciones que confieren fortaleza (posición inicial, acento, etc.) o bien queda en situación contraria a la estructura fonológica de la lengua. Ello le expone a sufrir transformaciones importantes y a desaparecer. Vid. *Positio debilis.* **5.—Articulación débil.** Así se llama alguna vez, impropiamente, a la articulación sonora. **6.—Sílaba débil.** Es aquella cuya intensidad es escasa con relación a otra considerada como fuerte.

Debilitación. Debilitamiento.

Debilitamiento. A. *Schwächung;* I. *Weakening;* F. *Affaiblissement.* **1.** Término de significado vago con que aludimos al paso de una articulación a otra que supone un esfuerzo menor. La sonorización es un caso de debilitamiento. **2.—**Proceso semántico mediante el cual una palabra o una expresión pierde intensidad significativa [A. *Bedeutungsabschwächung*]: creo *que sí* (= 'supongo que sí').

Decasílabo (Verso). **1.—**Verso de diez sílabas. Navarro Tomás describe estas variantes: A) **Trocaico simple** (óo óo óo óo óo): *Manos que sus manos estrechasteis.* B) **Trocaico compuesto** (o óo óo : o óo óo): *Allá en la playa quedó la niña.* C) **Dactílico simple** (oo óoo óoo óo): *Se acabaron los días divinos.* D) **Dactílico compuesto** (óoo óo : óoo óo): *Yo soy ardiente, yo soy morena.* E) **Dactílico esdrújulo** (óoo óo óoo óo): *Lámina sirva el cielo el retrato.* F) **Decasílabo mixto** (o óooo óoo óo): *Destruye una tormenta la calma.* G) **Decasílabo compuesto polirrítmico.** Combina las variedades compuestas dactílica y trocaica. 2.— En la literatura francesa medieval, verso épico de diez sílabas. Recibía dos acentos, uno en la cuarta sílaba y otro en la décima; ambas sílabas podían ir seguidas de una · átona, que no contaba, por lo que el verso podía tener diez, once o doce sílabas. Había cesura tras la cuarta sílaba tónica o la quinta átona: *Carle li reis / nostre emperère magne / de nos · ostages / fera trancher les testes.* Vid. **Endecasílabo*** *provenzal.*

Décima. 1.—Estrofa aconsonantada, formada por diez versos octosílabos, cuyas rimas se combinan así *abbaaccddc.* Se atribuye su fijación definitiva al poeta Vicente Espinel '(1550-1624); a ello obedece el que se le conozca también con el nombre de *espinela.* **2.—Falsa décima.** Vid. *Copla.*

Declarativo. 1. — **Oración declarativa.** Nombre que también recibe la oración enunciativa*. **2.** — **Verbo declarativo.** Vid. *Verbum dicendi.*

Declinable. Dícese de las palabras o formas que admiten flexión nominal.

Declinación. I. *Declension.* **1.**— Ordenación en paradigmas de las diversas formas a que da origen la flexión casual de una palabra. A esta **declinación flexiva** se le ha dado también el nombre de **declinación orgánica** (Lenz). **2.**—Para mantener un dudoso paralelismo con la declinación flexiva, se habla de **declinación sintáctica** en aquellas lenguas que carecen de flexión y expresan las funciones ajustando las palabras a un orden determinado o añadiéndoles morfemas no desinenciales; si éstos son preposiciones, se habla de **declinación preposicional. 3.**—Cada uno de los paradigmas o prototipos en que se distribuyen, conforme a su declinación las palabras de una lengua.

Decoro. F. *Bienséance.* 'Correspondencia entre la condición o índole de un personaje y las acciones y modo de hablar que se le atribuyen en una obra literaria.

Decreciente. A. *Fallend;* I. *Falling;* F. *Décroissant.* Se da este nombre al diptongo cuya yod o wau van en segundo lugar: *ai, ei, au,* etcétera. Vid. *Implosiva, Creciente.*

Decurso. En Glosemática, texto*. (Alarcos Llorach).

Defectivo. Se da este nombre a la palabra cuya conjugación o declinación no tiene todas las formas que aparecen ordinariamente en el paradigma morfológico a que se ajustan las formas que posee. Así, *abolir* es un verbo defectivo. «No se comprenden en el número de los verbos defectivos los que regularmente sólo admiten las terceras personas del singular, llamados *unipersonales* o *impersonales».* (Bello).

Definido. A. *Bestimmt;* I. *Definite;* F. *Défini.* **1.**—Se aplica alguna vez este nombre al artículo *determinado.* **2.**—Forma definida [A. *Bestimmte Form;* I. *Definite form*]. «Puede emplearse la expresión *forma definida* para todo sustantivo que recibe el matiz de significado que poseen los sustantivos precedidos de un artículo definido en griego, en francés, [en español], etc. La

noción de lo *definido,* puede ser expresado por tres procedimientos: A) por un sintagma* (determinativo) compuesto del sustantivo en cuestión y del artículo definido, concebido como palabra; B) por una forma especial del sustantivo en cuestión (es decir, por una combinación del tema de este sustantivo con un afijo especial); C) por una forma especial de otra palabra (sustantivo, adjetivo, verbo) que se relaciona con el sustantivo en cuestión, es decir, que forma con él un sintagma (determinativo o predicativo)». (Trubetzkoy).

Deformatio. Vid. *Prosopopeya.*

Degeminación. Simplificación de una consonante geminada.

Degeneración. Término usado por Ascoli para designar el hecho de que varios sonidos, en su evolución, no presentan un desarrollo «normal».

Deglutinación. Término c o n que Tappolets, Niedermann, Gessler, etc., designan la aféresis de un supuesto artículo o elemento de composición: it. *mella < lamella, veggio < laveggio;* e s p. *atril < letril; umbral < de* un derivado de *limen;*

val: *otomía* < *notomía* (< *anatomía*), etcétera. Vid. *Discreción*.

Degradación. 1.—Sinónimo, poco usado en España, de debilitamiento*. **2.**—**Degradación acentual.** Fenómeno por el cual una palabra pierde su acento tónico, bien por integrarse en un compuesto (así, *haz*, en *hazmerreir*), bien por figurar en un grupo* de intensidad, en el que se subordina al acento principal del mismo (como *señor*, en *he visto al señor Antonio*).

Deíctico. 1.—Referente a la deixis*. **2.**—Término que funciona con mención deíctica.

Deixis. Función desempeñada por algunos elementos de la lengua llamados **deícticos** [F. *Déictiques, Épidéictiques, Épidictiques*], que consiste en señalar algo que está presente ante nuestros ojos: *aquí, allí, tú, esto*, etc. Cuando la función deíctica no consiste en hacer una «demonstratio ad oculos», sino que señala un término de la frase ya anunciado, recibe el nombre de **anáfora**. Brugmann (1904) distinguió cuatro clases de deixis, correspondientes a los modos en que puede ser indicada la posición con relación al hablante: **der-Deixis** (éste-deixis), **ich-Deixis** (yo-deixis), **du-**

Deixis (tú-deixis) y **jener-Deixis** (aquél-deixis). Wackernagel propone llamar a los modos segundo y tercero **hic-deixis** e **istic-deixis**, respectivamente. K. Bühler (1934), que sigue a Wackernagel en esta terminología, ha señalado una deixis especial, que llama *Deixis am Phantasma* (deixis en fantasma), que se produce «cuando un narrador lleva al oyente al reino de lo ausente recordable o al reino de la fantasía constructiva y lo obsequia allí con los mismos demostrativos para que vea y oiga lo que hay allí que ver y oír (y tocar, se entiende, y quizá también oler y gustar)»: *Recuerdo aquel jardín; allí solía jugar de niño*. Vid. *Anáfora. Catáfora. Pronombre*.

Delere. Operación de la *emendatio**, que consiste en suprimir palabras y frases que no deben ser del autor, sino de algún anotador o copista.

Delfinadense o **Delfinés**. Vid. *Provenzal*.

Deliberativo. Cualquier entidad gramatical con que el hablante se pregunta sobre lo que debe hacer. Se habla, así, de **oraciones deliberativas** (¿me iré o me quedaré?), de **subjuntivo deliberativo** (gr. τεῦ δώμαθ' ἵκωμαι 'a casa de quién debo dirigirme'; lat. *ei mihi, quid faciam? quid agam?*), etc.

Deliberativum (Genus). Vid. *Retórica.*

Delimitativa (Función). Vid. *Funciones fónicas.*

Demarcativo (Signo). Cada uno de los procedimientos que, en la lengua, ejercen una función delimitativa. Son signos demarcativos los llamados *signos-grupos.* Vid. *Afonemático y Fonemático.*

Demonstrativum (Genus). Vid. *Retórica.*

Demostrativo. Palabra que ejerce una función deíctica, anafórica o catafórica. Se distingue entre **adjetivo demostrativo,** que acompaña inmediatamente a un sustantivo *(esa casa)* ejerciendo una deixis, y **pronombre demostrativo,** que realiza una anáfora o una catáfora, yendo en la frase a distancia de la palabra que señala *(éste, aquello, eso,* etc.).

Demótico. 1.—Griego moderno hablado, llamado también *romaico* o *romeico,* frente a la lengua escrita y purista, llamada *katharévousa.* **2.**—Lengua y escritura egipcias, que surgen a fines del siglo VI a. J. C., y corresponden al tiempo de las dominaciones persa, griega y romana, hasta la victoria del Cristianismo.

Denominación. A. *Benennung.* **1.**—Nombre especial que un objeto o una persona reciben, además de la mención nominal apelativa que les corresponde por razón de la especie o el género a que pertenece. Son denominaciones (río) *Ebro,* (monte) *Moncayo,* (color) *ceniza,* (una mujer llamada) *María,* etc. **2. Nominativo de denominación.** Vid. *Nominativo.* **3.**—La escuela de Praga utiliza el término *denominación* en un sentido especial: «No se deben buscar las correlaciones lingüísticas directas del concepto del pensamiento en el dominio del sistema lingüístico, sino en el de la expresión lingüística, en el de la manifestación lingüística. La expresión lingüística directa del concepto no es la palabra, sino la denominación; la expresión lingüística directa no es la frase, sino la enunciación*. En efecto, el concepto puede ser expresado por algo distinto a una palabra, v. gr., por una denominación compuesta de varias palabras; el pensamiento, a su vez, puede ser expresado también con procedimientos distintos a la frase, es decir, por medio de una palabra o de una combinación de palabras que no posean el carácter formal de una frase» (Dokulil). «Cada una de las palabras de la lengua, según la conciencia lingüística del hablante medio, puede ser clasificada, según su base, bien en un grupo mayor de palabras emparentadas con las que tiene semantemas comunes..., o bien se encuentra aislada desde este punto de vista; es decir, no presenta ningún parentesco de base identificable sincrónicamente con otros miembros del mismo léxico... Las denominaciones del tipo clasificador son **descriptivas** [A. *Beschreibende, Benennung*], mientras que las del tipo aislante son **simples** [A. *Einfache Benennung*]». Por ejemplo, inglés *airman / pilot* respectivamente (Mathesius).

Denominativo. A. *Denominativum, Denominal;* F. *Dénominatif, Dénominal.* Término usado alguna vez como sinónimo de *postnominal.*

Densas. Término que se aplica a las consonantes velares y palatales, y a las vocales abiertas. Se opone a *difusas*.*

Dental. A. *Zahnlaut.* Articulación cuyos órganos pasivo y activo son, respectivamente, la cara interior de los incisivos superiores y la punta de la lengua: *t, d, n̦, l̦, ș.* Vid. *Interdental, Labiodental, Alveolar.*

Dentalización. Proceso mediante el cual un sonido adquiere un punto de articulación dental, por contagio. Así, la *n* de *pin̦tor*, la *l* de *al̦tura*, la *s* de *pașta.*

Dentilabial. Vid. *Labiodental.*

Dentointerdental. Articulación en que la punta de la lengua toca los bordes de los incisivos superiores.

Dependencias. En Glosemática, conexiones que ligan los términos de un texto*. Pueden ser *interdependencias*, determinaciones** y *constelaciones*.*

Dependiente. A. *Abhängig.* Término que alterna con el de *subordinada*, para designar esta clase de oración.

Deponente. 1.—En gramática latina, se da este nombre a un cierto número de verbos de sentido medio o activo que poseen sólo desinencias pasivas: *irasci, laetari, reminisci, loqui, fari*, etc. El término, empleado ya por los gramáticos latinos, alude a que los verbos deponentes parecen «deponer» (latín *de-*

ponere) el sentido pasivo de sus desinencias. **2.—Deponente activo.** Se dice del verbo latino cuyas desinencias son activas, pero que posee significación pasiva: *fio* 'soy hecho', *vapulo* 'soy azotado', *veneo* 'estoy puesto en venta' Vid. *Participio, Semideponente.*

Depreciativo, Despreciativo. Vid. *Peyorativo.*

Derivación. A. *Ableitung, Weiterbildung.* **1.—**Procedimiento de formación de una palabra nueva, mediante la adición, supresión o intercambio de sufijos *(bolso-bolsillo, avanzar-avanc(e), portero-portería).* En el primer caso, existe una **derivación progresiva,** cuyo tipo más corriente es la derivación postnominal*; en el segundo, una **derivación regresiva** [A. *Rückbildung, Retrograde Ableitung;* I. *Back-formation*], que da origen, ordinariamente, a derivados postverbales*, aunque no d ᐟ modo exclusivo. Así, *foederare* (que aparece hacia el siglo II a. de J. C.) es un derivado regresivo de *foederatus.* **2.—**Se habla de **derivación impropia** (frente a la propia, que sería la descrita) cuando una palabra, sin cambiar de forma, desempeña funciones nuevas. Así, cuando un nombre propio se emplea como nombre común: *un mecenas, un*

quijote. **3.—**Hay **derivación inmediata** o **simple** cuando un sufijo se añade directamente al tema *(parl-ar),* y **mediata** o **compleja,** cuando se interponen otros afijos *(parl-ot-e-ar).* **4.—** Dependencia etimológica de una palabra, respecto de otra que es su étimo*. **5.—**Como figura retórica (lat. **Derivatio),** empleo en una misma frase de palabras derivadas de una misma raíz: *Voce vocans Hecaten* (Virgilio); *Por los engaños de Sinón vengada / la fama infame del famoso Atrida* (Lope de Vega). No debe confundirse con la figura llama *poliptoton** **6.—Derivación sinonímica** [A. *Synonymalableitung*]. Fenómeno especialmente frecuente en germanía, aunque no faltan casos en la lengua usual, descrito por Schwob y Guieysse (1916), según el cual, cuando dos palabras entran en proximidad sinonímica, por metáfora o por desviación semántica jergal, muchos sinónimos, próximos o no, y palabras satélites de la palabra metafórica o desviada, pasan a ser sinónimos de la otra. P. ej. *limpiar* significa en germanía *robar;* esta palabra tiene, por tanto, como sinónimos por derivación *pulir, raspar, soplar,* etc. B. Migliorini ha propuesto (1948) llamar **irradiación sinonímica** a este fenómeno (reservando para *derivación* su significado tradicional, definido más arriba) y

designación sinonímica a cada uno
de los casos singulares. Vid. *Filiación semántica.*

Derivado. A. *Ableitung.* **1.**—Palabra formada por derivación. Se
denomina **derivado primario** o **formación primaria** al derivado directamente de una raíz: *com-er;* y **derivado secundario** o **formación secundaria** al derivado de una palabra
ya existente: *campan-illa.* Vid. *Postnominal, Postverbal, Sentido.* **2.**—
Tiempo derivado. Es el formado sobre el tema que proporciona un
tiempo primitivo: *tuv-iese.* **3.**—**Derivados verbales.** Así llama Bello al
infinitivo, al participio y al gerundio. **4.**—En Glosemática, se da el
nombre de **derivado de una clase
dada** «al conjunto de los elementos
sucesivos que se descubren en una
división continuada de un objeto o
clase*... Y el conjunto de esta clase
con todos sus derivados sucesivos
es una *jerarquía.* Los derivados serán de primer grado, cuando son
descubiertos por una sola operación de división; de segundo grado,
cuando para obtenerlos han sido
necesarias dos divisiones, y así sucesivamente. Si, por ejemplo, divi-
dimos un texto en períodos, éstos
en frases, éstas en palabras y éstas
en sílabas, los períodos son derivados de primer grado del texto;

las frases, derivados de primer grado de los períodos y de segundo
grado del texto; las palabras, derivados de primer grado de las frases, de segundo grado de los períodos y de tercero del texto; las sílabas, derivados de primer grado de
las palabras, de segundo grado de
las frases, de tercero de los períodos y de cuarto del texto; mientras, por otro lado, las sílabas son
partes (elementos) de las palabras,
pero no del texto, ni de los períodos, ni de las frases; las palabras
son partes de las frases, pero no
del texto ni de los períodos; las
frases son partes de los períodos,
pero no del texto, y los periodos son
partes del texto». (Alarcos Llorach).

Derivativos. 1.—En Glosemática,
pleremas* marginales regidos por
pleremas centrales, que, a su vez,
rigen morfemas. Pueden ser *homogéneos* (cuando, unidos a un plerema no derivado, no modifican las
categorías de morfemas regidos por
éste; así, *ex* es un derivativo homogéneo, ya que *tender* y *extender* rigen las mismas categorías de morfemas), y *heterogéneos* (cuando su
adición modifica tales categorías;
así *-ura,* ya que *alt-ura* rige otra
categoría que *alto).* **2.**—**Aspecto derivativo.** Según J. Holt, aspecto de

la acción verbal que se expresa mediante afijos: *picar / picotear*.

Desarrollo. A. *Entfaltung*. Proceso por el cual un sonido se divide, produciendo otro sonido que participa de algún carácter articulatorio del primero. Por ejemplo, en la pronunciación vulgar de *huevo* (gwéƀo), se desarrolla una consonante de carácter velar como la *w* del diptongo *ue;* latín *hodie* > catalán *(a)vuy*, en el que la *w* desarrolla su carácter labial, hasta quedar convertido en consonante.

Desaspiración. A.*Enthauchung;* F. *Déaspiration*. Proceso mediante el cual un sonido aspirado pierde, en ciertas lenguas, su aspiración. La desaspiración en griego, cuando hay dos aspiradas en la misma palabra, está regida por la ley de Grassmann*.

Desdoblamiento silábico. Nombre que también recibe la haplología*. [It. *sdoppiamento sillabico*].

Desfecha. «Composición breve en forma de copla, canción o villancico, en octosílabos o hexasílabos, que ofrecía una versión condensada y lírica de algún romance o decir al que servía de terminación. El nombre aparece a veces en la forma modernizada, *deshecha*, y en la aragonesa, *desfeyta*». (Navarro Tomás).

Desfonologización. Supresión de una diferencia fonológica entre dos fonemas. Por ejemplo, la pérdida de la lateralidad de *ll* en algunas regiones españolas, que ha provocado su confusión con el fonema *y* *(pollo-poyo)*.

Desgaste. Término con que puede traducirse el fr. *usure*, que designa la tendencia, normal en los hablantes, a ahorrar esfuerzo en la articulación de palabras corrientes y de empleo abundante. Así se explica, por ejemplo, el enorme acortamiento que ha sufrido la expresión *vuestra merced* > *usted* (pronunciado *usté*, ordinariamente). Vid. *Economía lingüística*.

Desglutinación. Deglutinación.

Desiderativo. Cualquier entidad gramatical que formula un deseo. Se habla, por tanto, de **subjuntivo desiderativo**, que aparece en **oraciones desiderativas** del tipo *di tibi dent quaecumque optes* = *que los dioses te concedan todo cuanto desees*. El griego clásico tiene el modo optativo para esta función.

Designación sinonímica. Vid. *Derivación sinonímica*.

Desinencia. A. *Endung;* I. *Ending.* Elemento flexivo que se añade a un tema en la declinación y en la conjugación. En el primer caso, se llama **desinencia casual,** e indica el caso, el género y el número; en el segundo, **desinencia verbal o personal,** e indica la persona, el número, el tiempo, el modo, la voz, etc. «Las desinencias son directamente comparables a los sufijos; son también elementos sobreañadidos a la raíz. Sólo se les distingue de los sufijos por el empleo, pues el sufijo sirve para indicar la categoría general a que pertenece la palabra (nombre de agente, de acción, de instrumento, aumentativo, diminutivo, etc.), mientras que la desinencia indica simplemente el papel que desempeña la palabra en la frase» (Vendryes). Vid., muy especialmente, *Voz.*

Desinentes. «En unos verbos, el atributo, por el hecho de haber llegado a su perfección, expira, y en otros, sin embargo, subsiste durando; a los primeros llamo **desinentes,** y a los segundos, **permanentes.** *Nacer, morir,* son verbos desinentes, porque luego que uno nace o muere, deja de nacer o de morir; pero *ser, ver, oir,* son verbos permanentes, porque, sin embargo de que la existencia, la visión o la audición sea desde el principio perfecta, pue-

de seguir durando gran tiempo» (A. Bello). De esta manera enunciaba el insigne gramático una distinción aspectual entre los verbos.

Deslabialización. A. *Entrundung;* I. *Unrounding, Delabialization;* F. *Désarrondissement, Délabialisation.* Proceso mediante el cual un sonido con articulación labial pierde su labialidad; por ejemplo, la *m* final de palabra, en pronunciación descuidada: *álbum - álᵭųn mínimum-mĭnimūn,* etc.

Desmembración. Vid. *Clase.*

Desnasalización. Proceso mediante el cual una vocal o un diptongo nasalizados se hacen orales. Por ejemplo, en francés, las vocales en sílaba libre, seguidas de *n, m,* fueron nasales hasta el siglo XVII; *grammaire* se pronunciaba, pues, *grãmmẹr;* pero en dicha época se produjo la desnasalización de la vocal: *gramẹr.*

Despalatalización. Pérdida del constitutivo palatal en la articulación de algún sonido. Por ejemplo, hay despalatalización en el paso *š > j,* que se operó en español en el siglo XVI: *dixo > dijo.*

Desplazado (Lenguaje). I. *Displaced speech.* Empleo de la lengua fuera de las acepciones literales del diccionario. «Un,mendigo hambriento dice en la puerta de una casa *tengo hambre*, y la dueña le da comida; decimos que este incidente incorpora la *significación primaria* o *de diccionario* de la forma lingüística. Un chico descarado, a la hora de acostarse, dice *tengo hambre*, y su madre, que está al tanto de sus tretas, responde mandándolo a la cama. Este es un ejemplo de lenguaje desplazado» (Bloomfield).

Deterior. Se da este nombre al manuscrito antiguo copiado por calígrafos sin preocupaciones filológicas, con destino al mercado. Los manuscritos clásicos deteriores proceden, en general, del movimiento humanístico (1450-1600). Vid. *Recentior.*

Deteriorativo. Vid. *Peyorativo.*

Determinación. A. *Bestimmtheit.* **1.**—En Glosemática, dependencia unilateral, de tal modo que un término presupone al otro, pero no al contrario. Cuando la determinación se produce en el texto*, recibe el nombre de **selección** [I. *Selection*]; así, en español, la conjunción *para que* exige ir acompañada de subjuntivo, mientras que lo contrario no es cierto; se trata, pues, de una selección. Si la determinación se produce en el sistema de la lengua o plano paradigmático, recibe el nombre de **especificación** [I. *Specification*]; por ejemplo, en un sistema dado, el género neutro necesita, para poder existir, la existencia de los géneros masculino y femenino; pero éstos no requieren, para existir, la existencia del neutro. **2.**—Relación que se entabla entre un determinado y un determinante. **3.**—Grado de precisión determinado o indeterminado en la individualización de un sustantivo, que se logra mediante el artículo, el adjetivo, el pronombre o el adverbio: *un libro, cierta mujer*, etc. **4.**—Entre los retóricos medievales (lat. **Determinatio**), «operación por la cual se añade al nombre, bien un verbo, bien un adjetivo, bien otro nombre que le sirve de complemento; o por la cual se añade al adjetivo o al verbo uno de los complementos que reciben ordinariamente. La determinación, en sí, no es un adorno; pero llega a serlo cuando se acumula un cierto número de grupos paralelamente formados. Por ejemplo, no es un adorno decir *explicat ut Plato*; pero lo es decir, como Sidonio Apolinar, *explicat ut Plato, implicat ut Aristoteles, simulat ut Crassus, dissimulat ut Caesar*» (Faral).

Determinado. A. *Bestimmt*; I. *Definite*. **1.**—En Sintaxis, se aplica esta denominación a cualquier elemento que debe ser completado por otro llamado **determinante**, para adquirir una significación precisa: amo *la verdad;* primo *de Luis.* Vid. *Sintagma.* 2.—**Artículo determinado.** Vid. *Artículo.*

Determinante. A. *Bestimmend.* Elemento que sirve de complemento a un determinado: *amo* la verdad; *primo* de Luis.

Determinativo. 1.—Adjetivo determinativo. Es el que sirve «para determinar la extensión en que se toma el significado del sustantivo, como *algunos, muchos, todos, veinte, mil,* etc.» (GRAE). Quizá sea nota importante en la definición de estos adjetivos frente a los calificativos el hecho de que pueden ejercer funciones deícticas (este *libro),* anafóricas (*—¿Cuántos libros quieres- —*Todos) o catafóricas *(Puedo darte mil razones:* primera...). Vid. *Prenombre, Adjetivo.* 2. — Término genérico con que, a veces, se designa, no sólo a los adjetivos determinativos, sino también a los artículos, pronombres no personales, numerales y, en general, a cuantas palabras acompañan al nombre determinándolo sin cualificarlo, o funcionan nominalmente. 3.—**Determinativo de raíz.** [A. *Wurzeldetermi-*

nativ], o simplemente **determinativo,** se denomina en Lingüística indoeuropea todo elemento normalmente inserto entre la raíz y la desinencia o el sufijo, que modifica la significación de la raíz: latín, *can-t-o horre-sc-o ama-bili-s,* etc. Vid. *Tema, Temático.* 4. — Compuesto determinativo. Vid. *Compuesto.*

Deuterotónica. Palabra que lleva el tono (o el acento de intensidad) en la segunda sílaba.

Devanāgarī. Letras angulares en que están escritas las antiguas inscripciones sánscritas. Para escribir en hojas de palmera, se redondearon los caracteres, constituyéndose la escritura *grantha.*

Deverbal o **Deverbativo.** A. *Verbalabstraktum.* Forma derivada de un verbo: *avance, remate, callandito, picotear,* etc. Vid. *Postverbal.*

Diacrítica. A. *Unterscheidungslehre.* Estudio de la función fónica distintiva. Se opone a *orística*.*

Diacrítico. Signo gráfico que confiere a los signos escritos un valor especial. Son diacríticos, por ejemplo, los acentos ortográficos, la diéresis, los signos empleados en el alfabeto fonético: (^) oclusión, ( ) fricación, (◊) africación, (v) palatalización, (~) nasalización, etc.

Diacronía. Término propuesto por Saussure (1916), cuyo concepto delimita así: «Todas las ciencias debieran interesarse por señalar más escrupulosamente los ejes sobre que están situadas las cosas de que se ocupan; habría que distinguir en todas según la figura siguiente:

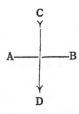

1.º, _eje de simultaneidades_ (A B), que concierne a las relaciones entre cosas coexistentes, de donde está excluida toda intervención del tiempo, 2.º, _eje de sucesiones_ (C D), en el cual nunca se puede considerar más que una cosa cada vez, pero donde están situadas todas las cosas del primer eje, con sus cambios respectivos... He ahí la razón de que distingamos dos lingüísticas. ¿Cómo las llamaremos? Los términos que se oponen no son apropiados por igual para señalar la distinción. Así, _historia_ y _lingüística histórica_ no son utilizables, porque evocan ideas demasiado vagas; como la historia política comprende tanto la descripción de épocas como la narración de los aconteci-mientos, podría imaginarse que, al describir estados de lenguas sucesivos, se estudia la lengua según el eje del tiempo; para eso habría que encarar separadamente los fenómenos que hacen pasar a la lengua de un estado a otro. Los términos _evolución_ y **lingüística evolutiva** son más precisos; por oposición, se puede hablar de la ciencia de los _estados_ de lengua o de **lingüística estática.** Pero, para señalar mejor esta oposición y este cruzamiento de dos órdenes de fenómenos relativos al mismo objeto, preferimos hablar de **lingüística sincrónica** y de **lingüística diacrónica.** Es sincrónico todo lo que se refiere al aspecto estático de nuestra ciencia, y diacrónico todo lo que se relaciona con las evoluciones. Del mismo modo, **sincronía** y **diacronía** designarán, respectivamente, un estado de lengua y una fase de evolución.» Vid. _Idiocronía, Idiosincronía, Idiodiacronía._

Diáfona. I. _Diaphone._ Término propuesto por D. Jones para designar la familia de sonidos compuesta por el sonido proferido por un hablante en una serie de palabras, junto con los que en ellas pronuncian otros hablantes de la misma lengua. La diáfona confunde a veces, según Jones, sus límites con el fonema, tal como él lo concibe.

Diáfora. Vid. *Antanaclasis.*

Dialectalismo. Rasgo lingüístico perteneciente a un dialecto. Vid. *Provincialismo.*

Dialecto. A. *Mundart.* Modalidad adoptada por una lengua en un cierto territorio, dentro del cual está limitada por una serie de isoglosas. La abundancia de éstas determina una mayor individualidad del dialecto. Sin embargo, las fronteras de los dialectos suelen ser muy borrosas. Esta «imprecisión de las barreras dialectales es consecuencia del carácter de los dialectos. Se suele considerarlos como producto histórico de la fragmentación de una anterior unidad, resultado de divergencia. Pero muy a menudo son producto de convergencia hacia una unidad de pluralidades de habla anteriores. La vaguedad de los términos empleados confunde más la situación del dialecto: se dice, por ejemplo, *dialecto leonés* para referirnos a las variadas hablas extendidas entre Asturias y Extremadura, como si en algún momento este territorio hubiera tenido unidad lingüística. Este «dialecto leonés» no ha existido nunca, porque el proceso de integración que lo hubiera constituido (mediante una «coiné» de algunas de sus hablas o por el pre-

dominio relativo de una de ellas) fue detenido por la expansión del castellano vecino. Lo que sí hay son dialectos con rasgos diacrónicos y sincrónicos comunes, pero también con discrepancias: podríamos, eso sí, trazar un *diasistema** de las *hablas leonesas,* pero no *un sistema del leonés*» (Alarcos Llorach).

Dialogismo. Figura retórica que consiste en poner en forma de diálogo las ideas o sentimientos que se atribuyen a los personajes; y también en presentar a una persona en diálogo consigo misma. Así, Luis pide a Pedro un libro, y éste se lo niega. Luis hará un dialogismo, diciendo: «Vaya, Luis, que te quedas sin el libro». Abundan mucho en castellano bajo la forma de «una frase impersonal seguida de un comentario, generalmente irónico, que se pone en boca de un sujeto determinado: *Adiós Madrid, que te quedas sin gente. Y se iba un zapatero de viejo.* Aquí se da a entender que el zapatero mismo que se iba fue quien pronunció el dicho; pero otras veces hay cambio de persona. Se supone, por ejemplo, que uno exclama: *¡No es nada lo del ojo!,* y que otro comenta: *¡Y lo llevaba en la mano...!* Las expresiones de este carácter son la modalidad meridional que hace juego con los *wellerismos* (del nombre de Sam Weller, famoso personaje de Dickens) de los pueblos norteños». (J. Casares).

Diaporesis. Vid. *Dubitación.*

Diasistema. «El método fonológico contribuye a delimitar más precisamente lo que debe entenderse por *dialecto*. Generalmente se considera como tal toda habla de una comunidad que presenta, dentro de ciertas esenciales similitudes, algunas «aberraciones» (especialmente fonéticas) con respecto a la llamada *lengua* oficial (y literaria). Pero cuando se han querido dar los límites geográficos de un dialecto, se ha tropezado con el hecho de que son frecuentemente borrosos y graduales: unos fenómenos penetran en otras zonas, otros no alcanzan la extensión total de la «región dialectal». De ahí que se haya manifestado la idea de que los dialectos forman un «continuum» sin límites precisos, que varían insensiblemente, y se haya hablado de *dialectos de transición*. En consecuencia, hay límites de fenómenos fonéticos y no de dialectos. Mas al aplicar el criterio sistemático de la fonología y observar esos fenómenos desde el punto de vista funcional, es posible descubrir sistemas dialectales que definirán mejor los dialectos, separándolos y agrupándolos entre sí: por encima de *sistemas* dialectales contiguos, se podrá describir un *diasistema*, dentro del cual las discrepancias entre los sistemas no serán más que variantes de una misma unidad fonológica. Y quedará patente el juego de «continuidad y discontinuidad» que caracteriza a los dialectos» (Alarcos Llorach). Vid. *Dialecto.*

Diástole. 1.—Licencia poética consistente en el «alargamiento de una vocal breve por naturaleza que pertenece a una palabra que, por su estructura prosódica, no se adapta a una forma particular de verso. Por este fenómeno, α se alarga en $\bar{\alpha}$ o en η, ε en $\varepsilon\iota$, o en $\upsilon\upsilon$, ĭ en ῑ, ŭ en ū. Una palabra de cuatro breves, como ἀκάματος, no podría entrar en el hexámetro sin el alargamiento inicial. Lo mismo ocurre con el grupo ὑπὲρ ἅλα, de cuatro breves, que para poder ser introducido en el hexámetro, se modifica en ὑπεὶρ ἅλα» (Lenchantin de Gubernatis). El fenómeno se produce también en la prosodia latina. **2.**—Paso del acento a una sílaba posterior, dentro de una misma palabra: *oceano* por *océano.*

Diátesis. Término que alterna con el de *voz* para designar esta categoría gramatical del verbo.

142   *Fernando Lázaro*

Dicción. 1.—Palabra. **2.—Figuras de dicción.** «Son ciertas alteraciones que en su estructura, reciben a veces algunos vocablos. Dáseles también el nombre griego de *metaplasmos**» (GRAE).

Diccionario. A. *Wörterbuch.* Libro en que, por orden alfabético generalmente, se contienen y explican las significaciones de todas las palabras de una lengua, o se ponen en correspondencia con las equivalentes de otro u otros idiomas. Hay muchos tipos de diccionarios: A) **Diccionario etimológico.** Explica la etimología de las palabras, agrupando, ordinariamente, las que derivan de un mismo étimo. B) **Diccionario histórico.** Establece un orden genético y evolutivo en la significación y uso de las voces. C) **Diccionarios de tecnicismos.** Recoge, exclusivamente, las palabras usadas con sentidos especiales por una ciencia o una facultad. D) **Diccionario ideológico.** Es aquel que reúne, «en grupos conceptualmente homogéneos, cuantas palabras guardan relación con una idea determinada» (J. Casares).

Dicendi (Verbum). Es el que expresa comunicación, narración: *contar, decir, asegurar*, etc. Se llama también *verbo declarativo*.

Dictum. Conjunto de representaciones y procesos que intervienen en una oración. La relación que los liga constituye el **modus.** Así, en la oración *¿quién ha venido?*, desconocemos una parte del *dictum*, representada por el pronombre interrogativo *quién.* En la frase *¿se ha roto el vaso?* conocemos todos los elementos del *dictum*, y nuestra pregunta recae sobre el modus: inquirimos si la relación que hemos establecido entre ellos es correcta. El modus recibe también el nombre de **modalidad.** «La modalidad es el alma de la frase; al igual que el pensamiento, está constituida esencialmente por la operación activa del sujeto hablante. No se puede, pues, atribuir el valor de oración a un enunciado en tanto no se haya descubierto la expresión, cualquiera que ésta sea, de la modalidad» (Bally).

Diéctasis. A. *Zerdehnung.* Fenómeno que se produce en la lengua homérica, por el cual ciertos verbos griegos presentan grafías asimiladas, del tipo ὁράω (por ὁράω), μνῶᾳ (de μνάη), etc. «Las fórmulas homéricas, en su forma más arcaica, debieron contener formas no contractas del tipo ὁράω, ὁράεσθε, ἠβάοντα, etc. Cuando estas formas fueron sustituidas en jónico por formas contractas: ὁρῶ, ὁρᾶσθε, ἠβῶντα, las contracciones se introdujeron poco a poco en la lengua épica. Pero era necesario que, en el verso, la sílaba contracta continuara valiendo, según los casos, 3 tiempos (tipo ὁράασθε) ó 4 tiempos de breve (μνώοντο o ἠβώωντα). Según un procedimiento, que se emplea igualmente en algunos textos musicales, la vocal se encuentra repetida para indicar la cantidad de la sílaba, que, para la métrica, puede comportar 3 ó 4 tiempos» (Chantraine). Se debe esta interpretación a Wackernagel.

Diéresis. 1.— Diacrítico (¨), llamado también *crema*, que, colocado sobre una letra, representa un sonido distinto del significado por esa letra. Este sonido varía según las lenguas y según los sistemas de transcripción. En español, colocada la diéresis sobre la vocal *u* en los grupos constituidos por *gu + e, i*, indica que dicha *u* debe ser pronunciada: *agüero*. En el verso se coloca a veces sobre la vocal cerrada de un diptongo, o sobre la segunda si ambas son cerradas, en la licencia llamada también *diéresis*. **2.**—Licencia por la que se deshace un diptongo para lograr una sílaba más en el verso: *Donde el límite rojo de Oriente* (Herrera). Vid. *Sinéresis.* **3.**—En métrica clásica, la coincidencia de un fin de palabra con un fin de pie

en una pausa del verso. Vid. *Cesura* bucólica.*.

Diferenciación. 1.— «Fenómeno que tiene por efecto romper la continuidad de un movimiento articulatorio, ya en el curso de un sonido único, ya en el conjunto de dos fonemas diferentes pero contiguos. Es, en cierta medida, lo contrario de la asimilación. La asimilación tiende a unificar y a confundir dos movimientos articulatorios más o menos parecidos uno al otro; la diferenciación, a hacerlos más diferentes. La causa de la diferenciación es, de un modo general, el temor inconsciente a una asimilación que alteraría la economía de las palabras; se obvia el peligro, bien acentuando los caracteres diferentes de dos sonidos que se parecen, bien desarrollando un elemento fónico embrionario que aparece espontáneamente entre dos fonemas» (Grammont). El mecanismo de la diptongación, tal como es explicado por M. Pidal, es un continuado juego de diferenciaciones:

$$\bar{\varrho} = \varrho\acute{\varrho} > \varrho\acute{\varrho}$$

de donde:

1.°) $> \varrho a > \varrho a > o a > oe$

2.°) $> w\acute{\varrho} > w\acute{a} > w\acute{a} > wa > w\acute{e} > w\acute{e}$
$> w\ddot{o}$

2.—Posición de diferenciación máxima. [A. *Stellung der maximalen*

Phonemunterscheidung]. «Contexto fonológico de un fonema, y posición de este fonema en relación con ese contexto, que permite, en una lengua dada, la diferenciación cuantitativamente más grande y más neta de los fonemas en cuestión» (TCLP).

3.—Conservación intacta de un fonema que, regularmente, es cambiado, si este fonema se encuentra en contacto con otro con el que aquél, si cambiara, tendría importantes caracteres en común. Así, *st, sp, sk* del indoeuropeo reaparecen en germánico porque las oclusivas no se han hecho fricativas bajo la acción diferenciadora de *s*.

Difusas. Término que se aplica a las consonantes dentales y labiales, y a las vocales cerradas. Se opone a *densas**.

Digamma. Término que los helenistas han adoptado para designar la *wau* que los dialectos griegos han recibido del indoeuropeo y que ha desaparecido, en unos en época protohistórica y en otros en período histórico. El término alude a la forma del signo gráfico semejante a una doble gamma *(F)*, que luego fue adoptado por los latinos para representar el fonema *f*.

Digrama. Término que proponemos para designar el conjunto de dos letras que representan un solo sonido *(ch, rr, ll)*, más claro que el que la Real Academia utiliza *(letra doble)*, y acorde con el F. *Digramme* [A. I. *Digraph*].

Digresión. «No hay nada en los retóricos antiguos que corresponda exactamente a lo que los autores de artes [medievales] dicen de esta figura. Geoffroi de Vinsauf distingue en ella dos tipos. La primera consiste en salirse del tema; ocurre cuando se emplean comparaciones o símiles. La segunda consiste en anticiparse al curso de los acontecimientos, para tomar enseguida, rehaciendo el camino, el hilo del relato; es lo que ocurre cuando, queriendo contar que Acteón, fatigado, fue a sentarse junto a una fuente, se comienza por describir la fuente; o cuando, queriendo contar la separación de dos amantes en primavera, se comienza por describir la primavera» (Faral).

Dilación. Vid. *Asimilación*.

Dilatación. 1.—Término usado por Ascoli en el sentido de extensión analógica. **2.**—Para su significado retórico (lat. **Dilatatio**), vid. *Amplificación*.

Dilogía. Uso de una palabra en dos sentidos diversos, dentro de un mismo enunciado: [*la muerte*] *lle-gue rogada, pues mi bien previe-ne;* | *hálleme agradecido, no asusta-do;* | *mi vida acabe y mi vivir orde-ne* (Quevedo). *Ordene* significa, a la vez, 'mande' y 'ponga en orden'.

Diminutivo. 1.—Palabra ordina-mente formada mediante la adición de un *sufijo* (*-ico, -ito, -uelo, -illo,* etcétera) al que tradicionalmente se atribuye una significación empeque-ñecedora: *paquetito, plazuela,* etcé-tera. Investigaciones modernas han denunciado como característica del diminutivo la expresión de un afec-to. A. Alonso distingue los siguientes tipos de diminutivo: A) *Nocionales* o de significación propiamente em-pequeñecedora; B) *Emocionales: Ramiro sintió impulsos de salir al balcón y lanzar un denuesto contra aquel* galancete (Larreta); C) *De frase: Ya tendremos que aguardar unos* añitos; D) *Estético-valorativos:* Frecuentes en la lírica; nos presen-tan el objeto como muy valioso: *Flora desnuda se sube* | *por* escaleri-llas *de agua* (G. Lorca); E) *Afectivo-activos.* Tratan de actuar sobre el oyente, dirigiendo su voluntad: *Hermanita, ¿no hay una limosnita pa este pobresito bardaíto, que está esmayaíto?* (A. Quintero); F) *De cor-tesía: ¿Ves? Ya has derramado la* agüita; G) *Efusivos: No me tires*

con piedritas | *que me vas a lasti-mai;* | *tírame con tus* ojitos | *y me van a enamorar;* H) *Representacio-nales elocuentes.* —*A ese le veis, antes de naa, de rodillas a mis pies* —*Me parece que te falla.*—*De rodi-llitas y a mis pies. Está dicho.* (Ar-niches). 2.—**Aspecto diminutivo.** In-dica pequeñez en el proceso expre-sado por el verbo. Así, latín *sorbi-llo* 'sorbo a pequeños tragos'

Dinámico. 1.—**Medio dinámico.** Verbo con desinencias medias y sig-nificación activa. 2.—**Acento dinámi-co.** Acento de intensidad. 3.—**Lin-güística dinámica.** Lingüística dia-crónica.

Diplofonía. Variedad de la voz humana, a veces patológica, que se produce por tensión desigual de las dos cuerdas vocales.

Diplomática. Vid. *Tradición, Edición.*

Diptongación. 1.—Proceso me-diante el cual una vocal cambia de timbre en el curso de su emisión y da lugar a un diptongo (Gram-mont). Así, ĕ latina tónica diptongó en español dando *ié*: melle >*miel.* Vid *Diferenciación.* 2. — Formación de diptongo por dos vocales conti-guas, que originariamente se encontraban en hiato. Así, esp. vulgar *bául* (por *baúl*). El fenómeno recibe también el nombre de *contracción*. Vid. *Crasis*.

Diptongo. Complejo fonético formado por una semiconsonante o o una semivocal combinadas con una vocal, en una misma sílaba. Su duración es aproximadamente la misma que la de una vocal. Esto ha movido a Grammont (1933) a considerar el diptongo como una vocal única que cambia de timbre en el curso de su emisión. Se llama creciente o ascendente [A. *Steigend;* I. *Rising*] si empieza por semiconsonante, y decreciente o descendente [A. *Fallend;* I. *Falling*] si termina en semivocal. Los diptongos *iu, ui,* en español, son indecisos o iguales (Marouzeau), o neutros (Niedermann) [A. *Schwebende Diphthonge* (Jespersen)].

Diptoto. Sustantivo cuya declinación consta de dos casos.

Dirección (Dativo de). Aparece en «fórmulas, no siempre homogéneas, con verbos de movimiento, en las que el dativo pronominal y personal representa el término o el sentido del movimiento...: *Durante todo el camino se n o s acercó la gente de los pueblos*» (S. Fernández Ramírez).

Directo. 1.—Caso directo. Se da este nombre al caso nominativo. **2. Complemento directo.** Vid. *Complemento.* **3.—Estilo directo.** [A. *Direkte Rede; I. Direct discourse, speech*]. Reproducción literal de un decir o un pensar ajenos *(al verme exclamó:* ¿quién te avisó?) o propios *(me pregunté:* ¿qué querrá decir?).

Direma o Dirrema. Término propuesto por A. Sechehaye (1926) para designar la frase que consta de dos palabras: *Tú lees; ¿Usted aquí?*

Disartria. Vid. *Anartria.*

Discedente. Vid. *Elativo.*

Discontinuo (Morfema). Vid. *Morfema.*

Discor. Canción breve de queja amorosa en versos cortos y fluctuantes y con rimas predominantemente agudas en combinaciones variadas: *Amigos, tal /coyta mortal / nunca pensé que avrya: / por ser leal / rresçibo mal / donde plazer atendya. / Ya non me cal / pensar en al, / salvo en señal / de omne carnal, / e seguir por la tryste vía / deste enxemplo natural; / amansar deue su saña, / quien por sí mismo se engaña,* etcétera (Villasandino).

Discreción. Término usado por Ascoli y otros lingüistas italianos (It. *discrezione*) para designar la *deglutinación**.

Discrepancia fónica. A. *Lautliche Diskrepanz*. Evolución diversa de un mismo sonido, en idénticas condiciones: s c h i s m a > *cisma* y *chisme*.

Discriminativo. Se da este nombre a un caso de ciertas lenguas caucásicas, que precisa cuál de dos nombres, en una misma frase, es el sujeto y cuál el complemento.

Discurso. 1.—Se llama vagamente *discurso* al resultado del ejercicio del habla o a cualquier porción de la emisión sonora que posee coherencia lógica y gramatical. **2.**— **Partes del discurso.** Vid. *Categoría lingüística*. **3.**—Discurso directo, indirecto, indirecto libre. Vid. *Estilo*.

Disemía. Facultad que posee una palabra de significar dos cosas diferentes; así, *cola* designa una extremidad de muchos animales y una sustancia pegajosa. Si una palabra juega intencionadamente en la frase con sus dos significados, se produce una *dilogía*.

Disfemismo. Término que se opone a *eufemismo* para designar la palabra que alude a un concepto con un matiz peyorativo o despectivo. «El disfemismo es un esfuerzo para liberarse de la actitud admirativa o respetuosa que gravita, en general, sobre la humanidad media. Consiste, sobre todo, en la sustitución de los términos nobles, o simplemente normales, por expresiones tomadas en dominios más vulgares, más familiares, más regocijantes» (Carnoy). Así, por ejemplo, el llamar *terrado* a la cabeza, *dátiles* a los dedos, etc.

Disimilación. 1.—Acción ejercida por un sonido sobre otro de la misma palabra, con el que posee todos o algunos elementos articulatorios comunes, que consiste en hacerle perder alguno de estos rasgos comunes: c a r c e r e > *cárcel*. Puede llegar, incluso, a hacerlo desaparecer: a r a t r u > *arado*. Si es una sílaba la que desaparece, el fenómeno se llama *haplología**. **2.**— Grammont especializa el término para aplicarlo sólo a la acción disimilatoria a distancia. Cuando los sonidos actuante y actuado están juntos, prefiere hablar de *diferenciación**. **3.** — **Disimilación inversa.** Nombre propuesto por Grammont [F. *Dissimilation renversée*] para designar un tipo de disimilación en el que el sonido que debía ser disi-

milado, la provoca, merced a la so-
lidez con que en la mente de los
hablantes funciona la parte de la
palabra en que aquel sonido figura.
Así, en latín, *militalis* (formado como *navalis*, *regalis*) > *militaris*, y
no *miritalis*. **4.—Disimilación pre-
ventiva o profiláctica.** Es aquella
que, en vez de determinar el cambio o desaparición de uno de los dos
sonidos semejantes o iguales, impide que llegue a producirse tal semejanza o identidad. Así es, por ejemplo, cómo quedó preservada de rotacismo la voz latina *miser* (Niedermann).

Disjunción. «Oposición de dos
unidades* fonológicas disjuntas.
Ejemplo: en latín, *a / u; a / n*, etc.»
(TCLP). Vid. *Asíndeton.*

Disolución («Dissolutio»).
Vid. *Asíndeton.*

Dispersión (Campo de). Límites articulatorios entre los cuales
pueden estar comprendidas las realizaciones o variantes* fonéticas de
un fonema.

Dispondeo. Vid. *Pie.*

Disposición («Dispositio»).
Parte de la Retórica que se ocupa
de la ordenación de los argumentos

e ideas hallados mediante la invención*. A esta fase sigue la elocución*.

Distaxia. Según Ch. Bally (1932),
hay no-linealidad o *distaxia* cuando
«los signos no se yuxtaponen, cuando, por ejemplo, un significante
contiene varios significados, como
en el francés *val*, en el cual una sílaba encierra la idea de 'ir', las de
imperativo y segunda persona; o
cuando un significado es representado por varios significantes, como
en *nous aimons*, en donde la idea
de primera persona de plural está
expresada dos veces; o cuando las
partes de un mismo signo están separadas: *elle a pardonné: elle* ne
nous *a* jamais plus *pardonné*, etc.»

Distensión. A. *Abglitt;* I. *Off-
glide;* F. *Détente.* Tercera y última
fase de la articulación* de un sonido. Los órganos abandonan la posición adoptada durante la *tensión*,
y pasan al estado de reposo, si otra
articulación sucesiva no exige que
pasen a una nueva fase de *intensión*. Vid. *Tensión.*

Distensiva (Rama). Parte de la
línea de entonación que corresponde a la apódosis gramatical.

Dístico. 1.—Estrofa de dos versos. Son dísticos importantes el epodo, el alcmanio, el arquíloco y el dístico elegíaco, compuesto de un hexámetro y un pentámetro. **2.—** En la métrica moderna, conjunto de dos versos que expresan un sentido completo.

Distintivo. 1.—Rasgo distintivo. (I. *Distinctive feature*). Elemento fónico que permite ejercer una función* distintiva. Vid. *Marca de correlación.* 2.—Función distintiva. Vid. *Funciones fónicas.* 3.—Oposición distintiva. Vid. *Oposición.*

Distribución. I. *Distribution.* Término especializado por M. Swadesh (1934) para designar la frecuencia relativa de los fonemas en una lengua, y el hecho de que los fonemas pueden aparecer en unas posiciones, pero no en otras.

Distributivo. 1.— Numeral distributivo. Es el que atribuye una misma cantidad a distintas personas o cosas. Por ejemplo, *sendos: Tenían sendos libros = Tenía un libro cada uno.* 2.—Oraciones distributivas. Son aquellas coordinadas «en que se contraponen acciones distribuidas entre varios agentes, lugares, tiempos» (Bello): *Unos ríen, otros lloran; aquí se pelea, allí se*

muere. 3.—Aspecto distributivo. Propio del verbo de algunas lenguas primitivas americanas; indica que la acción (o estado) del verbo es sufrida por varias personas o cosas a la vez.

Disyunción. A. *Sperrung, Spaltung, Auseinanderstellung;* I. *Disjunction;* F. *Disjonction.* 1.—Separación en el discurso de dos palabras que debían ir lógicamente juntas: *el divino —así se le llama— Herrera.* 2.—Relación que se establece entre dos o más elementos, uno de los cuales excluye a los demás.

Disyuntiva. 1.— Oraciones disyuntivas. Son aquellas coordinadas entre las cuales hay una relación de disyunción (2.ª acep.): *o vienes o te quedas.* 2.— Conjunción disyuntiva. Sirve de nexo gramatical en la disyunción: *o, u.*

Ditografía. Vid. *Ditología.*

Ditología. 1.—Repetición involuntaria de una o varias sílabas, y hasta de una palabra, en el habla: *cararabinero.* Si la repetición se efectúa en la escritura, el fenómeno se llama *ditografía.* 2.— Ditología sintáctica. Se llama así al conjunto de las dos formas que presentan algunas palabras, según su posición en la frase: *santo-san, o-u, y-e, reciente-recién.* Alterna esta designación con la de *doblete sintáctico.*

Ditroqueo. Vid. *Pie.*

Divergencia. Fenómeno por el cual dos lenguas (llamadas **lenguas divergentes**) que poseen un origen común, han llegado a poseer estructuras muy diferentes. Se opone a *convergencia**.

Divergentes. Nombre dado por J. Nunes (1917) a cada una de las palabras que forman un *doblete.*

Divinatio. Fase de la *emendatio**.

Diyambo. Vid. *Pie.*

Dizain. En la métrica francesa, estrofa compuesta de diez versos, generalmente de *quatrain**, seguida de *sizain**; puede ser isométrica* o heterométrica*.

Doble. 1. — Consonante doble. Vid. *Geminada.* 2.—Letra doble. Vid. *Digrama.*

Doblete. A. *Doppelform;* I. *Alternative;* F. *Doublet.* 1.—Cada una de dos palabras que poseen un mismo origen etimológico: c o - l l o c a r e > colocar, colgar, t i t u - l u m > título, tilde, etc. Vid. *Divergentes.* 2.—Doblete sintáctico. Alterna esta designación con la de *ditología** sintáctica. 3.—Doblete fonético. Vid. *Plena (Forma).*

Docta (Palabra). Palabra de origen o uso cultos*.

Dodecasílabo (Verso). Verso de doce sílabas. Navarro Tomás establece los siguientes tipos: A) **Dactílico** (o óoo óo : o óoo óo): *El metro de doce son cuatro donceles.* B) **Trocaico** (óo óo óo : óo óo óo): *Sus curvados dedos al mover ligeras.* C) **Polirrítmico.** Combina las variedades trocaica y dactílica. D) **Ternario** (ooóo ooóo ooóo): *Como raya onduladora de una anguila.* E) **Dodecasílabo de 8 + 4.** Primer hemistiquio, polirrítmico; segundo, trocaico: *Pues tantos son los que siguen la pasión.* F) **Dodecasílabo de 7 + 5:** *Metro mágico y rico que al alma expresas.* G) **Dodecasílabo de 5 + 7:** *Guerrero fuiste con que Yupanqui un día.* Vid. *Arte mayor.*

Dominio lingüístico. Territorio geográfico en el cual se habla una lengua o un dialecto.

Dórico. Vid. *Griego.*

Dorsal. Articulación cuyo órgano activo es el dorso de la lengua. Recibe también el nombre de *mediodorsal*. Vid. *Palatal, Velar, Bilabiovelar, Predorsal.*

Dravídicas (Lenguas). Grupo de idiomas hablados en el territorio de la India antes de su ocupación por los indios arios. Se hablan actualmente en la mitad sur de la península, en la mitad norte de Ceilán y en pequeñas zonas aisladas del Beluchistán.

Dual. A. *Zweizahl.* Número gramatical que expresa la noción de dos'. Aparece en indoeuropeo: sánscrito, avéstico, persa antiguo, irlandés antiguo, gótico (sólo en el pronombre y en el verbo), lituano, antiguo eslavo, sorbio, esloveno, etcétera. En latín hay ciertas supervivencias de dicho número: *duo, ambo, vi-ginti.* Hay un dual natural para designar las partes del cuerpo que se presentan en parejas: sánscrito *akṣī*, griego ὄσσε, lituano *akì* 'los ojos'.

Dubitación («**Dubitatio**», «Addubitatio», «**Aporesis**», «Diaporesis»). Figura retórica que consiste en que el hablante o escritor titubea acerca de lo que debe decir o hacer. (Quintiliano: *Affert*

aliquam fidem veritatis et dubitatio, cum simulamus quaerere nos, unde incipiendum, ubi desinendum, quid potissimum dicendum... sit; cuiusmodi exemplis plena sunt omnia, sed unum interim sufficit: «equidem quod ad me attinet, quo me vertam nescio; negem fuisse infamiam iudicii corrupti?» Cicerón).

Dubitativo. A. *Zweifelhaft.* 1.— Oración dubitativa. Es la que expresa una duda: *acaso no lo sepa.* 2.— Conjunción dubitativa. Enlaza una oración dubitativa con otra oración: *se volvió a ver si le seguían.* 3.—Adverbio dubitativo o, mejor, de duda. Expresa este matiz significativo: *quizá, acaso.*

Dulce. A. *Weich, Schwach;* I. *Soft;* F. *Doux.* O bien, en estos idiomas el término latino *lenes.*—Término muy poco significativo con que alguna vez se designa a las oclusivas sonoras. También se aplica, excepcionalmente, como sinónimo de *relajado.*

Duplicados. Dobletes*.

Duración. Vid. *Cantidad.*

Duras (Consonantes). Consonantes para cuya articulación se requiere gran intensidad espiratoria, correlativa de la dificultad que a su salida oponen los órganos articuladores. Se oponen a las *consonantes blandas.*

Durativo. 1.—Consonante durativa. Se da alguna vez este nombre a la *fricativa.* **2.**—Aspecto durativo. Aspecto que presenta la acción como realizándose, sin limitación en el tiempo *(se pasa horas enteras ante el espejo),* o bien, con duración limitada en cuanto a su principio *(no lo veo hace días)* o a su final *(estaremos aquí mientras dure el mal tiempo).* Una variedad del aspecto durativo es el cursivo*. Vid. *Puntual.*

Dvandva. Vid. *Compuesto.*

Ecfonema. Exclamación que aparece como inciso en un discurso: *Dejando a una parte, ¡cielos!, / el delito de nacer...* (Calderón). El fenómeno se denomina **ecfonesis.**

Eclipse. Se da este nombre a la nasalización que, en ciertas condiciones, afecta a la inicial de las palabras en las lenguas célticas. Lewis-Pedersen llaman también a este fenómeno *sandhi-n.*

Eco. «Estrofa o serie de versos en que las sílabas correspondientes a la rima de cada verso o de algunos de ellos son repetidas por un vocablo bisílabo o monosílabo, a modo de resonancia, a continuación del verso respectivo. El eco figuraba a veces dentro del verso como núcleo silábico que se repetía en la terminación. Otras veces se utilizaba para encadenar el final de un verso con el principio del siguiente» (Navarro Tomás).

Ecolalia. 1.—Cada una de las palabras deformadas con que los niños o los enfermos afectados de trastornos del lenguaje tratan de imitar el lenguaje normal. **2.**—Repetición de una palabra: *¿Yo, acaso?- Acaso tú.*

Economía lingüística. Tendencia al menor esfuerzo, que ha sido invocada por muchos lingüistas como una de las causas del cambio lingüístico. Vid. *Desgaste.*

Éctasis. Alargamiento de una sílaba breve para la cabal medida de un verso.

Ecthlipsis. A. *Konsonantenausstossung.* Este término «no es sinónimo ni de *síncopa* ni de *elisión;* estos dos últimos no se aplican más que a la caída de una vocal, *síncopa* en el interior, *elisión* al fin de una palabra, mientras que *ecthlipsis* está reservado o, en todo caso, debería estar reservado, a la expulsión de una consonante que forma parte de un grupo, especialmente cuando está encuadrada por otras dos» (Niedermann): gr. πτέρνη < * πτήρονά (cfr.

sáns. pãrṣniḥ); lat. *campsare* > esp. *cansar*.

Edición. Reproducción de una obra, manuscrita o mecánica, para su difusión. Hay numerosos tipos de edición: A) **Edición anotada.** Es la que incluye explicaciones de voces, giros, instituciones, costumbres, etcétera, que existen o son aludidos en la obra. B) **Edición de variantes.** Incluye todas o las principales variantes que un texto presenta en otros manuscritos u otras ediciones. C) **Edición diplomática o paleográfica.** Reproduce una obra manuscrita, con todas las características gráficas que ésta presenta. A veces se separan las palabras que en el manuscrito aparecen unidas, se resuelven las abreviaturas, se suplen ciertas omisiones y hasta se puntúa con criterio moderno (edición diplomático-interpretativa). D) **Edición crítica.** Trata de reconstruir un texto viciado en su transmisión, acercándolo, en lo posible, al que el autor consideró definitivo. Va acompañada de todas las informaciones necesarias sobre los materiales en que el editor ha basado su trabajo y sobre los criterios con que ha realizado su reconstrucción. E) **Edición facsímil** o fototípica. Reproduce un texto, impreso o manuscrito, por procedimiento fotográ-

fico.—Se da el nombre de **edición príncipe** o **princeps** a la primera edición de una obra. Vid. *Recensio, Collatio, Eliminatio* codicum descriptorum, Clasificación* de los materiales, Stemma, Emendatio, Aparato* crítico, Transmisión textual, Original, Arquetipo, Prearquetipo,' Lachmann, Bédier, Quentin.*

Efectivo. 1.— Aspecto efectivo. Nombre que a veces se da al aspecto terminativo*. **2.—Verbo efectivo.** [A. *Verbum des Effizierens*]. Es aquel cuyo complemento [A. *Effiziertes Objekt*] expresa el resultado de una acción: *escribir un libro.* Se denomina también **operativo** o **productivo** y se opone a *afectivo*.*

Efelcística (Nasal). Los helenistas llaman así a la ν que puede seguir facultativamente a -ε o -ί finales, en jónico-ático, sobre todo ante vocal, para evitar el hiato. Aparece, sin embargo, alguna vez ante consonante o pausa.

Effiguratio. Vid. *Prosopopeya.*

Egipcio. Lengua clasificada por unos lingüistas en el subgrupo camítico y por otros en el semítico. Este idioma es conocido por inscripciones, algunas de las cuales se remontan al cuarto milenio a. J. C

En su evolución se distinguen varias etapas: *egipcio antiguo*, el del Imperio medio (hacia el 2000 antes de J. C.), considerado como la lengua clásica, diferente de la lengua popular; *egipcio moderno*, lengua popular que se hace literaria hacia 1370 a. J. C.; el *demótico**, escrito en cursiva, que representa la lengua y la escritura corrientes en los últimos cinco siglos antes de nuestra era. Durante el período greco-romano, se introduce la escritura en caracteres griegos, constituyéndose el *copto;* esta última modalidad del egipcio dejó de emplearse a raíz de la conquista del país por los árabes. Hoy es lengua litúrgica.

Egresivas (Consonantes).

Consonantes producidas por la salida del aire pulmonar al exterior, frente a las *ingresivas* [I. F. *Injectives*], en las que existe una breve succión.

Ejemplares de copia. Vid. *Eliminatio* codicum descriptorum.*

Elativo. 1.—Se da este nombre, alguna vez, al superlativo absoluto. 2.—Caso del vasco y de otras lenguas, llamado también *discedente,* que expresa la separación.

Eleo. Vid. *Griego.*

Elemento. A. *Bestandteil.* Parte de un todo lingüístico (frase, palabra, sonido, etc.) que puede separarse o concebirse como separada de él mediante análisis. En una frase, por ejemplo, se hablará de *elemento* tonal, afectivo, etc.; en una palabra, el morfema, el semantema, el fonema, el acento, la sílaba, etcétera, serán *elementos* aislables; se hablará igualmente del *elemento* labial, palatal, sonoro, etc., de un sonido. Vid. *Clase.*

Eliminatio codicum descriptorum. Así llamaba Lachmann la operación que sigue a la *collatio*,* consistente en la localización y eliminación de los manuscritos e impresos, que son manifiestamente copia de otros anteriores, cuando disponemos, claro es, de estos modelos, llamados también *ejemplares de copia.* Son éstos, irreducibles a otros, los que deben ser tenidos en cuenta para la edición* crítica. A esta fase sigue la *clasificación* de los materiales.*

Elipsis. A. *Auslassung;* F. *Ellipse.* Omisión en el habla de un elemento que existe en el pensamiento lógico: *La Navidad* (por *la fiesta de Navidad).* Ch. Bally la separa de la *braquilogía,* definiendo la elipsis como el hecho de sobrentender en un

lugar determinado del discurso, un signo que figura en un contexto precedente o siguiente. Así: _tengo dos hijos, uno de cuatro años y otro de tres_ (se sobrentiende: _de tres años_), es una frase _elíptica_. Vid. _Braquilogía, Zeugma._

Elisión. A. _Zusammenziehung, Vokalausstossung._ **1.**— Pérdida de una vocal final en contacto con la vocal inicial de la palabra siguiente: _nuestr'amo, l'harina_, etc. **2.**—Sinalefa. **3.**—Elisión inversa. Acontece cuando, en lugar de elidirse la vocal final en contacto con una vocal inicial siguiente (como es normal en la elisión), es elidida esta última. Así, en latín, _opust_ < _opus est_. La elisión inversa es un caso particular de la aféresis (Niedermann). **4.**—Muchas veces, con dudoso rigor, se emplea el término _elisión_ para designar la pérdida de un sonido o grupo de sonidos no finales en el interior de la palabra. **5.**—También se emplea el término alguna vez como sinónimo de _elipsis_.

Elocución. 1.—Manera de hacer uso de la palabra; a veces, se refiere sólo a la pronunciación. **2.**—Parte de la Retórica que trata de la elección y disposición de las palabras y frases.

Elusión. Vid. _Perífrasis._

Emblema. Dibujo simbólico, con una leyenda en forma de sentencia.

Emendatio. Fase de la edición* crítica, que sigue a la _recensio*_ (3.ª acepción), la cual consiste en corregir el texto. Esta corrección puede ejercitarse sobre los errores paleográficos o caligráficos fácilmente perceptibles (casos de _homoio-teleuton*_ y haplografía*, por ejemplo), o sobre pasajes evidentemente deturpados, y sobre los que la tradición* diplomática no arroja luz. En esta fase es imprescindible el conocimiento del _usus scribendi_ del autor editado, esto es, el conjunto de sus preferencias lingüísticas y estéticas, para restablecer el texto por vía conjetural. Esta crítica conjetural puede tener los siguientes momentos: _interpungere*, mutare*, transponere*, delere*_ y _supplere*_.

Emergencia (Lenguas de). Término que traduce el empleado por algunos lingüistas italianos [It. _Lingue di emergenza_] como sinónimo de lenguas mixtas*.

Emiliano. Vid. _Italiano._

Emotivo. Se utiliza este término como sinónimo de _afectivo_.

Enálage. Construcción gramatical no previsible lógicamente, como la concordancia *ad sensum*, el uso de adjetivos adverbiales, usos de tiempos y modos verbales en funciones no típicas, etc.: *habla lento (por lentamente); tú sales de aquí ahora mismo (por sal de aquí)*. Vid. *Hipálage*.

Enantiosemia. Término con que se designa también la *antonimia**.

Encabalgamiento. A. *Über-schreiten, Überschneidung;* I. *Over-running.* Con este término se ha expresado modernamente la noción que los filólogos franceses denominan *enjambement*. Se señala con dicho término el desacuerdo, frecuente en el verso, entre unidad sintáctica y unidad métrica, que se produce cuando la unidad sintáctica excede los límites de un verso y continúa en el siguiente o siguientes: *Sé que negáis vuestro favor divino / a la cansada senectud y en vano / fuera implorarle; pero en tanto, bellas / ninfas, del verde Pindo habitadoras...* (L. F. Moratín). El término *enjambement* se ha hecho internacional y es frecuentemente usado por filólogos alemanes, ingleses y españoles en su forma francesa. P. Henríquez Ureña empleó en el mismo sentido (1925) el término

poco afortunado de *compensación*. Algunos filólogos franceses listinguen entre *enjambement* y *rejet*. Este último término designa la parte del verso que pertenece sintácticamente al verso anterior. M. Grammont ha señalado, sin embargo, que *enjambement* y *rejet* [A. *Übertragung;* I. *Carrying-over, Run-over*] son una misma cosa: «Hay *rejet* cuando una parte de la frase gramatical es «arrojada» al verso siguiente, y se puede decir que en el verso hay *enjambement* porque la frase gramatical «cabalga» sobre el verso siguiente». El término se opone a esticomitia. D. Alonso distingue entre **encabalgamiento suave** cuando el *rejet* ocupa todo el verso *(Con tanta mansedumbre el cristalino / Tajo en aquella parte caminaba)*, y **encabalgamiento abrupto o entre-cortado,** cuando el sentido se prolonga de un verso a otro, pero se quiebra súbitamente en el segundo *(una ninfa, del agua, do moraba / la cabeza sacó; y el prado ameno...* Garcilaso de la Vega).

Encadenamiento. F. *Enchaîne-ment.* **1.**—Llama así Darmesteter (1885) a un tipo de cambio semántico en el cual «la palabra olvida su sentido primitivo, pasando a un segundo objeto; después el nombre pasa del segundo objeto a un ter-

cero, con ayuda de un carácter nuevo que se olvida a su vez, y así sucesivamente». Por ejemplo, *romance* significa en la Edad Media 'lengua vulgar'; después, 'composición en lengua vulgar'; más tarde, la estrofa característica de dicha composición; el carácter descriptivo de gestas y hechos heroicos determina una nueva acepción: 'libro de caballerías'; por fin, los sucesos fantásticos de estos libros explican la acepción moderna 'pretextos, excusas increíbles o complicadas'. 2.— Fenómeno que se produce cuando una rima de una estrofa aparece en la estrofa siguiente. Se da principalmente en los llamados **tercetos encadenados**, que poseen la siguiente e s t r u c t u r a : *ABABCBCDC...
XYXYZYZ: Que aunque todas las aguas del olvido / bebiese yo, por imposible tengo / que me escapase, de tu lado asido, / donde la vida a más dolor prevengo. / Triste de aquel que por estrellas ama, / si no soy yo, porque a tus manos vengo* (Lope de Vega).

Encapsulantes (Lenguas).
Vid. *Incorporantes (Lenguas)*.

Enclave lingüístico.
Zona cuya lengua no pertenece al sistema lingüístico vigente en el territorio que la rodea. Tal acontece con Alguer

(Cerdeña), de habla catalana. El término se extiende, a veces, a designar la penetración de un dominio lingüístico en otro, siempre que éste pertenezca políticamente a otro país. En tal sentido, el habla de Miranda de Duero, por ejemplo, constituiría un enclave leonés en dominio político portugués. Los lingüistas italianos distinguen estos dos tipos de enclaves con los términos de *isole* y *penisole alloglotte*, respectivamente.

Enclisis. A. *Tonanschluss.*
Fenómeno que se produce cuando una palabra va detrás de la que lleva el acento dominante en un grupo de intensidad: así, en *ruégaselo* hay enclisis de *se* y *lo*. Las palabras sometidas a enclisis se llaman **enclíticas**. Vid. *Epectasis, Sinenclítica.*

Endecasílabo. 1.
—Verso de once sílabas, procedente de Italia, introducido en España por Santillana y aclimatado por Boscán y Garcilaso. El endecasílabo italiano presenta estas variedades principales: a) acentos en sexta y décima sílaba *(questa selva selvaggia ed aspra e forte);* b) acentos en cuarta, octava y décima *(rispose, poi che lacrimar mi vide);* c) acentos en cuarta, séptima y décima *(Cerbero fiera crudele e diversa).* En la poesía española,

Navarro Tomás describe los siguientes tipos: A) **Enfático** (óoo oo óo oo óo): *Eres la primavera verdadera.* B) **Heroico**, también llamado **yámbico** por otros autores (o óo oo óo oo óo): *Aquella voluntad honesta y pura.* C) **Melódico** (oo ó oo óo oo óo): *Y en reposo silente sobre el ara.* D) **Sáfico** (ooo ó o oo óo óo): *Dulce vecina de la verde selva.* E) **Dactílico**, llamado por otros **anapéstico** (ooo óoo óoo óo): *Libre la frente que el casco rehusa.* También recibe el nombre de **endecasílabo de gaita* gallega.** F) **Galaico antiguo,** con acentos en quinta y décima: *Cosas misteriosas, trágicas, raras.* G) **Endecasílabo a la francesa,** con acento en cuarta sobre palabra aguda, y otro acento en sexta u octava, además del de la décima: *No, no das tú consuelo a mi quebranto.* Y llama **endecasílabo polirrítmico** a la combinación de las variedades enfática, heroica, melódica y sáfica. Vid. *Arte mayor.* 2.—**Endecasílabo provenzal.** Llamamos así al verso que en la escansión francesa es decasílabo, y que Martín de Riquer describe del siguiente modo: «El verso provenzal de once sílabas, usado también en la primitiva poesía francesa, se caracteriza por llevar acentuada la cuarta sílaba, tras la cual sigue cesura. Esta es, de hecho, la única ley que rige en el endecasíla-

bo provenzal. Véase un ejemplo de Bernart de Ventadorn: *Be m'han perdut-lai envés Ventadórn.* Este tipo de verso admite dos licencias especiales. La una es la *cesura lírica* y se da cuando la sílaba cuarta del verso es al propio tiempo la última de una palabra llana, y, por lo tanto, átona. En este caso uno se ve forzado a dislocar el acento a fin de mantener el ritmo del verso. Bernart de Ventadorn escribe: *En Proensa tramet jois e salutz* donde, para hallar la sonoridad debida, tenemos que leer *En Proensá.* La otra licencia la constituye la llamada *cesura épica,* que se da cuando la cuarta sílaba del verso, o sea la forzosamente acentuada, corresponde a la penúltima de una palabra llana. En este caso, si bien hay correspondencia exacta de acentos, se infringe la ley que postula cesura tras la cuarta acentuada. Ello se evita no haciendo entrar en el cómputo la quinta sílaba, o sea la última de la palabra llana aludida. Así, pues, tras la cuarta sílaba acentuada, sigue el hemistiquio segundo como si la cesura hubiese sido normal. Cuando el trovador Guilhem de Berguedá escribe: *E ill prat s'alégron - qu'es véston de verdor,* hay que leer, para no perder el ritmo del verso: *E ill prat s'alé - qu'es véston de verdor».*

Endecha. 1.—Vid. *Romance.* **2.** Endecha real. Se da este nombre al poema constituido por estrofas de cuatro versos, tres heptasílabos y uno, el último, endecasílabo, con rima asonante del segundo y el cuarto.

Endíadis. Vid. *Hendíadis.*

Endíasis. Vid. *Paradoja.*

Endocéntrica (Construcción). Vid. *Exocéntrica (Construcción).*

Endofásico (Lenguaje). Recibe tal nombre el lenguaje que el hablante formula en su mente frente al vocal y audible, llamado *lenguaje exofásico.* El lenguaje endofásico se produce, por ejemplo, cuando construimos mentalmente las frases de un discurso o las que hemos de formular en una lengua extranjera.

Eneasílabo (Verso). Verso de nueve sílabas. Navarro Tomás distingue estos tipos: A) **Trocaico** (ooo óo óo óo): *En el castillo, fresca, linda.* B) **Dactílico** (o óoo óoo óo): *Y luego el estrépito crece.* C) **Mixto a** (oo óo óoo óo): *Humo y nada el soplo del ser.* D) **Mixto b** (oo óoo óo óo): *En la más diminuta isla.* E) **Mixto c** (o óooo óo óo): *¿No ves en la estación de amores?* Y llama eneasílabo polirrítmico a la combinación de estas variedades en la estrofa.

Energético (Modo). A. *Energikus;* I. *Energetic mood;* F. *Énergique (Mode).* Modo que existe en semítico para expresar una afirmación categórica. Así, en árabe, *yaqtulan*[na] 'yo mataré indefectiblemente'. El matiz energético se denuncia en los usos de muchos tiempos en todas las lenguas: *Salgo, como no dejéis de molestar.*

Enérgico (Dativo). Vid. *Dativo simpatético*.*

Énfasis. 1.—Figura que se produce cuando se da a entender más de lo que se dice, o se hace comprender lo que no se dice: *por quererla quien la quiere, / la llaman la Malquerida* (Benavente); *¡Sus razones tendrá cuando calla!* El énfasis comporta especiales rasgos de intensidad y entonación, que dan gran relieve y nitidez a las articulaciones. Ello hace que a veces se hable de **pronunciación enfática** para significar una pronunciación cuidada, que puede llegar hasta la afectación. **2.**—Afectación, grandilocuencia en el modo de hablar o de escribir. **3.**— ·Término que puede traducir el francés *mise en relief.* **4.**—Fenómeno fonético característico de las lenguas semíticas, que Cantineau define·así: «En las hablas árabes modernas (como quizá en las hablas sudarábigas modernas y en bereber) el énfasis es, sobre todo, un fenómeno bucal: retraimiento de la raíz de la lengua, que se aproxima al fondo de la faringe, abajamiento y concavidad del dorso de la lengua, retraimiento del punto de articulación anterior. El trabajo glotal consiste en una brusca elevación del bloque larígeo (que no debe estar cerrado, ya que ciertas enfáticas son sonoras). Todo esto da a la articulación de las enfáticas una tonalidad posterior (palato-velar)».

Enfático. 1.—Todo lo que produce énfasis o procede de él. Vid. *Plural, Número.* **2.**—Consonantes enfáticas. Vid. *Énfasis.*

Engadino. Vid. *Retorrománico.*

Enigma. Vid. *Alegoría.*

Enjambement. Vid. *Encabalgamiento.*

Enlace. Vid. *Liaison.*

Enlaces extraoracionales. Así denomina S. Gili Gaya los medios de que el idioma se sirve para dar expresión y mutua coherencia gramatical a las diversas oraciones que se van sucediendo en el discurso. Los principales son algunas conjunciones (copulativas, adversativas, consecutivas...), la anáfora, la catáfora, la elipsis y, sobre todo, la entonación.

Enmudecimiento. A. *Verstummen;* I. *Silencing.* Con este término podemos traducir el francés *amuïssement,* con que se indica la pérdida completa de un sonido.

Ensordecimiento. A. *Stimmloswerden;* I. *Unvoicing, Devoicing, Devocalization;* F. *Assourdissement, Dévocalisation.* Proceso mediante el cual una consonante pasa de sonora a sorda. Por ejemplo, latín n i v e > fr. a. *noif.*

Entonación. A. *Tonfall, Betonnung.* Línea de altura musical descrita por la serie de los tonos que corresponden a los sonidos sucesivos. que componen una palabra, una frase o un fragmento cualquiera del discurso. «La entonación, según la dirección de la línea descrita por la voz, será *ascendente, descendente, aguda, grave, uniforme, ascendente-descendente*, etc. En cada indivi-. duo, la voz se eleva o desciende según aumenta o disminuye la tensión de sus cuerdas vocales; en un estado de equilibrio entre la tensión y la relajación, que es el estado más frecuente en el lenguaje ordinario, las cuerdas vocales se mueven generalmente en torno de una misma nota, que es la que en cada sujeto caracteriza la entonación normal» (Navarro Tomás). En la mayor parte de las lenguas europeas, la entonación es un procedimiento que sirve exclusivamente para diferenciar frases. Con este fin, se emplea a menudo la oposición entre la entonación ascendente y la entonación descendente, de manera que la ascendente cumple ordinariamente la **función de continuidad** [A. *Weiterweisende Funktion*], indicando que la frase no ha llegado a su fin, mientras que la descendente tiene una **función conclusiva** [A. *Abschliessende Funktion*] (Trubetzkoy). Vid. *Tonema, Asimétrica, Simétrica, Identidad.*

Entrecruzadas (Palabras). Con este término podemos traducir los ingleses *portmanteau-words* y *blends,* que designan palabras como *b r u n c h e o n* [*br*(eakfast) + (l)*un-*

cheon], *parabrella* [para(sol) + (um)*brella*].

Enumerativas (Cláusulas). Llama así Bello a las oraciones en las cuales «se enumeran las varias fases de un hecho»: *Uno hace el rufián, otro el embustero, éste el mercader, aquél el soldado, otro el discreto, otro el enamorado simple* (Cervantes).

Enunciación o **Enunciado.** A. *Sprechäusserung;* I. *Utterance.* Término especializado entre los lingüistas de la escuela de Praga, para designar «la porción de discurso que responde a un impulso. La extensión de la enunciación puede ser muy variada. Algunas veces, la enunciación consiste en una sola palabra..., pero puede serlo una novela de 600 págs. o un tratado de la misma extensión. La enunciación es la reacción semiológica total» (Skalička). «La plenitud del sentido de la enunciación no se alcanza sólo por medio de signos lingüísticos, sino por la combinación de signos lingüísticos y de otros signos de carácter no lingüístico. [Estos] son, por ejemplo, el gesto, la fuerza comunicativa de la situación exterior, la convicción del hablante, que el oyente comprende aunque no se le comunique con signos particulares, etcétera. Sin embargo, cuando se analiza la frase como forma lingüística, son sólo sus elementos lingüísticos los que entran en línea de cuenta. La única frase que se puede tomar como objeto de análisis lingüístico es la que alcanza la plenitud de su sentido por medios exclusivamente lingüísticos» (Paulíny).

«Consideramos útil distinguir entre sí estas dos concepciones de la frase: 1) la frase como la más pequeña manifestación lingüística ligada a la situación, y 2) la frase como la forma gramatical usual, tipificada, de esta manifestación. Para evitar confusiones terminológicas, empleamos en el primer caso el término de **enunciación** de acuerdo con la tradición normal entre nosotros..., mientras que reservamos el término especial de **frase** sólo para la forma sintáctica tipificada de la enunciación, característica de la lengua considerada» (Dokulil-Daneš). Vid. *Denominación, Frase.*

Enunciado. A. *Aussage, Vortrag, Mitteilung;* I. *Enunciation, Statement, Utterance;* F. *Énoncé.* Término que puede alternar con el de *discurso* en la significación de 'producto del habla, de sentido unitario'. Una oración es un enunciado, como lo es el período. Vid. *Enunciación.*

Enunciativa (Oración). A. *Aussagesatz, Behauptungssatz.* I. *Clause of statement o declarative.* Es aquella en la cual el hablante se limita a exponer un hecho, afirmativa o negativamente, sin participación afectiva: *He escrito esta carta.* La afirmativa recibe también los nombres de *asertiva* y *aseverativa.* Vid. *Declarativa (Oración).*

Envío. F. *Envoi.* Estrofa colocada al final de una composición poética como dedicatoria de la misma. Vid. *Canción.*

Eólico. Vid. *Griego.*

Epanadiplosis. Figura retórica que consiste en comenzar y en acabar una frase o miembro de frase con la misma palabra *(x ... x): crece su furia, y la tormenta crece.* También se denomina *redición* (lat. *Redditio).*

Epanáfora. Vid. *Anáfora.*

Epanalepsis. Figura retórica, llamada también *geminación* (lat. *Geminatio),* que consiste en repetir una palabra o un grupo de palabras. La anáfora (tipo *Abenámar, Abenámar, / moro de la morería...)* es un tipo de epanalepsis, con repetición inicial.

Epanástrofe. Nombre que también recibe la epanadiplosis*.

Epanortosis. A. *Selbstkorrektur.* Figura retórica por la que se vuelve sobre una expresión que acaba de formularse, para rectificarla: *lo encontré en el teatro, mejor dicho, a la entrada.*

Epéctasis. Fusión en una sola palabra fonética de un vocablo ortotónico* con una o varias palabras enclíticas: *dámelo.*

Epéntesis. A. *Einschub, Einschiebung;* I. F. *Insertion.* Metaplasmo por introducción de un sonido llamado *epentético* en el interior de una palabra: t u a > *tuya,* t o - n u > *trueno,* etc. Vid. *Anaptixis.*

Epexégesis. Complemento paratáctico con el que se explica el sentido, ya completo, de una frase o de un elemento de frase: *Esto suele decirse aquí,* en España. Desempeña, pues, una función enfática o de relevación*. Vid. *Aposición epexegética.*

Epicedio. 1.—Composición poética que se recita delante de un difunto. **2.** — Cualquier composición poética en que se alaba a una persona muerta.

Epiceno. «A veces se da a ciertos animales, para ambos sexos, un solo nombre, ya sea masculino, ya femenino. Estos sustantivos anómalos han sido clasificados por los gramáticos en grupo aparte, al que por analogía se ha dado también título, de género llamado *epiceno* (ἐπίκοινος en griego significa 'común'). A este género pertenecen *buho, escarabajo* (masculinos), *águila, rata* (femeninos)» (GRAE).

Epicórica (Escritura). Escritura hecha en el alfabeto del país en que se escribió; se aplica, sobre todo, a los alfabetos de Asia Menor.

Epideíctico o **Epidíctico.** Deíctico*.

Epifonema. Exclamación con la que el hablante comenta lo que acaba de exponer: *Ninguna cosa alborota más a los vasallos que el robo y soborno de los ministros, porque los irritan con los daños propios, con las injusticias comunes, con la envidia a los que se enriquecen y con el odio al Príncipe que no lo remedia...* ¡Oh, infeliz el Príncipe y el Estado que se pierden porque se enriquezcan sus ministros! (Saavedra).

Epífora. Figura que consiste en la repetición de una o varias palabras al final de una frase o al final de las diversas frases de un período: *Suenan voces, victoria,* España, España (Ercilla). *Desdichado el Estado cuya cabeza, o no se precia de Príncipe, o se precia de más que Príncipe* (Saavedra). En este último caso, se denomina también *epístrofe.*

Epiglotis. Cartílago que cierra la laringe en el momento de la deglución, y que la deja abierta en el acto de hablar. Vid. *Glotis.*

Epigrama. Composición poética breve, en que, con agudeza y precisión, se expresa un pensamiento festivo o satírico. «La forma regular del epigrama consiste en dos redondillas con rimas independientes. Se ha compuesto también en dobles quintillas, décimas, cuartetas y redondillas o quintillas simples» (Navarro Tomás): *Ya, señoras de mi vida, / (dejando el rascar sabroso) / salgo a misa de sarnoso, / como a misa de parida. / Iré esta tarde a completas, / a ese templo de garduñas, / donde colgaré las uñas, / como el cojo las muletas* (Góngora).

Epilegma. Cuaquier unidad analizable en un enunciado*.

Epímone. «Figura que consiste en repetir sin intervalo una misma palabra para dar énfasis a lo que se dice, o en intercalar varias veces

en una composición poética un mismo verso o una misma expresión» (DRAE). *¡Oh: / noches y días, / días y noches, / noches y días, / días y noches, / y muchos, muchos días, / y muchas, muchas noches* (Dámaso Alonso). A veces se da este nombre a la *conmoración*.

Epírota. Vid. *Griego.*

Episemema. Vid. *Gramatical (Forma).*

Episinalefa. Sinéresis.

Epístrofe. Vid. *Epífora.*

Epítesis. Paragoge no etimológica.

Epíteto. 1.—Adjetivo calificativo que, como adjunto del nombre, le añade una cualidad o la subraya, sin modificar su extensión ni su comprensión *(el pobre chico),* frente al calificativo propiamente dicho que aumenta su comprensión*, especificándola *(el chico pobre,* en donde *pobre* añade unas notas al sustantivo, que sirven para diferenciarlo de otros chicos no pobres, por el aumento de su comprensión). El epíteto suele, en español, anteceder al nombre, y tiene una función predominantemente ex-

presiva (**epithetum ornans**), por lo
que, en un plano meramente repre-
sentativo, no es necesario para la
significación de la frase. Un tipo
muy frecuente es el **epithetum cons-
tans**, que conviene intrínsecamente
al sustantivo *(la blanca nieve)*. **2.—**
En la terminología gramitical francesa, adjetivo* atributivo [I. *Attri-
bute, Attributive, Adherent*].

Epitetólogo. I. *Epithetologue.*
Término con que L. H. Gray (1939)
designa al sustantivo y al adjetivo.
Equivale, pues, a nombre.

Epítrito. Vid. *Pie.*

Epoda. Vid. *Epódica.*

Epódica. 1.—Se califica así, en
la métrica griega, la estructura que
consiste en la repetición de un par
o varios pares de estrofas iguales,
seguidas de una estrofa de distinta
constitución, llamada **epodo** o **epoda. 2.—Tríada epódica.** Estructura
métrica formada por una estrofa,
una antístrofa y una epoda. Esta
estructura puede repetirse a lo largo del poema.

Epodo. A. I. *Epode;* F. *Épode.* **1.**
Tercera estrofa de una tríada epódica*. **2.**—Segundo verso de un dístico, ordinariamente más corto que

el primero. Por extensión, se denomina epodo al dístico entero. **3.—
Epodos.** Poema compuesto en epodos (2.ª acepción).

Epónimo. Héroe, persona, personaje literario, etc., que dan nombre a un pueblo, un lugar o una
época: *Homero* (época homérica).

Equipolente (Oposición). Es
la oposición cuyos dos términos son
lógicamente equivalentes, es decir,
que no pueden ser considerados como negación o afirmación de una
particularidad, ni como dos grados
distintos de una particularidad. Por
ejemplo, en español, *p/t, e/o.*

Equivalencia. 1. — **Equivalencia
acústica.** [A. *Missverständnis*]
Error de audición que se produce
alguna vez en palabras generalmente poco conocidas, y que origina la
confusión del sonido emitido con
otro, más o menos semejante a él,
que se cree oír. «El error de audición puede ser de tres maneras diversas: confundiendo el punto de
articulación (por ejemplo, la *b* con
la *g),* confundiendo la sonoridad y
la sordez (por ejemplo, la *b* con la
p o con la *f)* o confundiendo el modo especial de la abertura articulatoria (por ejemplo, la *b* con la *m)*»
(M. Pidal). For equivalencia acústi-

ca se explican numerosas evoluciones anómalas: *gragea*, en vez del antiguo *dragea*, *surco* por *sulco*, etcétera. 2. — **Equivalencia funcional.** Así llama Ch. Bally (1932) a la que se establece entre «piezas del sistema gramatical que pueden intercambiarse a causa de su función común, sin que sus valores semánticos y estilísticos sean necesariamente idénticos. Compárense los *equivalentes funcionales* siguientes... [*la casa*] *de la cual es propietario mi padre, que posee mi padre, que pertenece a mi padre, poseída por él y, en fin, casa de mi padre».* El concepto de *equivalencia* coincide con el de *concurrencia* y el de *equivalentes funcionales* con el de *elementos concurrentes.*

Equivalente fónico permitido. Sonido que reemplaza a otro en la conversación, con el consenso de la comunidad hablante. La sustitución está basada en una falta de lenguaje particularmente desarrollada, en una especie de moda, etc. La *s* es un equivalente fónico de la *c*, permitido en los hablantes meridionales españoles y en los hispanoamericanos.

Equivalentes nominales de frase. A. *Nominale Satzequivalente.* Así llama Mathesius a algunas construcciones sintácticas, como la aposición y las construcciones participiales.

Equívoco. Término vago con que se designa, a la vez, el **calambur,** la **dilogía** y el **juego de palabras.**

Erderismo. Entre los vascos, palabra no euskera.

Ergativo (Caso). En ciertas lenguas, entre ellas el vasco, caso que caracteriza al sujeto de una acción transitiva. Se denomina también **activo** y **agencial.**

Erotema. Interrogación* retórica.

Escalerilla (Inglés de). Vid. *Inglés.*

Escaleruela. Vid. *Guirnaldilla.*

Escandinavas (Lenguas). Vid. *Nórdico.*

Escansión. División de un verso en sus unidades componentes (sílabas, pies, metros, etc.).

Escazonte. Con este nombre se designa en la métrica clásica un tipo de verso, usado en primer lugar por Hiponacte (h. 540 a. J. C.), que tiene como esquema ‿ _ ◡ _ ‿ _ ◡ _ ‿ _ _ _ . Recibe también el nombre de *coliambo*.

Escisión fonológica. Proceso por el que un fonema se escinde en un grupo de fonemas. Así, el fonema latino /ę/, bimatizado en *ie*. Vid. *Fusión*.

Escita. Vid. *Indo-iranio (Grupo)*.

Escocés. Vid. *Celta*.

Escritura. A. *Schrift;* I. *Writing*. Representación de las palabras del lenguaje por medio de signos gráficos. Hay dos principales sistemas de escritura: A) **Ideográfica** o **Pictográfica** [A. *Bilderschrift, Begriffschrift*], en la cual la palabra aparece representada por un signo único llamado **ideograma** o **pictograma**, ajeno a los sonidos que constituyen dicha palabra. B) **Fonética** [A. *Lautschrift*], que intenta reproducir, uno a uno, los elementos sonoros que constituyen las palabras. Si los elementos representados son las sílabas, la escritura se llama **silábica** [A. *Silbenschrift*]; si son los sonidos, **alfabética** [A. *Buchstabenschrift*]. Alguna vez se denomina *escritura fonética* a la *transcripción*

fonética. C) **Acrofonética**. Vid. esta palabra.

Esdrújula. Término que alterna con el de *proparoxítona* para designar la palabra cuyo acento recae en la antepenúltima sílaba: *cántaro, médico*.

Eslabón. A. *Zwischenglied*. Vid. *Infijo*.

Eslavismo. Palabra de procedencia eslava.

Eslavo (Grupo). Grupo de idiomas indo-europeos, que puede subdividirse en tres grupos: A) *Eslavo meridional*, que es el más antiguamente conocido, por la traducción de la Bíblia hecha por S. Metodio y S. Cirilo (s. IX); la lengua de esta traducción, llamada *eslavo antiguo* o *búlgaro antiguo*, transcrita en alfabeto *cirílico*, quedó, durante toda la la Edad Media, como idioma religioso de los eslavos ortodoxos. Hoy corresponden a este grupo el **esloveno** (Carniola, Istria, Carintia meridional, parte de Croacia; 1.200.000 hablantes), el **serbo** o **servio-croata** (Yugoeslavia, Serbia, Croacia, Bosnia - Herzegovina, Montenegro, Dalmacia, Voivodina, diez millones de hablantes) y el **búlgaro** (Bulgaria, Dobrudja, Valaquia meridional, Besarabia y parte de Ucrania; 4.500.000 de hablantes). B) *Eslavo occidental*, representado por el checoeslovaco (8.000.000 de hablantes checos, en Bohemia y Moravia; 2.500.000 de hablantes eslovacos), y el polaco (25.000.000 de hablantes en Polonia, y cerca de 4.000.000 de emigrantes en América). También pertenecen a este grupo el *sorbio* y el *vendo*, hablados por restos de razas eslavas en Alemania oriental. C) *Eslavo oriental*, que comprende el ruso*, el ruso blanco o bielorruso (7.000.000 de hablantes en las regiones de Mohilev, Smolensko, Vitebsk y Minsk) y el ucranio*, ucraniano o ruteno (unos 35.000.000 de hablantes).

Eslovaco. Vid. *Eslavo.*

Esloveno. Vid. *Eslavo (Grupo).*

Espacial (Lingüística). Modalidad de la Geografía* lingüística cultivada por los neolingüistas* italianos, caracterizada por la aplicación de las normas* espaciales para la interpretación cronológica de los datos proporcionados por los atlas.

Español. 1.—Lengua románica nacional de España y de casi todos los pueblos que constituyeron el antiguo Imperio español. Es, pues, lengua oficial y de cultura, de unos 120 millones de personas. Se habla también en las colonias, en Tánger, en el SO. de los Estados Unidos (Nuevo Méjico, Colorado, Arizona) y en las posesiones estadounidenses de las Antillas. Ha dado origen a idiomas criollos, como el *papiamento* de Curaçao, y el *malayo-español* o *tagalo* - *español* de Filipinas. Hablan también una variedad del español, el *judeo-español*, los judíos expulsados de España en el siglo XV. El español es la continuación histórica del dialecto de Castilla, por lo que recibe también el nombre de *castellano**. Dentro de España se hablan lenguas o dialectos propios en Cataluña, Valencia, Baleares, País Vasco y Galicia; pero el español penetra en estas regiones cada vez más, y la mayoría de sus hablantes son bilingües. Presenta variedades sociales, regionales y dialectos. La lengua literaria ofrece una unidad evidente, dentro de todo el dominio lingüístico. La lengua hablada, por el contrario, presenta múltiples variedades regionales, resultantes de múltiples causas: contacto con dialectos extinguidos o vivos (leonés*, aragonés*), bilingüismo, dialectalismos del propio castellano*, en las zonas en que se implantó después de estar constituido (meridionalismos que llegan hasta Madrid y la Mancha, andaluz*, extremeño*, murciano* y canario*). Añádanse a estas variedades del actual dominio político español, el judeo*-español y el español de América. Vid. *Vasco, Burgalés, Alavés, Soriano, Riojano.* **2.— Español de América.** Nombre genérico que se da a las diversas modalidades del español hablado en las tierras americanas. Dichas modalidades distan de ser homogéneas, y difieren más o menos en todas y cada una de las Repúblicas. Las diferencias se deben a multitud de concausas: desigualdad cultural de los colonizadores, diversa procedencia regional de los mismos, inmigraciones sucesivas, probable influjo indígena (del *arahuaco* en las Antillas, del *caribe* al S. de las Antillas, del *nahuatl* en parte de Méjico, del *maya* en el Yucatán, del *quechua* en Perú, Bolivia y N. de Argentina, del *araucano* o *mapuche* en Chile, del *guaraní* en las cuencas del Paraná y Paraguay). A estas causas debe añadirse la evolución peculiar del español en los distintos lugares de su dominio.

Esparsa o **Esparza.** En el siglo xv, composición breve, de tono epigramático: [Propiedades del amor:] *Vista ciega, luz escura / gloria triste, vida muerta, / ventura de desventura, / lloro alegre, risa in-*

cierta, / hiel sabrosa, dulce agrura, / paz y ira y saña presta / es amor, con vestidura / de gloria que pena cuesta (Rodrigo de Cota).

Especial (Lengua). Lengua de un grupo social bien caracterizado. Viene a ser lo mismo que *jerga*.

Especialización. Se p r o d u c e cuando una palabra desarrolla uno de sus significados, que prevalece sobre todos los demás. Es ésta una de las causas fundamentales del cambio semántico. Por ejemplo: *secare*, que en latín significa 'cortar', se ha especializado en el español *segar; collocare*, 'poner, colocar', *colgar; laborare*, 'trabajar', *labrar*, etcétera. El fenómeno se denomina también *restricción de significado*.

Especificación. Vid. *Determinación.*

Especificativo. I. *Restrictive.* **1.** Se dice de todo elemento lingüístico que particulariza o delimita la cualidad o la extensión de otro. Por ejemplo, el **adjetivo especificativo:** *rosa blanca, niño alto, cielo gris,* etcétera, frente al *epíteto.* **2.—Oración relativa especificativa.** Es aquella en la cual el pronombre relativo delimita la extensión del antecedente: *Las aves que levantaron el* *vuelo cayeron en la red*. (Se entiende que sólo cayeron las que levantaron el vuelo). No posee independencia tonal. Vid. *Explicativo*.

Espectro. I. *Spectrum*. Imagen gráfica del sonido obtenida mediante un espectrógrafo. Cada sonido posee su espectro propio, si bien influyen sobre éste los sonidos vecinos. La transformación de la cadena hablada en un **espectrograma** permite hablar de un auténtico *lenguaje visible**, de grandes posibilidades teórica y prácticas.

Espectrógrafo. A. *Tonfrequenzspektrometer;* I. *Spectrograf*. Aparato que permite registrar el espectro de un sonido, de igual modo que el espectroscopio ofrece el espectro de la luz solar. «Una serie graduada de filtros* descompone la corriente microfónica; esto es, cada filtro permite sólo el paso de una frecuencia o pequeña gama de frecuencias. Por medio de un procedimiento fotoeléctrico, la corriente descompuesta se convierte en variaciones de luminosidad sobre una pantalla o un papel sensible. La intensidad e s proporcionalmente convertida en luminosidad (y, correlativamente, en ennegrecimiento del papel sensible) y los varios armónicos aparecen ordenados unos sobre otros, en orden creciente» (W. Belardi).

Esperanto. Vid. *Artificial (Lengua)*.

Espinela. Vid. *Décima*.

Espiración. A. *Ausatmung*. Uno de los dos tiempos de que consta la respiración (Vid. *Aspiración)*, durante el cual el aire sale de los pulmones a través de los bronquios y la tráquea, hasta llegar al aparato fonador, en donde producirá el sonido articulado.

Espirante. Vid. *Fricativa*.

Espiratorio (Acento). Vid. *Acento*.

Espíritu. I. *Breathing*. Signo gráfico que, en griego, colocado sobre una vocal inicial minúscula o antepuesto a la mayúscula, indica si dicha vocal (o diptongo) debe aspirarse o no. La aspiración es indicada por el **espíritu áspero** (') [I. *Rough breathing;* F. *Esprit dur* o *rude*], y la no aspiración por el **espíritu suave** (') [I. *Smooth breathing;* F. *Esprit doux*]. Se atribuye la invención de ambos signos al gramático Aristófanes de Bizancio (s. III a. J. C.)

Espondeo. Vid. *Pie.*

Espontáneo (C a m b i o).Vid. *Cambio.*

Esporádico. Se dice de cualquier elemento o fenómeno lingüístico que no puede encuadrarse dentro de ningún sistema. Es frecuente el cambio fonético esporádico. [A. *Sporadischer* o *sprunghafter Lautwandel*], que no parece obedecer a una ley fija, y que da origen a los fenómenos llamados asimilación, metátesis, epéntesis, prótesis, etimología popular, etc.

Esquimal. Vid. *Aleutiano-esquimal (Grupo).*

Esse (Tiempo in). Vid. *Posse (Tiempo in).*

Estado. 1.—Estado lingüístico. Vid. *Diacronía.* **2.—**Verbos de estado [A. *Zustandsverba;* I. *Verbs of state* o *Stative verbs*]. Son verbos «habitualmente intransitivos que denotan hechos no relacionados con ningún objeto directo, sino que expresan en el sujeto una situación más o menos fija» (Gili Gaya); *estar, dormir, vivir,* etc. **3.—**Estado latente. Término creado por Menéndez Pidal para designar la permanencia sin testimonios, o con escasos testimonios, de una cierta tendencia lingüística, de una costumbre, de una tradición literaria, etc., que más tarde, quizá después de siglos, se manifiestan activas.

Estancia o Estanza. Combinación de versos endecasílabos y heptasílabos en número y disposición variables. La estructura de la primera estrofa, una vez fijada por el poeta, debe ser repetida a lo largo del poema. La última estrofa *(envío)* puede ser más breve. Vid. *Canción.*

Estática (Lingüística). V i d. *Diacronía.*

Esticomitia. A. F. *Stichomythie;* I. *Stichomythia.* Distribución de las frases en la estrofa, según la cual cada una de ellas ocupa exactamente un verso. En el diálogo dramático, se produce cuando cada uno de los versos es recitado por un actor distinto: —*Mal lo pasó la viuda / —A cuestas todo un coche, ¿quién lo duda? / —Ella va desmayada /* (Tirso).

Estilema. Término alguna vez empleado para designar un rasgo o una constante de un estilo.

Estilística. 1. — Estilística lingüística. Así denomina Ch. Bally la disciplina que trata de precisar los diversos matices que una lengua pone al servicio de los hablantes para que expresen sus estados afectivos, y de determinar la acción de los hechos de lenguaje sobre la afectividad misma. **2.—Estilística literaria.** Tiene dos campos de acción distintos. Uno, como auxiliar de la crítica literaria en su vía analítica; en este sentido, deberá proporcionar a la crítica datos sobre la forma de la obra analizada. Otro, como ciencia independiente, intentará precisar la peculiaridad expresiva de una obra, emitiendo como conclusión un juicio de valor y favoreciendo, por tanto, la constitución de una historia de los estilos literarios. Dámaso Alonso (1950) ha señalado tres campos, en los cuales debe indagar la Estilística: el afectivo, el imaginativo y el conceptual. **3.—Estilística de las muestras.** Método de investigación estilística que pretende alcanzar lo típico de un estilo literario a partir de ejemplos aislados que, según el sentir subjetivo del investigador, representan la culminación de dicho estilo.

Estilo. 1.—El concepto antiguo de estilo no se corresponde con el actual. En la retórica tradicional, el estilo aparece como un concepto unificador; es un conjunto de ras-

gos o caracteres que permiten constituir una categoría fija e inamovible en la expresión literaria. Se habla así de estilo **sublime bajo** y **mediano;** de estilo **ático** («sabio, breve, no sobreabundante, no escaso, afectuoso con dulzura, sentencioso sin afectación, ameno, diferenciado, claro, propio, expresivo, sonoroso y totalmente agradable», Mayáns); **asiático** («sobreabundante con demasía, poco juicioso, desanimado, impertinentemente sentencioso, flojo, hinchado y aparente, como oropel»); **rodio** («más copioso que el ático y menos sobreabundante que el asiático»); **lacónico** («breve y cortado, se contenta con apuntar las cosas, señalando y no ejecutando, a guisa de esgrimidores, sin pulidez y sin número artificial, preciándose solamente de hablar con madurez..., como quien hace un índice»). En estas cuatro clases de estilos cabían las variedades sublime, baja y mediana. **2.** — Nombre que reciben una serie de tipos fijos de adorno, usados en la prosa durante la Edad Media. Los principales son: A) **Estilo romano o de la Curia,** caracterizado por el *cursus**. B) **Estilo tuliano o ciceroniano,** con uso abundante de figuras y colores; C) **Estilo hilariano,** que tenía su modelo en un himno atribuido a Hilario de Poitiers, consistente en usar una palabra proparoxítona después de dos espondeos y medio *(quo mun-dus ex-tat conditus)* y en cerrar después el período completo con un tetrasílabo paroxítono, el cual, unido al proparoxítono que le precedía, suscitaba en el oído la armonía del *cursus velox* (Schiaffini); D) **Estilo isidoriano,** constituído por la prosa rimada. **3.**—A partir del siglo XVIII y, sobre todo, del Romanticismo, el estilo pasa a ser un concepto diferenciador. Dámaso Alonso lo caracteriza así: «Estilo es todo lo que individualiza a un ente literario: a una obra, a una época, a una literatura». El estilo hace referencia siempre a la expresión lingüística peculiar de una obra literaria, es decir, a lo que tradicionalmente se viene llamando «forma», concibiendo ésta como una manifestación del «fondo» y de la actitud personal del artista en un momento dado. La investigación del estilo corresponde a la **Estilística literaria. 4.**—Vid. *Estilo directo**, *indirecto** e *indirecto libre*.

Estíquica (Composición). A. *Stichische Komposition.* En métrica clásica, composición del poema formado por una sucesión ininterrumpida de versos iguales. Es el caso de la Ilíada y la Odisea. El término se opone a *estrófico*.

Estonio. Vid. *Fino-ugrio.*

Estrambote. Conjunto de versos que se añaden a veces a los catorce del soneto. Ordinariamente, el estrambote consta de un heptasílabo que rima con el último verso del soneto, y de dos endecasílabos rimados entre sí: «*y el que dijere lo contrario miente.* / Y luego incontinente / caló el chapeo, requirió la espada / miró al soslayo, fuese y no hubo nada (Cervantes).

Estribillo. A. I. F. *Refrain.* Verso o conjunto de versos que, ordinariamente, sirven de introducción a una composición, y que se repiten total o parcialmente detrás de una o varias estrofas. Vid. *Seguidilla, Letrilla, Villancico, Zéjel.*

Estridentes (Consonantes). A. *Scharfklingende Konsonanten.* Término propuesto por Jakobson para designar las consonantes ciceantes, siseantes, labiodentales y uvulares. Frente a ellas, las linguodentales, las palatales africadas, las bilabiales y las velares, pueden ser llamadas **consonantes mates** [A. *Sanftklingende Konsonanten;* I. *Mellow consonants*].

Estrofa. 1.—En la métrica clásica, unidad de la poesía cantada, compuesta por períodos*, cuya estructura se repite a lo largo del poema. Cuando el poema consta de dos estrofas iguales, la segunda recibe el nombre de antístrofa o antiestrofa. Cuando se suceden tres o más estrofas iguales, no se hace tal distinción, y se llaman todas, por tanto, *estrofas*. Vid. *Tríada epódica*.

Estrofa sáfica*. **2.**—En la métrica románica, unidad métrica compuesta por una combinación de versos que se repite a lo largo del poema.

Estructuralismo. Dirección de la Lingüística actual que concibe el lenguaje como un conjunto de elementos solidarios que constituyen entre sí una estructura. El movimiento estructuralista arranca de F. de Saussure (1916), y ha dado lugar a tres importantes escuelas en Europa: la de Ginebra (Ch. Bally, A. Sechehaye, H. Frey), la fonológica, de Praga (Jakobson, Trubetzkoy Trnka), y París (Martinet), y la estructuralista propiamente dicha, de Copenhague (Hjelmslev, fundador de la Glosemática, Uldall, Bröndal, Togeby, Holt, etc.). En América, el estructuralismo se ha desarrollado grandemente por obra de Bloomfield, Sapir, Bloch, Hall, Harris, Kahane, Pike, Trager, etc. Con la concepción estructuralista,

la Lingüística se incorpora a un movimiento que ha irrumpido en todas las ciencias, y que arranca de la llamada *Gestaltpsychologie*, 'psicología de la estructura', surgida en los primeros años del siglo como reacción contra el asociacionismo. Vid. *Lingüística funcional**.

Ético (Dativo). Dativo de interés, expletivo, expresivo y coloquial, que afecta al pronombre personal; se emplea para significar que dicha persona se encuentra vivamente interesada en la acción del verbo: *Mihi laudes illud factum; No me vengas con excusas*.

Étimo. Forma castellanizada del término griego ἔτυμον, con que se designa el vocablo que, por transformaciones más o menos profundas, ha dado origen a un vocablo en otra lengua. Así f i l i u m es el étimo de *hijo*. Este término alterna desventajosamente, en el mismo sentido, con el de **etimología**.

Etimología. 1.—Así se denominó hasta el siglo XIX una parte de la Gramática, cuyos límites coinciden, rudimentariamente, con los de la moderna Morfología. El término alternó con el de *Analogía*. La Etimología debía enseñar a remitir una forma dada a su categoría respectiva, y, si ésta admitía flexión, a su forma «original»: el nominativo, en los nombres, y el infinitivo, en los verbos. Era, pues, la teoría de los accidentes gramaticales. **2.**—Modernamente, ciencia que investiga los étimos de las palabras de una lengua dada, tratando de determinar las causas y circunstancias del proceso evolutivo. **3.**—Etimo. **4.**—**Etimología popular** [A. *Volksetymologie, volkstümliche Verkennung* o *Umdeutung;* I. *Folk etymology*]. Fenómeno que se produce por «la tendencia a asociar a cada palabra un sentido determinado. Esta creación de significado se manifiesta, en general, o bien por un trastrueque semántico o bien por adaptación fonética de la palabra» (Wartburg). Se trata, pues, de un cruce* basado en imaginarios supuestos etimológicos (Sturtevent). Por ejemplo, el «cerrojo» fue en latín *veruculum*, que dio en español antiguo *berrojo;* pero esta palabra nada decía a la comprensión popular. Como el instrumento servía para 'cerrar', a esta voz se remitió por falsa etimología la insignificativa palabra *berrojo*, que así se llenó de significado: *cerrojo*, 'lo que sirve para cerrar'. En este ejemplo se produjo un cambio fonético, pero la etimología popu-

lar (que, como Wartburg ha señalado, opera entre todos los hablantes, aun en los de mayor cultura) puede ocasionar incorrecciones en el uso de una palabra, y aun importantes cambios semánticos. *Blondo*, por ejemplo, significa 'rubio'; pero en la mente de Meléndez Valdés se asoció a *blando y onda*, pasando a significar 'ondulado y suave': *Tu vellón nevado / de ricitos lleno / cual de blonda seda, / cuidadoso peino*. El fenómeno se denomina también **paretimología y atracción paronímica**. Vid. *Malapropismo*.

Etimológico. 1.—Lo referente a la etimología. **2.**—Se dice de cualquier elemento de una palabra que pertenece, conservado o transformado, a su étimo. Por ejemplo, la acentuación de *medula* es etimológica (de m e d u l l a) frente a la de *médula*, que no lo es; la *d* de *red* es etimológica (continúa la *t* de r e t e), frente a la *b* de *hombre* (< h o m i n e), que no lo es. **3.**—**Figura etimológica**. Vid. *Figura*.

Etiópico. Grupo de lenguas semíticas* de Etiopía, no bien estudiado, habladas por más de diez millones de personas. Su variedad más importante es el *amárico*, que se habla en las regiones centrales abisinias.

Etnidiofonía o **Etnofonía.** Características fonéticas de un pueblo.

Etnolingüística. Nombre que dan algunos lingüistas (así, D. L. Olmsted, 1950) al estudio de las lenguas desde el punto de vista etnográfico.

Etolio. Vid. *Griego.*

Etopeya. Descripción de las costumbres y rasgos morales de un individuo. Se opone a *prosopografía.*

Etrusco. Lengua, mal conocida, de los etruscos, que ocuparon Roma antes de la expansión de los latinos, con los cuales vivieron durante siglos en íntimo contacto. Se debate hoy su origen; se señalan sus rasgos de semejanza con las lenguas de Asia Menor (Pauli, Kretschmer, Trombetti), pero no falta quien quiere encuadrarla dentro de las lenguas indoeuropeas (Corssen, Goldmann).

Eufemismo. 1.—Proceso muy frecuente que conduce a evitar la palabra con que se designa algo molesto, sucio, inoportuno, etc., sustituyéndola por otra expresión más agradable. Según Carnoy (1927), el eufemismo puede producirse por las siguientes causas): a) deseo de adaptarse a una circunstancia en la cual la palabra propia resultaría demasiado plebeya o trivial; esto mueve a utilizar *cabello* por *pelo, seno* por *pecho, baño* por *retrete,* etcétera; b) ennoblecimiento de la propia personalidad; así, un músico se hace llamar *profesor,* o una comadrona, *profesora en partos;* c) respeto cortés hacia aquel a quien se habla: hay eufemismo de dudoso gusto cuando se pregunta a alguien por *su señora,* en lugar de por *su mujer;* d) necesidad de atenuar una evocación penosa: llamamos *invidentes* a los ciegos, *impedidos* a personas que no pueden valerse por sí mismas (cojos, mancos, paralíticos), *económicamente débiles* a los pobres, etc.; e) tabú social, religioso, moral, etc.; ello induce a llamar *embriagado* al borracho, a jurar con interjecciones como *pardiez, diantre, rediez,* etc.; a designar como *amiga* a la amante... Un tabú supersticioso movió a los griegos a llamar Εὐμενίδες 'benévolas', a las furias, y, en España, a aludir a la culebra con el vocablo *bicha.* Vid *Disfemismo.* **2.**—Palabra que sustituye al vocablo propio, en un proceso de eufemismo. [A. *Hüllwort, Glimpfwort*].

Eufonía. Efecto acústico agradable, que resulta de la combinación de los sonidos en una palabra o de la unión de las palabras en la frase. Se opone a _cacofonía_.

Eufónico. Se usa este término para designar todo lo que contribuye a la eufonía. Se opone a _cacofónico_.

Euskera. Nombre que dan los vascos a su lengua. Alterna en la terminología científica con _vasco_ y _vascuence_.

Evanescente. A. _Verstummend;_ I. _Weakening, Silencing._ Se dice de todo sonido debilitado o enmudecido.

Evolución. A. _Entwicklung, Wandel, Sprachwandel, Sprachentwicklung._ **1.**—Cambio*. **2.**—Concepción del lenguaje debida a K. Vossler (1905) y que completa y contrarresta en cierto sentido la de creación*. Efectivamente, la creación lingüística de un hablante individual puede coincidir con la de otro u otros, cumpliendo así a la vez una función expresiva y comunicativa. Esa creación es aceptada por los oyentes, repetida, modificada, defendida, amenazada... En suma, los hablantes cooperan colectivamente en el lenguaje. Este juego recíproco de actividades que determina la _evolución_ del lenguaje, convierte a éste en un instrumento; ello nos permite concebir las lenguas como órganos expresivos colectivos.

Ewe. Lingua franca del Dahomey.

Excelencia (Por). Vid. _Antonomasia_.

Exclamación. A. _Ausruf_. Interjección o frase interjectiva que expresa una emoción o una estimación: ¡ay!, ¡qué maravilla!, ¡es chocante! La exclamación que tiene valor de frase, con todos sus elementos expresos o no, se denomina también oración exclamativa.

Exclamativa (Oración). [A. _Ausrufungssatz_]. Oración que adopta la forma tonal de una exclamación. «Ofrece los siguientes rasgos fonéticos: A) Refuerzo de la articulación de los sonidos, si se trata de sentimientos dominantes de tensión, placer, excitación; o rebajamiento de la misma cuando predominan los sentimientos distensivos. B) Aumento de intensidad y de cantidad en las sílabas fuertes o sentidas como más expresivas. C) Desarrollo de la entonación por encima o por debajo del tono medio de la voz del que habla, de manera que el oyente percibe que no es su entonación habitual. D) Amplio descenso de la inflexión final de la curva de entonación. E) Modificación del «tiempo medio, acelerado o retardado» (Gili Gaya). Este autor distingue los siguientes grados, dentro del carácter sintético de la oración exclamativa: 1.º La interjección (*¡ay!, ¡oh!, ¡hola!*), palabras habilitadas como interjecciones (*¡ánimo!; ¡bravo!*) o vocativos. 2.º «Comienzo de análisis de la emoción en dos o más palabras»: *¡por Dios!, ¡hermosa noche!* 3.º Análisis más desarrollado, que da a la expresión afectiva la estructura de una oración enunciativa, de la que se diferencia por los caracteres fónicos indicados: *¡No sabía qué hacer!, ¡La hora se acerca!* Vid. *Nominativo, Acusativo.*

Exclusivo. A. *Ausschliessend.* Se denomina así un tipo especial de número plural, que afecta a la primera persona, en manchú, tibetano, lenguas americanas, australianas, malayo-polinesias, etc. Consiste en considerar la persona *nosotros* como la suma de *yo + ellos,* con exclusión de *vosotros.* Se opone así al plural *inclusivo.* Vid. *Adversativas (Oraciones).*

Exemplar ceterorum. Nombre dado por Lachmann* al arquetipo*.

Exhortativo. F. *Hortatif.* Cualquier entidad gramatical que signifique exhortación a realizar algo. Así, se habla de oraciones exhortativas *(tomad asiento),* que se diferencian de las imperativas en que les falta la nota de mandato característica de éstas. Y de subjuntivo exhortativo: lat. *eamus* vámonos'; *tengamos la fiesta en paz y no arrojemos la soga tras el caldero* (Cervantes).

Exocéntrico. 1.—Construcción **exocéntrica.** Según Bloomfield, la frase puede pertenecer a una categoría distinta de aquella a que pertenecen sus elementos constituyentes; así, *John ran* no es ni una expresión en nominativo (como *John*) ni una expresión verbal (como *ran*). Se trata de una construcción **exocéntrica.** Pero la frase puede pertenecer a la categoría de uno o varios de sus constituyentes; *poor John es* una frase que posee la misma categoría que John; recibe el nombre de construcción **endocéntrica.** Las construcciones endocéntricas pueden ser *coordinativas* (o de serie) y *subordinativas* (o *atributivas*). En el primer tipo, la frase* resultante pertenece a la misma categoría que dos o más de sus constituyentes *(boys and girls);* éstos son miembros de la coordinación, y el otro constituyente *(and)* es el *coordinador.* En las construcciones subordinativas, la frase resultante pertenece a la misma categoría que *John,* que puede ser llamado la cabeza de la frase [I. *Head*]; *poor* es el atributo. Este puede ser, a su vez, una frase subordinativa; en *very fresh milk,* los constituyentes inmediatos son la cabeza *milk,* y el atributo *very fresh,* y esta frase, a su vez, consta de la cabeza *fresh* y el atributo *very.* **2.** — **Compuesto exocéntrico.** Vid. *Compuesto.*

Exofásico (Lenguaje). Vid. *Endofásico (Lenguaje).*

Expletivo. A. *Ueberflüssig, Füllwort, Flickwort.* **1.**—Se dice de cualquier término no estrictamente necesario para la frase, por ejemplo, *pues,* en ¿*pues por qué no vienes?* **2.**—**Dativo expletivo.** Vid. *Dativo.*

Explicativo. 1.—Se dice de todo elemento lingüístico referido a otro que se toma en toda su extensión. Por ejemplo, el **adjetivo explicativo** o *epíteto**. **2.**—**Oración relativa explicativa.** Es aquella en la cual el pronombre relativo reproduce al antecedente en su totalidad: *Las aves, que levantaron el vuelo, cayeron en*

la red. (Se entiende que cayeron todas las aves). Posee independencia tonal. Vid. *Especificativo.*

Explícita (Motivación). Vid. *Motivación.*

Explosión. A. *Lösung;* I. *Release, Plosion;* F. *Métastase.* Distensión en la articulación de una consonante oclusiva, que comporta la abertura súbita del canal vocal. A veces, con poca propiedad, se aplica ese término a la distensión de las fricativas. Vid. *Explosiva.*

Explosiva. A. *Verschlusslaut.* **1.** Nombre que se da, a veces, a la consonante oclusiva. Tal designación es impropia, ya que no siempre la articulación de las oclusivas termina en una explosión: puede terminar en una implosión. **2.**—Con mayor propiedad, M. Grammont da el nombre de *explosivas* a las oclusivas que carecen de intensión*; es decir, que acústicamente sólo constan de distensión* o explosión; así, la *p* de *empezar.* Como la tensión* crece en este tipo de articulaciones, pueden denominarse también *crecientes.* **3.**—Se designa así, con poca precisión, la consonante, oclusiva o no, que se encuentra antes del ápice* de su sílaba. Así, por ejemplo, de la *p* de *pata* y de la *s* de *suma* se dice que son explosivas.

Expolición («Expolitio»). Procedimiento de la amplificación*, que consiste: 1.º, en decir lo mismo, variando la expresión; coincide entonces con la interpretación*; 2.º, en hablar de lo mismo, apelando a pruebas, semejanzas, ejemplos, conclusiones, etc.

Exponente. 1.—Término empleado por Ascoli en las acepciones de desinencia y elemento distintivo. **2.** Para su acepción en Glosemática, vid. *Pleremática*. **3.** — **Exponentes morfológicos.** «Todos los medios formales que son capaces de expresar una función morfológica en la lengua. Pueden ser: 1) fonológicos (así, la alternancia de fonemas vocálicos en inglés: *sing / sang / sung),* 2) sintéticos (como los morfemas modificativos en inglés: *be* - come, come - *ly,* come - *s,* com - *ing),* 3) analíticos (v. g., orden de palabras, grupos de palabras, palabras auxiliares, concordancia gramatical), 4) compuestos (por ejemplo, grupos de palabras expresados sintéticamente)» (Trnka).

Expresión. A. *Ausdruck.* Término usado en Glosemática para designar el significante. Se distingue entre **sustancia de expresión,** que se identifica con lo material del sonido, y **forma de expresión,** que es cada una de las formas que recibe un sonido en las diversas lenguas. Una serie de oclusivas *p-t-k,* por ejemplo, constituyen una sustancia de expresión, la cual recibe en distintos idiomas diferentes formas. Hay lenguas en las cuales el punto respectivo de articulación de esas consonantes es único (el español, por ejemplo), y hay otras en las que la emisión de esas mismas consonantes exige varios puntos de articulación: el esquimal presenta dos zonas de *k;* muchas lenguas de la India ofrecen dos zonas distintas de *t.* La sustancia es idéntica en esas lenguas y en español; la forma, en cambio, varía. Vid. *Función.*

Expresionismo lingüístico. Así denomina E. Richter (1927) «la facultad de referir una experiencia interna a un acto de lenguaje y de sacarlo, de esa manera, al exterior». Considera recursos gramaticales expresionistas, entre otros, los siguientes: A) Aplicaciones abstractas de palabras concretas: *esta idea se ha* aclimatado *en nuestro país;* B) Neologismos que describen un estado de ánimo: *la tarde me* traspasa *con su melancolía;* C) Paso de una significación concreta a un sentido colectivo: *la* casa *despierta;* D) Uso de eufemismos, etc.

Expresividad. A. *Expressivität.* Se toma este término como sinónimo de *afectividad**. La expresividad de una palabra, según J. Zima, puede ser *inherente* (cuando la posee sin necesidad de contexto: *jamelgo*) o *adherente* (cuando la recibe en el contexto: *montaba un pobre caballo*).

Expresivo. 1.—Función expresiva. Vid. *Función.* 2.—Acento expresivo. Vid. *Acento.*

Extensión. A. *Verbreitung.* 1.— Extensión de significado. Proceso semántico que se produce en una palabra que pierde su sentido originario y pasa a significar un concepto más amplio. Por ejemplo, s a l i r e, que en español ha pasado a significar 'salir', tenía en latín el sentido de 'saltar' > 'brotar agua'. 2.—Extensión de morfema [A. *Exkursive Formansverbreitung;* I. *Morphological extension*]. Separación de una parte de una palabra, que sirve como falso morfema para la formación de otra voz. Así, en las palabras *zapatero, horchatero, frutero,* etcétera, se analizó un falso sufijo *-tero,* que sirvió para formar voces como *vinatero,* vulgar *pescatero,* etcétera. 3.—Vid. *Comprensión.*

Extensivo (Aspecto). «Aspecto compuesto representado por au-

xiliar + participio pasado = fr. *avoir marché,* que llamaremos *aspecto extensivo,* ya que sirve para renovar la tensión* del verbo en el momento en que expira, y para prolongarla más allá de sí misma, en extensión» (Guillaume). Vid. *Tensivo, Biextensivo.*

Extensos (Morfemas, Prosodemas). Vid. *Pleremática.*

Extranjerismo. Se dice de cualquier palabra de procedencia extranjera.

Extraoracional (Enlace). Vid. *Enlace.*

Extremeño. 1.— Castellano hablado en Extremadura, con rasgos meridionales, leonesismos y abundantes arcaísmos. 2. — Extremeño portugués. Vid. *Portugués.*

Extremo (Término). Término de una oposición gradual* que presenta un grado máximo o mínimo de la cualidad. El otro se denomina término *medio.*

Eyectiva (Consonante). A. *Rekursiv, Knacklaut;* I. *Ejective, Glottalized, Glottalic;* F. *Récursive, Glottalisée, Éjective, Consonne à oc-*

clusion glotale. Con tal nombre, y con el de **recursiva**, se designa un tipo de consonantes, frecuentes en lenguas caucásicas, africanas y americanas, que son producidas por la masa de aire situada encima de la glotis cerrada, que ésta expulsa con la violencia de un resorte.

Fabla. Remedo del español medieval, que se impuso como moda desde fines del siglo XVI (en los romances y en el teatro de Lope, sobre todo), para dar un tinte arcaico a los relatos de historias viejas.

Factivo o Factitivo. Vid. *Causativo.*

Familia. 1.—**Familia de lenguas.** A. *Sprachfamilie.* Conjunto de lenguas que constituyen desarrollos divergentes de una lengua común. Son familias muy importantes la neolatina, procedente del latín; la itálica, la germánica y la eslava, cuyas lenguas comunes respectivas son desconocidas. Algunas veces, con escasa precisión, se da el nombre de familia al tronco lingüístico. Uno y otro término, sin embargo, tienden a ser evitados y sustituidos por el de *grupo*, menos comprometido, ya que están sujetos a revisión muchos problemas de parentesco lingüístico. Trubetzkoy propone reservar el nombre de *familias* para grupos de lenguas caracterizadas, ante todo, por un fondo común de morfemas gramaticales y de palabras usuales. En el pensamiento de Trubetzkoy, *familia* se opone a *alianza.* 2.—**Familia de palabras.** Conjunto de palabras que poseen una raíz común.

Familiar. A. *Gewöhnlich.* Se designa con este término cualquier rasgo de una lengua que sólo aparece en la conversación entre personas que se dispensan una mutua confianza.

Fantasma. 1.—**Palabra fantasma.** Término con que puede designarse [A. *Phantomwort*] la vox* nihili. 2. **Deixis en Fantasma.** Vid. *Deixis.*

Faringalización. Velarización.

Faríngea. A. *Rachenlaut;* F. I. *Pharyngeal.* Articulación cuyos órganos activo y pasivo son, respectivamente, la raíz de la lengua y la pared de la faringe. Se articula así, por ejemplo, -g [ġ] del árabe.

Fase. I. *Phase.* «Las series de articulaciones perceptibles de un órgano fonador dado, **durante un acto de habla, pueden ser divididas, sin residuo, en partes sucesivas tales que cada parte ocupa el tiempo-intervalo durante el cual el órgano a)** permanece en una posición sin movimiento perceptible; **b)** se mueve sin cambio perceptible de aceleración o dirección, o **c)** es puesto en vibración por una corriente de aire que pasa... Cada una de tales partes es una *fase* en la articulación del órgano» (Bloch).

Faucal. Vid. *Velar.*

Femenina (Rima). En la métrica francesa, rima entre dos palabras que terminan en sílaba con *e* muda: *belle - cruelle, amie - infamie.* Vid. *Rima masculina*, Alternancia* de rimas.*

Femenino. Vid. *Género.*

Fenicio. Vid. *Camito-semítico.*

Ferrarés. Vid. *Italiano.*

Fieri (Tiempo in). Tiempo intermedio entre el tiempo *in posse** y el tiempo *in esse*, en el cual la imagen-tiempo se presenta en curso de formación en el espíritu. Así, *cantar* posee tiempo *in posse; canté, °canto, cantaré*, se inscriben en un tiempo exterior (pasado, presente y futuro), respectivamente), esto es, en un tiempo *in esse;* pero *cante* no se sitúa en un tiempo concreto (puede ser presente y futuro) y no ha pasado enteramente del tiempo *in posse* al tiempo *in esse*, por lo que se encuentra en un tiempo *in fieri.* El concepto ha sido acuñado por Guillaume.

Figura. A. *Schema, Wendung.* **1.** La Retórica tradicional designa con tal nombre «cierta forma de hablar por la cual la oración se hace más agradable y persuasiva, sin respeto alguno a las reglas de la Gramática» (Mayáns). La segunda parte de la definición ha dejado de ser vigente al hacer crisis el logicismo gramatical, pero la primera es válida: la figura es un adorno del estilo, el resultado de una voluntad de forma por parte del escritor. El adorno puede afectar a las palabras con que se reviste el pensamiento, y se constituyen así las **figuras de palabras** [A. *Wortfiguren*] *(tropos*)* y las **figuras de construcción** (asínton, polisíndeton, pleonasmo, anáfora, epanalepsis, etc.); o bien al pensamiento mismo, dando lugar a las **figuras de pensamiento** [A. *Gedankenfiguren*] (deprecación, apóstrofe, interrogación retórica, etc.). Según los retóricos, ambos grupos de figuras se distinguen porque en las primeras no puede alterarse el orden de las palabras, y en las segundas, alterado dicho orden, la figura subsiste. Vid. *Color*. Sobre la concepción logicista de la gramática descansan las llamadas **figuras de construcción**, cuyo estudio corresponde a la llamada *Sintaxis figurada**. Se habla también de **figuras de dicción** o *metaplasmos**. **2.—** En Glosemática, parte de un signo que no es, por sí mismo, signo. Según Hjelmslev, las lenguas son: «primero y sobre todo, sistemas de figuras que pueden ser usadas para construir signos». Estos no-signos, parecen coincidir, según ha señalado Siertsema, con los fonemas* de la Fonología. **3.—**Término usado por Ascoli en la acepción de *forma*. **4.—** **Figura etimológica.** Procedimiento sintáctico por el que un verbo recibe un complemento interno, esto es, un sustantivo de su misma raíz o de un significado relacionado íntimamente con el suyo propio: *Viuere eam vitam; Dormir un sueño eterno*. Vid. *Paronomasia*. **4.—** **Figura de entonación.** Sintonema.

Figurado. 1.—Sintaxis figurada. La Gramática tradicional llama así a la parte de la Sintaxis que «para mayor energía o elegancia de las expresiones, permiten algunas licen-

cias contrarias a la sintaxis regular, ya alterando el orden de colocación de las palabras, ya omitiendo unas, ya añadiendo otras, ya quebrantando las reglas de la concordancia. Estas licencias, autorizadas por el uso, se llaman *figuras de construcción»* (GRAE). Dichas figuras son cuatro: *hipérbaton, elipsis, pleonasmo* y *silepsis*. **2.—Lenguaje figurado.** [A. *Bildersprache*; I. *Figurative Speech*]. Lenguaje en el cual se emplean abundantemente figuras retóricas. **3.** **Sentido figurado.** Significación de una palabra cuando es empleada como tropo.

Figurativa (Escritura). Escritura ideográfica*.

Fijación. A. *Erstarrung, Versteinerung;* I. *Petrification*. **1.—**Proceso mediante el cual una palabra se enquista, por así decirlo, en una locución, perdiendo su existencia independiente. Se denomina también *fosilización*. Por ejemplo, *juntillas,* en la locución *a pie juntillas,* ha sufrido dicho proceso; se denomina por ello *palabra fijada* o *fósil*. **2.—Fijación de un texto.** Determinación de la forma originaria que debió poseer un texto escrito cuando se nos ha transmitido en copias diferentes. Tal determinación constituye el objeto de toda edición crítica.

Fijo (Acento). Vid. *Acento.*

Filiación semántica. Nombre que, a veces, recibe la derivación* sinonímica.

Filología. Antiguamente se designó así la ciencia que se ocupaba de fijar, restaurar y comentar los textos literarios, tratando de extraer de ellos las reglas del uso lingüístico. Modernamente, amplió su campo, convirtiéndose además en la ciencia que estudia el lenguaje, la literatura y todos los fenómenos de cultura de un pueblo o de un grupo de pueblos por medio de textos escritos. En este sentido se habla de **Filología clásica,** que se ocupa de la Antigüedad greco-latina; de **Filología románica,** que cumple sus fines en el dominio de las lenguas neolatinas, etc. La preocupación por la lengua hablada, de un lado, y de otro, el comparatismo, que opera muchas veces sin poderse apoyar en textos escritos, dieron origen a una nueva ciencia, la *Lingüística,* con la que, de hecho, frecuentemente, se confunde la Filología. Ambas ciencias estudian el lenguaje, pero de distinto modo. La Filología lo estudia con vistas a la mejor comprensión o fijación de un texto; la Lingüística, en cambio, centra exclusivamente su interés en la lengua, hablada o escrita, utilizando los textos, cuando existen y los precisa, sólo como modelo para conocerla mejor. La edición y estudio del Cantar del Mio Cid, realizados por Menéndez Pidal, son una buena muestra de trabajo filológico; los *Orígenes del español,* del mismo autor, o las modernas investigaciones dialectales, deben ser clasificadas como trabajos lingüísticos.

Filtro. I. *Filter.* «Es posible reforzar, con ayuda de la resonancia*, cualquier frecuencia* contenida en un sonido complejo [esto es, con armónicos*], modificando, por tanto, su timbre. Si se refuerzan los armónicos altos, se obtiene un sonido de timbre claro. Si el fundamental o los armónicos bajos se refuerzan, el tono se hace grave. Un mecanismo construido de modo que refuerce ciertas frecuencias de un sonido y debilite las restantes, se llama en Acústica *filtro.* Con la ayuda de movimientos de la laringe, de la lengua, de los labios y del velo del paladar, somos capaces de modificar la forma y el volumen de las diferentes cavidades de nuestro aparato fonador. De ahí la influencia resonadora que ejercen éstas sobre el complejo creado en la laringe. Nuestras cavidades bucales y nasales forman juntas un filtro acústico.

Este es el principio del mecanismo que forma las vocales» (Malmberg). Los aparatos llamados **filtros acústicos** se utilizan para trazar el espectro* de los sonidos.

Final. A. *End-, Schluss-, Letzt;* I. *Ultimate*. **1.**—Parte última de un elemento lingüístico: final de palabra, de sílaba, de frase, etc. Por **vocal final** se entiende la última vocal átona de la palabra; puede ser final absoluta* o no. **2.**—**Oración final** [A. *Absichtssatz*]. Se designa así la subordinada sustantiva que expresa el fin o la intención a que tiende la acción del verbo principal: he venido *a que me saques de dudas*. **3.**—**Conjunción final.** Conjunción que liga a la oración final con su principal: *a, para*. Desempeñan también este papel algunas locuciones conjuntivas: *a que, para que, a fin de que, con objeto de*, etc.

Finés. Vid. *Uralo-altaico*.

Finida. Envío*, en una cantiga.

Finitum (Verbum). Por oposición a *verbum infinitum*, se designa así el conjunto de formas verbales que expresen la categoría de persona gramatical.

Finlandés. Lengua urálica* de Finlandia, o *sumi*, hablada por unos cuatro millones de personas.

Fino-ugras o **Fino-ugrias (Lenguas).** Vid. *Uralo-altaico*.

Flamenco. Vid. *Holandés*.

Flexión. A. *Beugung;* I. *Inflexion, Accidence*. Variación de que son susceptibles determinadas palabras en las llamadas lenguas flexivas, para expresar sus distintas funciones y relaciones de dependencia, rección, concordancia, etc., mediante la afijación de desinencias. **1.**—**Flexión radical.** Consiste en añadir directamente las desinencias a la raíz: latín *fer-t*. **2.**—**Flexión temática.** Se realiza cuando la desinencia se une al tema: latín *ag -i- mus*. **3.**—**Flexión verbal.** Es la conjugación. **4.**—**Flexión nominal.** Se denomina, especialmente, declinación. **5.**—**Flexión cero.** De la forma lingüística, perteneciente a una lengua flexiva, que carece de signo de flexión, se dice que posee *flexión cero*. La forma afectada de flexión cero se opone a las formas que poseen flexión normal. Así, *sal* (imperativo de *salir*), frente a *sal-es, sal-ía, sal-imos*, etcétera. **6.**—**Flexión interna.** Se realiza, no por la adición de desinencias, sino por variaciones en el seno de la palabra. Así, en inglés, *foot* 'pie'-*feet* 'pies'.

Flexionable. A. *Flektierbar;* I. *Flexible;* F. *Flexionnel, Flexible, Fléchi.* Se dice de la palabra que admite flexión. Alterna este término con *variable.* Vid. *Declinable, Indeclinable, Conjugable, Inconjugable.*

Flexional (Aspecto). Según J. Holt, aspecto verbal expresado por ciertos morfemas añadidos a un tema. Así, *cant-aba / cant-é,* que se oponen en la proporción: proceso sin su término / proceso con su término. Se opone a *sintagmático.*

Flexivas (Lenguas). A. *Flektierende Sprachen;* I. *Flexional o Inflexional languages.* Con este nombre y, con los de **amalgamantes, formantes** y **sintéticas,** se designan aquellas lenguas en las cuales se realiza el mecanismo llamado *flexión.* Pertenecen a este tipo las lenguas indoeuropeas y semíticas.

Flojas (Consonantes). Fonemas consonánticos caracterizados porque el obstáculo opuesto a la salida del aire no está reforzado por ninguna tensión de los músculos bucales, que permanecen relajados; la presión del aire es, por tanto, menos intensa que en las consonantes fortes*. Se ' les aplica, a veces, el calificativo latino de *lenes.*

Florentino. Vid. *Italiano.*

Floreo verbal. «Por *floreo verbal* traduzco el alemán *verblümter Ausdruck,* o sea el empleo de expresiones fundadas en un juego de palabras, en particular las que tuercen el sentido de un nombre atribuyéndole el de una voz común que se le parece dentro del lenguaje general, como *ir a Peñaranda* por 'ir a empeñarse algo', o *estar en Babia* por 'estar embabiecado'» (Corominas).

Focidio. Vid. *Griego.*

Fonación. A. *Stimmbildung, Lautbildung, Lauterzeugung.* Proceso mediante el cual el aire que sale de los pulmones a través de los bronquios y la tráquea, da origen al sonido articulado.

Fondo de mapa lingüístico. A. *Grundkarte.* Mapa con escasas indicaciones geográficas, sobre el que se señalan los fenómenos lingüísticos. El fondo (o *mapa básico)* de las cartas que integran el Atlas lingüístico francés, de Gilliéron, p. ej., está constituido tan sólo por el trazado en negro de los límites políti-

---

cos y administrativos de Francia; los puntos de encuesta están marcados con un número. Vid. *Geografía lingüística.*

Fonema. 1.—Sonido*. **2.**—Término especializado por la Fonología para designar la más pequeña unidad fonológica de una lengua. Pertenece a la lengua, mientras que el sonido pertenece al habla. La palabra *corte* consta de cinco fonemas. A ellos corresponden, en el habla, cinco sonidos, que varían más o menos perceptiblemente, según los sujetos que los pronuncien. Por otra parte, la *o* de la sílaba *cor* es distinta de la *o* de *cota* (abierta en un caso, cerrada en el otro), y, sin embargo, el hablante cree y desea pronunciar una misma *o*. También son distintas las dos *b* de *barba*, aunque el hablante cree pronunciar el mismo sonido. Esos «sonidos» intencionales son los fonemas, a los que corresponden distintos sonidos realizados. El número de fonemas es fijo y limitado en cada lengua; los sonidos son ilimitados y varían según el contexto fonético y la articulación individual de los hablantes. En español hay un sonido *n* dental, otro velar, otro palatal, etcétera, que son **realizaciones** de un fonema único *n*. Vid. *Contenido.* **3.** D. Jones (1950) y su escuela entienden por fonema una familia de sonidos, constituida por un sonido importante del lenguaje juntamente con otros sonidos relacionados con él, que, al hablar, lo representan bajo condiciones particulares de duración, intensidad o entonación. Cada uno de estos sonidos, parientes entre sí, son los **miembros del fonema** [I. *Subsidiary members, Divergents* o *Subphonemic variants*]. **4.**—**Fonemas compuestos** [I. *Compound phonemes*] llama Bloomfield a las combinaciones de fonemas simples que funcionan como fonemas únicos; considera como tales a los diptongos. **5.**—**Fonemas secundarios** .[I. *Secondary phonemes*] Aparecen cuando dos o más fonemas se combinan formando palabras, o bien en las frases. El acento de palabra o de frase es un fonema secundario, y lo es también el tono. Diferencian entidades lingüísticas tan diversas como *ajo-ajó tú-¿tú?* (Bloomfield). **6.**—**Fonemas silábicos.** [*Syllabic phonemes*] son los que, por su sonoridad, pueden ser centros* silábicos (vocales y sonantes).

Fonemática. 1.—Rama de los estudios fonológicos desarrollada por el Círculo Lingüístico de Copenhague (L. Hjelmslev, P. Lier, H. J. Uldall), a partir de 1931. Posteriormente, hacia 1931, la fonemática danesa, unida al estudio de los restantes aspectos estructurales del len-

guaje, dio lugar a la Glosemática*.
2.—Término que, entre los lingüistas americanos, alterna con el de
Fonología. El adjetivo correspondiente es **fonemático**. El empleo de
este adjetivo está hoy muy extendido en todas partes como sinónimo
de *fonológico*. **3.**—**Signo demarcativo fonemático**. Signo con valor fonemático que, por no aparecer sino
en el límite (inicial o final) de una
unidad, desempeña una función delimitativa* o demarcativa. Ejemplo:
el ataque vocálico aspirado (espíritu* áspero), en griego antiguo, que
es un fonema con capacidad distintiva* (ὡς 'como' / ὦς 'oreja'), y que,
por no aparecer más que en posición inicial, desempeña una función
delimitativa del comienzo de la palabra.

Fonética. *Lautlehre*. **1.**— Rama
de la Ciencia del Lenguaje que examina desde un punto de vista físico
y fisiológico, el aspecto material de
los sonidos del lenguaje, independientemente de su función lingüística. Vid. *Fonología*. **2.**—**F. descriptiva**, es la que actúa en el plano
sincrónico, y caracteriza los sonidos
de una lengua con todas sus variedades ya espontáneas, ya condicionadas por los sonidos vecinos. **3.**—
F. histórica o evolutiva, describe la
evolución de los sonidos. **4.**—**F. ex-**
perimental o instrumental, es la que
utiliza aparatos para el mejor conocimiento ·de los sonidos. Fue fundamentada por Rousselot, *Principes
de phonétique expérimentale*, París,
1897-1901. **5.**—**F. general**, trata de determinar las características de los
sonidos en cuanto fenómenos humanos, y las tendencias que rigen su
ordenación y evolución. **6.**—**F. sintáctica**, se ocupa de estudiar los
efectos que, en el plano sincrónico
o diacrónico, produce sobre los sonidos de una palabra el sometimiento de ésta a las exigencias de la frase. Vid. *Sandhi*. **7.**—**F. simbólica**, estudia la posible idoneidad que ciertos sonidos poseen para evocar ciertas representaciones. Así, Jespersen
ha notado la presencia de *i* en las
palabras que significan pequeñez
(efectivamente, en español la hallamos en los sufijos *-ico*, *-ito*, en *diminuto*, *niño*, etc), y Spitzer, el uso
de *ch* en los hipocorísticos y palabras afectivas *(Concha, Pancho, chico*, etc.). Vid. *Onomatopeya*. **8.**—**Fonética organogenética**. Rama de la
Fonética que estudia la formación de
los sonidos del habla. Comprende
la fisiología de los sonidos del habla y la psicología de la fonación,
y se ocupa en particular de las representaciones motrices del habla
(TCLP). El término *organogenética*
se debe a Stumpf (1926). **9.**—**Fonéti-**

ca fenomenológica. Rama de la Fonética que trata de los sonidos del habla como tales, es decir, como resultantes de la fonación, abstracción hecha del acto fonatorio. Comprende la acústica física y fisiológica y la psicología de la percepción de los sonidos del habla, y se ocupa en particular de las representaciones acústicas del habla (TCLP). **10.—Fonética fisiológica.** Estudia la producción del sonido por el hablante. **11.—Fonética física o acústica.** [I. *Physical* o *acoustic phonetics*]. Vid. *Acústica.* **12.—Leyes fonéticas.** Vid. *Ley.* **13.—Forma fonética.** Vid. *Forma.*

Fónico. A. *Lautlich.* Término con que se alude indistintamente a hechos fonéticos y fonológicos.

Fonoestilística. Término propuesto por Trubetzkoy para designar una posible rama de la Lingüística que se ocuparía de los procedimientos fonéticos y fonológicos de expresión y de *appell.* Vid. *Funciones del lenguaje.*

Fonograma. 1. — Signo gráfico que representa un sonido. Vid. *Ideograma.* **2.**—Inscripción del sonido, que se obtiene por medio de aparatos registradores, en Fonética experimental.

Fono-histórico. Se aplica a los fenómenos de evolución popular* (2.ª acep.). El término es preferentemente usado por lingüistas italianos (It. *fonistorico*).

Fonología. A. *Phonologie.* Rama de la Ciencia del Lenguaje, fundada por N. Trubetzkoy y R. Jakobson, y cultivada especialmente por el Círculo Lingüístico de Praga, que investiga los fenómenos fónicos desde el punto de vista de su función en la lengua. La Fonología y la Fonética tratan de los sonidos del lenguaje, pero de distinto modo. «La única tarea de la Fonética es responder a la pregunta: ¿cómo se pronuncia esto o aquello...? La Fonología debe investigar qué diferencias fónicas están ligadas, en la lengua estudiada, a diferencias de significación; cómo los elementos de diferenciación (o **marcas**) se comportan entre sí y según qué reglas pueden combinarse unos con otros para formar palabras o frases» (Trubetzkoy). La unidad fonológica es el *fonema,* mientras que la unidad fonética es el *sonido.* La Fonología se divida en: A) **F. de la palabra** [A. *Wortphonologie*] «Parte de la Fonología que trata de las diferencias fónicas que, en una lengua dada, son capaces de diferenciar las significaciones de las palabras aisladas»; y B) **F. sintáctica.** «Parte de la Fonología que trata de las diferencias fónicas que, en una lengua dada, son capaces de delimitar la palabra en un grupo de palabras *(Fonología del sintagma*)* o de diferenciar frases enteras *(Fonología de la frase)*» (TCLP). Hay también una **F. histórica o diacrónica,** que se ocupa de establecer las relaciones y agrupaciones de los fonemas en la evolución de un sistema lingüístico. Ferdinand de Saussure (1916) y, siguiéndole, Grammont (1933), dan a Fonología y Fonética otros sentidos que no hay que confundir con los actualmente vigentes: la primera, según ellos, se ocuparía del estudio estático, descriptivo y general de los sonidos, mientras que la segunda atendería a su evolución diacrónica. Por el contrario, los lingüistas ingleses y americanos emplean a menudo la palabra *Phonology* en el sentido de 'fonética histórica' o de 'estudio del empleo de los sonidos en una lengua determinada', y *Phonetics* para designar el 'estudio de las modalidades físicas y fisiológicas de los sonidos del lenguaje'. Modernamente se usan entre los anglosajones los términos *Phonemics* y *Phonematics* como equivalentes de Fonología. Entre los lingüistas españoles la terminología distintiva entre *Fonética* y *Fonolo-*

gía está definitivamente aceptada, si bien en alguna ocasión se ha empleado *Fonemática* (= Fonología).

Fonológico (Sistema). «Conjunto de oposiciones fonológicas propias de una lengua dada» (TCLP). El sistema de las vocales, en los diversos idiomas, puede ser: A) **Lineal** [A. *Lineares System*], cuando no hay diferenciación fonológica del timbre de las vocales; B) **De dos dimensiones** [A. *Zweidimensionales System*], si el sistema posee diferenciación fonológica del timbre de las vocales. El sistema, en este caso, puede adoptar dos formas distintas: a) **Sistema triangular** [A. *Dreiecksystem*], cuando el grado máximo de sonoridad está representado por un solo fonema, como en español:

$$u \quad {}_o \quad {}^a \quad {}_e \quad i$$

b) **Sistema cuadrangular,** cuando el grado máximo de sonoridad presenta una diferenciación fonológica del timbre de las vocales, como en eslovaco literario:

$$a \quad \ddot{a}$$
$$o \quad e$$
$$u \quad i$$

Fonologización. Formación de una diferencia fonológica entre dos variantes combinatorias o estilísticas. «Por ejemplo: las variantes palatales de *c* y *g* latinas se fonologizaron en el latín vulgar, distinguiéndose entre los fonemas velares *c* y *g*, y los palatales *c'* y *g'*» (Alarcos). Las consonantes geminadas, introducidas en latín, eran variantes estilísticas empleadas en las palabras de matiz afectivo. Dichas consonantes «fueron fijadas por estas palabras, y cuando perdieron su valor sentimental, fueron conservadas como fonemas particulares» (Jakobson). Hay también fonologización cuando una lengua adopta un fonema extranjero.

Fonometría. Rama de la Lingüística, fundada por E. y K. Zwirner (1936), que analiza los fonemas lingüísticos distintivos por vía fonética; en lugar de buscar en ellos las cualidades fónicas pertinentes (fin fundamental de la Fonología), trata de caracterizar un fonema por el valor medio que se obtiene estadísticamente de una serie de realizaciones examinadas por la Fonética experimental. Ese valor medio será la **norma** de dicho fonema. De este modo, la Fonometría vendría a sustituir, a la vez, a la Fonología y a la Fonética. Trubetzkoy (1939) ha señalado que la *norma* no puede suplantar la noción de fonema de la lengua, sobre la cual reposa la

Fonología. Por otra parte, la Fonética tiene un dominio propio: no sólo ha de ocuparse de las *normas* válidas para una comunidad, sino también de las divergencias individuales entre los hablantes, y de las alteraciones que sufren los sonidos en el discurso.

Fononomia. Término usado por Ascoli en la acepción de ley* fonética.

Fonopatema. Forma lingüística alterada como resultado de un fenómeno de fonética* sintáctica (Ascoli).

Fonosimbólicas (Palabras). Término equivalente a **voces de creación expresiva** con que designa J. Corominas «las que suelen llamarse en francés *mots expressifs*, en alemán *lautsymbolisch* (también en castellano se dice a veces *fonosimbólico*), o sea aquellas creaciones elementales del idioma que no imitan un sonido real *(onomatopeyas)*, pero sí sugieren directamente una idea por el valor psicológico de las vocales o consonantes». Vid. *Onomatopeya, Fonética* simbólica*.

Forma. 1.—Aspecto bajo el cual se nos presenta un elemento lingüístico, abstracción hecha de su función y de su significación. **2.**—

Forma interior del lenguaje. [A. *Innere Sprachform;* I. *Inner form*]. Término creado por W. v. Humboldt (1822) para designar la toma de posición, condicionada histórica e individualmente, que el hablante (individual o colectivo) realiza en la ordenación de su mundo mental y físico. «Un ejemplo: cuando los alemanes llaman a la pupila *Pupille,* con un extranjerismo, y los españoles *niña del ojo,* y los griegos *kóre,* y los latinos *pupula,* en todos ellos la forma interior del lenguaje es la misma, a saber: la idea de que se ha de pensar la pupila como un espejo en que aparece una niñita o una muñequita. Pero cuando los alemanes la llaman *Augenstern* (estrella del ojo) y los franceses *prunelle,* tenemos entonces dos formas interiores de lenguaje diferentes, a saber: en un caso, la idea de que se ha de pensar la pupila como una estrella; en otro, como una ciruelita; y cuando el alemán dice *Sehloch* (agujero de ver), entonces ya se piensa otra cosa distinta: que el ojo tiene un agujero. Mientras que, en realidad, no hay más que un sitio que deja pasar la luz, y no existe ni agujero, ni estrella, ni ciruela, ni muñeca, ni niña» (Vossler). En oposición, **Forma exterior del lenguaje** (A. *Aeussere Sprachform.* I. *Outer form)* es el conjunto de signos y medios materiales de expresión, cuya especial ordenación en la mente del hablante o en la conciencia de una comunidad constituye la *Innere Sprachform.* **3.—Forma fonética** [I. *Phonetic form*]. «Una combinación de fonemas que aparece en una lengua es pronunciable en esta lengua, y es una *forma fonética.* La combinación *mnu,* por ejemplo, es impronunciable en inglés, pero la combinación *men* es pronunciable y es una forma fonética» (Bloomfield). **4.—Forma de clase.** Término que, en Bloomfield, viene a coincidir con los tradicionales de partes del discurso y categorías gramaticales. A la forma de clase (nombre, adjetivo, plural, acusativo, etc.), le corresponde un *significado de clase.* Vid., más adelante, *forma gramatical.* **5.—Forma lingüística.** Forma fonética dotada de significación (Bloomfield). **6.—Forma gramatical.** Forma táctica* dotada de significación. Las más pequeñas unidades de significación de una forma gramatical se llaman *tagmemas* [I. *Tagmemes*], y sus significados *episememas* [I. *Episememes*]. Así, en inglés, *Run!,* el tagmema* de tono exclamativo concurre con una forma léxica y produce un significado gramatical, un *episemema,* que puede ser toscamente descrito como un 'enérgico estímulo'. El tagmema de selección, por el cual se ha elegido una forma de infinitivo, tiene un significado gramatical, un *episemema*, que puede llamarse *significado de clase* [I. *Class-meaning*], y definirse toscamente como 'acción'. Las formas gramaticales de una lengua pueden ser divididas en tres grandes clases: *oraciones* tipo, construcciones* y substituciones** (Bloomfield). 7.—Forma de contenido. Vid. *Contenido.* 8.—Forma de expresión. Vid. *Expresión.* 9.—Forma impropia. Vid. *Impropia.* 10.—Forma libre [I. *Free form*]. Según Bloomfield, forma que puede usarse como oración; la palabra es la mínima forma libre; por el contrario, las formas limitadas [I. *Bound forms*] no pueden usarse como oraciones; tal ocurre, por ejemplo, con los sufijos.

Formación. Vid. *Derivado.*

Formans. [I. *Formant*]. Término propuesto por K. Brugmann para designar el afijo, el infijo y el determinativo de raíz.

Formantes. 1.—Formantes de un morfema. En Glosemática, cada una de las formas que adopta un mismo morfema. Así, *-s* y *-es* son formantes de un mismo morfema de plural; no son dos morfemas diferentes, ya que la proporción entre *carro / carros* es la misma que existe entre *montón / montones.* El término equivale aproximadamente a *Morph*, usado por los lingüistas norteamericanos. 2.—Lenguas formantes. [A. *Formsprachen;* I. *Formal languages*]. Vid. *Flexivas* e *Isolantes.*

Formema. A. *Formem.* Término poco usado como sinónimo de *morfema.*

Formulae. Vid. *Ars* dictaminis.*

Fórmulas aliteradas, apofónicas, geminadas, rimadas. Vid. *Gemelas (Palabras).*

«Fortes» (Consonantes). Vid. *Tensas (Consonantes).*

Forzado (Pie). Vid. *Pie forzado.*

Fosilización. Vid. *Fijación.*

Fraccionado (Signo). Así designa Bally (1932) «la repartición de un significado único en varios falsos significantes, que no poseen sentido más que en su conjunto»: *a porrillo, a tontas y a locas,* etc. En este mismo sentido emplea J. Casares el término *sintagma.*

Fraccionario (Numeral). Con este nombre y con el de numeral partitivo se designa el sustantivo o el adjetivo que significan parte de un todo: un *tercio, medio* litro.

Fracto (Plural). Nombre preferido por los semitistas españoles para designar el *plural cortado*.

Fractura. Nombre que alguna vez dan Ascoli (It. *frangimento*) y Salvioni a la diptongación.

Franca (Lingua). Vid. *Lingua franca.*

Francés. Lengua neolatina hablada en la República francesa. Procede del dialecto hablado en París (Isla de Francia), que se expandió, a partir del siglo xv, por todo el territorio de Francia. Es también lengua literaria y oficial en Bélgica (unos tres millones de hablantes) y Suiza (más de un millón de hablantes). La hablan, igualmente, unos 100.000 habitantes de los Alpes italianos. Fuera de Europa, el francés es hablado por unos cuatro millones de personas, en Africa del Norte y en las colonias. En Canadá (incorporado a Inglaterra en 1763), el francés es lengua oficial, juntamente con el inglés, y es hablado por millón y medio de personas (cuatro millones y medio hablan inglés), especialmente en la región de Quebec. Forma dialectos criollos en Luisiana, Antillas (Guadalupe, Martinica, Haití), Guayana, islas Reunión y Mauricio. La designación *francés* alude, generalmente, al francés moderno frente al francés antiguo y al provenzal En Francia del Norte (se designa así la parte del país que está al N. del límite con el provenzal) se distinguen las siguientes agrupaciones dialectales: a) Al NO., el normando, con Caen y Rouen como centros; b) Al NE., el p i c a r d o (Amiens, Arras) y el valón (Liège); c) Al E., el champañés (Troyes, Reims), el lorenés (Metz), el del Franco Condado (Besançon) y el borgoñón (Dijon); d) Al O., el santongés (fr. *saintongeois,* con su centro en Saintes), el pictavino o poitevino (Poitiers) y el angevino (Angers, Tours); e) Al S., el bourbonnais, el nivernais, el berrichon y el orléanais; f) En el Centro, en la cuenca media del Sena y en la región entre el Sena y el Loira, el franciano o dialecto de la *Ile-de-France.* Hay que añadir a todos estos dialectos el anglonormando, variedad del normando llevada a Inglaterra por Guillermo el Conquistador en 1066, que tuvo gran desarrollo entre los siglos xii y xiv.

Franciano. Vid. *Francés.*

Fráncico. Vid. *Alemán.*

Franco-provenzal. G r u p o lingüístico románico definido por Ascoli, que ocupa la parte suroriental de Francia (departamentos del Loire, Ródano, Ain, Isère—menos el extremo SE.—, la Saboya, la Alta Saboya, una parte del Jura), la Suiza francesa — menos el Jura bernés—, el valle de Aosta al S. del Gran San Bernardo y la parte superior de los valles altos de los afluentes del Po. Meyer-Lübke negó la independencia de tal grupo lingüístico, y lo consideró como parte del francés *(Südostfranzö-sisch)*. Según Jaberg y Schürr, el franco-provenzal estuvo inicialmente inclinado hacia el provenzal más que hoy, y sufrió la influencia del francés del N. más tarde. Sin embargo, pertenecía originariamente al dominio lingüístico septentrional. Hacia el siglo VIII se aparta tanto de éste como del provenzal, y hacia el XIII se convierte en territorio lingüístico independiente. Sin embargo, esto ha vuelto a ser puesto en duda por R. A. Hall, Jr. (1949), que considera al franco-provenzal como la zona centro-oriental de la gran área de transición entre el francés del N. y el restó del mundo románico.

Frase. 1.—Término que alterna, en significación equivalente, con el de *oración*. **2.**—A. Bello llama **frase sustantiva** a la reunión de un sustantivo con las modificaciones que lo especifican o explican *(la última tierra de occidente)*; de igual modo, habla de **frases adjetivas** *(cubiertas de bellas y olorosas flores)*, **frases verbales** *(corría presuroso por la pradera)* y **frases adverbiales** *(lejos de todo trato humano)*. **3.**—**Frase adverbial, conjuntiva, prepositiva.** Vid. *Locución.* **4.**—**Frase proverbial.** Combinación estable de dos o más términos, que se diferencia gramaticalmente de la locución en que no puede funcionar como elemento oracional. «Es siempre algo que se dijo o se escribió, y su uso en la lengua tiene el carácter de una cita, de una recordación, de algo que se trae a cuento ante una situación que en algún modo se asemeja a la que dio origen al dicho. Su valor expresivo no está en las imágenes que pueda contener, cosa que es esencial en las locuciones significantes, sino en el paralelismo que se establece entre el momento actual y otro pretérito, evocado con determinadas palabras» (J. Casares). Ejemplos: *díjolo Blas, punto redondo; otro gallo me cantara; con su pan se lo coma.* **5.** — **Frase idiomática.** Vid. *Idiomatismo.* **6.**—**Frase nominal.** Vid. *Nominal.* **7.**—**Acento de frase.** Vid. *Acento.* **8.**—Algunos lingüistas norteamericanos distinguen entre **frase** [I. *Phrase*] y **oración** [I. *Sentence*]. Una forma* libre que consta de dos o más formas libres más pequeñas es una *frase;* por ejemplo, inglés *poor John, John ran away,* o *yes, sir* (Bloomfield). Los límites de la frase pueden coincidir con los de la oración, pero no es necesario. Vid. *Construcción exocéntrica**. Bloch y Trager han simplificado la definición dada por Bloomfield de esta manera: **Frase** es una construcción sintáctica formada por dos o más palabras.

Fraseología. 1.— Características de las frases de una lengua o de un individuo. **2.**—En sentido peyorativo, frases altisonantes o malsonantes.

Frecuencia. Número de periodos* por unidad de tiempo. De ella depende el tono* del sonido. Cada cuerpo vibrante tiene su propia frecuencia de vibración, que depende de su naturaleza (peso, grosor, forma, tensión en el caso de las cuerdas, etc.).

Frecuentativo. Se emplea este término como sinónimo de *iterativo.* Sin embargo, A. Alonso y P. Henríquez Ureña diferencian así los verbos frecuentativos e iterativos:

«En estricto sentido, se llaman *frecuentativos* los verbos que expresan una acción que se compone de momentos repetidos. *Tutear, cecear, sesear, visitear, cortejar,* son ejemplos de verbos frecuentativos, porque indican que la acción se repite con frecuencia, como hábito; y son más bien iterativos, *golpear, apedrear, besuquear, corretear, vagabundear, mariposear, tartamudear, parlotear, chapalear, picotear, patalear* y otros, porque la acción singular de *golpear* consiste en dar varios golpes (también se puede golpear con un solo golpe); *besuquear* es una acción singular, que consiste en dar muchos besos, etc. Lo decisivo está en si se indica o no pluralidad de acciones... Se suele reservar el término de *iterativos* (o de *frecuentativos)* para aquellos verbos que expresan la pluralidad de movimientos por medio de un procedimiento gramatical. Son, pues, todos verbos derivados. En nuestra lengua es uno de los oficios del sufijo *-ear..., picotear, charlotear,* etc.».

Frequentatio. Vid. *Acumulación.*

Fricativa. A. *Reibelaut, Engelaut.* Articulación que posee los siguientes caracteres: «Organos en contacto incompleto; el canal se reduce en alguno de sus puntos a una estrechez por donde el aire sale constreñido, produciendo con su rozamiento un ruido más o menos fuerte: ð, f, θ¡ z, đ, l̦, l̦, ş, ẓ, s, z, ɹ, l, l̦, y, x, ɡ» (Navarro Tomás). Las fricativas, según la forma de la estrechez, se dividen en **alargadas*** y **redondeadas***. También se llama a veces a las fricativas, **espirantes, constrictivas y continuas.**

Fricatización. Proceso por el cual una consonante oclusiva se hace fricativa: lobo > loƀo.

Frigio. Vid. *Tracio-frigio.*

Frisón. Vid. *Alemán.*

Friulano. Vid. *Retorrománico.*

Frontera. 1.—Frontera lingüística. Línea más o menos definida que separa dos dominios lingüísticos. Vid. *Límite.* **2.—Frontera de sílaba.** Punto en que cesa de pronunciarse una sílaba y da comienzo otra. F. de Saussure (1916) la sitúa en el punto en que se pasa de una implosión a una explosión, en la cadena de sonidos. Vid. *Sílaba* y *Silábico.* **3.— Frontera de palabra.** Límite, no siempre claro fonéticamente, entre dos palabras contiguas.

Fuerte. A. *Stark, Hart;* I. *Strong, Hard.* **1.—Consonantes fuertes.** Término impropio con que alguna vez se designan las consonantes sordas. **2.—Intensidad fuerte.** Es la que posee un sonido, una sílaba o una palabra, con relación a otros elementos que se consideran *débiles.* Vid. *Relajado.* **3.—Vocales fuertes.** Se da inadecuadamente este nombre a las vocales más perceptibles: *a, o, e.* **4. Pretérito, participio fuertes.** Son aquellos que llevan el acento en el radical: *cupe, hecho.* **5. — Aoristo fuerte.** En griego, el aoristo formado sin la sigma característica.

Función. 1.—Relación que liga a una palabra (o complejo de palabras) con los demás elementos. Según Hjelmslev (1928), la función es exclusiva de los semantemas, que, según él, están caracterizados por estos dos rasgos: «1.º, la facultad de combinarse exclusivamente con ciertos morfemas, y 2.º, la facultad de combinarse con los otros semantemas exclusivamente por medio de ciertos morfemas». Las funciones principales son las de sujeto, predicado, atributo y complemento. Vid. *Rango.* **2.—**La Glosemática especializa este término para designar la relación de dependencia entre dos elementos terminales o *funtivos*.* El conjunto jerarquizado de funciones constituye una *estructura lingüística*. Vid. *Interdependencia, Determinación, Constelación.* **3.** — **Función semiológica.** En Glosemática, es la relación que se establece entre una forma de expresión* y una forma de contenido*. Esta función es una *solidaridad*, ya que sus dos términos se presuponen mutuamente: «una expresión no es una expresión más que en virtud de ser la expresión de un contenido, y contenido no es contenido más que en virtud de ser el contenido de una expresión» (Hjelmslev). **4.** — **Funciones fónicas.** Así designan los fonólogos las funciones representativas* desempeñadas en la lengua por unas determinadas particularidades fónicas. Son tres: A) **Culminativa** [A. *Gipfelbildende Funktion*]. Consiste en indicar cuántas unidades (palabras o grupos de palabras) contiene una frase. Esta es la función que desempeña el acento principal de la palabra, en alemán. B) **Delimitativa.** [A. *Abgrenzende Funktion*]. Señala el límite entre dos unidades (sílabas, palabras, etc.). C) **Distintiva** [A. *Bedeutungsunterscheidende Funktion*]. Diferencia las diversas unidades provistas de significación. Es, por ejemplo, la función que *i* y *o* desempeñan, al diferenciar *risa* de *rosa*. Las dos primeras funciones son accesorias; la distintiva no puede faltar en ninguna lengua. **5.** — **Funciones del lenguaje.** Fines que el lenguaje puede cumplir. Bühler (1918) ha fijado las tres siguientes: *Appell* (o *Auslösung*), *Ausdruck* (o *Kundgabe*) y *Darstellung.* Podemos traducirlas, respectivamente, por *función de llamada* (o *llamada*), *expresión* y *representación*. La **llamada** actúa sobre el oyente para dirigir su atención o atraerla sobre el hablante; mediante la **expresión,** el hablante manifiesta su estado psíquico y, por fin, la **representación** permite al lenguaje transmitir un contenido, «contar algo». Así, por ejemplo, al decir alguien con indignación *¡salga Ud.!*, la entonación y el modo imperativo y la segunda persona cumplen la función de llamada; la entonación misma *expresará* la indignación del hablante; por fin, el significado de las palabras *salir* y *usted*, el orden de palabras, el número, etc., cumplirán la función *representativa*. Las tres funciones coexisten frecuentemente. Las dos primeras son comunes al hombre y a los animales; la de representación es específicamente humana. Jan Mukarovský (1936) ha añadido a éstas una cuarta función, la **función estética,** que desempeña una palabra en su contexto, propia del lenguaje literario. Vid. *Funcional.*

Funcional. 1.—Se denomina así todo lo referente a la función. **2.**— **Análisis funcional.** Análisis de la lengua o de sus manifestaciones, que atiende a la función que desempeñan sus diversos elementos, y no a la forma o a la significación. Esta, no obstante, entra en consideración entre los fonólogos. **3.**—**Lingüística funcional.** Se denomina así la rama de la Lingüística que somete a la lengua (concebida como una estructura) a un análisis funcional. Esta denominación es válida para la Glosemática y para la Fonología, si bien exista entre ellas profundas diferencias. Así, el fonólogo Skalička ha puntualizado (1948): «Para Hjelmslev y su escuela, la idea de *función* es próxima a la concepción de función en matemáticas... Según nuestros lingüistas [los de Praga], se emplea el término *función* donde se trata de la significación (de la función de la palabra, de la frase) o de la estructura de las unidades semiológicas (función del fonema)... La concepción lingüística de la escuela de Praga tiene dos nombres que son igualmente importantes y que subrayan lo que aporta de nuevo. Es, ante todo, el de *estructuralismo,* es decir, que los lingüistas de Praga introducen en los problemas lingüísticos el de la estructura [siguiendo a F. de Saussure], problema que se refiere a la constitución estructural de la lengua y a la relación mutua existente entre sus partes. Pero, en segundo lugar..., la lingüística de Praga es *funcional;* el término *función* significa, entiéndase bien, la misión que debe realizar [el signo lingüístico], y no la dependencia; esto quiere decir que la lingüística de Praga estudia el problema semiológico... Es posible que la escuela de Hjelmslev merezca el nombre de estructuralismo. Pero, en ese caso, la escuela de Praga debe ser designada de otro modo, al menos se debe subrayar su antiguo nombre de lingüística *funcional* y *estructural.* Los fines de las dos escuelas... son diferentes».

Fundamental (Morfema). En Glosemática, morfema que forma parte de un paradigma cuyos miembros pueden ser regidos heterosintagmáticamente. Así, en *apud nostros,* el caso acusativo es regido por la preposición, y se trata, por tanto, de un morfema fundamental. Vid. *Convertido (Morfema).*

Funtivo. Término con que traducimos el francés *fonctif,* usado por la Glosemática para designar cada uno de los términos que intervienen en una función.

Furbesco. Jerga italiana.

Furtivos (Sonidos). Sonidos no fonológicos y escasamente perceptibles que aparecen alguna vez a consecuencia del movimiento que han de realizar los órganos fonadores para pasar de una articulación a otra Así, en *p'ráctica;* a veces dan lugar a epéntesis viciosas, y hasta han llegado a convertirse en elementos constitutivos que sirven de sonidos de transición entre dos consonantes de un grupo; por ejemplo, la *b* de *hombre* < *hom're* < *hom'ne* < h o m i n e. Vid. *Anaptixis.*

Fusión. Proceso por el que un grupo de fonemas da lugar a un solo fonema. Así, los grupos latinos *-ct-* y *-lt-* dieron en español /š/. A veces se produce fonologización*; por ejemplo, al producir el grupo latino /ny/ un nuevo fonema en castellano: /ṿ/. Vid. *Reducción.*

Futuro. Tiempo verbal que expresa, ordinariamente, acción venidera. En español se distinguen morfológicamente cuatro tipos de futuro: *vendrá, habrá venido, viniere* y *hubiere venido.* 1.—Futuro imperfecto de indicativo. Llamado también *futuro absoluto,* expresa acción venidera, con relación al momento presente: *Vendrá* a verte. La misma forma sirve para expresar matices distintos: a) *Futuro de mandato: Vendrás* conmigo, quieras o no; b) *Futuro de probabilidad: Tendrá* unos diez años; c) *Futuro de sorpresa: ¡Será* posible! 2.—Futuro perfecto de indicativo o antefuturo. Indica acción venidera, anterior a otra también venidera: Cuando escribas, *habrá llegado* ya. Subsisten en él los matices de *probabilidad: Habrá sido* por tu culpa, y de *sorpresa: ¡Habráse oído* algo semejante! 3.—Futuro imperfecto de subjuntivo. Expresa acción hipotética, venidera e imperfecta: *Si viniere, atiéndele.* 4.—Futuro perfecto de subjuntivo. Expresa acción hipotética, perfecta, pasada (si *hubiere llegado* ya el correo, súbelo) o venidera (si el martes próximo *hubiere llegado* ya mi primo...). A. Bello reúne estos dos últimos tiempos bajo la denominación de *subjuntivo hipotético.* 5.—Se da el nombre de **futuro hipotético** al tiempo tradicionalmente llamado *condicional o potencial simple,* que expresa acción futura con relación al pasado: Creyó que le *obedecería.* Puede expresar también otros matices; la probabilidad, en *tendría diez años,* cortesía o modestia, en *¿querría darme fuego?,* etc.

6.—Futuro perifrástico. Expresión de la noción de futuro mediante perífrasis: mañana *va a llover.* A veces señala la inminente realización del proceso, y recibe el nombre de **futuro inmediato**: *va a llover* (ahora mismo, enseguida).

Gaélico. Vid. *Celta.*

Gaita gallega (Versos de). Se denominan así el eneasílabo y, más frecuentemente, el decasílabo, endecasílabo y dodecasílabo usados en la poesía popular gallega (muñeiras); se extiende la denominación a los versos castellanos de iguales medidas, cuando reproducen el esquema acentual gallego. Dichos versos tienen de común el llevar acento en la cuarta sílaba, siendo frecuente otro en la séptima. *(E no camiño topóu unha filla)*, y aún otro más en la primera *(Isca d'ahí, non me mate la pita)*. Son, pues, endecasílabos anapésticos (o dactílicos, si llevan acento en la primera sílaba). «El endecasílabo de esta acentuación es el centro de un grupo que abarca el decasílabo anapéstico y el dodecasílabo de arte* mayor, los cuales pueden considerarse como variantes suyas, según se suprima o se añada una sílaba al principio». Decasílabo, endecasílabo y dodecasílabo pueden ir juntos, con idéntico valor, en una misma composición. Los decasílabos, en estas combinaciones, pueden abandonar el ritmo anapéstico y convertirse en la suma de dos pentasílabos *(meu maridiño / foise por probe // deixou un fillo, / topou dezanove),* que alterna con los anapésticos. El metro de gaita gallega tiene una gran semejanza con el arte* mayor, pero se diferencia de éste: «Mientras en el arte mayor sirve de paradigma el dodecasílabo propiamente dicho, en la muñeira sirve de paradigma el verso de once, y cabe el de diez, en dos de sus formas» (Henríquez Ureña).

Galés. Vid. *Celta.*

Galicismo. Palabra o giro de origen francés: *jardín, reproche, coqueta, ser de un* + adjetivo, etc.

Gallego. Lengua románica de Galicia, con abundantes variedades dialectales que penetran en León y Asturias. Es el menos evolucionado de los idiomas peninsulares. El gallego y la antigua habla portuguesa del N. del Duero, muy allegada a él, formaron el complejo lingüístico que se denomina gallego-portugués, cuyo desarrollo histórico ha dado lugar al portugués moderno. Vid. *Coiné, Leonés.*

Galo. Lengua de los galos, de raza indoeuropea céltica, que ocuparon la Galia, y más tarde la Italia septentrional, a costa de los ligures, etruscos y umbros. Dicha lengua pertenecía al grupo celta continental, y se extinguió completamente en el siglo v d. J. C.

Galo-Itálicos (Dialectos). Vid. *Italiano.*

Galorrománico o **Galorromance.** Se designa así el conjunto de modalidades (dialectos, subdialectos, patois, etc), que el latín ha originado en el antiguo territorio de las Galias.

Galurés. Vid. *Sardo.*

Gascón. Lengua de Gascuña, hablada entre el Garona y los Pirineos, considerada como dialecto provenzal por Meyer-Lübke y Ronjat. Este último reúne el gascón y el bearnés en el grupo dialectal *aquitano*. Sin embargo, el *gascón* tiene tal individualidad lingüística que no puede ser considerado como un idioma subordinado al provenzal. Los antiguos provenzales lo consideraban como lengua extranjera. Rohlfs forma con el gascón, el aragonés y el catalán un grupo pirenaico que opone al provenzal. El gascón reposa en parte sobre un sustrato vasco y representa, en cierto modo, una cuña iberorrománica en Francia. Vid. *Provenzal.*

Geada. Fenómeno frecuente en gallego, consistente en pronunciar como *j* (uvular fricativa sorda) toda *g*: *afojarse* por *afogarse, Santiajo* por *Santiago*, etc. Tal pronunciación es sentida por los gallegos como extraordinariamente rústica.

Gemelas (Palabras). Fr. *Mots jumeaux.* Término acuñado por Morawski para designar las palabras compuestas de dos miembros idénticos, con finalidad intensificativa. Presentan tres variedades principales: A) Fórmulas geminadas (repetición pura y simple de las mismas palabras), como *de bóbilis bóbilis, dale dale.* B) Fórmulas rimadas [A. *Reimende Verbindung*], como *tiquis miquis, troche y moche.* C) Fórmulas apofónicas, cuyas palabras gemelas difieren en una vocal, como *dile dale, tris tras*, etc. Todavía pueden añadirse las fórmulas aliteradas, en las cuales las dos palabras poseen, fundamentalmente, una cierta semejanza fonética y, casi siempre, una común sugerencia significativa: *marimacho, marimanta, a machamazo*, o *machamartillo.*

Geminación. A. *Verdoppelung,* Reduplikation, *Reduplizierung;* I. *Reduplication;* F. *Redoublement,* Réduplication. Repetición de cualquier elemento lingüístico (sonido, sílaba, palabra...), en la pronunciación, en la escritura o en ambas a la vez. Se aplica más especialmente este término para designar la formación de una consonante geminada*. Vid. *Epanalepsis.*

Geminada. A. *Doppelkonsonant;* F. *Consonne double.* 1.—Consonante que se pronuncia con dos momentos sucesivos de tensión*, entre los cuales hay una distensión* que sirve de límite silábico; esto significa que las dos partes de la geminada pertenecen a sílabas distintas. Así, la *m m* del italiano *femmina.* 2.—Fórmulas geminadas. Vid. *Gemelas.*

Genealógico (Teoría del árbol). Vid. *Arbol.*

General. 1.—Nombre general. Designación anticuada de *nombre común.* 2.—Gramática general. [A. *Allgemeine Grammatik*]. Gramática que pretende tener validez para todas las lenguas. La primera gramática que recibe el nombre de *general* es la de Port-Royal (1660), debida a C. Lancelot y A. Arnauld, inspirada en principios cartesianos. Es-

ta obra inició una dirección lógico-gramatical, que duró hasta bien avanzado el siglo XIX. El comparatismo y la lingüística diacrónica acabaron con esta dirección de trabajo. Modernamente se da el nombre de gramática general, bien a la *apofántica,* bien al movimiento lingüístico iniciado en Copenhague por L. Hjelmslev, que ha conducido a la Glosemática. 3.—Lingüística general. [A. *Allgemeine Sprachwissenschaft*]. Tal designación encubre conceptos muy diversos. Unas veces significa estudio del lenguaje (abstracción hecha de las lenguas particulares) en todos sus aspectos, en los planos sincrónico y diacrónico: naturaleza del signo lingüístico, organización interna del lenguaje, causas del cambio lingüístico, direcciones del cambio, metodología, relaciones entre los elementos lingüísticos, etc. Otras, menos frecuentemente, se entiende por *lingüística general* el estudio comparado de lenguas de diversa genealogía.

Genérico. 1.—Lo referente al género gramatical. El decir, por ejemplo, *terminaciones genéricas* [A. *Genusendungen*] significa 'terminaciones de género'. 2.—Lo referente al género lógico. *Cereal,* por ejemplo, es un sustantivo genérico (frente a trigo, centeno, etc., que son sustantivos específicos).

Género. 1.—Categoría gramatical que, en indoeuropeo, afectaba al sustantivo mediante ciertos morfemas que señalaban la distinción de sexos y era, por tanto, un género natural [A. *Geschlecht;* I. *Sex gender*], basado en la oposición masculino / femenino. A la vez, se desarrolla un género gramatical o formal [A. *Genus*] que se presenta, no sólo en los nombres de objetos sin sexo, sino también en los adjetivos, pronombres, numerales (y después, en los artículos); aparece ligado, no sólo a las raíces, sino a las formas derivadas (En español, por ejemplo, *calle* es femenino, y *callejón*, masculino) Este género comprende, además del masculino y femenino, el neutro. Incluso los nombres que designan seres vivos pueden tener género gramatical; así, en alemán, *kind* 'niño' es neutro; cfr. *Epiceno**. O puede haber indiferencia respecto al género natural de un sustantivo, que debe precisarse mediante procedimientos sintácticos (Vid. *Común).* Dentro del género natural —con las limitaciones señaladas—, son **masculinos** los nombres de macho, **femeninos** los de hembra y **neutros** los que pueden ser considerados como indiferentes, desde el punto de vista

sexual. Por el contrario, el origen del género gramatical es problemático. Hoy, el género nos aparece como un recurso sintáctico para expresar la concordancia. En algunas lenguas se habla de **género animado** [A. *Belebtes Genus*], propio de seres dotados de vida, que comprende el masculino y el femenino (diferenciándolos o no; el hitita, por ejemplo, ignora esta oposición), y **género inanimado** [A. *Unbelebtes Genus*], correspondiente a objetos que se consideran sin vida, y a veces a seres animados que no han alcanzado su madurez sexual. Vid. *Común.* **2.** En la métrica clásica, proporción que existe entre las moras de las sílabas de un pie. Así, por ejemplo, el dáctilo (_ ◡ ◡) consta de una sílaba larga (= dos moras) y dos sílabas breves (= dos moras). Su proporción es 1 : 1. Se dice por ello que posee **género igual** (como el espondeo, anapesto y coriambo). La proporción 1 : 2 (yambo, troqueo, jónicos mayor y menor) se denomina **género doble.**

Genio. A. *Geist der Sprache.* Idiosincrasia de una lengua dada. Es un concepto que pertenece a la lingüística precientífica.

Genitivo. Caso de valores muy complejos. Los griegos lo llamaron γενική caso general', es decir, que hacía referencia al género lógico.

Dionisio de Tracia (siglo II a. J. C.) señaló que el genitivo es de una parte, κτητική, es decir, posesivo, y de otra, indicador de origen. Apolonio Díscolo (siglo II d. J. C.) advirtió que era el caso indicado cuando el verbo no expresa una actividad. Pueden distinguirse en latín, entre otros, los siguientes tipos de genitivo: A) **Posesivo**: *domus* patris 'casa del padre'. B) **Objetivo**. «Se llama así partiendo de la idea que implica, al poder desarrollarse en verbo transitivo el nombre de que depende, cuyo objeto resulta en tal caso el genitivo. Así, dentro de esta abstracta concepción lógica, se habla de nombres *transitivos*, es decir, nombre que pueden desarrollarse en un verbo transitivo: *amor Dei* puede equivaler a *amare Deum* y *accusatio sceleratorum* a *accusare sceleratos*» (Tovar). C) **Subjetivo**. Genitivo que puede resolverse en el sujeto de la acción implicada en la raíz del nombre regente. Así, *amor Dei* puede interpretarse también como *Deus amat*, y *metus hostium* puede ser objetivo ('temor a los enemigos') o subjetivo ('temor que tienen los enemigos'). D) **De cualidad o descriptivo**: *Puer* bonae indolis 'niño de buen carácter'. E) **De cantidad o especie**. Indica una especie, de la cual hay una cantidad expresada por la palabra regente: *tur-*

ma equitum 'un escuadrón de caballería'. F) **Partitivo**. Expresa un todo, del cual es parte integrante lo significado por la palabra regente: *natu maximus fratrum*, 'el mayor de los hermanos'. G) **De participación**. Sirve de complemento a adjetivos que expresan tal noción: *particeps* rationis 'dotado de razón'. H) **De abundancia o escasez**: *plenus* ingenii 'lleno de talento'. I) **De culpa o pena**: *manifestus* mendacii 'cogido en mentira'. J) **De precio**: magni *facere* 'estimar en mucho'. K) **De definición o explicativo**. Explica en qué consiste la naturaleza del sustantivo regente: *alimenta* carnis 'alimentos de carne' L) **De relación**. Indica en relación a qué cosa hay que entender aplicado el sentido del adjetivo regente: *aeger* consilii 'falto de consejo'. LL) **Genitivo epíteto o atributo**. Va unido directamente a la palabra que lo rige: *domus* patris. M) **Genitivo predicado**. Va referido a la palabra regente por intermedio de un verbo copulativo: *domus est* patris. N) **De encarecimiento o enfático**: *Rex regum, Serus seruorum Dei*, de influjo oriental. Ñ) **De materia**: *Virga lauri* 'vara de laurel', etc.

Genovés. Vid. *Italiano.*

Gentilicio. Adjetivo o sustantivo que denota el origen, raza o patria: *catalán, polaco, judío.*

Genus verbi. Vid. *Voz.*

Geografía Lingüística. A. *Sprachgeographie.* Método de investigación lingüística, consistente en situar sobre el mapa de la región estudiada cada una de las formas con que se expresa un concepto o un giro especial (la negación, la interrogación, etc.). Para cada noción o giro se emplea un mapa distinto. El conjunto de mapas constituye un atlas lingüístico. «La idea fundamental de la geografía lingüística consiste en trasladar el estudio de la lengua del punto al espacio, en no considerar el hecho lingüístico como estrictamente localizado en su creación y en su evolución, sino en colocarlo en su ámbito geográfico, en establecer su área» (Jaberg). El estudio de las áreas permite extraer consecuencias importantes sobre la naturaleza de los hechos lingüísticos, así como delimitar y caracterizar dialectos. Estas consecuencias no se limitan al plano sincrónico. La comparación de las diversas formas permite establecer entre ellas relaciones cronológicas, con lo cual la geografía lingüística suministra datos valiosísimos para la Lingüística diacrónica. Puede entonces hablarse, con toda licitud, de una geología lingüística. Utilizó por vez primera el método geográfico G. Wenker. Sin embargo, se considera como verdadero fundador y definidor científico del mismo a J. Gilliéron, que publicó el *Atlas linguistique de la France* entre 1902-1910. Son ya numerosos los atlas publicados. Los autores, dominios lingüísticos investigados y fechas de publicación de los atlas más importantes son los siguientes: Weigand, dacorrumano, 1909; Millardet, Landes, 1910; Bruneau, Ardennes, 1914-26; Le Roux, Bretaña 1914-27; Gilliéron, Córcega, 1915; Bloch, Vosgos meridionales, 1917; Griera, Cataluña, 1923...; Jaberg-Jud, Italia y S. de Suiza, 1928-40; Bottiglioni, Córcega, 1933-42; Deveaux, Delfinado, 1935; Puşcariu, Rumania, 1937; Navarro Tomás, Puerto Rico, 1948; Lalanne, Gascuña meridional, 1949; Alvar, Andalucía (en publicación), 1954; R. Menéndez Pidal, R. de Balbín y T. Navarro Tomás, Península Ibérica, 1962, etc. Vid. *Neolingüística, Isoglosa, Mapa, Fondo.*

Geonomástica. Toponimia.

Geonomástico. Topónimo* o toponomástico (Ascoli).

Georgiano. Vid. *Caucásicas (Lenguas).*

Geral (Lingua). Vid. *Lingua franca.*

Germanía. Vid. *Jerga.*

Germánico (Grupo). Conjunto de idiomas indoeuropeos del NO. de

Europa, que comprende tres subgrupos: A) *Oriental*, representado por el gótico* y la lengua de los burgundios y de los vándalos. B) *Septentrional* o *nórdico*, hablado en Escandinavia (vid. *Lenguas escandinavas**). C) *Occidental*, conocido en una época en que ya estaba fragmentado y cuyos representantes principales son el alemán* y el inglés*.

Germanismo. Palabra de origen germánico: *guerra, guante,* etc.

Gerundio. Forma no conjugable del verbo, que puede desempeñar la función sintáctica de un término de rango terciario, es decir, de un adverbio: *iba corriendo.* En cláusulas absolutas, conserva su valor verbal y significa acción que coincide temporalmente con la del verbo principal: *subiendo la escalera, tropezó.* Hay una forma, el llamado **gerundio compuesto** *(habiendo + participio pasivo),* que expresa anterioridad y acción perfecta: *habiendo terminado, se fue.* En latín debe distinguirse entre el **gerundivo** [A. *Gerundivum;* I. *Gerundive;* F. *Adjectif verbal en -ndus*], que es un participio pasivo de futuro, el cual funciona como adjetivo atributivo *(facinus laudandum* 'acción que debe ser alabada') o como predicativo *(facinus laudandum est* 'la acción

debe ser ensalzada'), y el **gerundio** [A. *Gerundium;* I. *Gerund;* F. *Gérondif*], que es el neutro del gerundivo convertido en sustantivo, el cual, como el gerundivo, posee flexión casual.

Gerundivo. Vid. *Gerundio.*

Gestos (Lenguaje de). I. *Gesture language.* Tipo de lenguaje que usa como signos los gestos y ciertas convenciones, a veces incluso sonoras. Aparte los sordomudos, usan del mismo ciertas comunidades religiosas. Se han descrito diversos tipos empleados en los barrios bajos de Nápoles y entre los indios del oeste norteamericano. Se denomina también **lenguaje mímico** [A. *Zeichensprache, Gebärdensprache*].

Giro. (F. *Tour*). Cada una de las estructuras que puede adoptar una frase. Vid. *Idiomatismo.*

Gitano. A. *Zigeunerisch;* I. *Gypsy;* F. *Gitan, Tsigane.* Lengua indoeuropea del subgrupo indio* del NO., separada de él hacia el siglo V de nuestra era, hablada por los nómadas llamados bohemios. Está dividida en dos ramas: la asiática (gitano de Palestina) y la europea, llevada a través de Persia y Armenia a toda Europa, desde el siglo XII. Después se ha extendido a América. En cada país está muy mezclada con elementos lingüísticos del mismo. Se calcula en unos 500.000 los hablantes de esta lengua, que en España recibe el nombre de *caló*.

Glosa. 1.—Fue, primitivamente, una palabra oscura o difícil de un texto, que requería explicación. Después pasó a designar la explicación misma. También se denomina así el comentario de un pasaje o de un texto, cualquiera que sea su extensión. Vid. *Glosario*. **2.**—En Métrica, composición poética al fin de cuyas estrofas se hacen entrar uno o más versos pertenecientes a la estrofa con que comienza la composición (llamada texto). Muy frecuentemente, ésta existía ya, y el poeta convierte su glosa en un comentario de la misma.

Glosario. Vocabulario de palabras difíciles de un texto (vid. *Glosa)*, convenientemente explicadas.

Glosema. En Glosemática, la menor unidad de expresión*.

Glosemática. Ciencia fundada por L. Hjelmslev (a partir de 1935) y cultivada en la actualidad por él y por los lingüistas de Copenhague. Parte de dos principios postulados por F. de Saussure: el de estructura y el de inmanencia* lingüística. Adopta como dirección de trabajo el método inmanente (en sus dos fases, *sintagmática* y *sistemática)*, que tiene por objeto la lengua considerada como un texto infinito, cuya estructura hay que definir. Según Hjelmslev (1943), la Glosemática debe establecer la ciencia de la expresión* y la del contenido* sobre una base interna y funcional: la ciencia de la expresión, sin recurrir a los datos fonéticos o fenomenológicos; la del contenido, sin datos ontológicos o fenomenológicos. Deberá despreocuparse, en principio, de la sustancia* lingüística. La Glosemática será, pues, «un álgebra del lenguaje, que opere con elementos sin nombre; es decir, denominados arbitrariamente, sin designación natural». Un elemento lingüístico, *r*, por ejemplo, no será definido en Glosemática con nociones fonéticas o fonológicas (consonante, vibrante, oral, elemento de la oposición gradual *r / rr*, etc.) alusivas a su sustancia, sino como forma pura. Como tal, la *r* se caracteriza como fonema que no puede ser nunca inicial, que entra en grupo, que puede ser conmutada por *rr* sólo en posición intervocálica *(pero-perro)* y nunca en inicial o final, etc. Así quedará definida la *r* funcionalmente, y esa definición valdrá lo mismo para el lenguaje oral que para otro sistema de transmisión (lenguaje escrito, Morse, lenguaje de sordomudos, de banderas, etc.). La Glosemática comprende dos partes: la *Cenemática* y la *Pleremática*.

Glosolalia. Enfermedad que afecta al lenguaje, consistente en que el enfermo crea palabras y las dota de significación.

Glotal. Vid. *Oclusión** y *Laríngea.*

Glotalizada (Oclusión). Vid. *Oclusión.*

Glótica. Glotología*.

Glótico. 1.—Glotal. **2.**—Jespersen utiliza este término como equivalente de *fonológico.* **3.**—Lingüístico.

Glotis. [A. *Stimmritze;* F. *Fente vocale*]. Vid. *Cuerdas vocales.*

Glotogonía. Parte de la Lingüística que se ocupa del origen del lenguaje.

Glotología. Lingüística. Es un término que tuvo gran vigencia entre los lingüistas italianos para de-signar esta ciencia, por influjo, sobre todo, de G. I. Ascoli, que lo impuso h. 1867. Hoy tiende a prevalecer en Italia el término *Lingüística.*

Glotosofía. Alguna vez llaman así los lingüistas y filósofos italianos *(Glottosofia)* a la Filosofía del lenguaje.

Gnómico. 1.—Término que designa el valor que adquieren los tiempos verbales en frases de validez intemporal o en frases sentenciosas, aforismos, refranes, etc.: *por aquí pasa el tranvía, no matarás,* etc. **2.**— Estilo gnómico. Estilo sentencioso.

Goidélico. Vid. *Celta.*

Gorgia. Se da este nombre a una aspiración del toscano, que afecta a la *-k-* intervocálica: *la carne > la harne.* La aspirada puede llegar a desaparecer: *la'arne.*

Gótico. Lengua perteneciente al grupo germánico, que hablaron los godos. Este i d i o m a desapareció pronto; sólo se sabe de un pequeño núcleo de personas (en Crimea) que lo hablara aún en el siglo XVI. La fuente principal para el conocimiento del gótico es la traducción, conservada en parte, de la Biblia, que a este idioma hizo el obispo Ulfilas en el siglo IV. Vid. *Germánico (Grupo)*.

Gradación («Gradatio»). A. *Steigerung*. Enumeración en que se sigue un determinado orden de valores: intensidad significativa, expresividad, extensión, comprensión, etcétera. Puede ser **ascendente** o **clímax**: *Acude, acorre, vuela, / traspasa el alta sierra, ocupa el llano, / no perdones la espuela, / no des paz a la mano, / menea fulminando el hierro insano* (Fr. Luis de León), y **descendente**. Cuando una palabra de un miembro se repite en el siguiente, ligándolos, se produce la **concatenación**: *Sale de la guerra paz, de la paz abundancia, de la abundancia ocio, del ocio vicio, del vicio guerra*.

Grado. 1.—Grados de significación del adjetivo. Son las distintas variaciones de intensidad significativa que pueden experimentar los adjetivos [A. *Komparationsgrade, Vergleichungsstufen, Komparationsbildungen;* I. *Degrees of comparison;* F. *Degrés de comparaison*]. Los grados ordinariamente descritos son el *positivo*, el *comparativo* y el *superlativo*. **2.**—Grado de alternancia. Vid. *Alternancia*. **3.**—Adverbios de grado [I. *Adverbs of degree*]. Adverbios de cantidad.

Gradual (Oposición). Es la oposición cuyos términos están caracterizados por diferentes grados de la misma particularidad. Por ejemplo, en español, la oposición *e/i*, es gradual, porque sus términos representan dos grados distintos de abertura: mayor en *e* que en *i*.

Grafema. I. *Grapheme*. Mínima unidad de escritura, no susceptible de ser dividida; *s, t, a*, etc., son unidades **grafemáticas**; no lo son *ch, ll*.

Grafía. A. *Schreibweise;* I. *Spelling*. Letra o letras con que se representa un fonema en la escritura. *Ch*, por ejemplo, es en español la grafía del fonema prepalatal africado sordo, el cual, en el alfabeto fonético, se representa con las grafías *š* o *č*. Vid. *Ditografía*.

Gramática. Ciencia que estudia el sistema de una lengua. Puede considerarse integrada por la Fonología y Fonética, la Morfología, la Sintaxis y la Lexicología. Con notable olvido del fin sistemático de la Gramática, se ha dado el nombre de **Gramática histórica** a la Lingüística evolutiva o diacrónica. Ello ha-

ce que para señalar el fin estrictamente sincrónico de la gramática se
la designe frecuentemente con el
nombre de **Gramática descriptiva.**
Se distinguen numerosas modalidades de la Gramática: A) **Académica,
normativa** o **preceptiva.** Erige sus
conclusiones en normas oficiales de
corrección; B) **Empírica.** Describe
un sistema, con fines, normalmente,
didácticos; C) **General*;** D) **Compa-
rada*;** E) **Sintagmática.** Estudia el
juego de los elementos lingüísticos
en el habla*; F) **Asociativa.** Se ocupa de la organización de los elementos lingüísticos en la lengua*.

Gramatical. 1. — Se caracteriza
con este término todo lo que, en la
lengua, no es semántico, lógico o
psicológico, es decir, todo lo que es
formal o funcional. Así, el género
se define, desde el punto de vista
gramatical, como un expediente para la concordancia; desde el punto
de vista semántico, como la expresión del sexo de los seres. 2.—**Forma gramatical.** Vid. *Forma.*

Gramaticalización. A. *Gramma-
ticalisierung.* Proceso mediante el
cual una palabra se vacía de contenido significativo, para convertirse
en mero instrumento gramatical.
Así, por ejemplo, *haber* ha perdido
su significado 'tener, poseer', para

convertirse en un simple morfema
que sirve para la formación de los
tiempos compuestos: se ha *gramaticalizado.* Lo mismo ocurre con el
sustantivo *mente,* que hoy es un sufijo para formar adverbios de modo,
o con el verbo *andar,* en frases como *anda enamorado, anda metido
en negocios,* etc.

Grantha. Vid. *Devanāgiri.*

Grassmann (Ley de). Ley formulada por Hermann Grassmann
(1863), según la cual, en indoeuropeo, cuando se encuentran en la
misma base dos aspiradas, una de
ellas, normalmente la primera, pierde su aspiración.

Grave. A. *Tief.* 1.—Acento **grave**
[A. *Gravis* o *fallender Akzent*]. En
griego «no tiene existencia independiente; es una notación (`) conven-
cional del agudo final de palabra en
el cuerpo de la frase (Cfr. ἀθάνατοι
οἱ θεοί y οἱ θεοι ἀθάνατοι)» (Bally).
2.—En francés, con este signo (`)
se denota que la e que lo recibe es
abierta. 3.—**Sonido grave.** Vid. *Tono*
y *Timbre.* 4.—**Palabra grave.** Palabra que lleva su acento de intensidad en la penúltima sílaba. Vid.
Paroxítona. 5.—**Consonantes graves.**
Término que se aplica alguna vez a
las consonantes labiales y velares.
Vid. *Agudas (Consonantes).*

Grecismo. Helenismo.

Griego. Lengua común de los pueblos helénicos antiguos, desde el siglo IV a. J. C., época en que surge la *coiné*, que da fin a un largo período dialectal. Estos dialectos nos son conocidos por monumentos literarios e inscripciones que alcanzan hasta el siglo VIII a. J. C., y se dividen en los siguientes grupos: A) **Occidental**, que comprende el *dórico* (con el *laconio, mesenio, argivo, cretense*), *aqueo, eleo*. B) **Grupo del NO.**, con el *epirota, acarnanio, etolio, locrio, focidio* y *ptiótico*. C) **Central o eólico** (con el *beocio, tesalio* y *lésbico*). D) **Arcado-chipriota.** E) **Atico-jónico**, los dos dialectos eminentemente literarios. El ático fue la base de la lengua griega, de la *coiné*, desde Alejandro hasta Justiniano. Con este emperador comienza el período bizantino, durante el cual surgen formas de transición hacia el **griego moderno o neogriego**, uno de cuyos primeros monumentos es una versión del Pentateuco, de 1547, con caracteres hebraicos. Vid. *Macedonio*.

Grimm (Ley de). Ley formulada por Grimm (1822) que, completada posteriormente por Verner, describe la mutación* consonántica del germánico. Según ella, las oclusivas sonoras indoeuropeas se hicieron sordas; las oclusivas sordas pasaron a fricativas, y las oclusivas sonoras aspiradas, a fricativas sonoras.

Grisón. Vid. *Retorrománico*.

Grito. A. *Zuruf;* I. *Cry;* F. *Cri.* Emisión sonora inarticulada. Vid. *Articulación*.

Grupo. 1. — **Grupo fónico.** [A. *Sprechtakt;* I. *Breath group;* F. *Groupe de souffle*]. «Es la porción de discurso comprendida entre dos pausas o cesuras sucesivas de la articulación; puede, sin embargo, reducirse a una sola palabra» (Navarro Tomás): *Todas las tardes / después de comer / salgo de paseo; ¡Márchate!* R. Lenz le da el nombre de *grupo elocucional.* 2.—**Grupo de intensidad.** «Es un conjunto de sonidos que se pronuncian subordinados a un mismo acento espiratorio principal; estos sonidos pueden formar varias sílabas; el *acento principal* recae sobre una de ellas; las demás sólo llevan *acento secundario*, más o menos débil, en relación con el lugar que cada una ocupa en el grupo...: *arrebataron / las hojas / a los árboles*» (Navarro Tomás). Vid. *Enclisis, Proclisis, Acento.* 3.—**Grupo tónico.** [A. *Tontakt*]. «Consta de un cierto número de sílabas, de entre las cuales se destaca una que, por su altura musical, domina sobre las demás; esta sílaba predominante se llama *sílaba tónica*...: La palabra aislada constituye por sí misma un grupo tónico; pero el grupo tónico puede encerrar también varias palabras. Frecuentemente, en español, el grupo tónico y el de intensidad coinciden...; pero esta coincidencia no es indispensable ni constante» (Navarro Tomás). 4.—Grupo vocálico. Consta de dos o más vocales unidas. Puede s e r tautosilábico* *(buey)* o heterosilábico* *(baúl)*. Vid. *Diptongo, Diéresis*. 5.—Grupo consonántico. Es el formado por dos o más consonantes. Como el vocálico, puede ser tautosilábico *(prado)* o heterosilábico *(acción)*. Y también, *primario* * y *secundario* *. 6.—Grupo de lenguas, de dialectos. Designación vaga para aludir a lenguas o dialectos emparentados entre sí. Vid. *Familia, Tronco*. 7.—Grupo melódico. Vid. *Unidad melódica*. 8.—Grupo polifonemático. Vid. *Polifonemático*.

Guadramilense. Vid. *Portugués*.

Guanche. Lengua hablada en las Islas Canarias antes de su ocupación por los españoles. Desapareció en el siglo XVI o antes. Su filiación es dudosa. Abunda en ella los elementos bereberes, pero mezclados, parece, con una base indígena desconocida.

Guaraní. Vid. *Tupi-guarani (Grupo)*.

Guineo-sudanés. Vid. *Negro-africanas (Lenguas)*.

Guipuzcoano. Vid. *Vasco*.

Guirnaldilla. «Octava endecasílaba de rima encadenada en que el final de cada verso se repite dentro del siguiente, avanzando gradualmente hacia la terminación. Se llamó también **escaleruela**» (Navarro Tomás).

Gutural. A. *Kehlkopflaut*. Término escasamente usado por los lingüistas españoles. Se prefieren los más concretos de *velar* o *uvular;* y el término *velarización* es preferido al de guturalización.

Habla. 1.—Término con que suele traducirse el F. *parole* [A. *Rede, Sprachgebrauch*], especializado por F. de Saussure (1916) para significar el acto individual del ejercicio del lenguaje. Esta noción se opone a la de *lengua;* Saussure la delimita así: «El habla es un acto individual de voluntad y de inteligencia, en el cual conviene distinguir: 1.º Las combinaciones por las que el sujeto hablante utiliza el código de la *lengua* con miras a expresar su pensamiento personal. 2.º El mecanismo psicofísico que le permite exteriorizar esas combinaciones... El habla es la suma de todo lo que las gentes dicen, y comprende: a) combinaciones individuales, dependientes de la voluntad de los hablantes; b) actos de fonación igualmente voluntarios, necesarios para ejecutar tales combinaciones». **2.**—Lengua de una comunidad. Podemos decir *habla española, latina, húngara,* etc., pero, en general, el término *habla* se reserva para aludir a la lengua de comunidades más pequeñas *(hablas locales)* o de grupos sociales *(jer-*gas). Dicho término traduce el A. *Sprache, Mundart;* I. *Language;* F. *Parler.*

Haces de correlaciones. F. *Faisceaux de corrélations.* «Cuando un fonema participa en varias correlaciones de la misma clase de parentesco, todos los fonemas que forman parte de las mismas parejas correlativas se reúnen en *haces de correlaciones* de varios términos. La estructura de estos haces es muy variada, y depende no sólo del número de correlaciones que participan en ellos, sino también de sus relaciones recíprocas. Los haces más frecuentes son los formados por dos correlaciones emparentadas. Dos casos son posibles entonces: o bien los dos términos de cada correlación forman también parte de la otra, o bien las dos correlaciones no poseen más que un término común. En el primer caso, resulta un haz de cuatro términos; en el segundo, un haz de tres términos. Estos dos casos pueden ser ilustrados por el sánscrito y el griego antiguo. En las dos lenguas, las oclusivas participan a la vez en una correlación de sonoridad y en una correlación de aspiración. Pero, en sánscrito, resulta un haz de cuatro términos:

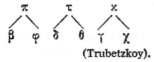

y, por el contrario, en griego, un haz de tres términos:

(Trubetzkoy).

Hagiotopónimo. Topónimo consistente en un nombre de santo: *Santander, San Sebastián,* etc.

Hakitía. Vid. *Judeo-español.*

Hápax. Con este término (que es una braquilogía, por ἅπαξ λεγόμενον o ἅπαξ εἰρήμενον) se designa todo rasgo lingüístico (palabra, forma, construcción, etc.) que se documenta una sola vez.

Hapaxepia. Término que, a veces, se usa como sinónimo de *haplología**.

Haplografía. Error que se comete al suprimir en la escritura una letra o un grupo de letras que deben repetirse: *paralepípedo,* en lugar de *paralelepípedo.* Es la manifestación escrita de la haplología.

Haplología. A. *Silbenschichtung, Haplologischer Silbenschwund.* F. *Dissimilation* o *Superposition syllabique.* Con este nombre, y con el menos frecuente de *haplolalia,* se designa un tipo de disimilación por el cual se contraen dos sílabas cuando poseen consonantes iguales. Así, latín i d o l o l a t r e s > español *idólatra;* de igual modo, en el rezo de la letanía lauretana se oye la haplología *misere nobis,* en lugar de *miserere nobis.*

Hebraísmo. Palabra o rasgo lingüístico procedente del hebreo; así, en español, *desmazalado, malsín,* la construcción del tipo *rey de reyes,* llamada **superlativo hebraico,** etc.

Hebreo. A. *Hebraisch;* I. *Hebrew;* F. *Hébreu.* Lengua cananea*, en que fue escrita parte de la Biblia (*hebreo bíblico* o *antiguo*). Tras un largo eclipse de este idioma, comenzó a fortalecerse, a fines del siglo XIX, como lengua viva, por efecto del movimiento sionista. Hoy es lengua oficial de Israel.

Helenismo. Palabra o giro de procedencia griega: *gobernar, torno, gruta,* etc.

Hemistiquio. A. *Halbvers.* Cada uno de los dos miembros, iguales o no, en que una cesura divide al verso: *Ha muchos años-que busco el yermo, / ha muchos años-que vivo triste, / ha muchos años-que estoy enfermo, / ¡y es por un libro-que tú escribiste!* (Nervo).

Hendíadis. Expresión de una idea única mediante dos sustantivos unidos por una conjunción copulativa. Así, en latín, *portat poculum et aurum.* En tal caso, el español prefiere un solo sustantivo, modificado por un complemento: 'lleva una copa áurea, una copa de oro'.

Hendidas. Así se han designado alguna vez las fricativas alargadas*.

Heptadecasílabo (V e r s o). Verso de diez y siete sílabas. Según Navarro Tomás, posee las siguientes variedades: A) **Dactílico** (óoo óoo óoo óoo óoo óo): *Viene el turbión de corceles corriendo con ímpetus hondos.* B) **Compuesto a,** formado por un heptasílabo trocaico y un decasílabo dactílico: *En la tranquila noche mis nostalgias amargas sufría.* C) **Compuesto b,** formado por un heptasílabo y dos pentasílabos, todos polirrítmicos: *Oh, Señor, yo en tu Cristo busqué un esposo que me quisiera.*

Heptasílabo (Verso). Verso de siete sílabas. Navarro Tomás des-

cribe estos tipos: A) **Trocaico** (o óo óo óo): *Quedóse el penitente.* B) **Dactílico** (oo óoo óo): *Ajustada a la sola.* C) **Mixto** (óoo óo óo): *Madre del alma mía.* Y llama **heptasílabo polirrítmico** a la combinación de estas variedades en la estrofa.

Heptemímeris. Vid. *Cesura.*

Hereditaria (Voz). Se da este nombre a las *voces populares o patrimoniales,* para diferenciarlas de las voces cultas, que se han incorporado al sistema más recientemente. Vid. *Vulgar.*

Hermann (Zeugma de). Vid. *Zeugma.*

Heterocategórica (Relación). Nombre que recibe en Glosemática la relación entre dos morfemas que pertenecen a categorías diferentes. Así, por ejemplo, la relación entre una preposición y el caso o casos que rige.

Heteroclisis. Vid. *Supleción.*

Heteróclito. 1.—Término que se aplica al nombre cuya declinación se realiza partiendo de diversos temas: latín, nominativo *homo,* acusativo *hominem.* 2.—Se dice, en general, de todo lo que parece contrariar las reglas gramaticales.

Heteroelemental (Relación). Así se denomina, en Glosemática, la relación que se establece entre dos morfemas diferentes que pertenecen a la misma categoría. Por ejemplo, un morfema verbal de imperativo rigiendo un morfema verbal del subjuntivo, en una proposición completiva: *Haz que vengan.*

Heterogéneo. 1.— Término con que se indica que un nombre posee un género en singular y otro en plural. Así, latín *digitus* 'dedo' es masculino en singular y neutro en plural *(digita);* lo mismo ocurre con el alemán *Gott-Götter.* **2.—Derivativos heterogéneos.** Vid. *Derivativos.*

Heterométrica (Estrofa). Estrofa compuesta por versos de distinta medida. Se opone a *isométrica.*

Heteronexual (Relación). Así se llama, en Glosemática, la relación establecida entre dos elementos que no pertenecen a la misma oración. Por ejemplo, la relación entre antecedente y pronombre relativo, la *consecutio temporum,* etc.

Heteronimia. Fenómeno por el cual proceden de étimos diferentes palabras de gran proximidad semán-

tica, llegando incluso a expresar una el masculino y otra el femenino: *caballo-yegua, yerno-nuera,* etc.

Heteroplana (Función). T e r-mino con que podemos traducir el inglés *heteroplane function,* que designa, en Glosemática, la relación que existe entre entidades de los dos planos. Vid. *Pleremática.* Esta función se revela, en el análisis, por la conmutación*.

Heterorgánico. Término que se aplica a sonidos en cuya articulación no intervienen de manera principal los mismos órganos: *t, g, ll.* Se opone a *homorgánico.*

Heterosicigia. Vid. *Supleción.*

Heterosilábico. Se dice del grupo vocálico o consonántico cuyos elementos componentes pertenecen a sílabas distintas: ba͡úl, ac͡to. Se opone a *tautosilábico.*

Heterosintagmática (R e l a-ción). ˙Término usado en Glosemática para designar cualquier tipo de relación entre elementos que exceden de los límites de la palabra.

Hetita. Vid. *Hitita.˙*

Hexadecasílabo. Verso de diez y seis sílabas, llamado también octonario, del que Navarro Tomás ofrece las siguientes variedades: A) Trocaico compuesto (oo óo oo óo : oo óo oo óo): *A las doce de la noche, por las puertas de la gloria.* B) Dactílico simple (oo óoo óoo óoo óoo óo): *Y encendida mi mente, inspirada con férvido acento.* C) Dactílico compuesto (óoo óoo óo : óoo óoo óo): *Manes del héroe cantado, sombra solemne y austera.* D) Polirrítmico. Suma de dos hemistiquios en que se combinan las distintas variedades del octosílabo.

Hexámetro. Verso grecolatino que consta de cinco dáctilos más un troqueo o un espondeo. Todos los dáctilos pueden ser sustituidos por el espondeo. Tal sustitución afecta con menor frecuencia al quinto pie. El hexámetro cuyo quinto pie es un espondeo, recibe el nombre de hexámetro espondaico. Vid. *Acéfalo, Miuro.*

Hexasílabo. Verso de seis sílabas. Navarro Tomás describe las siguientes variedades: A) Trocaico (óo óo óo): *Ya se acerca el día.* B) Dactílico (o óoo óo): *Dominio es la tierra.* La combinación de ambas variedades en la estrofa permite hablar de hexasílabo polirrítmico: *Linda zagaleja / de cuerpo gentil, / muérome de amores / desde que te vi.*

Hiato. Encuentro de dos vocales que no constituyen diptongo y forman parte de sílabas distintas: *albahaca, acreedores,* etc.

Híbrida. Palabra cuya composición se ha verificado con elementos procedentes de lenguas diversas. Así, *electrocutar,* compuesta del griego ἤλεκτρον 'ámbar' (recuérdese que la electricidad se descubrió frotando el ámbar) y el aparente sufijo *-cutare,* del latín vulgar *executare.*

Hibridación. Se ha llamado así alguna vez al calco*.

Hidrónimo. Nombre de una corriente de agua, de un lago, de una porción de mar, etc.

Hierática (Escritura). Antigua escritura cursiva egipcia, usada por los sacerdotes.

Hiféresis. Los helenistas designan así la desaparición de ε, en ciertos dialectos griegos, para resolver un hiato: etolio βοάθοέω, ático βοηθῶ·

Hindi. Vid. *Indio-iranio (Grupo).*

Hipálage. Figura que consiste en aplicar a un sustantivo un adjetivo que corresponde a otro sustantivo: *nonnulli civis adversus patriam* *acuunt demens ferrum* (en lugar de *cives dementes)*, 'algunos ciudadanos, en su locura, afilan las armas contra la patria'. Hay también hipálage cuando se intercambian los complementos del verbo: *Istius amicitiae oblivionem mandavisti* (en lugar de *amicitiam oblivioni)* 'echaste al olvido la amistad de éste'. Vid. *Enálage.*

Hiperanalítico. A. *Hyperanalytisch.* Se ha aplicado alguna vez este término a lenguas que, como el inglés y el afrikaans, poseen un intenso carácter analítico.

Hipérbaton. Alteración del orden normal de las palabras en la oración simple, o de las oraciones en el período: *pidió las llaves a la sobrina del aposento* (Cervantes), en lugar de *las llaves del aposento a la sobrina.* Los gramáticos distinguen en latín tres principales tipos de hipérbaton: *tmesis, anástrofe* y *paréntesis.* Vid. *Hysteron-proteron.*

Hipérbole. Exageración q u e «atiende sólo a [en]carecer la grandeza del objeto, o en panegiris o en sátira» (Gracián): *por túmulo todo el mundo, / por luto el cielo, por bellas / antorchas pon las estrellas, / y por llanto, el mar profundo* (Sali-

nas); *érase un naricísimo infinito* (Quevedo).

Hiperbóreas (Lenguas). Grupo de idiomas, mal conocidos, que se hablan en las islas Curiles.

Hipercaracterización. A s í designa E. Schwyzer [A. *Hypercharakterisierung*] el fenómeno llamado también por W. Horn *Überkennzeichnung,* que consiste en reforzar con un elemento morfológico una idea que ya estaba expresa por otro. Así, lat. *esse* > lat. vulg. *essere;* lat. *minimus* > lat. tard. *minimissimus;* esp. vulg. y coloquial: *requetebuenísimo;* fr. ant. *lionnesse* por *lionne,* etcétera.

Hipercataléctico. Vid. *Hipérmetro.*

Hipercorrección. Término usado, aunque poco, como sinónimo de *ultracorrección.*

Hipérmetro. Se aplica esta denominación al verso cuando en una escansión regular le sobra algún elemento; así, ◡ _ ◡ _ ◡ _ ◡ _ ◡ es un verso yámbico hipérmetro o *hipercataléctico.*

Hipernormalización. V i d. *Ultracorrección.*

Hipértesis. Metátesis a distancia: p r a e s e p e > *pesebre*.

Hipertono. Vid. *Armónico.*

Hiperurbanismo. [A. *Übersteigerung*]. Vid. *Ultracorrección.*

Hipocorístico. A. *Kosenamen;* I. *Pet-name.* Vocablo usado, con intención afectuosa, que a veces ha sido sometido a cierta deformación. Con este término se alude, especialmente, a las abreviaciones y modificaciones que sufren los nombres propios en la lengua familiar: *Merche* por *Mercedes, Concha* por *Concepción*, etc.

Hipófora, Hypophora. Vid. *Sujeción.*

Hipóstasis. 1.—Cambio de categoría que experimenta una palabra sin ayuda de un transpositor. Así, por ejemplo, el sustantivo *cerbatana* se hace adjetivo en la frase de Quevedo *éra un clérigo cerbatana.* Vid. *Transposición, Metábasis.* **2.**—Fenómeno por el cual se forma una palabra única, con dos o más que figuran a menudo en conexión sintagmática: p r o c o n s u l e > *procónsul;* it. *(mettere)* i n t a v o l a > *intavolare.*

Hipotáctico. Se aplica a los elementos de la hipotaxis.

Hipotaxis. Término frecuentemente empleado como sinónimo de *subordinación.* Las oraciones unidas por hipotaxis se denominan oraciones hipotácticas. D. Alonso (1951) ha especializado el término *hipotaxis* para designar la relación que une los elementos de un sintagma* progresivo.

Hipótesis. Término que se da alguna vez a la prótasis condicional.

Hipotético. A. *Assumptiv;* I. *Assumptive;* F. *Assomptif.* **1.**—Término que se aplica a todo lo que sirve para expresar una hipótesis: *si, deber de*, etc. **2.**—Subjuntivo hipotético. «Este modo es peculiar de la conjugación castellana, pues no lo hubo en latín ni lo hay en ninguno de los otros dialectos romances: y sólo tiene dos formas propias suyas: la simple *(cantare, trajere, partiere)* y la compuesta que nace de ella *(hubiere cantado, hubiere traído, hubiere partido)*» (A. Bello). **3.** Futuro hipotético. Vid. *Futuro.*

Hipotiposis. Descripción plástica de una persona o cosa, expresando por rasgos sensoriales caracteres de naturaleza abstracta: *Este señor* *era uno de los que Cristo llamó se-pulcros hermosos, por defuera blan-queados y llenos de molduras, y por de dentro pudrición y gusanos.* (Quevedo).

Hispanismo. 1.—Palabra o giro de origen español que ha pasado a otro idioma. Así, en italiano, *sussie-go, disinvoltura;* en francés, *pasa-caille,* etc. **2.**—Estudio de la cultura española por los extranjeros. Hoy se va extendiendo también la apli-cación de este término a los estu-dios de los españoles, que tienen por objeto, sobre todo, la lengua y la literatura nacionales.

Histerología. Vid. *Hysteron-pro-teron.*

Histórico. 1.—Diacrónico*. **2.**—Presente histórico. Uso del presente de indicativo en lugar de un tiem-po pretérito, para actualizar una ac-ción pasada: *Quevedo nace en 1580.*

Hitita o Hetita. Lengua indo-europea de Capadocia (Asia Menor), descubierta (1915) en inscripciones cuneiformes sobre ladrillos por H. Winckler, interpretadas por B. Hrozný. Dichas inscripciones perte-necen al segundo milenio a. J. C., y son, junto con los textos griegos micénicos, los más antiguos testi-monios del tronco lingüístico indo-europeo.

Holandés. A. *Holländisch;* I. *Dutch.* El *holandés* forma con el *fla-menco* [A. *Flämisch;* I. *Flemish;* F. *Flamand*] un grupo de lenguas muy emparentadas, procedentes de una mezcla de dialectos bajo-alemanes*, llevados por los conquistadores fran-cos y sajones. El flamenco, hablado en Bélgica por más de cuatro millo-nes de personas, varía hoy poco del holandés, hasta el punto de que, en la Bélgica flamenca, es ésta la len-gua que se enseña, con el nombre de *neerlandés.* El holandés ha sido extendido por colonización a las In-dias orientales (Insulindia) y occi-dentales (Antillas, Guayana holan-desa) y a Africa del Sur (Transvaal, Orange, etc.). Lo hablan unos 13 mi-llones de personas. Vid. *Afrikaans.*

Holofrásticas (Lenguas). Nombre que alguna vez se da a las lenguas *incorporantes.*

Homeocatalecton u Homoio-catalecton. Nombre genérico del homeoteleuton y del homeoptoton.

Homeocatalexia u Homoioca-talexia. Rima consonante.

Homeoptoton u Homoiopto-ton. Vid. *Similiter cadens.*

Homeosis u Homoiosis. Vid. *Comparación.*

Homeoteleuton u Homoloteleuton. Semejanza entre los finales de dos palabras próximas en el discurso, de dos frases o miembros de frase: *Non modo ad salutem eius extinguendam, sed etiam gloriam per tales viros infringendam* (Cicerón). Vid. *Similiter cadens.*

Homeotropo u Homoiotropo. Homónimo. Vid. *Alotropo.*

Homocategórica (Relación). Así se denomina, en Glosemática, la relación que se establece entre dos morfemas de la misma categoría. La relación homoelemental es siempre homocategórica, como lo es, por definición, la heteroelemental.

Homoelemental (Relación). Así se denomina, en Glosemática, la relación que se establece entre dos ejemplares del mismo morfema; por ejemplo, entre el morfema del singular de un sustantivo y el de un adjetivo.

Homofonía. Igualdad que se da entre los significantes de dos vocablos distintos. Vid. *Homófono.*

Homófonos. 1.—Palabras en que se produce homofonía*. Vid. *Homónimos.* **2.— Letras homófonas.** Son

las que representan un mismo sonido. Así, *c, z,* en español *(cero, zagal).*

Homofundamental (Relación). Se da este término, en Glosemática, a la relación establecida entre los morfemas de una palabra. En latín, por ejemplo, el morfema de género ejerce una influencia sobre el morfema de caso; un morfema del género neutro exige el sincretismo del nominativo y del acusativo: *templum.*

Homogéneos (Derivativos). Vid. *Derivativos.*

Homógrafos. Vid. *Homónimos.*

Homomorfos. Vocablos que poseen la misma o parecida forma, pero distinto significado. Es término sinónimo de *homónimos* u *homófonos.*

Homonexual (Relación). Así se llama, en Glosemática, la relación que existe en el interior de una proposición. Puede ser **homoelemental*** (entre verbo y atributo, por ejemplo), **heterocategórica*** (entre verbo y caso) y **homounitiva*.**

Homonimia. Igualdad entre los significantes de dos o más palabras que poseen distinto significado. Bally distingue entre **homonimia absoluta,** que se da entre palabras homófonas que pueden desempeñar la misma función *(presa* 'botín' y *presa* 'encarcelada',* que son dos sustantivos femeninos) y **homonimia parcial,** cuando los significantes presentan alguna diferencia de forma: *pollo* y *poyo.* Vid. *Homónimos.*

Homónimos. Palabras en que se produce homonimia. En los homónimos se distingue, a veces, entre homógrafos, que poseen la misma ortografía y la misma pronunciación *(canto,* de cantar — *canto* 'esquina'),* y homófonos, que se pronuncian igual, pero su ortografía difiere *(echo,* de echar — *hecho,* de hacer).

Homoplana (Función). Término con que podemos traducir el inglés *homoplane function,* que designa, en Glosemática, la relación que existe entre entidades de un mismo plano. Vid. *Pleremática.*

Homorgánico. A. *Ortsgleiche.* Término que se aplica a sonidos en cuya articulación intervienen de manera principal los mismos órganos: *b, m, p.* Se opone a *heterorgánico.*

Homosintagmática (Relación). Término usado en Glosemática para designar cualquier relación establecida en el interior de una palabra entre raíz y morfema.

Homounitiva (Relación). F. *Rel. homo-jonctionnelle.* Se da este nombre en Glosemática a cualquier relación entre la palabra y la proposición. Por ejemplo, la relación entre una preposición y el caso que rige.

Hotentote. Vid. *Negro-africanas (Lenguas).*

Huasteco. Vid. *Maya-quiche.*

Huitain. En la métrica francesa, estrofa de ocho versos.

Húngaro. Vid. *Uralo-altaico.*

Hysteron-proteron. Con este término griego y con el de **histerología** se designa un tipo de hipérbaton que consiste en anticipar lo que lógicamente debería posponerse: *Moriamur et in media arma ruamus* (Virgilio); *Statuerat ac deliberaverat* (Cicerón).

Ibérico. Lengua prelatina de España, de filiación muy dudosa y de probable origen africano (¿camita?), conocida por abundantes inscripciones. Su identidad con el vasco, supuesta por algunos lingüistas, parece hoy descartada.

Iberorrománico o Iberorromance. Se designa así el conjunto de modalidades y fenómenos lingüísticos que el latín ha originado en el antiguo territorio de Iberia.

Ibicenco. Vid. *Catalán*.

Ictus. 1.—El término se aplicó, en principio, a designar el golpe de mano o de pie con que se señalaba, al marcar el ritmo, el tiempo marcado del elemento cuantitativo. **2.**—En la métrica románica, el acento de intensidad obligatorio. Por ejemplo, en el verso español, el acento obligatorio de la penúltima sílaba. Vid. *Endecasílabo*.

Ideal de lengua. Modalidad lingüística que se toma como modelo digno de ser imitado por un individuo o por una comunidad.

Idealismo. Escuela lingüística, cuyos orígenes remotos están en la obra de W. von Humboldt, y que modernamente representan B. Croce, K. Vossler y sus discípulos. Concibe el lenguaje como creación*, y lo considera continuamente ligado al espíritu del hablante que lo crea y a la vida de la sociedad que lo adopta. Se opone al positivismo en todas sus formas. (Vid. *Antimentalismo*).

Identidad. 1.—Término especializado por Saussure (1916) para designar la igualdad de un elemento consigo mismo, aun en circunstancias muy diversas. Así, si dos personas dicen una *rezar* y otra *resar*, sabremos que aluden a una misma cosa. Ello se debe a que *z* y *s* son realizaciones de un fonema *z*, que es idéntico a sí mismo, independientemente de sus realizaciones (A. Alonso). Nos hallamos aquí ante una **identidad sincrónica**. Saussure habla también de **identidad diacró-nica;** así, por ejemplo, la relación que une a *oculum* con *ojo*. «La identidad diacrónica de dos palabras tan diferentes como *oculum* y *ojo* significa simplemente que se ha pasado de la una a la otra a través de una serie de identidades sincrónicas en el habla, sin que nunca el lazo que las une se haya encontrado roto por las transformaciones fonéticas sucesivas». **2.—Entonación de identidad.** Según Karcevskij, forma que presenta la entonación de una enumeración cuando todos los miembros de la serie reproducen exactamente la entonación del primer miembro: *oía los gritos de las mujeres, / las risas de los niños, / los pregones de los vendedores, / los ruidos todos del mercado.*

Ideográfica (Escritura). Vid. *Escritura.*

Idiocronía. Término propuesto por L. Hjelmslev (1928) para designar el conjunto de idiosincronía y de idiodiacronía.

Idiodiacronía. Término propuesto por L. Hjelmslev (1928) para designar la «gramática histórica» de una sola lengua.

Idiolalia. Habla individual (Ascoli).

Idioma. Término que alterna con el de *lengua,* referido a las lenguas nacionales modernas: *idioma portugués, inglés, polaco,* etc. Basta con que una lengua esté fuertemente diferenciada (por el número de hablantes, por la extensión de su dominio, por su cultivo literario, etc.) para que podamos designarla como idioma: *idioma catalán, gallego, provenzal,* etc.

Idiomatismo. Rasgo lingüístico (léxico, morfológico o sintáctico) peculiar y característico de un idioma dado. El idiomatismo sintáctico recibe también el nombre de **giro idiomático;** y si es una frase completa, el de **frase idiomática.**

Idiosincronía. 1.—Término propuesto por Saussure (1916) para completar y precisar el de sincronía: «El estudio sincrónico no tiene por objeto todo lo que es simultáneo, sino tan sólo el conjunto de los hechos correspondientes a cada lengua; en la medida en que esto sea necesario, la separación llegará hasta los dialectos y los subdialectos. En el fondo, el término *sincrónico* no es bastante preciso; debería ser reemplazado por el de *idiosincrónico*». **2.—**L. Hjelmslev (1928) utiliza este término como sinónimo de *gramática descriptiva* de una lengua.

Idiotismo. Forma o giro propios de una lengua, pero anómalos dentro de su sistema gramatical: «Forman parte del caudal de nuestra lengua muchas locuciones, construcciones y modismos peculiares de ella, donde aparecen como rotas y menospreciadas las más obvias leyes de la concordancia y construcción y como desfigurado el concepto. Locuciones tales se llaman *idiotismos;* son vulgarísimas y no las desdeñan escritores muy pulcros...: *a más ver, a ojos cegarritas, a ojos vistas, a pie juntillas...,* etc.» (GRAE).

Igualación. I. *Equalisation.* Asimilación mediante la cual un sonido toma las características articulatorias de otro. Así, *kt,* en italiano, ha dado *tt:* a c t u s > *atto.*

Ilativo. 1.—Valor que adquiere, a veces, el acusativo de dirección para expresar el fin del movimiento que supone la acción del verbo: *Romam it.* Se opone al valor *lativo* del dativo. **2.**—**Caso ilativo.** Caso de varias lenguas que expresa movimiento hacia dentro. **3.**—**Conjunción, oración ilativa.** Conjunción, oración consecutiva.

Ilírico o Ilirio (Grupo). Grupo de lenguas indoeuropeas antiguas muy mal conocidas, del NO. de la península balcánica. Se conservan de él unos cuantos centenares de inscripciones breves, insignificantes y mal descifradas, nombres de personas y topónimos. A él pertenecía, aparte el **ilírico** o **ilirio** propiamente dicho, el **mesapio.**

Ilusión etimológica. Etimología* popular, paretimología (Ascoli).

Imagen. 1.—Término de múltiples significados en crítica literaria. En ocasiones se identifica con la metáfora (M. Eigeldinger). Para Dámaso Alonso, se trata de «la relación poética establecida entre elementos reales e irreales, cuando unos y otros están expresos: *los dientes eran menudas perlas».* Puede llamarse también imagen al término irreal o al conjunto de términos irreales que aparecen en una comparación explícita o en una alegoría*. Y también a la comparación explícita misma o *símil*.* **2.**—**Imagen acústica.** «Es, por excelencia, la representación natural de la palabra, en cuanto hecho de lengua virtual, fuera de toda realización por el habla» (Bally-Sechehaye). Las palabras están, pues, en la mente, en forma de imágenes acústicas, compuestas de fonemas y son susceptibles de ser actualizadas mediante el acto mecánico de hablar o escribir.

Imêla. Fenómeno fonético de algunos dialectos árabes antiguos y modernos, entre ellos el hispano-árabe, consistente en que *a*, sobre todo si es larga, se realiza como *e* o *i*, en determinadas condiciones.

Imitativa (Palabra). Vid. *Onomatopeya.*

Imparisilábica (Declinación). Es la que altera el número de sílabas en algunos casos: nominativo *ars*, acusativo *artem*.

Imperativo. Modo del verbo que expresa un mandato. En español no tiene más formas peculiares que las de la segunda persona; las restantes coinciden con las del presente de subjuntivo. La función del imperativo frecuentemente es desempeñada por el presente y el futuro de indicativo: *tú entras conmigo, tú entrarás conmigo.* El imperativo no va nunca subordinado.

Imperfectivo. I. *Incomplete, Atelic.* Aspecto verbal que expresa la acción como no terminada: *escribía, estudiar* (frente a *escribí, disparar*, que son perfectivos).

Imperfecto. 1.—Aspecto de la acción verbal que nos presenta a ésta como no terminada. Se da como noción semántica de muchos

verbos *(correr, estar)*, llamados con este motivo por A. Bello *verbos permanentes.* Se usan indistintamente los términos imperfecto e imperfectivo. Ambos se oponen a **perfecto** y **perfectivo.** El aspecto imperfecto va ligado a ciertos tiempos de la conjugación, llamados tiempos *imperfectos* o *imperfectivos.* **2.—Pretérito imperfecto de indicativo.** Tiempo que expresa la acción pasada como transcurriendo mientras tiene lugar otra acción: *leía el periódico cuando llegó.* **3.—Imperfecto de cortesía.** Se da este nombre al imperfecto de indicativo, en función de presente, en frases corteses: *¿deseaba Vd. algo?; venía a pedirle un favor.* **4.— Imperfecto de conatu.** Vid. *Conatu.* **5.—Imperfecto histórico o de ruptura.** Empleo del pretérito imperfecto de indicativo para expresar una acción del pasado, con valor de pretérito perfecto: *Al año justo de su matrimonio les nacía el primer hijo.* **6.—Futuro imperfecto.** Vid. *Futuro.* **7.—Pretérito imperfecto de subjuntivo.** Tiempo que «expresa una acción pasada, presente o futura, cuyos límites temporales no nos interesan... Su diferencia esencial con el presente de subjuntivo consiste en que éste expresa acción necesariamente presente o futura, pero no pretérita. En cambio, la acción del imperfecto de subjuntivo puede realizarse en cualquier tiempo: *Le han rogado que hablara (o hablase)»* (Gili Gaya).

Impermutables (Sonidos). Vid. *Permutables (Sonidos).*

Impersonal. A. *Unpersönlich.* **1. Formas impersonales del verbo.** Son las que constituyen el llamado *verbum infinitum*.* **2.—Oración impersonal.** Es aquella cuyo sujeto no es explícito, porque se desconoce quién ejecuta la acción, se calla intencionalmente o se omite por carecer de interés su conocimiento: *dicen que es cierto; me lo han dicho en secreto; me han asegurado que es preciso ese documento.* Todos los verbos pueden formar oraciones impersonales. Vid. *Oración.* **3.—Verbo impersonal.** Verbo que sólo se conjuga en tercera persona. De ahí la designación de *verbo unipersonal,* con que también se le conoce: *llover, relampaguear, tronar,* etc.

Implicación. I. *Implication.* En Glosemática, manifestación del sincretismo*, «que, desde el punto de vista de la sustancia, es idéntica a la manifestación de uno o más de los funtivos que entran en el sincretismo, pero no a todas» (Hjelmslev). Así, hay implicación entre /d/ y /t/ en alemán, que constituyen un sincretismo en final de sílaba

(Bad = Bat), pero no en otras posiciones. Vid. *Coincidencia.*

Implícito. 1.—Sintagma implícito. Vid. *Sintagma.* **2. — Motivación implícita.** Vid. *Motivación.*

Implosión. A. *Schliessung;* I. *Stop;* F. *Catastase.* Movimiento que los órganos fonadores realizan al adquirir la posición necesaria para articular una consonante oclusiva. ιEs, pues, la intensión de la articulación oclusiva.

Implosiva. Oclusiva que sólo posee el primer tiempo de su articulación (la intensión), y carece, por tanto, de explosión. Así, la *p* de *adepto, inepto,* etc. Como la. tensión decrece en este tipo de articulaciones, pueden denominarse también *decrecientes.* Son implosivas las consonantes que los lingüistas alemanes denominan *injektiven,* y los ingleses y franceses, *injectives.*

Importación lingüística. Vid. *Adopción lingüística.*

Imposible. Vid. *Obtestación.*

Impresionismo lingüístico. Con esta designación se alude a multitud de conceptos. Los principales son los siguientes: **1.—Estilo**

de los escritores impresionistas, algunos de cuyos caracteres son adquisiciones definitivas de la lengua literaria y hasta han pasado a la lengua conversacional. Los escritores impresionistas (cuyo apogeo tiene lugar en el último tercio del siglo XIX) tratan de trasladar al lenguaje la técnica de los pintores impresionistas. Describen, no las cosas, sino las sensaciones de las cosas. Por ejemplo, al decir que _desde la ventanilla del tren se ve pasar el paisaje_ o que _los rayos del sol bailan;_ al describir un todo con notas aisladas que impresionan al escritor, encuadradas en frases independientes: _Monóvar; calles con losas; cuatro, seis, ocho plazas y plazoletas. Media naranja; tejas curvas, azules, vidriadas..._ (Azorín); _Ya viene —oro y hierro— el cortejo de los paladines_ (Rubén Darío), etc. **2.**—Así denomina Bally (1920) un modo de expresión que consiste en aludir «a los fenómenos en sí mismos, sin percibir con nitidez las cosas que les sirven de sustrato o de que son productores». Esto se realiza al decir _truena, hace frío, hay entusiasmo,_ sin atender al agente productor. Frente a esta tendencia está la _transitiva,_ que concibe el fenómeno como producido por un agente: _el viento sopla, llueven chuzos,_ etc.

Improductivo. Se dice del elemento que ya no puede desarrollar una función gramatical, para la cual estuvo anteriormente capacitado. Por ejemplo, las desinencias _-er, -ir,_ para la formación de nuevos verbos, en español. Vid. _Productivo._

Impropio. 1. — Forma impropia [I. _Improper speech-form_]. Palabra o uso que sólo es posible en circunstancias muy restringidas. El eufemismo* y el tabú* son casos de formas impropias (Bloomfield). **2.**—Derivación impropia. Vid. _Derivación._ **3.** — Interjección impropia. Palabra eventualmente empleada como interjección: _¡anda!, ¡diablo!_

Improspectiva (Perspectiva). Vid. _Remotospectiva (Perspectiva)._

Inacentuación. A. _Akzentverlust;_ I. _Loss of accentuation;_ F. _Désaccentuation._ Proceso mediante el cual una palabra pasa a depender del acento de otra, más fuerte que ella por el lugar que ocupa en la línea tonal, por su importancia sintáctica o por énfasis del hablante: _boca_ arriba, _cuando_ vengas, _señor_ Juan, etc. El fenómeno se denomina también _pérdida de acento._

Inacentuado. A. _Unbetont, Schwachtönig;_ I. _Unaccented, Un-_

stressed. Término sinónimo de *átono*.

Inactivos (Casos). Son todos los casos, menos el nominativo, llamado *caso activo*.

Inanimado (Género). Vid. *Género*.

Inarticulado. Se dice del sonido no fonológico o no articulado, sobre todo del grito.

Incidental (Oración). *Schaltsatz;* I. *Parenthetical clause;* F. *Proposition incidente.* Oración que ejerce el oficio de un paréntesis. Se llama también inciso. Muy frecuentemente se aplica el término a las oraciones de relativo explicativas.

Inciso. Vid. *Incidental (Oración).*

Inclusa (Posición). I. *Included position.* Hecho por el cual una forma lingüística* aparece como constituyente de una forma compleja*. Así, inglés *John,* en la frase *John ran away.* Se opone a *posición absoluta* [I. *Absolute position*], en que la forma no figura en una forma compleja y constituye una frase *(John!).* (Bloomfield).

Inclusivo. Se denomina así un tipo especial de número plural, que afecta a la primera persona, en las lenguas que tienen plural exclusivo*. Consiste en considerar la persona *nosotros* como la suma de *yo + vosotros,* con exclusión de *ellos.*

Incoativo. Se aplica a cualquier elemento lingüístico (afijos, verbos, aspectos, oraciones) capaz de expresar que una acción comienza a realizarse (*-sc-*, en latín, *ponerse a, romper a,* etc.). Con menos frecuencia, este término indica acción en su desarrollo: *merecer, envejecer.* Alterna con *incoativo,* en uso menos abundante, el término **ingresivo.**

Incommodi (Datiuus). Dativo que expresa la persona perjudicada por la acción del verbo: *nocere alteri.* Vid. *Dativo.*

Inconjugable. Dícese de las palabras o formas que no admiten flexión verbal.

Incorporantes (Lenguas). A. *Einverleibende, Inkorporierende.* Con esta denominación y con las de **aglomerantes, encapsulantes, holofrásticas y polisintéticas,** se designan diversas lenguas (el esquimal, por ejemplo) que funden en una palabra una serie de elementos semánticos y de relación gramatical. Por tanto, muchas veces los límites de la frase coinciden con los de la palabra.

Incremento. 1.—A. *Crement;* **F.** *Crément.* En la Gramática tradicional, cada uno de los morfemas (sufijos o desinencias) añadidos a una base. **2.—Incremento acentual.** Refuerzo de la intensidad acentual que algunas palabras, carentes ordinariamente de acento, reciben en determinados contextos. Así, el enclítico *la*, en el último de estos versos de A. Machado: *Entre el vivir y el soñar / hay una tercera cosa. / Adivínala.*

Indeclinable. A. *Undeklinierbar.* Se dice de toda palabra que no posee declinación.

Indefinido. A. *Unbestimmt.* **1.— Artículo indefinido.** Se da este nombre, alguna vez, al artículo* indeterminado. **2. — Pretérito indefinido.** Tiempo perfecto de indicativo que indica acción anterior, independiente de otra acción *(canté).* Por eso Gili Gaya le llama *pretérito perfecto absoluto.* **3.—Adjetivo indefinido.** Es el que añade al sustantivo una idea de imprecisión: *algún, cualquier,* etc., o de generalidad: *ningún, todo.* **4.— Pronombre indefinido.** Designa su objeto de modo vago *(algo, alguien, alguno, cualquiera)* o general *(todo, nada, nadie),* etc.

Independiente. A. *Unabhängig;* **I.** *Unbound.* Término que se aplica a todo elemento lingüístico que no se halla subordinado o vinculado a otro. Así, se llama **oración independiente** a la oración principal, **morfema independiente** al que no va unido al semantema, como las preposiciones y conjunciones (frente a los afijos y desinencias, que son dependientes), etc. Vid. *Nominativo.*

Indeterminado. A. *Unbestimmt.* **1.—**Nombre que se da a un tipo de artículo*. **2.—Vocal indeterminada.** Vocal no redondeada que, a veces, aparece en un sistema vocálico, sin pertenecer a ninguna de las clases extremas de localización (anteriores o posteriores) y que no presenta ni el grado máximo ni el mínimo de abertura. Ejemplo: la vocal del inglés *bird* 'pájaro'.

Indicativo. Modo del verbo que presenta la acción verbal como una realidad en la que no participa afectivamente el sujeto. Es el modo por excelencia de la oración principal.

Indice verbal. Nombre que alguna vez se da al verbo atributivo.

Indiferencia (Pronombre de). Vid. *Indistinción.*

Indigenismo. Palabra de procedencia indígena que pasa a una lengua invasora. Se aplica, generalmente, a voces de lenguas no europeas: indigenismos americanos, africanos, etcétera. Una palabra es indigenismo con relación a la lengua invasora hablada precisamente en el lugar donde vivió o vive la lengua dominada. *Petaca, cóndor, chocolate,* son indigenismos en el español de América. Con relación al español peninsular, son americanismos.

Indio-iranio (Grupo). Grupo de lenguas indoeuropeas de Asia, compuesto por dos grandes subgrupos, el **indio** y el **iranio**; a ambos, por sus estrechas afinidades, suele aludirse con el término *ario** (que es el nombre que se daban a sí mismos los antepasados comunes de indios e iranios). El **subgrupo indio** comprende el **sánscrito,** en que están escritos los más antiguos documentos, los textos védicos. Al sánscrito, lengua noble, se opone el **prácrito** 'plebeyo', lengua vulgar. El texto védico más antiguo, el Rig-Veda, parece anterior al s. x a. J. C. El empleo profano del sánscrito es bastante más tardío, y hoy se mantiene como lengua culta en la India, si bien alterada por influjo de las hablas vivas. Paralelamente, se habían desarrollado lenguas vulgares, salidas del mismo tronco que el sánscrito védico; son los *prácritos,* que componen el llamado **indio medio;** algunos de ellos han tenido cultivo literario; son los *prácritos literarios,* que reciben el nombre de la región, y han sido fijados por teóricos y escritores; no son ni completamente artificiales ni completamente conformes a la lengua hablada, con recuerdos del sánscrito. Las hablas locales han evolucionado independientemente de los prácritos. Hoy se hablan lenguas indias por cerca de trescientos millones de seres. Son modalidades importantes el *penjabi,* el *nepalés,* el *hindi* (cuya principal forma dialectal es el *indostaní* y su variedad el *urdu),* el *bengalí,* etc. El **subgrupo iranio** tiene importancia semejante al indio. A él pertenecen el **persa antiguo;** el **avéstico, lengua en** que está escrito el Avesta, y que no debe confundirse con el **zendo,** término que no conviene más que a la paráfrasis del texto en pehlevi; y el *medo* y el *escita,* del que se conservan poquísimos restos. Ya en la era cristiana, se distinguen el iranio medio occidental **(pehlevi o pelvi)** con dos dialectos: el **parto** y el **persa medio,** del que deriva el persa moderno, cuyos primeros documentos pertenecen al siglo VIII. Vid. *Gitano.*

Indirecto. 1.—Complemento indirecto. Vid. *Complemento.* **2.—Estilo indirecto.** [A. *Indirekte Rede;* I. *Indirect* o *reported discourse* o *speech*]. Manera de reproducir un dicho o un pensamiento ajeno o propio; frente al estilo directo, que reproduce íntegramente las palabras pronunciadas o pensadas por otro o por uno mismo (*él me dijo: lo haré),* el indirecto expresa el dicho o pensamiento como una oración subordinada que funciona como complemento del verbo principal: *él me dijo que lo haría.* **3.— Estilo indirecto libre.** [A. *Erlebte Rede, verschleirte Rede*]. Reproduce también dichos o pensamientos propios o ajenos. La oración reproductora posee (como en el estilo directo) independencia tonal y sintáctica. Suele ir detrás de dos puntos en la escritura. No hay verbo introductor (con lo que se diferencia a la vez del directo y del indirecto); pero varían los modos y los tiempos (con lo que participa de caracteres del estilo indirecto): *él siguió obstinado: no había visto a nadie.* La lengua hablada no conoce apenas el estilo indirecto libre, que viene a ser como un compromiso literario entre el directo y el indirecto.

Indistinción (Pronombre de). Pronombre que menciona al objeto sin discriminarlo dentro de la serie: *cualquiera,* lat. *quiuis,* I. *any,* etc. Recibe también el nombre de *pronombre de indiferencia* o *indefinido.*

Indoeuropeo. Tronco lingüístico formado por una lengua común*, de la que nace un grupo de lenguas integrado por las siguientes: hitita, tocario, indo-iranio, armenio, báltico, eslavo, albanés, griego, germánico, itálico (latín y osco-umbro) y céltico. La vigencia de este término se debe a Bopp, que lo prefirió al de **indogermánico,** hoy usado todavía por los lingüistas alemanes. El tronco indoeuropeo (como es designado casi unánimemente por los lingüistas españoles) recibe también los nombres de **ario** y **arioeuropeo.** Vid. *Arbol genealógico (Teoría del), Ondas (Teoría de las).*

Indogermánico. Vid. *Indoeuropeo.*

Indo-iranio (Grupo). V i d. *Indio-iranio.*

Indonesio. Vid. *Malayo-polinesio.*

Indostaní. Vid. *Indio-iranio.*

Inducción. Término con que alguna vez se designa la analogía en cualquiera de sus formas. El elemento que desencadena una acción analógica recibe el nombre de **inductor,** y el que experimenta dicha acción, el de **inducido.**

Inestable. Se dice de cualquier elemento del sistema que se encuentra aislado por no formar oposiciones, por ser infrecuente en dicho sistema o por ser de difícil articulación. Así, el grupo *ks* (escrito *x*) en castellano se reduce con facilidad a *s: esplorador*.

Infantil (Lenguaje). [A. *Kindersprache, Ammensprache;* I. *Little language, Nursery language;* F. *Langage enfantin*]. Lenguaje de los niños de corta edad, caracterizado por la emisión de ecolalias [A. *Lallwort;* I. *Baby-word*]. Su estudio es de singular importancia, sobre todo después de los trabajos de R. Jakobson (1939), que ha mostrado la existencia de estructuras, más o menos constantes, en el proceso de adquisición del lenguaje por todos los niños. Vid. *Consonantismo mínimo.*

Infección. A. *Umwandlung, Färbung.* Conjunto de fenómenos de palatalización, labialización, umlaut [= metafonía] y epéntesis que se producen en céltico. «Un gran papel ha desempeñado en irlandés por la pronunciación palatalizada de consonantes, debida principalmente a una anticipación de la posición en la cavidad bucal de una vocal siguiente (conservada o perdida). Por una anticipación más distante, la cualidad de la vocal que precede a las consonantes, puede cambiarse para aproximarse a la posición de *-i* (umlaut), o una *j* [= yod] puede desarrollarse a partir de la consonante palatalizada, formando un diptongo con la vocal precedente (epéntesis). Análoga a la palatalización es la labialización [o redondeamiento] de las consonantes (los labios redondeados, acercándose a la posición de *u),* que aparece en antiguo irlandés como resultado de un sonido *ū* perdido y puede producir umlaut de *u»* (Lewis-Pedersen).

Infectum. Vid. *Aspecto.*

Infijación. Introducción de un infijo en el seno de la palabra.

Infijo. Afijo que se introduce en el interior de una palabra. Por ejemplo, el infijo *-ar-,* en las palabras *humareda, polvareda.* Para designar este elemento morfológico, se han propuesto otros nombres: *sufijo secundario* y *sílaba intercalada* (A. Darmesteter), *elemento de derivación* (G. Flechia); *eslabón* [A. *Zwischenglied*] (Gamillscheg); *antesufijo* (A. Prati); *interfijo* (H. Lausberg). Este último término ha sido aceptado por Y. Malkiel (1958), que propone distinguir «un interfijo anterior o postprefijo *(en-s-anch-*ar),*

muy raro en español, de un interfijo posterior o antesufijo (polv-ar-
eda) bastante común».

Infinitivo. 1.—Forma del verbo
que, en el sistema, expresa la acción pura y simple sin matices
temporales. Tiene morfemas definidos (en español, -ar, -er, -ir) y posee valor verbal, como lo prueba
el hecho de que admite un complemento directo (hacer una casa);
tiene matiz aspectual imperfectivo,
admite pronombres enclíticos (ha-
certe), puede llevar sujeto (tendre-
mos que declarar nosotros), etcétera. Pero es susceptible de sustantivarse y desempeñar el rango
primario propio del nombre. Se diferencia del participio (que también
puede ocupar dicho rango) en que
éste necesita transpositor, mientras
el infinitivo no lo precisa, aunque
pueda llevarlo: pasear es saludable
(o el pasear) frente a lo hecho está
bien. Ordinariamente, es una forma
no personal (si bien el portugués
posee un **infinitivo personal**, que se
conjuga con desinencias de persona: cantar, -ares, -ar, -ármos, -ardes,
-arem). 2.—**Infinitivo prohibitivo.**
Apareció en latín, a fines del Imperio, para prohibir algo a un interlocutor único de manera absoluta:
si videris lassiorem esse, non tan-
gere. En español ha pasado a ser

un imperativo dirigido a sujetos indefinidos y múltiples: no tocar.

Infinitum (Verbum). Por oposición a verbum finitum, se designa
así al conjunto de las formas del
verbo, a las que, ordinariamente,
falta la flexión personal: infinitivo,
gerundio, participio y supino.

Inflexión. 1.— Morfema que se
añade a la raíz para constituir el
tema: así, la i de ag-i-mus, ab en
cant-áb-a-mos, etc. 2.—**Inflexión vocálica** [A. Umlaut; I. Mutation; F.
Métaphonie]. Alteración del timbre
de una vocal por influencia de una
vocal, semivocal o semiconsonante
siguientes: latín f e c i, por influjo
de -i cambió su e en i: hice. Es frecuente la **inflexión de yod**; así la
o tónica, que no diptonga en aragonés, lo hace bajo el influjo de una
yod: p ŏ d i u > aragonés pueyo. La
inflexión puede consistir en la detención o en el impedimento de un
fenómeno que se produciría sin presencia de la yod. Así, en castellano,
la e breve tónica diptonga, si no va
seguida de yod; n e b u l a da niebla,
pero l e c t u da lecho (< leito). Vid.
Metafonía. 3.—A. Bello llama inflexión a la desinencia, según uso normal entre muchos lingüistas extranjeros. 4.—Cada una de las variaciones que experimenta la entonación.

Inflexivas (Lenguas). Lenguas flexivas*.

Información (Cantidad de). Se llama así, en la reciente teoría de la información (cuyas consecuencias para los estudios semánticos pueden ser grandes), la mayor o menor probabilidad de relación entre dos o más signos, de tal modo que, a mayor probabilidad, le corresponde menor información. Una frase como *nieva en los Pirineos* informa bien poco; mayor información posee la frase *nieva en Madrid*, y mucho mayor, *nieva en Málaga*, por la menor probabilidad de relación que poseen estos últimos signos.

Infraglotales (Consonantes). Consonantes articuladas por el aire procedente de los pulmones. Se oponen a las *eyectivas*.

Inglés. A. *Englisch;* I. *English;* F. *Anglais.* Lengua perteneciente al subgrupo germánico* occidental, implantada en el territorio de la Gran Bretaña, sobre un sustrato celta, por los conquistadores anglos y sajones durante los siglos v y vi d. J. C. Su lengua (*anglo-sajón* o *inglés antiguo*) aparece en algunos documentos de los siglos viii y ix. Entre los siglos xi y xii, a consecuencia de la conquista normanda, que impu-

so voces y expresiones galorrománicas, surge una literatura en *inglés medio.* En el siglo xiv, la lengua moderna está ya sustancialmente fijada. Hoy la hablan, en las Islas Británicas, más de cincuenta millones de personas. Fuera de Europa, se habla en Estados Unidos, Canadá, Australia, Nueva Zelanda. Y como lengua administrativa y comercial, en Africa del Sur, Egipto, India, Filipinas, etc. Se calcula en unos 250 millones el número de anglohablantes. Vid. *Pidgin-english, Broken English, Beach - la - Mar, Sandalwood-english.* Una modalidad curiosa de inglés, el llamado *inglés de escalerilla,* se ha creado en la zona española próxima a Gibraltar.

Ingresivo. 1.—Aspecto ingresivo. Aspecto que presenta la acción verbal en su punto inicial y momentáneo, sin considerar su desarrollo ulterior: *lanzar, se echó a llorar.* Se opone al aspecto *efectivo* o *terminativo*. Vid. *Incoativo.* **2.—Aspecto perfectivo ingresivo.** Vid. *Perfectivo.* **3. — Consonantes ingresivas.** Vid. *Consonantes egresivas*.

Inherencia. Da este nombre Bally a la compenetración íntima entre sujeto y predicado o entre determinante y determinado. Indica «ya que una cosa (el sujeto) pertenece al género designado por el atributo *(la tierra es un planeta)*, ya que posee la cualidad designada por este atributo, propiedad que puede ser una cualidad constante *(la tierra es redonda)* o un accidente, estado o acción *(la tierra gira)*». Vid. *Concordancia, Rección.*

Inicial. A. *Anlautend, Anfangs-.* Posición que puede adoptar una palabra en la frase o un sonido en la palabra. De una vocal se dice que es **inicial** cuando es la primera de las vocales, lleve o no una consonante delante; así, la vocal *a* es inicial tanto en *pared* como en *arroz.* En este último caso se dice de ella que es **inicial absoluta.**

Injuntivo. A. *Injunktiv;* I. *Injunctive;* F. *Injonctif.* Nombre dado por Brugmann a un modo del verbo indoeuropeo. Deriva del giro l a t i n o *iniungere alicui officium* 'prescribir a alguien su deber'. Lo constituyen una serie de formas que, desde el punto de vista puramente exterior, parecen ser indicativos desprovistos de aumento, en un tiempo con aumento, por ejemplo **bhére-t* = sánsc. *bhára-t,* gr. φέρε. Tales formas poseían en la época i.-e. los empleos siguientes: 1) Indicativos, bien con significación de pasado,

bien con valor de presente. Y esto sobre todo cuando el verbo átono seguía a un adverbio, como en **pró bheret...* 2) Futuros o voluntativos. Las personas 2.ª y 3.ª —salvo la 2.ª singular activa— formaban parte, en i.-e., del sistema del imperativo presente, cuando se trataba de dar una orden positiva; por ejemplo, 2.ª persona singular griego ἕπε-ο, lat. *seque-re;* 2.ª persona plural sánsc. *s-tá,* gr. ἕσ-τε, lat. *es-te.* Por el contrario, las formas injuntivas en el aoristo no eran empleadas más que cuando se trataba de expresar una prohibición, junto a **mē;* no se agrupaban con el imperativo propiamente dicho... Algunas lenguas indoeuropeas emplearon el injuntivo aoristo como el injuntivo presente para dar órdenes, y lo incorporaron así al imperativo (por ejemplo, gr. ἐπί-σχες, junto a ἐπί-σχε -σχέτω).

Inmanencia (Principio de). Principio postulado por F. de Saussure, y que sirve de punto de partida a la Glosemática, según el cual, la lengua tiene su objeto en sí misma, considerada como estructura (sin referencias ni apoyos en ciencias vecinas o auxiliares: sociología, fonética, psicología, lógica, etc.), y en la relación en que se encuentran sus elementos, abstracción hecha de la sustancia* lingüística.

Inmotivado (Signo). Vid. *Arbitrario (Signo).*

Inmutabilidad. Cualidad del signo lingüístico que se encuentra en antinomia con el de su arbitrariedad. El signo es, según F. Saussure (1916), arbitrario, pero «no solamente es verdad que, de proponérselo, un individuo sería incapaz de modificar en un ápice la elección ya hecha, sino que la masa misma no puede ejercer su soberanía sobre ·una sola palabra; la masa está atada a la lengua tal cual es».

Inordenadas (Oraciónes). Término propuesto por R. Blumel (1914) para designar las oraciones dependientes que forman parte de la oración principal, pero subordinadas tan sólo a una parte de ésta. Tal acontece, por ejemplo, con las de relativo.

Inorgánico. A. *Unorganisch.* Se dice de todo lo que es extraño al sistema de la lengua; por ejemplo, el grupo *ps-* inicial, que, en español, sólo figura en helenismos: *psicología, psicastenia.*

Inseparable. Se dice de cualquier elemento que entra en la formación de una palabra y que no puede disociarse de dicha palabra.

Así, por ejemplo, las *preposiciones inseparables,* como alguna vez son llamados los prefijos.

Insistencia (Acento de). Vid. *Acento.*

Inspiración. Se da alguna vez este nombre al primer tiempo de la respiración o **aspiración.**

Instantáneo (Aspecto). Aspecto que nos presenta el desarrollo y fin inmediato de la acción verbal. Se opone a *durativo.* Así, *disparar* es instantáneo (o *momentáneo)* frente a *discurrir,* que es durativo.

Instrumental. Caso del indoeuropeo, que indica el medio o el instrumento con que se ejecuta la acción. En latín, por sincretismo, se fundió con el ablativo. Se acostumbra a separar del instrumental un caso, en principio, fundido con él, el **comitativo,** que expresa compañía. En las gramáticas de lenguas caucásicas se suele designar el instrumental con el término **ergativo.**

Instrumentativo. Término con que se designa al verbo que expresa, a la vez, la acción y el instrumento con que se realiza: *ahorcar* 'matar con la horca'.

Integral (Método). Se da este nombre al método de las modernas escuelas de Fonología y Lingüística estructural, que pretenden estudiar un fenómeno lingüístico dentro del conjunto total del sistema en que se produce; se opone así al método *aislacionista* de los neogramáticos, cuyas interpretaciones carecen, muchas veces, de supuestos sistemáticos.

Intelectivo (Acento). V i d. *Acento.*

Intensidad. A. *Stärke, Druckstärke.* «Es el mayor grado de fuerza espiratoria con que se pronuncia un sonido, la cual, acústicamente, se manifiesta en la mayor o menor amplitud de las vibraciones. Por la intensidad pueden distinguirse entre sí sonidos de un mismo timbre, tono y cantidad... Conviene distinguir la intensidad de la tensión muscular, que sólo hace referencia a la mayor o menor energía con que un órgano realiza un movimiento o se mantiene en una posición... El sonido espiratoriamente fuerte puede ser *tenso* o *relajado* por lo que se refiere a la actitud de los órganos que formen su articulación. Lo corriente es, sin embargo, que las modificaciones de la tensión muscu-

lar coincidan con las de la fuerza espiratoria» (Navarro Tomás).

Intensión. A. *Anglitt, Spannung;* I. *On-glide;* F. *Tension.* Uno de los tres momentos que pueden distinguirse en el desarrollo completo de una articulación. En él, «los órganos, saliendo de su estado de reposo, realizan un cierto movimiento hasta alcanzar la posición requerida por el sonido de que se trata» (Navarro Tomás). Al movimiento de intensión siguen los de *tensión* y *distensión.* Vid. *Implosión.*

Intensivo. 1.— Forma que confiere mayor relieve significativo a su significación, o elemento que contribuye a que dicha significación intensa se produzca. Así, el prefijo *archi-* en la palabra *archipobre* (frente a *pobre*). A veces este término coincide en su significación con el de *iterativo.* 2.—Aspecto intensivo. Aspecto que presenta la acción verbal como más intensa que la de otro verbo tomado como punto de referencia. Así, *escudriñar* con relación a *buscar.*

Intensos (Morfemas, Prosodemas). Vid. *Pleremática.*

Interamnense. Vid. *Portugués.*

Intercalaris. Vid. *Versus intercalaris.*

Interdental. Articulación cuyos órganos activo y pasivo son, respectivamente, la punta de la lengua y el borde de los incisivos superiores: θ, z, đ, n, ļ, ţ.

Interdependencia. En Glosemática, dependencia mutua de dos términos, de tal modo que un término implica al otro, y viceversa; ambos términos son, pues, *constantes.* La interdependencia recibe el nombre de *solidaridad* (I. *Solidarity)* cuando se produce en el texto* (así, hay solidaridad entre los morfemas de persona y de número en las formas verbales españolas); y el de *complementaridad* (I. *Complementarity),* cuando se produce en el sistema (hay complementaridad, por ejemplo, en la existencia interdependiente, en un sistema, de las categorías de singular y plural, o de animado e inanimado, ya que la existencia de una de ellas implica la existencia de la otra).

Interés (Dativos de). Conjunto de pronombres de función preferentemente expresiva o apelativa, que reciben diversos nombres: dativo *ético, commodi, incommodi,* *simpatético, iudicantis, auctoris, posesivo,* etc. Vid. *Dativo.*

Interfijo. Vid. *Infijo.*

Interjección. A. *Ausruf.* Signo que puede contradecir las leyes fonológicas de una lengua (español *uf, paf),* o bien poseer una estructura fonológica correcta *(ay, oh),* sin valor gramatical, que desempeña l a s funciones* lingüísticas de un modo elemental. Hay, por tanto, **interjecciones apelativas** *(eh, chist, ps),* **expresivas** *(oh, ah, ay)* **y representativas** *(zas, paf, pum).* Estas últimas son, a veces, verdaderas onomatopeyas. Los gramáticos griegos clasificaron las interjecciones entre los adverbios. Los latinos las separaron, constituyendo con ellas una parte de la oración. Donato (siglo IV d. J. C.) la define: «significans mentis affectum». El término ,latino *interiectio* alude a que suele ir entre dos términos del enunciado, con independencia tonal. Vossio (1635) la definió como un equivalente de frase. Esta idea, viva aún en muchos gramáticos, ha sido atacada por Karcevski (1941), el cual hace ver cómo toda frase puede ser enunciada en estilo indirecto, pero la interjección, no. Vid. *Propio* e *Impropio.*

Interlingua. Vid. *Artificial (Lengua).*

Interlingüística. Modalidad de la Lingüística que se ocupa de crear lenguas artificiales.

Intermedia (Vocal). Término con que puede traducirse el inglés *abnormal vowel,* aplicado por los fonetistas anglosajones a la vocal que representa un sonido intermedio entre una articulación vocálica anterior y otra posterior. Así, la *ö* alemana, la *u* francesa, etc.

Intermitente. Vid. *Oclusión.*

Interno. Vid. *Flexión, Acusativo, Plural.*

Interpolación. I. *Interpolation.* **1.**—En Glosemática, adición de una entidad lingüística cualquiera en un texto*. Así, en el texto *ir a Málaga,* podemos realizar muchas interpolaciones: *quiero ir a Málaga; ir pronto a Málaga,* etc. Falta a estas operaciones el carácter obligativo de la catálisis*. **2.**—Inserción de un fragmento de extensión variable en la copia de un documento o un texto literario, alterando de este modo el original.

Interposición. Figura consistente en intercalar una palabra entre dos que deberían ir seguidas. El fenómeno se llama en latín *traiectio*.*

Interpretación. **1.**—Procedimiento de la amplificación*, que consiste en reiterar con otras palabras lo que acaba de decirse (latín *Interpretatio*): *Rempublicam radicitus evertisti, civitatem funditus deiecisti.* Vid. *Expolición* y *Notatio.* **2.**— **Interpretación popular.** Término que traduce el empleado por algunos lingüistas italianos [It. *Interpretazione popolare*] como sinónimo de etimología* popular.

Interpungere. Operación de la *emendatio*,* que consiste en puntuar la edición* crítica de un texto conforme a un criterio dado, normalmente conforme a los usos modernos.

Interrogación. A. *Frage;* I. *Question.* Término con que se designa en muchas ocasiones la oración interrogativa. Así se habla, por ejemplo, de Interrogación disyuntiva: *¿vienes o te quedas?;* Interrogación deliberativa o consultiva [A. *Zweifelnde Frage*]: *¿qué hacer?;* Interrogación exclamativa [A. *Verwunderungsfrage*]: *¿tu primo es* *tonto?*; **Interrogación retórica** [A. *Rhetorische Frage;* F. *Interrogation oratoire*], que sirve de mero adorno enfático porque su respuesta es evidente: *¿acaso no fué César un gran general?*

Interrogativo. 1.—Término *(pronombre, adverbio,* etc.) que sirve para preguntar [A. *Fragewort*]. **2.**— **Oración interrogativa** [A. *Fragesatz*]. Sirve para dirigirse a un oyente, en espera de que su respuesta resuelva una duda del que habla. Puede ser **directa** (caracterizada por una entonación especial, que posee una inflexión ascendente en su final): *¿quieres venir?;* o **indirecta** [A. *Fragenebensatz*], cuando carece de dicha entonación y se presenta como subordinada: *dime si quieres venir.* Tanto una como otra pueden ser: a) **general** (llamada también *dubitativa, total, absoluta* o *primaria)* [A. *Totalfrage, Entscheidungsfrage, Bestätigungsfrage*], cuando pregunta por todo el contenido de la oración: *¿has recibido mi carta?,* y b) **parcial** (recibe también los nombres de *determinativa, relativa, secundaria* o *mediata)* [A. *Wortfrage, Teilfrage, Ergänzungsfrage*], que pregunta por algún término de la frase que no es el predicado: *¿dónde está Carlos?* Vid. *Interrogación.*

Interruptas (Consonantes). Término que se aplica a las consonantes oclusivas o africadas. Se opone a consonantes *continuas*.

Intertónica. Vid. *Contrafinal.*

Intervalo. Vid. *Tono.*

Interversión. 1.—Se aplica este término alguna vez a la metátesis. Grammont lo ha especializado para designar exclusivamente la metátesis entre sonidos contiguos. **2.**—**Interversión de géneros.** Fenómeno por el cual una palabra pasa al género contrario, sobre todo por efectos expresivos. Así, en español, *crío,* aplicado a una mujer; en francés, *mon poulet, mon petit, mon chéri, mon mignon,* etc.

Intervocálica. Situación que posee una consonante o un grupo consonántico cuando va entre vocales.

Intransitivo. 1.—**Verbos intransitivos o neutros.** Verbos que no admiten complemento directo, ordinariamente, aunque en determinadas condiciones puedan llevarlo; se dice entonces que están usados como transitivos. Inversamente, hay verbos ordinariamente transitivos que funcionan en determinadas ocasiones como intransitivos, y se dice de ellos que están usados como intransitivos. Vid. _Transitivo, Activo._

2.—Oraciones intransitivas. Oraciones cuyo predicado es un verbo intransitivo o usado como tal.

Intrusión. Epéntesis (Ascoli).

Invariable. A. _Unveränderlich;_ I. _Immutable._ Se dice de la palabra que no posee variaciones flexivas. Las partes invariables de la oración son adverbio, preposición y conjunción. La interjección es también invariable. Vid. _Variable._

Invariante. Recibe tal nombre, en Glosemática, cada uno de los elementos del texto que no se deja analizar en otras unidades más pequeñas. La invariante de la expresión* es el fonema. Vid. _Variante, Conmutación._

Invención («Inventio»). Primera parte de la Retórica, que se ocupa de buscar los argumentos e ideas, que luego han de ordenarse mediante la _disposición*._

Inversión. Metátesis (Ascoli).

Invertidos (Sonidos). Vid. _Retroflexión._

Inyectivas (consonantes). Vid. _Egresivas (Consonantes)._

Inyunctivo. Vid. _Injuntivo._

Iranio. Vid. _Indio-iranio._

Irlandés. Vid. _Celta._

Ironía. Figura retórica que consiste en expresar, dentro de un enunciado formal serio, un contenido burlesco. Así, a las exigencias que el capitán, cuando ha sido preso, pretende imponer a Pedro Crespo, en _El alcalde de Zalamea,_ éste le contesta: _Está muy puesto en razón. / Con respeto le llevad / a las casas, en efeto / del Concejo; y con respeto / un par de grillos le echad / y una cadena; y tened, / con respeto, gran cuidado, / que no hable a ningún soldado..._ (Calderón de la Barca). Cuando la ironía posee un carácter amargo o insultante, se denomina **sarcasmo.** Ejemplo: los insultos que los judíos dirigían a Cristo en la Cruz: _Si filius Dei es, descende de cruce_ (S. Mateo). Vid. _Antífrasis._

Irracional. Calificación que algunos lingüistas dan a los sonidos no etimológicos que se desarrollan en una palabra, o a cualquier tipo de evolución no «normal».

Irradiación. A. *Ausstrahlung. Überstrahlung;* I. *Radiation;* F. *Rayonnement.* **1.**—Fenómeno semántico que se produce cuando un objeto da su nombre a una serie de objetos que poseen con él un carácter común. Así, *raíz* (de una planta) ha irradiado su nombre a algunos objetos o conceptos en los que se vislumbra la idea de elemento primitivo después desarrollado: *raíz de una palabra,* de un mal, de un número, etc. **2.**—**Irradiación sinonímica.** Vid. *Derivación sinonímica.*

Irrationalis (Syllaba). Vid. *Anceps.*

Irreal. 1.—Se utiliza este término (opuesto a *potencial*) para designar la oración condicional cuya prótasis formula una condición que no se realiza o no puede realizarse: *Si ahora hiciera sol, pasearíamos.* **2.**—**Modo irreal o de la irrealidad.** Así se concibe a veces el modo subjuntivo.

Irregular. A. *Unregelmässig, Abnormal;* I. F. *Aberrant.* **1.**—Con este término y con el de *anómalo,* se designa todo cuanto en el sistema se aparta de un tipo considerado como normal o regular. Se habla, por tanto, de *verbos irregulares, declinaciones irregulares,* etc. Así, *ca-*

ber (quepo, cupe) es irregular con relación a *temer (temo, temí).* **2.**—**Proposición irregular o anómala.** Así designa A. Bello «la que carece de sujeto, no sólo porque no lo lleva expreso, sino porque, según el uso de la lengua, o no puede tenerlo o regularmente no lo tiene: *hubo fiestas; llueve a cántaros; por el lado del norte relampaguea».*

Irrelevante. Término que alterna con el de *no pertinente**. Se opone a *relevante.*

Irremotospectiva (Perspectiva). Vid. *Remotospectiva (Perspectiva).*

Islandés. A. *Isländisch;* I. *Icelandic.* Fue durante la Edad Media la más importante de las lenguas nórdicas*. Se ha mantenido, apenas sin variación hasta hoy, en Islandia, y es hablado por unas 120.000 personas.

Isocolon. Período dividido en miembros sintácticos y tonales de contextura semejante: *No hay palabra del Príncipe que no tenga su efecto. Dichas sobre negocios, son órdenes; sobre delitos, sentencia, y sobre promesas, obligación* (Saavedra Fajardo).

Isófonas. 1.—Palabras en que se produce homoioteleuton* (Ascoli). **2. Vid.** *Isoglosas.*

Isoglosa. I. *Isoglotte, Isograph.* Línea ideal que puede trazarse en un territorio, señalando el límite de un rasgo o fenómeno lingüístico peculiar. La línea que recorra el límite que, en España, tiene la aspiración de la *h-*, por ejemplo, será una isoglosa. Cuando varias isoglosas corren próximas, constituyen un **haz de isoglosas,** y sirven de límite entre dos dialectos o dos subdialectos. Las regiones por donde corren se denominan **áreas de isoglosas.** Si el haz es muy apretado, el límite será muy claro, y el paso de un dialecto a otro, muy violento. Por el contrario, si las isoglosas están muy separadas, el tránsito será muy gradual, por una zona participante de los caracteres de ambos dialectos, que Menéndez Pidal llama zona de *límites sueltos.* Cuando la isoglosa limita el área de un sonido, recibe a veces el nombre de **isófona.** Más raros son los nombres de **isótona, isoléxica, isomórfica, isosintágmica,** cuando delimita, respectivamente, un tono (o acento), una palabra, una variedad morfológica o una peculiaridad sintáctica.

Isolantes (Lenguas). A. *Isolierende Sprachen;* **I.** *Isolating langua-*ges. Lenguas (como el chino-tibetano) en que los elementos formales y los elementos significantes quedan separados y constituyen palabras distintas. Así, en chino, *lai la* 'vino', consta de la palabra *lai,* que expresa la idea de 'venir', y de *la,* que expresa la noción de pasado. Entre los lingüistas de habla española, se prefiere el término sinónimo **lenguas aislantes. Vid.** *Aglutinantes* y *Flexivas.*

Isométrica (Estrofa). Estrofa compuesta por versos de igual medida. Se opone a *heterométrica*.*

Isomorfismo. Nombre especializado por la escuela de Copenhague para designar la semejanza de rasgos estructurales entre el plano fónico de la lengua y el semántico. La investigación del isomorfismo es uno de los objetos centrales de la Glosemática.

Isosilábico. Se dice de los versos, palabras, formas, etc., que poseen el mismo número de sílabas.

Istriorrumano, Istrorrumano. Vid. *Rumano.*

Itacismo. Vid. *Yotización.*

Italianismo. Palabra o giro de procedencia italiana: *carroza, escopeta, charlar,* etc.

Italiano. Idioma neolatino, hablado por unos cuarenta y cinco millones de personas, dentro de la actual República italiana, y además en la República de San Marino, en la Suiza italiana (cantón de Ticino y valles de Calanca, Mesocco, Bregaglia y Poschiavo), en enclaves en otros territorios (Trentino, Trieste, Istria, Dalmacia) y en el Principado de Mónaco. En Córcega sufre la competencia del francés, pero se imprimen libros y se predica en italiano. En Malta «mantiene fatigosamente la posición de paridad con el inglés como lengua cultural» (Migliorini). Hay «piccole Italia» en los Estados Unidos, Argentina y Brasil. Está en franco retroceso en las costas dálmatas; Zara perteneció a Italia de 1919 a 1945; pero han salido casi todos los habitantes italianos, tanto de esta ciudad como de las restantes (Sebenico, Spalato, etcétera). El italiano actual es la continuación del dialecto toscano medieval (florentino), convertido en lengua literaria y de cultura a partir del siglo XIII, por la obra y el prestigio de Dante, Petrarca y Boccaccio. En Italia viven multitud de dialectos, que pueden agruparse así:

A) **Dialectos septentrionales,** dentro de los cuales hay cuatro agrupaciones dialectales que reposan sobre un sustrato galo (por lo que, a partir de Biondelli y Ascoli, se llaman dialectos *galo-itálicos*): *lombardo* (con el *milanés* y el *bergamasco*), *emiliano* (con el *ferrarés, boloñés, romañés* y *parmesano*), *piamontés* (con el *turinés* y *montferratés*), y *ligur (genovés);* y una agrupación dialectal, sobre un sustrato *véneto,* constituída por el *veneciano, veronés, paduano* y *trevisano.* B) **Dialectos centro - meridionales** *(umbro,* «*marchigiano», abruzo romanesco, lucanés,* hablas de Campania y Puglia, *calabrés, siciliano, napolitano).* C) **Dialectos toscanos** *(florentino, pisano, senés,* hablas de Lucca, Pistoia y Chiana, *aretino,* dialectos garfañanos, *corso);* el sardo galurés y, especialmente, el sasarés, pueden agruparse con el corso (Bertoni).

Itálico (Grupo). Grupo de idiomas indoeuropeos hablados antiguamente en la península italiana. Puede ser dividido en dos subgrupos: A) **Osco-umbro** o **itálico** propiamente dicho, del cual se conocen las siguientes variedades: a) *Osco,* lengua de los antiguos samnitas, hablada en Samnio y Campania; se conservan de él unas 200 inscripciones; b) *Sabélico,* grupo de dialectos, casi dèsconocidos, que se hablaron entre Samnio y Umbria; uno de dichos dialectos es el *sabino*; c) El *umbro*, hablado en Umbria; es el más septentrional de los dialectos itálicos y el mejor conocido. B) El **latino**, que, además del *latín* propiamente dicho (esto es, el dialecto de Roma, que más tarde se hizo lengua nacional), comprendía las variantes dialectales llamadas *ausónicas*, poco conocidas, a excepción del *falisco*, hablado en Falerii, ciudad en territorio etrusco (hoy Cività Castellana, prov. de Viterbo). Todos los idiomas del grupo itálico poseen características comunes; se ignora si la fragmentación de la supuesta lengua común ocurrió en la península itálica, o si, como piensa Devoto, tuvo lugar antes de las migraciones indoeuropeas hacia dicha península.

Italo-celta (Grupo). Grupo lingüístico indoeuropeo tradicionalmente constituido, por razón de las particularidades comunes que ofrecen el itálico* y el céltico*, frente a otros grupos indoeuropeos. Sin embargo, ambos grupos, desde sus primeros documentos, aparecen ya claramente diferenciados. Pero pudieron existir representantes antiguos del grupo, entre los cuales figuran, quizá, el *ligur** y el *sículo* (hablado en Italia central y en Sicilia antes que el latín; se conserva una inscripción).

Iterativo. 1.—Forma que significa acción que se repite, o elemento que contribuye a que dicha significación se produzca. Así, son iterativos el prefijo *re-* (*repicar, resonar*, etc.), los verbos formados con dicho prefijo, etc. Alterna este término con el de *frecuentativo*. Vid. especialmente esta palabra. **2.**—Compuesto iterativo. Vid. *Compuesto*.

Iudicantis (Datiuus). Vid. *Dativo*.

Iudiciale (Genus). Vid. *Retórica*.

Jacarandana, jacarandaina o **jacarandina.** Lengua de rufianes, *germanía.*

Jafético. Vid. *Caucásicas.*

Japonés. Lengua de difícil filiación, hablada por unos 60 millones de personas, que se ha intentado incluir por unos lingüistas en el grupo altaico y por otros en el malayo-polinesio. Se discute también su relación con el *coreano.*

Jarŷa. Esta palabra, que en árabe significa 'salida', designa una estrofa en lengua vulgar mozárabe, mezclada a veces con árabe, que los poetas cultos arábigo-españoles e hispano-judíos colocaban al final de sus *muwaššaḥas.* Pertenece al tipo de las cantigas de amigo, que más tarde tendrán extenso cultivo en la lírica gallego-portuguesa. La más antigua de las conservadas corresponde a la primera mitad del siglo XI, y constituye, por tanto, la primera manifestación lírica de la Romania. Esta y otras diecinueve *jarŷas,* fueron descubiertas en 1948 por S. M. Stern, en *muwaššaḥas* hebreas. Posteriormente, el mismo Stern y García Gómez han encontrado más *jarŷas* en *muwaššaḥas* árabes.

Jerarquía. Vid. *Derivado.*

Jerga. 1.—Lengua especial de un grupo social diferenciado, usada por sus hablantes sólo en cuanto miembros de ese grupo social. Fuera de él hablan la lengua general. Con estas características, el nombre de jerga recubre multitud de conceptos: A) Lenguaje del hampa, con finalidad esotérica, de naturaleza muy artificiosa. Es la *jerga,* por antonomasia, o *germanía,* en España; el *Rotwelsch,* en Alemania; el *furbesco* y *gergo,* en Italia; el *cant,* en Inglaterra; el *jargon* y el *argot,* en Francia (nombre este último que se ha hecho internacional, en ésta y en las restantes acepciones). B) Lenguaje profesional [A. *Berufssprache*]: jerga de médicos, de filósofos, de tipógrafos, etc. Se designan en España con nombres especiales multitud de jergas gremiales: la *tixilei-ra* de los «conqueiros», al SO. de Asturias; la *xíriga* de tejeros, canteros y «goxeros» (fabricantes de maconas) de Llanes y Peñamellera; el *bron* de los caldereros de Miranda (Avilés), el *barallete* de los afiladores orensanos, etc. C) Lenguaje de cualquier grupo social: jerga de deportistas, cazadores, espiritistas, etcétera. D) Conjunto de palabras, procedentes de fuentes oscuras (deformación de extranjerismos y traslación semántica de voces de uso general con sentido ocasional normalmente), que por broma o ironía se introducen en la conversación familiar de todas las clases sociales. En esta acepción de jerga (I. *Slang)* entra el llamar *monís* al dinero o *dolorosa* a la factura. El término *slang*, por lo demás, se usa también como sinónimo de argot y jerga. 2.—Lengua de mal gusto, complicada o incomprensible. El término *jerga* alterna en esta acepción con el de *jerigonza*.

Jerigonza. Vid. *Jerga*.

Jew Tongo. Vid. *Criollo (Idioma)*.

Jireček (Línea de). Vid. *Línea*.

Jitanjáfora. Nombre inventado por Alfonso Reyes (1929) para de-signar palabras, metáforas, onomatopeyas, interjecciones, estrofillas, etcétera, carentes de sentido, pero que constituyen un fuerte estímulo para la imaginación: *Por el río Paraná / viene navegando un piojo, / con un lunar en el ojo / y una flor en el ojal.*

Jónico. 1.—Lengua griega antigua de las islas y de las colonias. **2.**— **Pie jónico.** Vid. *Pie*.

Judeo-español. Variedad arcaica del español, hablada por las comunidades sefardíes, formadas por judíos expulsados de España por los Reyes Católicos y repartidos por Marruecos y Oriente. «El material léxico del judeo-español, en cuanto a su fondo español, es bastante homogéneo, y todos los sefardíes de Oriente no tienen ninguna dificultad para entenderse entre ellos. Pero esto no quita para que haya diferencias de pronunciación y de vocabulario entre unos y otros. Sobre todo, se nota cierta discrepancia entre el grupo oriental (Andrianópolis, Constantinopla, Brusa, Esmirna, Rodas y otros pequeños centros de Asia Menor) y el occidental (Bosnia, Bulgaria, Macedonia, Rumania y en parte de Salónica). En el último grupo se distinguen rasgos que son característicos de los dialectos del norte de España o de Portugal, mientras el grupo oriental acusa más bien las condiciones de la fonética castellana». (Wagner). En este idioma hay abundantes turquismos y, en general, elementos de las lenguas con las cuales coexiste. En la actualidad, el judeo-español está en franca decadencia en todas partes. El hablado en Marruecos (llamado **hakitía**, del árabe *hekaiata* 'dicho agudo, ingenioso y sutil'), pierde terreno por mezclarse con el español de la Península, y «no es más que un recuerdo, que sólo permanece vivo entre personas de la generación pasada» (Bénichou). Hoy se habla también judeoespañol en comunidades sefarditas de América, sobre todo en Nueva York y Buenos Aires.

Judeo-portugués. Vid. *Portugués.*

Juego de palabras. A. *Wortspiel.* Cualquier tipo de combinación expresiva —ordinariamente humorística o irónica— en que se enfrentan dos vocablos (sus significantes o sus significados) dentro de un mismo contexto. Vid. *Dilogía, Calambur, Silepsis.*

Kakemphaton. Vid. *Cazafatón.*

Karmadhāraya. V i d. *C o m-*
puesto.

Katharévousa. Vid. *Demótico.*

Koinê. Vid. *Coiné.*

Kol (Lenguas). Vid. *Austro-*
asiático.

Kôlon. Vid. *Colon.*

Kundgabe. Vid. *Funciones del*
lenguaje.

Labial. A. *Lippenlaut, Gerundeter Laut;* I. *Rounded;* F. *Arrondi.* **1. Consonantes labiales.** Se da este nombre, con escasa precisión, a las bilabiales y labiodentales. **2.—Vocales labiales.** Se designan así las vocales de la serie posterior, *o, u,* por cuanto en su articulación intervienen decisivamente los labios. **3.— Elemento labial.** Se denomina así cualquier intervención de los labios en la articulación de un sonido. Se dice, por ejemplo, que la *u* posee un elemento labial; la pronunciación vulgar *bweƀo* 'huevo' se explica porque el wau ha desarrollado su elemento labial, etc.

Labialización. A. *Rundung;* I. *Rounding;* F. *Arrondissement.* Término (preferible al de **redondeamiento**, alguna vez usado) con que se designa la participación de los labios en una articulación *(m, f, o,* etcétera), o bien la propagación del carácter labial de los sonidos labiales a un sonido inmediato. Vid. *Infección.*

Labiodental. A. *Lippenzahnlaut.* Articulación cuyos órganos activo y pasivo son, respectivamente, el labio inferior y el borde de los incisivos superiores: *f, ɱ.*

Labiovelar. Término con que suele designarse la articulación bilabiovelar

Labortano. Vid. *Vasco.*

Laconio. Vid. *Griego.*

Lachmann (Método de). Se da este nombre al método aplicado a la crítica textual por el gran filólogo germano Karl Lachmann (1793-1851), verdadero fundador de dicha técnica. Comprende tres grados u operaciones: *recensere, emendare* y *originem detegere.* Las dos primeras se describen en este Diccionario s. v. *recensio* y *emendatio;* la tercera consiste en investigar la historia y la fortuna del ejemplar examinado mediante observaciones paleográficas y aprovechamiento de otras noticias. Vid. **Bédier, Quentin,** *Exemplar ceterorum.*

Ladino. 1.—Nombre que G. I. Ascoli asignó al retorrománico*. **2.**— Más especialmente, pese a la opinión de Ascoli, se reserva este nombre a los dialectos retorrománicos centrales, principalmente el trentino; y también al engadino. **3.**—Nombre que dan los sefardíes de los Balcanes al judeo-español, sobre todo al de las traducciones de la Biblia y libros religiosos.

Lai. En la métrica francesa medieval, el **lai narratif** es un breve relato, casi siempre en versos de ocho sílabas pareados, cuyo tema se refiere de ordinario al ciclo de la Table Ronde. El **lai lyrique** es, por el contrario, un poema formado por cancioncillas no simétricas, que se cantaban con una música diferente. En el siglo IX, se denomina *lai* a un poema de doce estrofas; cada estrofa posee dos rimas, y se divide en dos mitades, en que se reproducen las mismas combinaciones de rimas y la misma variedad de metros.

Laísmo. Uso del pronombre personal de tercera persona en sus formas femeninas *la, las,* como complemento indirecto, en lugar de *le, les,* formas etimológicas comunes para los dos géneros: *la dieron una carta, las dijeron que no.* El laísmo se produce principalmente en Castilla. Vid. *Leísmo, Loísmo.*

Laisse. En la métrica francesa medieval, estrofa o tirada de versos de un poema extenso, que tienen, por lo general, una sola rima, asonante o consonante.

Landsmaal. Vid. *Noruego.*

Langue d'oc. Vid. *Provenzal* y *Langue d'oïl.*

Languedociano. Vid. *Provenzal.*

Langue d'oïl. Nombre medieval del francés para oponerlo al provenzal o *langue d'oc.* La forma *oïl* representa la evolución del latín h o c i l l i, que más tarde dará *oui* 'sí'. El provenzal, por el contrario afirmaba con un derivado de h o c > *oc.*

Lapón. Vid. *Uralo-altaico.*

Larga (Vocal, sílaba). Vid. *Cantidad.*

Laringales indoeuropeas. «Se designan con este término ciertos fonemas de identidad fonológica poco conocida, cuya existencia prehistórica se postula partiendo: 1.º, de modificaciones que habrían hecho experimentar, al desaparecer, a sus vecinos en la cadena, y 2.º, de unidades distintivas atestiguadas en las lenguas anatolias. El término *laringales* es puramente tradicional y no implica que se conciban los fonemas así llamados como necesariamente resultantes de la actividad articulatoria de la laringe. No está, por otra parte, excluido que ciertas *laringales* hayan sido [fr.] «laryngales» [esp., laríngeas*], en el sentido propio del término. En los escritos en lengua inglesa se tiende a reservar la forma *laryngeal* para designar fonemas postulados por el indoeuropeo, y a utilizar la forma *laryngal* con referencia a un tipo articulatorio definido [esp., *laríngea*]. En francés, para evitar toda ambigüedad, convendría poner «laryngale» entre comillas cuando se emplea la palabra en el sentido [de laringales indoeuropeas]*» (A. Martinet).

Laríngea. A. *Laryngal, Kehllaut;* I. *Laryngeal;* F. *Laryngal.* **1.**—Articulación que se produce en la zona de la laringe. El término alterna con el de *glotal.* Vid. *Laringales* indoeuropeas, Oclusión* laríngea. **2.** A veces se usa como sinónimo de *velar* o *uvular.*

Latente (Estado). Vid. *Estado.*

Lateral. A. *Seitenlaut.* Fricativa cuyo canal vocal se forma a los lados de la lengua: *l, ḷ,* etc.

Latín. 1.—Lengua que, con el osco, el umbro y los dialectos sabélicos, forma la rama itálica del tronco indoeuropeo. Primitivamente, su dominio estaba limitado: al N., por el Tíber; al E., por los Apeninos; al S., por el país montañoso de los Volscos, y al O., por el mar. Roma fue pronto el centro lingüístico de máxima importancia dentro del dominio. Las conquistas romanas llevaron el latín a toda la Península italiana, Sicilia, Cerdeña, Córcega, N. de Africa, Hispania, Galia, Retia y Dacia. En todos estos lugares (excepto en Africa), el latín, evolucionando divergentemente, ha dado lugar a las llamadas **lenguas romances, románicas o neolatinas.** La inscripción latina más antigua pertenece al siglo VII a. J. C. La literatura comienza con las obras de Livio Andrónico, Nevio, Plauto y Ennio (siglos III-II a. J. C.). La lengua literaria se basó en el habla romana y quedó fijada en el siglo I a. J. C. Esta lengua, perfectamente regulada por los gramáticos, no era, claro es, la lengua popular y conversacional de Roma y del Imperio. Es esta lengua hablada, con caracteres peculiares, lo que se llama **latín vulgar,** del que propiamente derivan las lenguas romances. Durante la

Edad Media, los clérigos recogieron la tradición gramatical del latín literario, escribiendo una modalidad más o menos artificial, llamada **bajo latín. 2.—Latín dos canteiros.** Jerga gremial de los canteros gallegos. **3. Latín dos cegos.** Jerga gremial de los mendigos gallegos.

Latinismo. Vocablo o giro que conserva su aspecto latino y ha sido introducido por influjo culto: *maximum, minimum,* etc. Vid. *Cultismo.*

Latinización. Alteración de una forma o estructura lingüística para acomodarlas al sistema latino o conferirles un aspecto latino.

Lativo. Valor que adquiere a veces el caso dativo para expresar el lugar a que se dirige la acción del verbo, sin que ello indique que ese lugar es alcanzado: *it clamor caelo.* Corresponde al valor *ilativo* del acusativo.

Laxo. A. *Lax;* I. *Loose;* F. *Lâche.* Término que se emplea alguna vez como sinónimo de *relajado.*

Lectio. 1.— Lectio facilior. En crítica textual, variante que representa una reducción de dificultades, realizada por el copista al no entender el sentido del texto que copiaba. **2.—Lectio difficilior.** Variante más compleja, entre las que ofrece la tradición diplomática. En ausencia de otros criterios decisivos, suele preferirse al realizar la edición crítica de un texto. Vid. *Collatio.*

Legítimo. Se aplica a las formas cuya evolución obedece a las leyes* fonéticas* regulares (Ascoli).

Leísmo. Empleo exclusivo del pronombre personal *le,* como complemento directo, en lugar de *lo* y *la.* Así, *voy a verle,* en vez de *voy a verlo* o *voy a verla.* La Academia española y el buen uso admiten dicho empleo para el género masculino, siempre que el pronombre se refiera a personas, no a cosas; no puede decirse, por ejemplo, *tengo un reloj, pero nunca le llevo.* El leísmo es propio de Castilla, aunque ha penetrado en otras regiones del español. Vid. *Laísmo, Loísmo.*

Leixaprén. Artificio (especialmente frecuente en la lírica gallego-portuguesa) que consiste en terminar una estrofa y comenzar la siguiente con las mismas palabras.

Lemosín. Dialecto del provenzal, correspondiente a la región francesa de Limoges. Durante la Edad Media, por el prestigio de los trovadores de dicha región, con el término _lemosín_ se designó la comunidad y las lenguas de Provenza, junto con el catalán, valenciano y mallorquín, que se suponían descendientes de tal dialecto francés. En Cataluña, el término alternó con el de _catalán_, que acabó por triunfar. En Valencia, en cambio, el término _valenciano_, usado alguna vez durante los siglos XIII y XIV, fue abandonado y se prefirió el de _lemosín_, usado hasta el siglo XIX. También se aplicó el término _lemosín_ para designar al catalán y todos sus dialectos. En este sentido lo utiliza aún Milá y Fontanals en 1850. El trabajo posterior de los filólogos, demostrando que tal lengua no deriva de la Provenza, y mostrando las verdaderas relaciones que ligan al valenciano y al mallorquín en el seno del catalán, ha conseguido desterrar el término _lemosín_ y fijar las designaciones tal como hoy se emplean.

Lengua romana. Se llamó así durante la Edad Media al provenzal. Se creía que era esta lengua el idioma vulgar opuesto al latín culto, y que de él habrían surgido los idiomas románicos. Tal idea fue todavía sustentada por Raynouard (1816).

Lengua. 1.—A. _Zunge;_ I. _Tongue._ Organo que interviene activamente en multitud de articulaciones. Se distinguen en la lengua las siguientes zonas: **ápice o punta** [A. _Zungenspitze;_ I. _Point, Tip_], **predorso o corona** [A. _Zungenkrone_], **dorso o mediodorso** [A. _Zungenrükken;_ I. _Back;_ F. _Dos_], **postdorso y borde** [A. _Zungenrand_]. Vid. _Lingual._ **2.**—Sistema de signos orales (y equivalentes escritos) que utiliza una comunidad para expresarse. A partir de F. de Saussure, el término _lengua_ ha especializado su significación para oponerse a _habla. Lengua_ [A. _Sprache, Sprachbau, (sprachliches) System;_ I. _Speech, Tongue, Pattern;_ F. _Langue_] es el conjunto de signos, de naturaleza psíquica, a disposición de la colectividad, pero exterior al individuo «que por sí solo no puede ni crearla ni modificarla, no existe más que en virtud de una especie de contrato establecido entre los miembros de la comunidad [Vid. _Inmutabilidad_]... La lengua existe en la colectividad en la forma de una suma de acuñaciones depositadas en cada cerebro, más o menos como un diccionario cuyos ejemplares, idénticos, fueran repartidos entre los individuos. Es, pues, algo que está en cada uno de ellos, aunque común a todos y situado fuera de la voluntad de los depositarios». El individuo elige en la lengua los medios de expresión que necesita para comunicarse, les confiere naturaleza material, produciéndose así el *habla*. La lengua, según Saussure, es una estructura o sistema. **3.—Lengua general.** Vid. *Lingua franca.*

Lenguaje. A. *Sprache.* **1.**—Facultad que el hombre posee de poder comunicar sus pensamientos. **2.**—Cualquier sistema que sirve al hombre para el ejercicio de dicha facultad. Hay multitud de lenguajes posibles: *auditivo, visual, táctil*, etcétera. El *lenguaje auditivo*, correlativo de la facultad de hablar (por lo que se llama también *lenguaje hablado* o *articulado*), es el que constituye el objeto de estudio de la Lingüística. **3.**—Para Saussure, el lenguaje es la suma de la lengua y del habla. «Tomado en su conjunto, el lenguaje es multiforme y heteróclito; a caballo en diferentes dominios, a la vez físico, fisiológico y psíquico, pertenece además al dominio individual y al dominio social».

Lenición. A. *Lenierung.* **1.**—Fenómeno muy complejo del céltico, y que, en líneas generales, consiste en que un sonido no silábico* entre dos vocales, o bien en posición inicial ante vocal, *p* indoeuropea o sonante, precedido de una palabra ter-

minada en vocal, tiende a aumentar su abertura y recibe una aspiración, cosas ambas que afectan grandemente al consonantismo, haciendo que un sonido se haga fricativo si era oclusivo, o bien, si era fricativo, se convierta en un soplo aspirado. En irlandés, tras este fenómeno, las fricativas sordas entre vocales átonas han sonorizado y han permanecido sordas cuando iban tras la vocal tónica. **2.**—A veces se emplea como sinónimo de sonorización.

Lenis, Lenes. Vid. *Dulce y Flojas.*

Lento. 1.—Forma «lento». Nombre que puede recibir también la forma abreviada*. **2.**—Tempo lento. Vid. *Tempo.*

Leonés. Conjunto de hablas del antiguo reino de León, que hoy viven precariamente en un territorio inferior al que ocupaba en la Edad Media, disminuido por la presión castellana. «El territorio de habla leonesa comprende Asturias, el O. de Santander, N. y O. de Zamora y Salamanca y parte de Cáceres. Sus límites con el gallego-portugués son muy imprecisos al N. del Duero; el gallego penetra en Asturias, León y Zamora, y hay una zona fronteriza donde se mezclan caracteres de ambos dialectos. La divisoria, muy borrosa, corre entre el río Navia y la sierra de Rañadoiro, reparte el valle del Bierzo y deja para el gallego algunas aldeas del S. de León y Sanabria. Hay pueblos zamoranos [Castrelos y Castromil de Castilla, p. ej.], que hablan portugués, mientras que, dentro de Portugal, la comarca de Miranda de Duero y Sendim pertenece lingüísticamente al leonés. Al S. del Duero, la coincidencia de las fronteras dialectales y las políticas es más exacta, aunque hay núcleos de lengua portuguesa en Alamedilla (Salamanca), Cedillo, Valverde del Fresno, Eljas y San Martín (Cáceres), y en Olivenza (Badajoz), que pertenecía a Portugal hasta 1801» (Lapesa). Vid. *Dialecto.*

Leonesismo. Palabra, giro o fenómeno de procedencia leonesa: *nalga, cobra* ('soga', 'reata', del latín c o p u l a).

Leonino. Verso cuyos dos miembros riman entre sí: *contra vim mortis non est medicamen in hortis.* Debe su nombre a León, canónigo de Saint-Victor, que puso en circulación tal tipo de verso desde el siglo IX.

Leridano. Vid: *Catalán.*

Lésbico. Vid. *Griego.*

Letón. Vid. *Báltico.*

Letra. A. *Buchstabe;* I. *Letter.* Signo gráfico que, solo o combinado con otros, representa en la escritura un fonema. Las letras pueden ser *simples (b, c, p)* o *dobles.* Vid. *Digrama.*

Letrilla. Composición de tema lírico —humorístico y satírico muchas veces—, con versos de ocho o de seis sílabas, que adopta la forma del villancico o del romance con estribillo: *Poderoso caballero / es don Dinero. / Madre, yo al oro me humillo: / él es mi amante y mi amado, / pues de puro enamorado, / anda contino amarillo; / que pues, doblón o sencillo, / hace todo cuanto quiero, / poderoso caballero / es don Dinero,* etc. (Quevedo).

Lexema. Entre los lingüistas norteamericanos, raíz o tema. A veces designa, simplemente, la palabra. Vid. *Semantema.*

Lexicalización. 1.—Designa así Bally (1932) el proceso que convierte un conjunto sintagmático en un elemento lingüístico que funciona como una sola palabra. **2.**—Conversión de una interjección o de una onomatopeya en una palabra capaz de funcionar gramaticalmente *(un runrún; los ayes)*. **3.**—Incorporación de una metáfora de origen individual al sistema general de la lengua. De la metáfora así incorporada, se dice que está **lexicalizada** *(reanudar, pluma, columna* vertebral).

Léxico. 1.—Sistema de palabras que componen una lengua. **2.**—Este término se usa también como adjetivo [A. *Lexikalisch;* I. F. *Lexical*], el cual expresa algo referente al léxico, en su primera acepción. Se dirá, por ejemplo, *elementos léxicos, caracteres léxicos,* etc. Algunos lingüistas españoles comienzan a introducir el galicismo *lexical.* **3.**—Para Bloomfield, totalidad de morfemas de una lengua (I. *Lexicon).* **4.**—Acento léxico. Vid. *Acento.* **5.**—Diccionario.

Lexicografía. Técnica o arte de componer diccionarios.

Lexicología. Disciplina que estudia el léxico de una lengua en su aspecto sincrónico, a diferencia de la Semántica, que opera dentro del plano diacrónico. El determinar el significado que la palabra *verde* ha tenido en un momento cualquiera de la historia de nuestra lengua o posee en la actualidad, y establecer sus relaciones dentro del sistema léxico español de ese momento, es propio de la Lexicología. La Semántica se ocupará de determinar el proceso que siguió esa palabra desde su significado originario (color *verde)* al significado 'obsceno', por ejemplo.

Ley. A. *Gesetz;* I. *Law;* F. *Loi.* **1.** — Formulación de una regularidad observada en la producción de cualquier fenómeno lingüístico (fonético, morfológico, semántico, etcétera). Vid. *Leyes de Osthoff, Vendryes, Darmesteter, Wheeler* y *Abreviamiento.* **2.**—**Ley fonética** [A. *Lautgesetz*]: «Fórmula que define el cambio experimentado por una articulación en una región determinada y en un tiempo determinado» (M. Grammont). Por ejemplo, «en castellano, toda ĕ tónica latina diptonga»: s e x t a > *siesta*, s e p t e > *siete.* Esta ley es válida, dentro de los dialectos peninsulares, para el castellano, pero no para el gallego, catalán, aragonés, etc. Y sólo rige hasta una cierta época, ya que, al penetrar más tarde como cultismo la voz *sexta,* no hubo diptongación; y *septimus* se mantuvo también como *séptimo.* El problema de las leyes fonéticas es uno de los más de-

Diccionario de términos filológicos

263

batidos en la Lingüística. Dejando aparte un período precientífico, que se extiende entre los siglos xv y xix (Nebrija, por ejemplo, dice: «La *f* corrómpese en la *h*, como nosotros la pronunciamos», y Sarmiento enuncia una serie de *teoremas* lingüísticos), el problema es formulado teóricamente en el último tercio del siglo pasado. Leskien y Schleicher proponen el principio de que las leyes fonéticas no reconocen excepción y operan con el mismo rigor que las leyes de la naturaleza. Los neogramáticos acogieron este concepto de ley, si bien reconocían los efectos «perturbadores» de la analogía. Contra la regularidad de las leyes fonéticas reaccionaron pronto G. Curtius, Ascoli y Schuchardt, en el siglo xix. Gilliéron y Rousselot se sumaron a esta actitud contraria con argumentos extraídos de la Geografía lingüística y de la Fonética experimental, respectivamente. Los lingüistas franceses (Meillet, Grammont, Vendryes) aceptan la noción de ley, en cuanto formulación de una tendencia en el lenguaje, pero atenúan el carácter imperativo que le daban los neogramáticos. La misma prudente actitud adopta Menéndez Pidal, el cual ha señalado que la ley opera durante larguísimos períodos. A. W. de Groot (1948) ha distinguido entre **ley foné-**

tica y **ley fonológica.**' La primera formula cambios que no afectan al sistema; así, el paso $p > b$ fue un cambio que se produjo en las palabras españolas; pero el sistema fonológico no se alteró, ya que poseía el fonema *b*. En cambio, cuando f- > h-, se operó un cambio fonológico, que produjo la aparición de un fonema *h-*, no existente antes en el sistema. Vid. *Neolingüística*.

Liaison. I. *Linking*. Término francés con el que se designa la unión de la consonante final de una palabra (muda, ordinariamente) con la vocal inicial de la siguiente: *bonsamis*. D. Alonso ha traducido (1951) este término por **ligazón** y S. Gili Gaya por **enlace**; pero es muy frecuente utilizar la palabra francesa. Vid. *Cuir*.

Líbico-bereber (Grupo). G r upo de lenguas camíticas* habladas por los bereberes o berberiscos, que, durante la antigüedad, cubrían una vasta extensión, desde la frontera de Egipto hasta las Islas Canarias. El líbico se conoce hoy por unas mil breves inscripciones diseminadas desde el Sinaí hasta el Atlántico; ninguna es anterior al siglo II a. J. C. El bereber es una lengua fragmentada dialectalmente, con abundantes influjos árabes. La hablan unos cuatro millones de individuos, en el Sahara meridional *(tuareg),* Mauritania meridional *(zenaga, nemadi),* montañas de Marruecos *(rifeño),* Atlas medio y meridional, SE. marroquí, Argelia, S. de Túnez, Tripolitania y diversos oasis de la antigua Libia. Se acostumbra a reunir varios dialectos del N. y E. del dominio bajo el nombre de *cenete.* Vid. *Guanche.*

Libio. Vid. *Arabe.*

Libre. A. *Frei;* I. *Free.* **1.—Vocal libre.** Se aplica alguna vez este término a la vocal que va en sílaba libre. **2.—Sílaba libre.** Vid. *Sílaba.* **3.—Traducción libre.** Es la que se realiza con vistas a captar exacta y elegantemente el sentido total del texto traducido, sin ajustarse con rigor a las particularidades morfológicas, sintácticas y léxicas del mismo. Se opone a *traducción literal.* **4.—Verso libre.** Vid. *Verso.* **5.—Acento libre.** Vid. *Acento.*

Licencia. A. *Freiheit.* Facultad que se concede al poeta para que pueda someterse a las exigencias de la métrica violentando los hábitos gramaticales o prosódicos de la lengua.

Licuante. Da este nombre A. Bello a cada una de las consonan-

tes que pueden formar grupo con las líquidas *l* o *r,* es decir, en español, *b, c, d, f, g, p, t.*

Lied. En la literatura alemana, poema épico antiguo (así el *Nibelungenlied)* o canción narrativa o lírica. También se da este nombre a un poema estrófico no cantado, de carácter sentimental, báquico, patriótico, etc. (Así, los *Lieder* de Heine). En la literatura francesa romántica, poema amoroso y melancólico, de estrofas cortas como una canción.

Ligada (Frase). Llama así Bally [F. *Phrase liée*] (1932) a la frase que carece de pausas internas: *el carácter del hijo se parece al del padre.* Se opone a la *frase segmentada.*

Ligazón. Vid. *Liaison.*

Ligur. Lengua de los ligures, pueblo extendido, antes del s. VI a. J. C., por un amplio territorio entre el Ródano y el Arno, que comprendía parte del Piamonte, Provenza, quizá parte de Lombardía, Emilia, y especialmente la región hoy llamada Liguria, incluida Córcega (que pasó después a poder de los etruscos). Dicha lengua, muy mal conocida (unas 70 inscripciones y datos de toponimia), parece estar formada por dos estratos: uno mediterráneo, preario, y otro, más reciente, indoeuropeo. Vid. *Italiano*.

Limitación (Ley de).Vid. *Campo*.

Límites sueltos. Vid. *Isoglosa*.

Línea de Jireček. Frontera descrita por el historiador checo K. Jireček (1901) en la Península Balcánica, como límite antiguo entre el latín y el griego. Basándose en un recuento de inscripciones en ambos idiomas, supone que el confín oriental del Imperio alcanzaba hasta una línea que, partiendo de Lesh (Albania), pasaba al S. de la vía entre Scutari y Prizren, ascendía hasta Shkup, seguía hasta Sofia, volvía al N., continuando por el curso del Danubio hasta su desembocadura. El S. de esta línea era preferentemente griego, mientras que el N. era latino.

Lineal. 1.—Se denomina así alguna vez el aspecto durativo, porque la estructura de su acción puede ser representada gráficamente mediante una línea, frente al instantáneo, que debe ser representado por un punto (de ahí su denominación de *puntual*). **2.**—Disposi-

ción sucesiva que adoptan los elementos lingüísticos en el habla, frente a la disposición simultánea en que se hallan dichos elementos en la lengua.

Linealidad. Disposición lineal de los elementos lingüísticos en el habla.

Lingua franca. 1.—Sabir. **2.**—Idioma mixto*. **3.**—Lengua o variedad dialectal única que adoptan para comunicarse individuos de lenguas o dialectos diferentes cuando han de mantener un contacto frecuente. Así, por ejemplo, la *lingua geral*, dialecto tupi del Brasil, acomodado por los misioneros para facilitar la comunicación entre las poblaciones indias, muy fragmentadas lingüísticamente, y de los indígenas con los blancos, que hoy está en retroceso ante el portugués. O la también *lengua general* —variedad del quechua— utilizada por los españoles. Vid. *Idioma criollo**.

Lingua geral. Vid. *L i n g u a franca*.

Lingual. Término vago con que se alude a la participación activa de la lengua en una articulación. Son términos ya casi completamente desplazados, **antero-lingual** (al que hoy se prefieren *apical* o *coronal*), **medio lingual** (*predorsal, mediodorsal* o *dorsal* y *postdorsal*) y **postlingual** (*radical*).

Lingüística. 1.—[A. *Sprachwissenschaft*]. Ciencia del lenguaje articulado. Las diversas maneras de enfocar su objeto y los distintos intereses que guían a los lingüistas en sus investigaciones han dado origen a una serie de modalidades de la Ciencia del lenguaje. Vid. *Gramática comparada, Lingüística general, espacial, funcional, Estructuralismo, Filología*. Para las nociones de *Lingüística estática, descriptiva* o *sincrónica* y *Lingüística evolutiva, histórica* o *diacrónica*, vid. *Diacronía*. **2.** — **Forma lingüística.** Vid. *Forma*.

Líquida. 1.—Término que se aplicó en la Antigüedad (*litterae liquidae*) a las consonantes *m, n, l, r.* Tal agrupación y designación de consonantes no satisface hoy, a pesar de que ha persistido hasta un período muy avanzado de la Lingüística. Ha protestado contra ella D. Jones (1932). Algunos lingüistas reservan el término para designar las consonantes *l, r,* por su aptitud para formar grupos (*pl-, pr-,* etc.), separándolas de las nasales. Pero la heterogénea articulación de *l* y *r* no justifica para muchos el constituir con ellas un grupo especial de consonantes líquidas. Vid. *Sonante.* **2. Repercusión de líquidas.** Vid. *Repercusión.*

Lira. Estrofa aconsonantada, formada por dos versos endecasílabos y tres heptasílabos que riman así: *a B a b B.* Fue inventada por Bernardo Tasso (1534) e introducida en España por Garcilaso de la Vega, que la usó en su célebre *Canción a la Flor de Gnido.* El término ha sido sugerido por el primer verso de dicha canción: *Si de mi baja lira...*

Literal. 1. — Sentido literal. [A. *Buchstäblich, Wörtlich*]. Es el que posee una locución, un giro, etc., atendiendo a la suma de sus significados. A veces, tal sentido es absurdo. Así, *hablar a tontas y a locas.* **2.**—**Traducción literal.** Se dice de la que se atiene rigurosamente a la estructura gramatical del texto, con posible descuido de la elegancia y aun de la traducción. Se opone a traducción libre. **3.**—**Árabe literal.** Vid. *Árabe.*

Literarismo. Rasgo lingüístico que pertenece a la lengua literaria.

Lítotes. «Figura que consiste en no expresar todo lo que se quiere dar a entender, sin que por esto deje de ser bien comprendida la intención del que habla. Cométese generalmente negando lo contrario de aquello que se quiere afirmar, v. gr.: *no soy tan feo; en esto no os alabo»* (DRAE). Se denomina también *atenuación.*

Lituano. Vid. *Báltico.*

Llana. 1.— Consonantes llanas. Consonantes no palatalizadas frente a las palatalizadas, que se denominan también **realzadas.** De igual modo se aplica el término **llanas** a las consonantes no labializadas, frente a las labializadas, que son **rebajadas. 2.—Palabras llanas.** Vid. *Paroxítona.*

Llena. 1.— Palabras llenas [I. *Full words*]. Término procedente de los gramáticos chinos, que designan así las palabras dotadas de significación, frente a las *palabras vacías,* que desempeñan el papel de morfemas. **2.—Vocales llenas.** Vid. *Perceptibilidad.*

Localismo. Peculiaridad lingüística, propia de una localidad, diferente del dialectalismo. «Los localismos son formas que se apartan de la lengua común, pero que en ningún caso contradicen las leyes por que se rige dicha lengua en cuanto a fonética, derivación, desinencias, flexiones y prosodia; mientras que las variantes dialectales obedecen a normas divergentes, que son precisamente las que individualizan el dialecto respectivo y permiten circunscribir su ámbito. Tal vez en algún caso concreto no sea fácil determinar si se trata de un localismo puro o si va acompañado de un matiz dialectal» (J. Casares).

Locativo. 1.—[A. *Lokalis*]. Caso que expresa el lugar en que ocurre la acción. En latín se fundió por sincretismo con el ablativo, pero quedan algunas supervivencias del locativo indoeuropeo: *domi, humi, ruri, belli, militiae, viciniae,* etc. **2.— Oraciones locativas.** Se da este nombre alguna vez a las subordinadas o inordenadas que expresan lugar: *Vengo de donde tú has estado.*

Loci critici. En crítica textual, fragmentos largos de una obra que se cotejan en la *collatio,* para establecer, con los datos resultantes, una provisional clasificación de los materiales de la tradición diplomática.

Locrio. Vid. *Griego.*

Locución. A. *Ausdruck, Redensart;* I. *Formula, Phrase, Idiom.* «Combinación estable de dos o más términos, que funcionan como elemento oracional y cuyo sentido unitario, familiar a la comunidad lingüística, no se justifica, sin más, como una suma del significado normal de los componentes» (J. Casares). Este autor divide las locuciones en *significantes* y *conexivas.* A) **Locuciones significantes.** Están dotadas de significación y pueden subdividirse en *sustantivas,* equivalentes a un nombre (entre las que podemos distinguir las *denominativas,* que sirven para nombrar una persona, animal o cosa: *tren correo, niño gótico; singulares,* equivalentes a un nombre propio: *el perro del hortelano; infinitivas: coser y cantar); adjetivas,* equivalentes a un adjetivo: una mujer *de rompe y rasga; verbales:* compuestas de un verbo que, asimilando su complemento directo o preposicional, forma un predicado complejo: *poner de vuelta y media* ('insultar'); *participiales,* introducidas generalmente con *hecho: hecho un brazo de mar; adverbiales* (llamadas tradicionalmente *modos adverbiales)* equivalentes a un adverbio: *a deshora, ni por esas, en efecto; pronominales: cada quisque; exclamativas: ¡ancha es Castilla!* B) **Locuciones** conexivas. Sirven como nexo gramatical, y pueden ser *conjuntivas* (llamadas tradicionalmente *modos conjuntivos): con tal que;* y *prepositivas: en pos de.*

Logaédico (Ritmo). Ritmo constituido por una sucesión de sílabas largas separadas entre sí por grupos de dos breves, al comienzo del verso, y por breves aisladas en su parte final.

Logicismo. Tendencia que ha prevalecido mucho tiempo en la Lingüística, según la cual existiría un paralelismo riguroso entre pensamiento y lenguaje. Es el postulado en que se apoya la antigua Gramática general. Tal doctrina se halla en absoluto descrédito, ya que muchas veces intervienen en el lenguaje otros factores (psicológicos o, simplemente, gramaticales) que contradicen la existencia de un paralelismo lógico-gramatical.

Lógico. 1.—Orden de palabras lógico. Orden de palabras que se ajusta a lo que es normal o más frecuente en una lengua. No existe orden lógico universalmente válido. En español, llamamos así a la ordenación sujeto (y sus complementos) + predicado + complementos del predicado. 2.— Concordancia o construcción lógica.

Se denomina así, algunas veces, la concordancia ad sensum. **3.**—El término lógico [A. *Intellektuell;* I. *Intellective;* F. *Intellectif, Intellectuel*] se opone a *afectivo* o *emotivo.* Se aplica, en general, al lenguaje en que predomina la función representativa.

Logudorés. Vid. *Sardo.*

Loísmo. Uso del pronombre personal *lo* como complemento indirecto masculino, que se considera como extremadamente plebeyo: *lo di una bofetada.* Vid. *Laísmo, Leísmo.*

Lorenés. Vid. *Francés.*

Lucanés. Vid. *Italiano.*

Lunfardo. Jerga argentina formada, a lo largo del siglo pasado, con elementos del *caló* y dialectalismos italianos. «En principio era sólo el habla de los delincuentes, algo parecido a la *coa* de Chile, a la *giria* brasileña y a la *germanía* de España» (A. Castro). Consta de unas 1.500 voces, basadas, en gran parte, en el castellano vulgar; muchas palabras se forman invirtiendo sus sílabas: *gotán* 'tango', *davi* 'vida'. Tiene como peculiaridad sintáctica «la repetición enfática, al final de la frase breve, del primer miembro de ella: *te digo que no quiero, te digo*»; rasgo, al parecer, de origen italiano (Costa Alvarez).

Lusismo. Palabra, giro o fenómeno de procedencia portuguesa; son lusismos las voces *sarao, arisco, portugués* (en vez de *portogalés*), etcétera.

Macarrónico (Latín). Modalidad lingüística burlesca, inventada en Italia (Tifi Odassi, *Maccharonea*, 1490), consistente en el uso mezclado de palabras vulgares y latinas, y en la latinización arbitraria de vocablos vulgares.

Macedonio. Lengua antigua indoeuropea mal conocida. Se conservan de ella escasos textos, que no permiten decidir su adscripción a ninguno de los grupos vecinos. Algunos lingüistas piensan que puede existir alguna relación entre el macedonio y el grupo griego*.

Macedorrumano. Vid. *Rumano.*

Macrocolon. En un período, apódosis más larga que la prótasis.

Macrología. Difusión y amplitud excesiva del discurso.

Maderés. Vid. *Portugués.*

Madrigal. Poema breve, normalmente amoroso, en el que se combinan versos de once y de siete sílabas, rimados al arbitrio del poeta: *Ojos claros, serenos, / si de un dulce mirar sois alabados, / ¿por qué, si me miráis, miráis airados? / Si cuando más piadosos, / más bellos parecéis a aquel que os mira, / no me miréis con ira, / porque no parezcáis menos hermosos. / ¡Ay, tormentos rabiosos! / Ojos claros, serenos, / ya que así me miráis, miradme al menos* (Gutierre de Cetina).

Magnitud. Funtivo*, que no es, a su vez, función*.

Malapropismo. Así puede traducirse el I. *Malapropism,* que se aplica a la deformación y mal uso de palabras extranjeras. El término alude a Mrs. Malaprop, personaje de una obra de Sheridan, que comete tales errores. Se trata de un tipo especial de etimología* popular.

Maltés. Variedad del árabe* hablada en la isla de Malta por unos doscientos mil cristianos.

Malayo-Español. Vid. *Español.*

Malayo - Polinesio (Grupo). Recibe el nombre de los subgrupos situados en los extremos E. y O. Se llama también **austronésico**, y comprende un grupo de áreas lingüísticas, situadas en el Pacífico, desde Madagascar (O.) a la isla de Pascua (E.) y desde Formosa (N.) a Nueva Zelanda (S.), incluyendo parte de la Península de Malaca, en Asia, Australia y Tasmania. Se distinguen los siguientes subgrupos: A) **Indonesio**, que comprende islas colonizadas por la India entre los siglos IV y III a. J. C. (Filipinas, Formosa, Célebes, Borneo, Java, Sumatra, Madagascar, etc.). Pertenece a él, por tanto, el *tagalo.* B) **Melanesio**, que acoge unas 35 lenguas habladas en Salomón, Santa Cruz, Torres, Bank, Nuevas Hébridas, etcétera. C) **Micronesio**, con ocho lenguas usadas en Kingsmill, Marshall, Carolinas y Marianas. D) **Polinesio**, con unas veinte lenguas, que se hablan en el Archipiélago de Cook, islas Samoa, Hervey, Tahití, Nueva Zelanda, Marquesas, Hawai, etc.

Mallorquín. Vid. *Catalán.*

Manacorín. Vid. *Catalán.*

Manchú. Vid. *Uralo-altaico.*

Mandarín. Vid. *Chino-tibetano.*

Manuscrito. Texto de una obra escrito a mano. Vid. *Autógrafo, Apógrafo.*

Mapa lingüístico. Representación cartográfica de uno o varios hechos lingüísticos. Hay varias clases de mapas lingüísticos: A) **Mapa fonético**, que representa las diferentes pronunciaciones de un sonido en un territorio determinado. De mapas fonéticos está compuesto el atlas daco-rumano de Gustav Weigand (1898-1909); B) **Mapa léxico**, que representa las diferentes palabras usadas en un territorio dado, para expresar un concepto. Mapas de este tipo hay en el atlas de Alemania noroccidental, de W. Pessler (1928); en el de Holanda sudoriental, de W. Roukens (1937), y en el «Pequeño atlas rumano», de Sever Pop (1938); C) **Mapa lingüístico** propiamente dicho es el que representa las varias expresiones en uso para un concepto dado; a diferencia de los mapas léxicos, registra también las variantes fonéticas y morfológicas de cada tipo. De esta clase son los mapas del atlas lingüístico de Francia, de Gilliéron (1903-1910); D) **Mapa lingüístico-etnográfico**, en el que a las indicaciones lingüísticas se añaden indicaciones etnográficas —rasgos antropológicos, objetos de cultura material— con dibujos y esquemas adicionales. Aparecen estos mapas en el *Sprach- und Sachatlas* de Italia y sur de Suiza, de Jaberg y Jud (1928 y ss.). Vid. *Fondo, Atlas lingüístico, Geografía lingüística.*

Mapuche. Vid. *Americanas (Lenguas).*

Marca de correlación. A. *Korrelationsmerkmal.* «Carácter fónico que, opuesto a la ausencia de dicho carácter, forma una propiedad de correlación. Ejemplo: la duración larga de las vocales en latín» (TCLP). Vid. *Serie correlativa.* El término se aplica a cualquier tipo de correlación gramatical. Se denomina también **cualidad distintiva** o **rasgo distintivo.**

Marcado. 1.—Término marcado. Es el que posee la marca de correlación, frente al **no marcado,** que carece de ella. **2.—Tiempo marcado.** En la métrica clásica se da este nombre al lugar del verso en que debe aparecer obligatoriamente una sílaba larga (raramente resuelta en dos breves), como elemento cuya repetición engendra un ritmo. Vid. *Arsis, Tesis.*

Marginales (Cenemas, Pleremas). Vid. *Pleremática.*

Marivaudage. Con este término califican los críticos franceses el estilo muy refinado en cuanto a los sentimientos y a la expresión; alude a las cualidades y a los defectos del estilo de Marivaux.

Marroquí. Vid. *Árabe.*

Masculina (Rima). En la métrica francesa, rima entre dos palabras que terminan en sílaba tónica: *fleur-bonheur.* Vid. *Rima femenina*, Alternancia* de rimas.*

Masculino. Vid. *Género, Cesura.*

Matemática (Lingüística). I. *Mathematical Linguistics.* Ciencia que, modernamente, afronta el estudio del lenguaje, con técnicas estadísticas y matemáticas.

Materia. Vid. *Genitivo, Ablativo.*

Materna (Lengua). A. *Muttersprache;* I. *Mother-tongue, Nativelanguage.* Lengua que un individuo ha hablado desde su infancia, por haberla recibido del medio ambiente en que comenzó su educación.

Mates (Consonantes). Vid. *Estridentes (Consonantes).*

Matices de los sonidos. V i d. *Variante.*

Maya-quiche. Familia de lenguas indígenas americanas, en la que se distinguen dos grupos: el **huasteco,** en San Luis de Potosí y Veracruz, y el **maya,** hablado por más de 300.000 personas, en Yucatán.

Mayestático (Plural). Vid. *Plural.*

Mecánica intuicional. Vid. *Psicosistemático (Método).*

Media (Voz). Vid. *Voz* y *Dinámico.*

Media tantum. Expresión latina con que se designan los verbos deponentes que sólo poseen voz media. Así, los verbos latinos *nascor, morior, sequor, potior,* etc.

Medida. Número de sílabas de un verso. Alterna este término con el de *metro.* En métrica francesa se denomina también *mesure* la parte de un verso limitada por dos pausas.

Medio. 1.—Sonido medio. A. *Mittellaut;* I. *Medial;* F. *Médiane, Médiale.* **1.**—Sonido cuyo punto de articulación está situado entre la parte anterior y la parte posterior de la cavidad bucal. **2.**—**Vocal media.** Vocal cuyo grado de abertura es intermedio entre el de las vocales abiertas y el de las vocales cerradas. Así, en francés, la *e* de *et,* frente a la de *pré* (cerrada) y a la de *près* (abierta) (Marouzeau). Con arreglo a la primera acepción, se da también el nombre de *vocal media* a la *a,* con relación a las extremas *i, u.* **3.**— **Término medio.** Vid. *Extremo.*

Mediodorsal. Vid. *Dorsal.*

Mediopalatal. Articulación cuyo órgano pasivo es la zona media del paladar duro: *ɲ, ʎ,* etc.

Medio-pasivo. Término con que son designados algunos verbos latinos, con forma activa y pasiva, pero en los cuales la forma pasiva adquiere a menudo un sentido reflexivo. Expresan ordinariamente cuidados corporales *(lavari* 'lavarse'), desplazamiento en el espacio *(moveri* 'moverse') u otras acciones *(exerceri* 'ejercitarse', *purgari* 'justificarse'), etc.

Meditativo. Término usado alguna vez como sinónimo de *desiderativo*.

Mediterráneos (Idiomas). Vid. *Caucásicas (Lenguas)*.

Medo. Vid. *Indio-iranio (Grupo)*.

Meglenítico, Meglenorrumano. Vid. *Rumano*.

Melanesio. Vid. *Malayo-polinesio*.

Melodía. Término empleado frecuentemente como sinónimo de *entonación*.

Melódico (Acento). Vid. *Acento*.

Menorquín. Vid. *Catalán*.

Mentalismo. I. *Mentalistic theory*. Así denominan los lingüistas americanos antimentalistas la teoría según la cual el acto de hablar puede ser explicado adecuadamente en términos de procesos mentales diferenciales y diferenciados en los hablantes. Vid. *Antimentalismo*.

Mesapio. Lengua indoeuropea, afín al ilírico, probablemente un dialecto suyo, trasplantada a la península Salentina y a parte de Apulia, a principios del primer milenio a. J. C.

Mesenio. Vid. *Griego*.

Mesosticha. Vid. *Acróstico*.

Metábasis. Fenómeno que se produce cuando una palabra que pertenece a una determinada categoría pasa a desempeñar una función que corresponde a otra categoría. Así, cuando *azul*, adjetivo, ejerce una función sustantiva en *el azul del mar*. Vid. *Transposición, Hipóstasis*.

Metábole. Vid. *Sinonimia*.

Metacedeusis. «Llamo *metacedeusis* al fenómeno de historia léxica en virtud del cual una palabra perteneciente a una familia de vocablos cuya individualidad se ha borrado en el idioma (por la pérdida o alejamiento fonético del jefe de familia), se incorpora a otra familia de existencia más clara, haciendo sufrir a aquélla las transformaciones léxicas y semánticas necesarias para ello: como el italiano *stegnere* < e x t i n g u e r e se incorporó a la familia de p i n g e r e, cambiándolo en *spegnere;* como los cast. *cundir* y *percundir* se sacaron de la familia de p e r c u t e r e para relacionarlos con c o n d i r e ; como partiendo de d e s t i n a r e 'apuntar', estimando contradictorio el empleo del prefijo *des-* ante el sentido del verbo, se sacó *atinar*, y acabó por constituirse un nuevo jefe de familia por la invención de un seudo-primitivo *tino»* (Corominas).

Metacronía. Pancronía.

Metafísico (Adjetivo). V i d. *Prenombre.*

Metafonesis. Metafonía.

Metafonía. A. *Umlaut;* I. *Mutation.* Inflexión* producida por una vocal sobre otra vocal que le antecede en la misma palabra. Así, A. *dumm / dümmer,* port.. *posu* (poço) */ posa.* Vid. *Infección.*

Metáfora. A. *Metapher, Übertragung.* Tropo mediante el cual se presentan como idénticos dos términos distintos. Su fórmula más sencilla es *A es B (los dientes son perlas)* y la más compleja o **metáfora pura,** responde al esquema *B en lugar de A: sus perlas* (en lugar de *sus dientes).* A es el término **metaforizado,** y *B* el término **metafórico.** Se confunde a v e c e s erróneamente la metáfora con la *imagen;* se diferencian en que esta última es una comparación explícita, mientras la metáfora se basa en una identidad que radica en la imaginación del hablante o del escritor. Es preciso distinguir también entre **metáfora lingüística, léxica** o **fósil,** es decir, la palabra que originariamente fue m e t á f o r a, pero que ya ha dejado de serlo y se ha incorporado a la lengua *(pluma* estilográfica, *hoja* de papel) y **metáfora literaria,** que pertenece al habla, como modalidad individual de un escritor o un hablante. Un tipo muy frecuente de metáfora es la llamada en alemán *Tiermetapher* y también *Animalisierung,* que consiste en emplear nombres de animales como términos metafóricos *(un asno* 'hombre torpe'). He aquí algunas definiciones de la metáfora. *Aristóteles:* «La metáfora consiste en aplicar a una cosa una palabra que pertenece a algo distinto»; *Cicerón:* «Translatio similitudinis est ad verbum unum contracta brevitas»; *M. de Vendôme* (siglo XIII): «Metaphora alicujus verbi usurpata translatio»; *F. de Herrera:* «La metáfora se produce cuando traspasamos en virtud una palabra, de su propio y verdadero significado a otro no propio, pero cercano, por la semejanza que tiene con él»; _Max Müller:_ «La metáfora consiste en la aplicación del nombre de un objeto al cual pertenece propiamente a otro en el cual descubre la mente cierta clase de participación en las particularidades del primero»; _H. Werner_ (1919): consiste en «sustituir la expresión de una representación por otra más o menos gráfica»; _D. Alonso:_ es una «palabra que designa los elementos irreales de la imagen cuando los reales quedan tácitos».

Metáfrasis. 1.—En el comentario de un texto, expresión de una frase o un pasaje difíciles, en términos más sencillos. **2.**—Imitación de un pasaje.

Metafrástica (Traducción). Traducción mediante metáfrasis y aclaraciones.

Metagoge. «Tropo, especie de metáfora, que consiste en aplicar voces significativas de cualidades o propiedades del sentido a cosas inanimadas; como _reírse el campo_» (DRAE).

Metalepsis. «Tropo, especie de metonimia, que consiste en tomar el antecedente por el consiguiente o al contrario. Por esta figura se traslada a veces el sentido, no de

una palabra, como por la metonimia, sino de toda una oración: _Acuérdate de lo que me ofreciste, por cúmplelo_» (DRAE).

Metalingüística. Vid. _Microlingüística._

Metaplasmo. 1.—Nombre genérico con que en la gramática tradicional se denominan las _figuras de dicción._ Se aplicaba este nombre a «cada una de las varias alteraciones que experimentan los vocablos en su estructura habitual, bien por aumento [_prótesis, epéntesis, paragoge_], bien por supresión [_aféresis, síncopa, apócope, elisión_], bien por transposición de letras [_metátesis_], bien por contracción de dos de ellas [_contracción, sinéresis, falso sandhi*_]» (DRAE). El metaplasmo tenía lugar en la lengua poética; si ocurría en la lengua corriente, se denominaba _barbarismo._ **2.**—Cambio de género. Hay metaplasmo, por ejemplo, en _centinela_, femenino en la lengua antigua, y masculino hoy. O bien en la interversión* de géneros. **3.**—Más concretamente, distinto género de una palabra en singular y en plural (latín _locus_, masculino; _loca_, neutro).

Metasemia. Cambio de significación. Vid. _Semántica._

Metástasis. Término utilizado por M. Grammont para designar la distensión de las oclusivas.

Metátesis. A. *Umstellung, Lautversetzung, Lautumstellung.* **1.—** «Cambio de lugar de los sonidos dentro de la palabra, atraídos o repelidos unos por otros» (M. Pidal). Pueden ser dos los sonidos que intercambian su lugar, y entonces se suele hablar de **metátesis recíproca** (p a r a b o l a > *palabra,* a n i m a - l i a > *alimaña),* o bien puede ser sólo uno el sonido que cambia de puesto en el seno de la palabra, llamándose entonces el fenómeno **metátesis sencilla o simple** (i n t e g r a - r e > *entregar,* c r e p a r e > *quebrar).* Los sonidos que metatizan pueden estar contiguos, hablándose entonces de **metátesis en contacto** [A. *Umkehrung, Nahversetzung, Kontaktversetzung;* I. *Inversion]* como en v i d u a > *viuda;* o bien pueden estar separados, originando una **metátesis a distancia** [A. *Fernversetzung]* como en los ejemplos aducidos en la metátesis recíproca. Vid. *Contrepetterie, Hipértesis.* **2.—**Grammont habla de metátesis sólo en el caso de que el cambio se realice a distancia, diferenciándola así de la *interversión*.* Define así la metátesis: fenómeno que «consiste materialmente en que un fonema abandona su lugar originario para ir a tomar otro a cierta distancia del primero»: miraculu > *miraglo* > *milagro.* **3.—Metátesis de cantidad.** En el grupo ηο del ático, el abreviamiento de η (que en jónico, arcadio, etc., es antihiático) produce un alargamiento de ο. Así, jónico βασιλέος es en ático βασιλέως.

Metatonía. Cambio de lugar del acento de intensidad o de altura en el seno de una palabra. Se produjo, p. ej., metatonía en español, al hacerse aguda la palabra *cercén,* que etimológicamente debería ser grave (c ĭ r c ĭ n u > *cércen,* hasta el siglo XVIII).

Metonimia. Tropo que responde a la fórmula lógica *pars pro parte;* consiste en designar una cosa con el nombre de otra, que está con ella en una de las siguientes relaciones: a) *causa a efecto:* vive de su trabajo; b) *continente a contenido:* tomaron unas *copas;* c) *lugar de procedencia a cosa que de allí procede:* el *jerez;* d) *materia a objeto:* una bella *porcelana;* e) *signo a cosa significada:* traicionó su *bandera;* f) *abstracto a concreto, genérico a específico:* burló la *vigilancia,* etc.

Métrica. Ciencia que se ocupa de la versificación. Se da el nombre de **métrica cuantitativa** al sistema de versificación cuyos efectos rítmicos se producen por la oposición entre sílabas largas y breves (griego, latín), frente a la **métrica acentual**, en la que se oponen sílabas tónicas y átonas (alemán), y a la **métrica silábica**, basada fundamentalmente en el cómputo de sílabas combinadas con los ictus y con la rima (lenguas románicas).

Metro. 1.— En general, forma métrica (cuando se habla, p. ej., de *metros cantados, metros eolios*, etcétera). **2.**— En la métrica clásica cuantitativa, unidad de repetición, dentro del colon o del verso. No está delimitado fonéticamente. Por ejemplo, en el hexámetro épico, la unidad de repetición, o sea el *metro*, es ‿ ᴗ ᴗ; en el trímetro yámbico (vid. *Senario)*, el metro es ᴗ ‿ ᴗ ‿. Los tratadistas de métrica, que consideran la estructura ᴗ ‿ ᴗ ‿ como la forma normal y típica de este último metro (en cuyo caso, la larga que aparece en lugar de la primera breve es llamada *irracional)*, opinan que el metro yámbico está formado por dos unidades menores (ᴗ ‿ + ᴗ ‿) llamadas *pies*. Se llama indistintamente pie o metro a la unidad de repetición con dos tiempos marcados*, que no es susceptible de ser analizada en dos partes iguales (por

ejemplo, el crético ‿ ᴗ ‿, el jónico ᴗ ᴗ ‿ ‿). Cuando la unidad de repetición (real, como en el dáctilo ‿ ᴗ ᴗ, o teórica, como en el yambo ᴗ ‿) tiene un solo tiempo marcado, se le da el nombre de **pie**, y se reserva el de **metro** o **sicigia** para la unidad compuesta de dos pies (p. ej., ‿ ᴗ ᴗ ‿ ᴗ ᴗ, ᴗ ‿ ᴗ ‿). Vid. *Pie, Medida*.

Mexicano. Nombre español del azteca*.

Microlingüística. I. *Microlinguistics*. Nombre que dan G. L. Trager (1949) y otros lingüistas norteamericanos a la lingüística estructural en sentido estricto, como base para la *metalingüística* [I. *Metalinguistics*] o estudio de las relaciones entre hechos lingüísticos y hechos culturales no lingüísticos.

Micronesio. Vid. *Malayo-polinesio*.

Miembro. Vid. *Clase* y *Colon*.

Migración (Teoría de la). Se ha denominado alguna vez de este modo (Saussure) la teoría de Schleicher sobre la genealogía* de las lenguas.

Mímico (Lenguaje). Vid. *Lenguaje de gestos**.

Mimología. Término con que alguna vez se designa la onomatopeya*. Correlativamente, a las palabras onomatopéyicas se les llama también **palabras mimológicas.**

Mirandés. Enclave del leonés, hablado en Miranda do Douro y Vimioso (Portugal). Tiene algún rasgo común con el gallego.

Mitacismo. Cacofonía que produce la repetición de *m* en varias palabras de la misma frase: *mi madre me mandó...*

Miuro (Hexámetro). Hexámetro al que le falta una mora en el último pie, que, en apariencia, es un yambo (⌣ _) o un pirriquio (⌣ ⌣). Vid. *Acéfalo.*

Mixto. 1.—Sílaba mixta. En la Gramática tradicional, sílaba que empieza y termina por consonante: *con, par,* etc. **2.—Idioma mixto** [A. *Mischsprache, Verkehrsprache, Notsprache;* I. *Mixed language;* F. *Langue mixte*]. Idioma formado por la amalgama del «vocabulario de una lengua con el sistema gramatical de otra, o, si el vocabulario procede de varias lenguas, con el sistema gramatical de una de ellas» (Gray). Tal sistema queda muy simplificado, y sirve como medio de comunicación para el comercio, principalmente. Los idiomas mixtos mejor conocidos son el *Pidgin-English,* el *Sabir,* el *Broken-English,* el *Beach-la-mar* y el *Chinook-Jargon.* Vid. *Criollo (Idioma),* J e r g a, *Lingua franca.* **3.**—Sommerfelt ha propuesto reservar el término *idioma mixto* para aquel cuyo sistema morfológico es de origen doble.

Moción. Expresión del género femenino mediante la adición de un sufijo: blanco-*blanca.*

Modal. 1. — Se aplica a todo lo que concierne al modo o tiene valor de modo. **2.—Vocal modal.** Nombre que recibe la vocal determinativa* o temática*, cuando ésta posee el valor de morfema de modo; así, en latín, la *i* es vocal modal de indicativo en *ag-i-mus* y la *a,* de subjuntivo en *ag-a-mus.* **3.—Verbo modal.** Giro formado por un infinitivo que depende de un verbo conjugado, referidos ambos al mismo sujeto. El infinitivo es portador de la significación, y el verbo conjugado expresa un modo subjetivo de dicha acción: *quiero venir, desea venir, puede venir,* etc. **4.—Atracción modal.** En latín, empleo del subjuntivo motivado por el influjo de una forma verbal vecina a la que adopta dicho modo: *accidit... ut nonnulli* _milites qui lignationis..._ _causa in silvas discessissent, repentino equitum adventu interciperentur_ 'ocurrió que algunos soldados que se habían alejado para hacer leña, fueron cercados por la repentina llegada de jinetes'; el subj. _discessissent_ (= _discesserant_) se justifica por la atracción de _ut... interciperentur._

Modalidad. Vid. _Dictum._

Modestia (Plural de). Vid. _Plural._

Modificación fonética. I. _Phonetic modification._ Cambio en los fonemas primarios de una forma. Así, èn inglés, _do not_ > _don't_ (dow nt); _duke_ + _esse_ > _duchess_ (dočes). _Do,_ en el ejemplo anterior, tiene dos **alternantes** (duw, en _do not,_ y dow, en _don't);_ el primero de ellos es el **alternante básico** (Bloomfield).

Modismo. Este término, tan frecuente en los gramáticos españoles, no recubre, sin embargo, un concepto preciso y claro. Sus fronteras se mezclan confusamente con los de la _locución significante,_ no denominativa, y las de la _frase proverbial._ Quizá pueda darse como nota peculiar suya el que las palabras constitutivas (todas o alguna) han de mantener una gran vitalidad

significativa: _como no digan dueñas, como el pez en el agua, como cada hijo de vecino,_ etc. «Se trata de un término surgido ocasionalmente, como tantos _ismos_ contemporáneos suyos, no creado con designio concreto y que, al ser confrontado e interrogado con criterio científico, resulta irresponsable e inservible» (J. Casares).

Modo. 1. — Categoría del verbo que, en principio, expresa la actitud del sujeto ante la acción verbal, bien enunciándola pura y simplemente (**modo indicativo**), bien participando afectivamente en ella, al desearla, considerarla improbable, dudosa, etc. (**modo subjuntivo**), al imponerla (**modo imperativo**), al hacerla depender de una condición (**modo condicional**). Este valor expresivo del modo se ha ido perdiendo paulatinamente, y en la actualidad alterna dicha función con la de servir de simple instrumento gramatical, denotando si el verbo es principal o subordinado, dando lugar a correlaciones modales obligatorias en cada lengua, etc. La gramática tradicional da el nombre de **modo infinitivo** a las formas que constituyen el _verbum infinitum._ Sobre el **modo potencial,** vid. _Condicional_ 2.—**Modo de articulación** [A. _Artikulationsart;_ I. _Manner of_ *articulation*]. Especial disposición que adoptan los órganos fonadores en el momento de la articulación, con el fin de constituir un obstáculo que se oponga a la salida del aire para producir el sonido. Los sonidos se clasifican, por el modo de articulación, en *consonantes* (oclusivos, fricativos, africados, vibrantes, etc.), *semiconsonantes*, *semivocales* y *vocales*. 3.—**Modo adverbial**, conjuntivo. Vid. *Locución*. 4.—**Modo de acción**. Término que alterna con el de clase de acción para traducir la noción A. *Aktionsart*. Vid. *Aspecto*.

Modulación. I. *Modulation*. Empleo de fonemas secundarios, o sea de fonemas que sólo aparecen en una sucesión gramatical de morfemas (Vid. *Forma compleja**). Entre ellos figuran la entonación, el acento, etc. (Bloomfield).

Modus. Vid. *Dictum*.

Mogrebí. Vid. *Árabe*.

Mojado. Término con que se
· traduce el francés *mouillé* y el galicismo alemán *mouilliert*. Los lingüistas españoles e ingleses prefieren emplear el término **palatalizado**.

Mojamiento [A. *Mouillierung, Erweichung;* F. *Mouillure, Mouillement*]. Vid. *Palatalización*.

Molécula sintáctica. Así llama Bally (1932) a «todo complejo actualizado formado por un semantema y por uno o varios signos gramaticales, actualizadores o nexos, necesarios y suficientes para que pueda funcionar en una frase. Así, *este lobo* es una molécula, porque sin *este*, el semantema *lobo* no posee engranaje sintáctico; *un gran lobo* es también una molécula, cuyo semantema *gran lobo* está actualizado por el artículo indefinido. Igualmente, el radical verbal *march*-se hace molécula por la adjunción de la desinencia *-emos*, en el imperativo *¡marchemos!*».

Moloso. Vid. *Pie*.

Momentáneo. 1.—Consonantes momentáneas. Término con que se designa a las *oclusivas*. La designación es impropia, ya que la articulación de las oclusivas tiene aproximadamente la misma duración que la de otras varias consonantes. **2.—Aspecto momentáneo** [A. *Momentane Aktionsart;* I. *Momentary aspect;* F. *Aspect momentané*]. Aspecto por el cual «el que habla formula una acción carente de duración en el tiempo, sin preocuparse de la causa ni de las consecuencias, p. ej., _partir, morir_» (Bassols). Para muchos lingüistas, es término sinónimo de _instantáneo_* y _puntual_*.

Monema. Alguna vez se da este nombre a cada uno de los términos que integran un sintagma.

Mongol. Vid. _Uralo-altaico._

Monkhmer (Lenguas). Vid. _Austroasiático._

Monofonemático (Grupo). Grupo de sonidos que realizan un fonema único.

Monoptongación. A. _Monophthongierung._ Proceso mediante el cual un diptongo se reduce a una vocal. Así, a u $>$ o : a u r u m $>$ oro.

Monoptongo. Suele darse este nombre a la vocal que resulta de una monoptongación.

Monorema o Monorrema. Término propuesto por A. Sechehaye (1926) para designar la frase que sólo consta de una palabra: _ven; escribe; ¡tú!_

Monorrimos (Versos). Son los que se suceden en el poema con una rima única. La estrofa compuesta por versos monorrimos se denomina estrofa **monorrima.**

Monosemia. Significación única que corresponde a un significante: _chocolate, reloj,_ etc. Se opone a _polisemia._

Monosílabo, Monosílaba. A. _Einsilbig._ Palabra que consta de una sílaba: _tú, sol, red._

Monosilábicas (Lenguas). Son aquellas cuyo sistema léxico está compuesto preferentemente de monosílabos. La principal es el chino.

Monotonía o Monotonismo. «Ausencia de correlación* melódica en un sistema fonológico» (TCLP). Las lenguas caracterizadas por el monotonismo se llaman **lenguas monotónicas** (español, francés, inglés, etcétera). Vid. _Politonía._

Montañés. Dialecto del grupo leonés (M. Pidal) hablado en la parte occidental de la provincia de Santander.

Montferratés. Vid. _Italiano._

Mora. 1.—Término latino introducido en la métrica clásica por G.

Hermann (siglo XIX), como traducción del griego χρόνος πρῶτος. Designa la unidad de medida de la cantidad, que se considera equivalente a la duración de una breve. **2.—Ley de las tres moras.** Vid. *Campo acentual*. **3.—**En ciertas lenguas la sílaba puede poseer dos centros silábicos (así, el latín clásico); esta unidad prosódica, que no coincide con la sílaba, recibe el nombre de *mora*.

Morfema. 1.—Elemento lingüístico que sirve.para relacionar a los semantemas en la oración y delimitar su función y significación. Los morfemas se dividen en **dependientes** (afijos, desinencias, alternancias, etcétera) e **independientes** (preposiciones, conjunciones, etcétera). (Vid. *Morfema temático**). Los fonólogos precisan la noción de morfema, definiéndolo así: «Unidad morfológica no susceptible de ser dividida en unidades morfológicas más pequeñas, es decir, una parte de la palabra que, en toda una serie de palabras, se presenta con la misma función formal, y que no es susceptible de ser dividida en partes más pequeñas que posean esta cualidad» (TCLP). **2.—Morfema discontinuo.** Morfema que consta de dos elementos separados: *ni... ni; fr. ne... pas;* al. *wenn... gleich.* **3.—**

Para la acepción de este término en Bloomfield y otros lingüistas norteamericanos, vid. *Forma compleja**. **4.—**Para su acepción en Glosemática, vid. *Pleremática, Convertido, Fundamental.* Cfr. también *Oposición* significativa.* **5.—Morfema cero.** Vid. *Sema.* **6.—Morfemas aditivos, reemplazantes, sustractivos.** Vid. *Aditivos.*

Morfémica. Parte de la Pleremática* que estudia los morfemas.

Morfofonema. En Glosemática se da este nombre a cada una de las unidades de entonación, que participan, a la vez, del contenido* y de la expresión*.

Morfofonémica. I. *Morphophonemics.* Entre los lingüistas norteamericanos, «estudio de la alternancia entre fonemas correspondientes en el interior de las formas alternantes de un mismo morfema» (B. Bloch).

Morfofonología. Morfonología

Morfología. A. *Wortbildungslehre, Formenlehre.* Parte de la Gramática que se ocupa de las palabras en cuanto forman parte del plano asociativo, y de los elementos de relación gramatical o morfemas.

Constituyen, pues, su objeto: la flexión, la composición y la derivación de las palabras y la determinación de las categorías gramaticales. Algunos lingüistas modernos introducen en la Morfología el estudio de las palabras (Lexicología).

Morfonema. Los fonólogos han propuesto este término para designar la «idea compleja de todos los miembros (dos o más) de una alternancia*» (TCLP). Así, en la alternancia que se produce en las formas alemanas *geben-gab-gib,* las vocales *e, a, i* (llamadas *alternantes)* constituyen un morfonema.

Morfonología. Parte de la Fonología a la que Trubetzkoy (1931) asigna las siguientes finalidades: analizar la estructura fonológica de los morfemas, estudiar las modificaciones fónicas combinatorias que sufren los morfemas en los grupos de morfemas y fijar el total de mutaciones fónicas que desempeñan una función morfológica.

Morfosintaxis. Como consecuencia de la resistencia que modernamente se hace a la tradicional distinción entre Morfología y Sintaxis, algunos lingüistas hablan de Morfosintaxis, como designación del estudio de los hechos de lenguaje considerados, simultáneamente, desde la forma y la función.

Motivación. Frente a la teoría de la absoluta arbitrariedad del signo lingüístico, algunos lingüistas oponen la creencia de que, en algunos signos, el significado influye de alguna manera en la forma que posee el significante. Se establece así, frente a la relación arbitraria entre significado y significante, una especie de relación necesaria, que es lo que se suele llamar *motivación.* Así, por ejemplo, las onomatopeyas serían signos motivados. Saussure, que les niega tal carácter, habla, sin embargo, de **signos relativamente motivados:** «*Veinte* es inmotivado, pero *diecinueve* no lo es en el mismo grado, porque evoca los términos de que se compone y otros que le están asociados; por ejemplo, *diez y nueve, veintinueve, diez y ocho, diez mil,* etc. Tomados separadamente, *diez* y *nueve* están en las mismas condiciones que *veinte,* pero *diecinueve* presenta un caso de motivación relativa». Bally considera un tipo de motivación que llama **interna,** la cual se da «en signos que, siendo absolutamente simples en su constitución fónica, son motivados por el hecho de que sugieren una asociación interna necesaria. Dicho de otro modo, son sintagmas implícitos y, por tanto, signos motivados». Así, por ejemplo, *ciego* = 'no vidente', *negar* = 'decir no', etc.

Motivado. Vid. *Motivación.*

Mozárabe. Se designa así un complejo grupo de dialectos románicos hablados por los mozárabes, cristianos que vivían en tierras de la Península Ibérica ocupadas por los árabes. Dichos dialectos ofrecen un aspecto muy arcaico, y coinciden en muchos rasgos con los demás dialectos medievales (gallego-portugués, leonés, navarro-aragonés y catalán), frente al castellano.

Mudo. A. *Stumm;* I. *Silent, Mute, Soundless;* F. *Muet.* **1.**—Se dice de todo signo escrito que no se pronuncia. Así, la *h*, en español. A veces tiene valor diacrítico: *hojear-ojear; hay-ay.* **2.**—Término que designaba a las consonantes que debían sonar juntamente con una vocal; esto es, las oclusivas. **3.**—E muda. En francés, e átona que, en la escritura, no lleva ningún tipo de acento. No se pronuncia en muchos casos *(due, dénuement, asseoir,* en el grupo *eau)*, y en otros suena como *ö* átona, «es decir, como una *oe* [= *ö*] menos abierta que la de *peur* o *seul»* (Fouché), sobre todo en la elocución cuidada y en la recitación. Damourette y Pichon, y Gougenheim, prefieren a la denominación tradicional de *e muet* la de *e instable;* Grammont la llama *e caduc;* otros gramáticos prefieren designarla como *e sourd* o *e féminine.* Vid. *Vocal murmurada*.* **4.**—**H muda.** En francés, *h* que no se pronuncia ni impide la liaison *(homme)*, frente a la *h* aspirada, que, sin pronunciarse tampoco, la impide *(haine)*. **5.**—**Consonantes mudas.** Da Bloomfield este nombre a los fonemas que nunca son silábicos*.

Muerta. **1.**—**Lengua muerta.** [A. *Tote Sprache;* I. *Dead language*]. Es aquella que ha dejado de hablarse como tal lengua, aunque se conserve transformada en otra u otras lenguas. Así, el latín es una lengua muerta, aunque ha dado origen a los numerosos idiomas romances. **2.** — **Conjugación muerta.** Vid. *Vivas (Conjugaciones).*

Multilateral (Oposición). Oposición cuya base de comparación no se limita a los dos términos que la componen. Es multilateral, en español, la oposición *ch/rr (coche-corre)*, porque su base de comparación (ambas son consonantes orales) es compartida por otros fonemas *(p, t, k, d, l,* etc.).

Múltiplo. Se da este nombre, y el de *proporcional*, a «los numerales que significan multiplicación, v. gr., *doble* o *duplicada fuerza, triple* o *triplicado número, cuádrupla* o *cuadruplicada gente. Duplo* y *triplo* son siempre sustantivos; los demás son adjetivos, que en la terminación masculina pueden sustantivarse: *el doble, el cuádruplo, el décuplo, el céntuplo*» (A. Bello).

Munda (Lenguas). Idiomas del grupo austroasiático, hablados por más de tres millones de personas, al sur del Himalaya, y en la meseta de Chota Nagpur, al sur del Ganges.

Mundí. F. *Moundi.* Nombre dado al provenzal en Toulouse, formado por aféresis de *Raimoundi.* Sería, pues, el idioma hablado por los súbditos de los Raimon, condes de Toulouse.

Murciano. Castellano hablado en Murcia, con influjos andaluces, aragoneses y levantinos.

Murmullo. Vid. *Murmurada (Voz).*

Murmurado. Voz murmurada [A. *Murmelstimme, Summton, Halbstimme*; I. *Murmur*]. Voz intermedia entre el cuchicheo* y la voz normal, dotada de sonoridad —lo que la diferencia de la voz cuchicheada—, si bien la tensión de las cuerdas vocales se halla reducida al mínimo. Da origen a sonidos murmurados o murmullos [A. *Murmellauten*], entre ellos, a la *e* de los diptongos átonos ingleses [I. *Murmur diphthongs*], o las vocales murmuradas [A. *Murmelvokale* (Sievers); I. *Neutral vowel*; F. *Voyelle chuchée*], descritas así por Brugmann: «Vocales en cuya articulación quedan las cuerdas vocales tan flojas y la presión del aire tan débil que se mezclan a la sonoridad de la voz, ruidos de cuchicheo. En estos sonidos, la diferencia musical del sonido impresiona poco al oído, y casi siempre la articulación específica se produce también menos correctamente que al usar la voz normal. En francés moderno, *e* se pronuncia algunas veces como vocal murmurada [así, la *e* interna de *empereur* (Vid. *E muda**)], o bien la *o* del italiano *cánto*. Entre las vocales indoeuropeas, *ǝ* parece pertenecer a esta categoría. En vez de vocal murmurada, se dice también *schwa*».

Musical (Acento). Vid. *Acento.*

Mutabilidad. Cualidad del lenguaje que se opone a la *inmutabili-*

dad. Ambas se producen a la vez, y fueron enunciadas como antinomia por F. de Saussure. Según él, el lenguaje es inmutable, pero está en continua evolución. Bally y Sechehaye han aclarado la antinomia de este modo: «Sería injusto reprochar a F. de Saussure el ser inconsecuente o paradójico por atribuir a la lengua dos cualidades contradictorias. Por la oposición de los términos que hieren la imaginación, F. de Saussure quiso solamente subrayar esta verdad: que la lengua se transforma, sin que los sujetos hablantes puedan transformarla. Se puede decir también que la lengua es intangible, pero no inalterable».

Mutación. 1.— Cambio fonético operado por *salto*, sin etapas intermedias, como en el paso *f-* > *h-*. **2. Mutación consonántica** [A. *Lautverschiebung;* I. *Consonant shift*]. Ha tenido lugar en germánico. Por diversas circunstancias, se produjo en los hábitos articulatorios de los germanos un retraso en el comienzo de la vibración de las cuerdas vocales. Ello fue la causa de que las oclusivas sonoras del indoeuropeo se hicieran sordas y de que las oclusivas sordas fueran acompañadas de aspiración, «es decir, de un soplo sordo proveniente de la tráquea, que se prolongaba todo el tiempo necesario para que las cuerdas vocales se aproximaran y entrasen en vibración» (Grammont). Vid. *Leyes de Grimm* y *Verner.* **3.—Mutación vocálica.** Se da este nombre alguna vez a la *metafonía.* **4.—Mutación fonológica.** Reajuste que se opera dentro de un sistema fonológico, por *desfonologización* (o desvalorización fonológica), por *fonologización* (o valorización fonológica) o por *refonologización* (revalorización fonológica). Jakobson (1931) prefiere el término *mutación* al de *cambio* (F. *Changement)* para subrayar que no se pasa de un fonema a otro por fases intermedias, sino por medio de un *salto* [A. *Sprung;* I. *Jump;* F. *Bond*]. La mutación fonológica es teleológica: tiende a un fin. Este fin es el de hacer el sistema lo más armonioso posible: «Un sistema perfectamente armonioso sería aquel en que todos los fonemas se ordenasen en una correlación única o en un haz de correlación única, y en el que todos los huecos de esta correlación o de este haz estuvieran ocupados» (Martinet).

Mutare. Operación de la *emendatio*,* que consiste en restituir las letras alteradas en el texto y que forman palabras sin sentido contextual.

Muwaššaḥa. Con este término se designa una composición árabe, que termina con una estrofa en árabe vulgar o mozárabe, llamada *jarya**. Tal composición fue imitada por los poetas judeo-españoles. Vid. *Zéjel*.

Náhuatl. Vid. *Azteca*.

Napolitano. Vid. *Italiano*.

Narración (Presente de). Término, poco usado, para designar el *presente histórico*.

Nasal. Articulación cuya resonancia se produce en las **fosas nasales** [A. *Nasenhöhle;* I. *Nasal cavity;* F. *Cavité nasale*], frente a la articulación oral que se produce en la cavidad bucal. Obedece al siguiente mecanismo: el velo del paladar, que ordinariamente cierra la comunicación entre la boca y las fosas nasales, cae, separándose de la faringe. Parte del aire que viene de los pulmones sale entonces por la nariz, produciéndose la articulación nasal [A. *Nasenlaut*]. Esta puede ser exclusivamente nasal: *m, n, ʋ;* o nasal y oral a la vez: *ā, õ,* etc.

Nasalización. A. *Nasalierung.* Proceso mediante el cual un sonido oral se hace nasal. Se produce muy frecuentemente en las vocales cuando van seguidas por sonante nasal

final de sílaba, y tiene muy diversos grados. En español, la nasalización no es tan fuerte como en francés y en portugués. En estas lenguas, la nasalización de una vocal es tan intensa, que la consonante nasal siguiente pierde su propia articulación: francés: *on (õ);* portugués: *nação* 'nación'. La nasalización de naturaleza patológica recibe el nombre de **rinofonía**.

Naturaleza (Larga por). Vid. *Cantidad.*

Navarro-aragonés. Vid. *Aragonés.*

Negación. A. *Verneinung.* **1.**—Se da este nombre a la oración negativa. **2.**—También se denominan así, abreviadamente, el **adverbio de negación** o negativo *no,* las **palabras de negación** o **palabras negativas**, que niegan unidas a la idea de persona *(nadie, ningún),* de objeto *(nada),* de tiempo *(jamás, nunca),* y las **locuciones negativas** *(en absoluto, en la vida).*

Negativo. 1. — Oración negativa. Con ella se formula un enunciado compatible con el adverbio *no*: *Pedro no es alto; tampoco voy.* Vid. *Enunciativa* y *Oración.* **2.—** **Adverbio negativo.** Palabra, locución negativa. Vid. *Negación.*

Negro - africanas (Lenguas). Se llaman así, por excelencia, los idiomas no camito-semíticos hablados al S. del Sahara. Suelen dividirse en tres grupos: A) **Guineo-sudanés,** subdividido en multitud de subgrupos: *ubangui, voltaico, senegalés, dahomiano,* etc. B) **Bantú,** muy relacionado con el grupo anterior, hasta el punto de que se tiende a fundirlo con él. Pertenecen a él todas las lenguas del S. de Africa, excepto el *hotentote* y el *bosquimano.* Las lenguas bantúes (como el *cafre, zulú, chuana, congolés, lozi, nubio, kumana,* etc.), cuentan con unos 60 millones de hablantes. C) **Hotentote-bosquimano** [A. *Hotten-totisch - Buschmann;* I. *Hottentot-Bushman;* F. *Hottentot-Bochiman*], son lenguas habladas, en áreas esparcidas al SO. de Africa, por pigmeos poco o nada civilizados. Hablan idiomas hotentotes unos 250.000 individuos, y bosquimano, unos 50.000.

Neografismo. Innovación ortográfica que no afecta a la pronun-ciación. Así, *enseguida* (en vez de *en seguida*) es un neografismo autorizado hace pocos años por la Real Academia Española.

Neogramáticos. A. *Junggram-matiker;* I. *Young o Neo-gramma-rians;* F. *Néo-grammairiens.* Se da este nombre a una serie de lingüistas, en su mayor parte alemanes, que se adhirieron a los postulados teóricos de Brugmann y Osthoff. Estos, antiguos discípulos de Curtius, contra el que reaccionaron, publicaron juntos sus *Morphologische Untersuchungen* (Leipzig, 1878-1910), en cuyo prólogo se lee: «Todo cambio fonético se realiza de acuerdo con leyes que no reconocen excepción». Esta idea no era nueva: había sido ya apuntada por Verner (1872), Schleicher (1873), Leskien (1876) y otros; pero el carácter polémico contra Curtius que le dieron Osthoff y Brugmann la convirtió en bandera de los lingüistas de la Universidad de Leipzig, contra los lingüistas de Berlín y Gotinga (J. Schmidt, A. Bezzenberger, etc.). Son neogramáticos H. Paul, B. Delbrück, Braune, Sievers, etc. Aparte su fundamental actitud ante las leyes fonéticas, estos lingüistas mantienen en general las siguientes posturas teóricas: preocupación exclusiva por los estudios diacrónicos; escaso interés por la intervención de los *realia* en los fenómenos evolutivos; concepción de las lenguas como unidades, con descuido de las fluctuaciones, variaciones y fuerzas diversas que operan en un momento dado de la lengua; creencia en las fronteras lingüísticas como límites rigurosos, sin reconocer la existencia de zonas de transición; escaso interés por los fenómenos de préstamo, atención exclusiva a las palabras heredadas; olvido del papel desempeñado por el significado en la evolución del significante; ausencia de toda consideración geográfica en sus investigaciones; estudio de los fenómenos lingüísticos como hechos aislados, sin atender al conjunto, al sistema de la lengua, etc. (Bonfante). Vid. *Neolingüística.*

Neogriego. Vid. *Griego.*

Neolatinas (Lenguas). Vid. *Romance.*

Neolingüística. Recibe este nombre una dirección de trabajo en la Lingüística, que ha triunfado en Italia por acción de Matteo Bartoli y Giulio Bertoni. Aprovecha los postulados teóricos de Vico, Humboldt, Schuchardt, G. Paris, Ascoli, Croce y Gentile. Concede una gran importancia a los estudios de Geografía lingüística (Vid. *Lingüística*

*espacial**) y reacciona contra los neogramáticos. Los rasgos más salientes de su concepción del lenguaje y de los fenómenos idiomáticos son los siguientes: negación de la obligatoriedad de las leyes fonéticas; interpretación psicológica de los cambios lingüísticos; afirmación del origen individual de dichos cambios; concepción del lenguaje como creación; consideración de los *realia* en los cambios; negación de las fronteras lingüísticas como límites infranqueables; estima de la significación de las palabras en los azares de su evolución, etc. (Bonfante).

Neologismo. A. *Neubildung.* Palabra de nueva creación. Ordinariamente, el neologismo sirve para dar nombre a un objeto o a un concepto nuevos. Puede surgir por composición normal o híbrida, derivación, préstamo, metáfora, etcétera, apelando, por tanto, a elementos significativos ya existentes en la lengua (palabras, afijos, etc.) o en otra lengua. Pero a veces el neologismo es totalmente inventado. Así, la palabra *gas* fué creada en el siglo XVII, por el médico Van Helmont, de Bruselas, sugerida por el griego χάος 'caos', que también significaba 'aire' en la terminología medieval de alquimia. La palabra, hoy internacional, *kodak* fue inventada por G. Eastman (1888). Y constantemente se forman neologismos, sumando las iniciales de varias palabras: *Renfe* [*Re(d) n(acional) (de) f(errocarriles) e(spañoles)*], *Talgo* [*T(ren) a(rticulado) l(igero) G(oicochea) O(riol)*].

Nepalés. Vid. *Indio-iranio (Grupo)*.

Neutralizable (Oposición). A. *Aufhebbarer Gegensatz*. Es la oposición que deja de serlo según en qué contexto fonético se hallen sus términos. Por ejemplo, en español *n/ñ* forman una oposición neutralizable; es distintiva en posición intervocálica: *pena-peña;* pero hay ocasiones en que *n* y *ñ* pueden ser realizaciones del fonema *n*. Así, en la palabra *ancho*, se puede pronunciar la *n* como tal *n,* o por asimilación a la palatal *ch,* como *ñ (añcho).* *N/ñ* se convierten así en una **oposición neutralizada** [A. *Aufgehobener Gegensatz*]. Se opone a *oposición constante*. Vid. *Neutralización*.

Neutralización. A. *Aufhebung;* I, *Suspension*. En Fonología, fenómeno que se produce cuando una oposición entre dos fonemas deja de ser distintiva (Vid. *Oposición neutralizable*) «Todos los tipos de oposiciones fonológicas no pueden ser neutralizados. En las posiciones en que una oposición neutralizable

es efectivamente neutralizada, las marcas específicas de uno de los términos de la oposición pierden su valor fonológico y los rasgos que los dos términos tienen en común (es decir, la base de comparación de esta oposición) quedan como únicos pertinentes. En la posición de neutralización, uno de los términos de la oposición se convierte, pues, en el representante del archifonema de esta oposición; por archifonema entendemos el conjunto de particularidades distintivas que son comunes a los dos fonemas» (Trubetzkoy). Así, en español, la oposición entre *m, n* y *ñ* se neutraliza en final de sílaba; *m, n* y *ñ* son los únicos fonemas del español que presentan el rasgo de nasalidad. «Se puede hablar de un archifonema nasal, que se realiza como *m* ante labial, como *n* ante apical, como *ñ* ante palatal, como una nasal dorsal ante dorsal, como *n* o como la nasalidad de la vocal que precede a la final absoluta» (Martinet). La noción de neutralización se ha aplicado, aparte los fonemas, a otras entidades lingüísticas (morfemas, casos, modos, significados, etc.). Dentro de la neutralización fonológica, Trubetzkoy distingue entre neutralizaciones *condicionadas por el contexto* y *condicionadas por la estructura*, según que tengan lugar en contacto con ciertos fonemas vecinos, o, por el contrario, se produzcan en determinados lugares de la palabra, independientemente del contexto fonético. Hay, además, neutralizaciones *regresivas* y *progresivas*, según que la neutralización se produzca tras «algo» o ante «algo».

Neutro. 1.—Género neutro. Vid. *Género*. **2.**—Perspectiva neutra. Vid. *Perspectiva remotospectiva**. **3.**—Verbo neutro. Verbo intransitivo. **4.**— Consonante neutra. «Un fonema laríngeo funciona como consonante neutra. La posición de los órganos [para realizar este fonema] es casi la de reposo» (Jakobson).

Nexo. 1.—Cualquier elemento lingüístico que sirve para unir a otros dos, sobre todo en el plano sintagmático. Son nexos importantes las cópulas*, las preposiciones, los tonemas de anticadencia y semianticadencia, etc. **2.**—En Glosemática, conjunto de sintagmas* caracterizados como un todo por morfemas extensos*. Coincide este concepto con el de oración. **3.**—Acento de nexo. Vid. *Acento*.

Nivelación. Reducción consciente o inconsciente de elementos heterogéneos de una misma lengua, para lograr una determinada homo-geneidad. Puede realizarse en el plano fonético (A. *Lautliche Nivellierung*), morfológico (A. *Formausgleichung*), etc. La. analogía* es un caso de nivelación (A. *Analogische Ausgleichung*). Esta puede realizarse entre lenguas distintas, y consiste entonces en una adopción de comportamientos y rasgos lingüísticos semejantes. El calco* y el préstamo* son fenómenos de nivelación entre lenguas.

Noluntad (Verbo de). Es el que expresa denegación, oposición, etcétera: *denegar, prohibir, rehusar,* etcétera.

Nombre. A. *Nomen;* I. *Noun;* F. *Nom.* **1.**—Término con el que se designa, a la vez, el adjetivo y el sustantivo. (Vid. *Epitetólogo*). Así. se unió en la Antigüedad con una designación común (ὄνομα, *nomen)* a ambas partes del discurso. La separación de ambas categorías data de la Edad Media. **2.**—El término *nombre* alude, por antonomasia, al *nombre sustantivo* y alterna, en el uso corriente, como sinónimo de *sustantivo*. Las definiciones de esta parte del discurso son muy variadas. Se reconocen en ella dos subcategorías: el *nomen appellativum* (nombre apelativo o común) [A. *Gattungsname*] y el *nomen proprium* (**nombre propio**) [A. *Eigenname*]. Para una distinción entre ellos, vid. *Connotativo*. Se han dado innumerables definiciones del nombre sustantivo. Desde el punto de vista lógico, se definió como la palabra que designa una sustancia (de ahí el que se le llame *sustantivo)* frente al adjetivo que expresa cualidad. Esta definición fue modificada para dar cabida a los nombres abstractos: «res corporalis vel incorporalis». Prisciano dio una plausible definición al hacer notar que el nombre expresaba *substantia cum qualitate;* pero esta definición, válida para el nombre común, no lo es para el nombre propio. Desde el punto de vista funcional, se define el nombre como la palabra que funciona ordinariamente como sujeto de la oración. Pero también el infinitivo, el pronombre y aun el adjetivo y el adverbio, pueden funcionar como sujetos. Jespersen define el nombre como un semantema que de ordinario funciona como término de rango primario. Esta definición no excluye al adjetivo ni al infinitivo. Hjelmslev lo define como «un semantema susceptible de morfema de caso». No excluye, por tanto, al adjetivo. Quizá fuera más exacto definir el nombre como «un semantema susceptible de funcionar como término de rango primario sin

transpositor, y de recibir morfemas de caso en las lenguas que poseen flexión casual». Todas estas definiciones son aproximadas. Algunos lingüistas se inclinan hoy por la definición de Prisciano, que ·tiene el inconveniente de no apoyarse en bases gramaticales, sino lógicas. **3.** Nombre abstracto y concreto. Vid. *Abstracto.* **4.**—Nombres verbales. Se da este nombre alguna vez a las formas que constituyen el *verbum infinitum.*

Nominal. 1.—Referente al nombre, y a veces también al adjetivo, al pronombre y al artículo. **2.**—Formas nominales del verbo. Son aquellas que, en cierto modo, participan de la naturaleza del nombre. Vid. *Verbum infinitum.* **3.**—Frase nominal [A. *Nominalsatz*]. Frase que no tiene verbo ni cópula: *omnia praeclara, rara; perro ladrador, poco mordedor.* La naturaleza de la frase nominal está sometida a discusión. Hjelmslev (1948) sostiene que hay en ella tres elementos verbales implícitos: aspecto *infectum,* tiempo presente y modo indicativo. Benveniste (1950), por el contrario, afirma plausiblemente que la frase nominal es, por naturaleza, no temporal, no modal y no aspectual. Separa (como Hjelmslev) la frase nominal de la oración atributiva*, y escribe:

«Desde el punto de vista indoeuropeo, la segunda no es una variante más clara o más completa de la primera, ni la primera una forma deficiente de la segunda. Una y otra son posibles, pero no para la misma expresión. Una aserción nominal, completa en sí, coloca el enunciado fuera de toda localización temporal o modal y fuera de la subjetividad del hablante... Tiene valor de argumento, de prueba, de referencia. Se introduce en el discurso para mover y convencer, no para informar. Es, fuera del tiempo, de las personas y de la circunstancia, una verdad proferida como tal». Por ello se utiliza preferentemente en frases sentenciosas y proverbios, si bien en indoeuropeo, en griego y aun en latín, tuvo una vitalidad que excedía en mucho los estrechos marcos modernos de su empleo.

Nominativo. En las lenguas que tienen declinación, caso que corresponde al sujeto de una oración de verbo activo en forma personal. Se le define también como el *caso del nombre*, considerado éste por sí mismo, esto es, cuando se quiere enunciarlo sin declinar. Tal ocurre en los títulos de libros, en las frases nominales (latín *clamor senatus, querelae, socer ad pedes abiec-*

tus 'gritos del Senado, quejas, ruegos, su suegro arrojado a sus pies'), en las exclamaciones (**nominativo exclamativo**): *nugae!* '¡bromas!', o cuando suple al vocativo o se identifica con él cuando éste no tenía forma distinta: *o festus dies!* En latín poseen nombres especiales los siguientes: A) **Nominatiuus pendens,** cuando por una suerte de anacoluto queda al comienzo de la frase, como un sujeto efectivo, del que se va a tratar, si bien interrumpidas sus relaciones gramaticales con lo que sigue: *Serui, ancillae, si quis eorum sub centone crepuit, quod ego non sensi, nullum mihi uitium facit* '[en lo que respecta a los] esclavos y esclavas, si alguno de ellos...'; por similitud con el latín se designan también como nominativos pendientes en español usos como *y tú, como te coja, te mato;* al *nominatiuus pendens* se le ha llamado también **nominativo independiente, aislativo-enfático** (Havers) o **temático** (Hofmann). B) **Nominativo absoluto,** empleado, al igual que el ablativo absoluto, con el valor de una cláusula autónoma. Se documenta en épocas antiguas, pero se desarrolla en latín tardío: *benedicens nos episcopus, profecti sumus.* C) **Nominativo de denominación,** que aparece en un nombre —muchas veces propio— que sirve de denominación*, y que, gramaticalmente, deberia ir en otro caso: *cognomen habuit Coruinus* (= *Coruinum*). Vid. *Caso.*

Nórdico. A. *Nordisch;* I. *North Germanic.* Se da este nombre al germánico* septentrional, hablado en Escandinavia. Es la lengua germánica más antiguamente atestiguada (s. ii) en inscripciones escritas en alfabeto rúnico. El nórdico comprende, a partir del s. xi, cuatro dialectos principales: el danés*, el sueco*, el noruego* y el islandés*.

Norma. I. *Standard.* 1.—Conjunto de caracteres lingüísticos a los que se ajusta la corrección gramatical, en general o en un punto concreto. 2.—**Norma fonométrica.** Vid. *Fonometría.* 3.—**Normas espaciales.** Han sido fijadas y definidas por M. Bartoli y los neolingüistas italianos como «medios para encontrar la relación entre dos o más fases lingüísticas: vocablos, sonidos, formas, construcciones sintácticas». Las principales son las siguientes: A) *Norma del área menos expuesta* a las comunicaciones, según la cual, esta área conserva la fase lingüística más antigua. B) *Norma de las áreas laterales,* que precisa cómo estas áreas conservan la fase más antigua. C) *Norma del área mayor,* según la

cual es también más antigua la fase conservada en las grandes áreas. D) *Norma del área tardía* o más moderna, es decir, de las colonias, provincias, etc., las cuales conservan de ordinario la fase anterior, es decir, la más antigua.

Normando. Vid. *Francés.*

Normativa (Gramática). Vid. *Gramática.*

Noruego. A. *Norwegisch;* I. *Norwegian;* F. *Norvégien.* Dialecto nórdico* hablado en Noruega, que desaparece a fines de la Edad Media como lengua literaria, y es sustituido por el danés* como idioma escrito y religioso, hasta fines del siglo xvii. A partir del siglo siguiente, se instaura en Noruega el **riksmaal,** cuya gramática es en parte danesa y en parte noruega, y que se ha convertido en lengua común de la burguesía en todo el SE. del país. Al O. se cultiva el **landsmaal** por algunos escritores, que lo fundamentan en hablas locales arcaicas. Hablan noruego unos tres millones de personas.

Nota. Vid. *Notación.*

Notación («Nota», «Notatio»). Variedad de la interpretatio*, que consiste en caracterizar una persona o un concepto mediante una arbitraria interpretación etimológica de la palabra que las designa: *cadáver* = *carnem datam vermibus.*

Núcleo silábico. Vid. *Silábico.*

Numeral. A. *Zahlwort;* F. *Nom de nombre.* Categoría de las palabras que designan números. Era incluida por los latinos en la categoría del nombre. Algunos filólogos alemanes, como Kromayer (1618) y Brücker (1620), clasificaron los numerales entre los pronombres. En el siglo XVIII se creyó que era posible formar con ellos una categoría especial. Hoy se suelen clasificar entre los adjetivos, entre los sustantivos y entre los pronombres. Vid. *Cardinal, Ordinal, Distributivo, Colectivo, Fraccionario, Partitivo, Múltiplo.*

Número. A. *Zahl;* I. *Number;* F. *Nombre.* **1.**—Categoría gramatical a la que tradicionalmente se atribuye la función de indicar si la palabra significa o se refiere a un objeto único (singular), o a más de uno (plural). (Hay lenguas que poseen dual y trial). Jespersen ha señalado que el singular no es sólo el número de la unidad, sino también el de los nombres masivos (es decir, aquellos nombres que significan cantidades continuas, incontables: *cerveza, manteca, carbón,* etc.). Así, diremos: *Esta zona es rica en carbón; me gusta la cerveza.* Ello no excluye que los nombres masivos admitan un plural enfático o clasificador: *esta zona es rica en carbones.* **2.**—**Número oratorio.** Distribución adecuada de todos los elementos rítmicos en la frase para que se produzca un efecto armónico. «Experimentamos que invirtiendo la colocación rítmica, no sólo cesa la rima, sino también la armonía. Agraciadamente se dice: *Dios conmigo, yo con él; Dios delante, yo tras él.* Pero cesará esta armonía y belleza diciendo así: *Yo con Dios, él conmigo; yo tras Dios, él delante»* (Mayáns).

Nuorés. Vid. *Sardo.*

Objetivo (Genitivo). Vid. *Genitivo.*

Objeto. 1.—Término con que algunas veces se designa al complemento, por oposición al sujeto. 2.— **Acusativo de objeto interno** [A. A. *des inneren Objekts;* I. *Cognate object* o *accusative*]. Vid. *Acusativo interno.*

Oblicuo (Caso). Vid. *Caso.*

Obligación (Tiempos de). Vid. *Conjugación.*

Obliqua (Oratio). Es designado así, alguna vez, el *estilo indirecto.*

Obsolescencia. Caída en desuso de una palabra, construcción gramatical, etc. Vid. *Obsoleto.*

Obsoleto. Se aplica al uso lingüístico que deja de tener vigencia. Vid. *Obsolescencia.*

Obtestación. «Cuando afirmamos o negamos con vehemencia una cosa, ponemos a veces por testigos de la verdad que sustentamos a los hombres, a las cosas inanimadas, a Dios, etc., en cuyo caso se comete la figura *obtestación: Testigos son esta cruz y clavos que aquí parecen; testigos estas llagas de pies y manos, que en mi cuerpo quedaron; testigos el cielo y la tierra.* (Fr. Luis de Granada). O aseguramos que primero que se verifique o deje de verificarse un suceso se trastornarán las leyes de la Naturaleza, y ésta es la figura llamada **imposible**: *—¿Hasme de olvidar, don Juan? / —Antes, Julia, olvidarán / las estrellas su carrera* (Alarcón)» (Coll y Vehí).

Obváldico. Sobreselvano.

Oclusión. A. *Halte, Verschluss, Stoss;* I. *Retention, Stop;* F. *Tenue.* Cierre completo del canal* vocal, en una articulación. Las consonantes con oclusión total se denominan, en inglés, *stop consonants,* y las articuladas con cierre parcial, *open consonants.* Hay también consonantes intermitentes o vibrantes*, en cuya articulación intervienen dos o tres oclusiones. Se describen varios tipos de oclusiones: A) **Laríngea** (I. *Laryngeal stop)* o **glotal,** consistente en una cerrazón de la glotis, seguida de un relajamiento; produce un sonido sordo, fuerte, no aspirado; es el llamado, en inglés, *glottal stop* o *glottal catch;* en francés, *coup de glotte,* y en alemán, *Kehlkopfverschlusslaut* o *Knacklaut.* Aparece en la vocal inicial acentuada alemana; alguna vez, en inglés, entre vocales *(extra-ordinary);* en danés, donde la oclusión glotal es distintiva y recibe el nombre de *stød;* en árabe, etc. B) **Velar** [I. *Velar stop*], cuyo cierre se realiza en el velo del paladar. C) **Palatal** [I. *Palatal stop*], etc. Se habla también de oclusiones compuestas [I. *Compound stops*], con dos puntos, o más, de cierre en el canal vocal. Entre ellas figuran la *oclusión glotalizada* [I. *Glottalized stop*], con cierre en la glotis, y en otro punto de la boca, y los clics, en los que se produce la llamada **oclusión de apoyo.** Vid. *Clic.*

Oclusiva. A. *Verschlusslaut, Vollverschlusslaut, Momentanlaut;* I. *Stop.* Es aquella articulación en la cual se establece un «contacto completo entre los órganos activo y pasivo; el canal vocal permanece mo-

mentáneamente cerrado; deshecha súbitamente la oclusión, precipítase hacia fuera con una breve explosión el aire acumulado detrás de los órganos: *p, b, t, d, k, g*» (Navarro Tomás).

Oclusivo-fricativa. Vid. *Africada.*

Octava. 1.—Octava real. Estrofa aconsonantada, cuyos ocho versos endecasílabos riman así: *ABABAB CC.* **2. — Octava italiana.** Estrofa aconsonantada formada por ocho versos endecasílabos. L o s versos cuarto y octavo tienen rima aguda. Suelen quedar libres el primero y el quinto. Los otros cuatro versos pueden combinarse de muy diversas formas. Ordinariamente riman el segundo con el tercero y el sexto con el séptimo. Su estructura más frecuente es, pues, *ABBC' DEEC'.* Recibe también los nombres de. octava aguda y de **bermudina*. 3.—Octava italiana de pie quebrado.** Estrofa inventada por Arjona (1771-1820), constituida por endecasílabos y heptasílabos que riman así: *ABBc' ADDc'.* **4.—Octava rima.** Composición poética cuyas estrofas son octavas reales.

Octavilla. 1.— Estrofa aconsonantada de arte menor, con la misma estructura que la octava italiana. **2.**—Estrofa formada por dos redondillas, que tienen muchas veces una rima común: *La mayor cuita que haber / puede ningún amador / es membrarse del placer / en el tiempo del dolor; / e ya sea que el ardor / del fuego nos atormenta, / mayor dolor nos aumenta / esta tristeza y langor* (Santillana).

Octodecasílabo (Verso). Verso de dieciocho sílabas. Según Navarro Tomás, posee las siguientes variedades: A) **Dactílico** (o óoo óoo óoo óoo óoo óo): *El nido amoroso de granzas y plumas del árbol colgado.* B) **Compuesto** Consta de dos hemistiquios eneasílabos trocaicos, con acentos en cuarta y octava de cada hemistiquio: *Su ciega y loca fantasía corrió arrastrada por el vértigo.*

Octonario. 1.—En la métrica clásica, verso de ocho pies. **2.**—En la española, verso de dieciséis sílabas. Vid. *Hexadecasílabo.*

Octosílabo (Verso). Verso de ocho sílabas. Navarro Tomás describe estos tipos: A) **Trocaico** (óo óo óo óo): *Virgen madre, casta esposa.* B) **Dactílico** (óoo óoo óo): *Es un estrecho camino.* C) **Mixto a** (o óo óoo óo): *Se acerca gran cabalga-*da. D) **Mixto b** (ó óoo óo óo): *Calzadas espuelas de oro.* Y llama **octosílabo polirrítmico** a la combinación de estas variedades en la estrofa.

Ocupación. Vid. *Anticipación.*

Oda. «La palabra griega *ode* significaba 'canto', y se aplicaba en la antigüedad a obras líricas de varia índole: eran odas las sencillas, pero intensas, canciones amorosas de Safo, las arrebatadoras y grandilocuentes composiciones que Píndaro dedicaba a los vencedores en los juegos olímpicos y las serenas o insinuantes reflexiones de Horacio. En el Renacimiento, *oda* sirvió para distinguir el poema lírico de corte clásico, diferenciándolo de los géneros trovadoresco - petrarquistas. Modernamente designa la composición lírica personal de alguna extensión y tono elevado, cualquiera que sea el asunto» (Lapesa).

Odelette. Término que introduce Ronsard (s. XVI) en la literatura francesa para designar un tipo de oda breve, imitada de Anacreonte, y caracterizada por sus temas amorosos y báquicos, y por sus metros y estrofas cortas.

Oghámicos (Caracteres). Usados por los celtas en inscripciones de Inglaterra e Irlanda antes del siglo IX de nuestra era. Se caracterizan por apoyarse en el canto de la piedra.

Onda compleja. I. *Complex wave.* Registro de onda sonora que no tiene forma de sinusoide.

Ondas (Teoría de las). A. *Wellentheorie;* I. *Wave-theory.* Teoría formulada por J. Schmidt en su libro *Die Verwandtschaftsverhältnisse der indogermanischen Sprachen* (Weimar, 1872), el cual sostiene que las innovaciones lingüísticas se producen, no por derivaciones lineales, sino como ondas que se propagan a partir de determinados centros, cruzándose a menudo entre sí. Por tanto, las áreas próximas se asemejan más que las áreas separadas, y las diferencias entre las lenguas aumentan con la distancia entre sus respectivos dominios. Se opone esta teoría a la del *árbol genealógico* de A. Schleicher.

Onomasiología. A. *Bezeichnungslehre.* Rama de la Lingüística que se ocupa de determinar los significantes que corresponden a un significado dado. Opera, pues, en sentido opuesto al de la Semántica, que parte del significante para estudiar las vicisitudes de su significado. La Onomasiología tiene amplio desarrollo en la investigación de los léxicos dialectales.

Onomástica. A. *Namenkunde.* **1.** Rama de la Lingüística destinada al estudio de los nombres propios. Se subdivide en *Toponimia* o *Toponomástica* y *Antroponimia.* **2.** — Onomástica de una región, de un pueblo, etc. Conjunto de nombres propios (topónimos y antropónimos) de tal región, de tal pueblo.

Onomatopeya. A. *Schallnachahmung, Lautbild, Lautmalerei.* Fenómeno que se produce cuando los fonemas de una palabra describen o sugieren acústicamente el objeto o la acción que significan: *rasgar, borbotón, tic-tac.* Las voces en las cuales se verifica dicho fenómeno, se denominan **palabras onomatopéyicas o imitativas.** De éstas se diferencian las palabras **expresivas o fonosimbólicas*** (tipo *titilar*). Sin embargo, se ha insistido en el carácter fonosimbólico de la onomatopeya, dado que ésta, más que reproducir un sonido, adopta un esquema articulatorio vagamente paralelo al del movimiento que representa. En la palabra *borbotón*, p. ej., los golpes de labios que se suceden sugieren la estructura de los golpes sucesivos del líquido que sale a borbotones por un orificio. Vid. *Fonética* simbólica.*

Onomatorema. Término que L. H. Gray ha propuesto (1939) para designar una categoría que reúna al verbo y al epitetólogo, a fin de hacer visible el hecho de que ambos poseen un común origen histórico.

Operativo. Vid. *Efectivo.*

Oposición. A. *Gegensatz.* 1.—Relación en que se encuentran todos los elementos homogéneos de un sistema lingüístico (fonemas, formas, funciones, significados, etc.) para constituir un equilibrio, y, por tanto, para poder ser diferenciados. Así, el fonema *p* se opone al fonema *b*, y ambos al fonema *m*, para constituir el sistema de consonantes bilabiales y para conseguir sus diferentes peculiaridades. La palabra *calor* se opone a la palabra *frío* para formar un sistema significativo (con *tibio, templado, helado,* etc.) y obtener su propia significación. La entonación interrogativa se opone a la enunciativa para que ambas puedan dar la clave de una significación *(Llueve hoy - ¿Llueve hoy?).* Sobre esta noción reposan la Fonología y el Estructuralismo contemporáneos. Las oposiciones mejor estu-

diadas son las **oposiciones fonológicas** [A. *Phonologischer Gegensatz;* I. *Phonological* o *Phonemical opposition*]. Son aquellas que en una lengua dada pueden diferenciar significaciones intelectuales. R e c i b e n también, por ello, el nombre de **oposiciones fonológicas distintivas** u **oposiciones distintivas.** Las oposiciones que no poseen esa aptitud son *no distintivas.* Constan de dos fonemas. Las oposiciones distintivas se clasifican: A) Por sus relaciones con todo el sistema de oposiciones, en *bilaterales, multilaterales, proporcionales* y *aisladas;* B) Por la relación que existe entre los términos de la oposición, en *privativas, graduales* y *equipolentes;* C) Por la extensión de su poder distintivo, en *constantes* y *neutralizables.* Vid. *Correlación, Oposición simple*, compleja*.* 2.—**Oposición significativa** es la formada por dos signos de la lengua cuyos significados son diferentes. Así, lat. *equus / equīs, dominus / equus.* Al tratarse de dos signos, va implícito en la definición que los significantes han de ser también diferentes. Pero exigir en la definición que los significantes sean diferentes es insuficiente, ya que una diferencia de significantes puede no corresponder a una diferencia de significados. Así, la noción de plural es la misma en *equī* que en *princi-*

pēs, a pesar de que los morfemas que la expresan son diferentes. Unas oposiciones significativas son, simplemente, oposiciones de vocabulario, mientras que otras son oposiciones gramaticales. Las primeras son aisladas (tipo *hombre / mujer),* mientras que las segundas son proporcionales (tipo *niño / niña = oso / osa = perro / perra).* La unidad que es término de una oposición significativa de vocabulario se denomina semantema. La que es término de una oposición significativa gramatical es una categoría gramatical. Y en el sentido de una palabra, morfema es el significante de una categoría gramatical. El morfema está, pues, dotado también de un significado. Así, en latín, *lego / legis, uoluo / uoluis, -o* es un morfema, *-is* es otro morfema. Una oposición gramatical que, en el plano del significante, se establece por medio de morfemas es una oposición morfológica» (Martín S. Ruipérez).

Oppositum. Recurso de la *amplificatio* que consiste en afirmar una cosa y negar su contraria: *Carles si dort, qu'il ne s'esveillet mai* (Roland, 724).

Optativo. 1.—Modo del verbo indoeuropeo que expresaba el deseo. Se mantuvo como categoría independiente en indo-iranio, tocario y griego. En latín se confundió con el subjuntivo. Como se ha dicho, denotaba un deseo y también una posibilidad deseable. Ambos valores están presentes en latín en el llamado *subjuntivo de deseo (di te ament!)* y en el *subjuntivo potencial (si amicum habeam, gaudeam),* respectivamente. **2.**—**Oraciones optativas.** Oraciones desiderativas*.

Oración. A. *Satz;* I. *Clause, Sentence;* F. *Proposition.* **1.**—Definir la oración es empresa difícil. Prisciano (512-560) lo hace así: *oratio est ordinatio dictionum congrua, sententiam perfectam demonstrans.* Reconociendo que hay oraciones que constan de una sola palabra y no de una *ordinatio dictionum,* la Gramática tradicional adoptó una definición muy popular: «la oración es la expresión hablada de un pensamiento». K. Bühler (1920) ha aprovechado parte de la definición de Prisciano al definir la oración como «unidad de sentido del discurso», o bien, como «unidad funcional del discurso, simple, autónoma y cerrada en sí misma». La autonomía de la oración se señala, en general, con particulares inflexiones de la entonación en su parte final. (Vid. *Cadencia).* La oración posee siempre un predicado, que puede ser nominal o verbal (Vid. *Frase nominal).* La oración puede ser **simple** o **compuesta,** según tenga un predicado o varios; **independiente** [A. *Unabhängig*], cuando no va acompañada de otra, llamada **dependiente** [A. *Abhängig*], que complete su significación; para subrayar esta relación de dependencia, se emplean también los términos respectivos de **principal** [A. *Hauptsatz;* I. *Main clause*] y **subordinada** [A. *Nebensatz*]. Vid. *Prótasis, Apódosis.* La oración puede constar de una sola palabra. (Vid. *Palabra-frase).* Las oraciones simples, según la relación básica que les sirva de fundamento estructural pueden ser: **activas** (sujeto agente-predicado), **pasivas** (sujeto paciente-predicado), **reflexivas** (sujeto agente y paciente-predicado), **recíprocas** (sujetos agentes y pacientes-predicado), **atributivas** (sujeto soporte de una nota clasificadora-predicado clasificador: *la nieve es blanca),* **medias** (sujeto en que se realiza la acción del predicado: *se levantó el telón)* e **impersonales** (predicado-circunstancia. Bühler). Las activas, a su vez, pueden ser **transitivas** (si además poseen la conexión predicado-complemento directo) e **intransitivas** (si no la poseen). Desde un punto de vista semántico, se dividen en **enunciativas** (afirmativas, **aseverativas** o asertivas, y **negati-** **vas), interrogativas, exclamativas, optativas o desiderativas,** de **posibilidad, dubitativas** y **exhortativas.** Vid. *Pasiva.* A su vez, las oraciones compuestas pueden ser **coordinadas** (copulativas, disyuntivas, adversativas, distributivas, causales, consecutivas; estas tres últimas, a veces se incluyen entre las subordinadas, o se distingue entre usos coordinados y subordinados), **inordenadas** (oraciones **adjetivas** o de **relativo)** y **subordinadas** (completivas o sustantivas y adverbiales o circunstanciales). Vid. todos estos términos. 2.— **Partes de la oración.** Vid. *Categoría.* 3.—**Oración tipo.** [I. *Sentence-type*]. Monorema (Bloomfield).

Oral. A. *Mundlaut;* I. F. *Buccal.* Articulación cuya resonancia se produce en la cavidad bucal [A. *Mundhöhle;* I. *Mouth cavity*], por lo que también se le da el nombre de *articulación bucal.* El velo del paladar, que en las articulaciones nasales está caído, cierra en las orales la entrada de las fosas nasales y todo el aire se ve obligado a salir por la boca.

Orden de palabras. A. *Wortstellung, Wortfolge;* I. *Word-order.* Disposición de las palabras en la frase. El estudio de dicha disposición constituye un problema cen-

tral de la Sintaxis. (Vid. *Secuencia).*
E. Lerch distingue los siguientes tipos de ordenación: A) *Lógica,* que responde a la secuencia sujeto + predicado + complementos (directo, indirecto y circunstancial); B) *De contacto,* con la que se evita la separación de términos ˋinterdependientes: *por eso lloro yo;* C) *Preferencia por lo concreto,* corriente en el lenguaje infantil: *Tía dulces* = la tía me ha dado dulces'; D) *Rítmica,* que coloca las palabras más significativas en las cumbres tónicas o intensivas: *aéquam memento rebus in arduis servare méntem;* E) *Impulsiva* (y su contraria, la *acomodada al oyente).* En la primera, el hablante antepone la representación de lo que le interesa subjetivamente *(¡una explicación es lo que yo quiero!);* en la segunda, el hablante pospone, por temor, cortesía o, simplemente por claridad, el término de más interés subjetivo: *Si Vd. pudiera darme una explicación...*

Ordinal. A. *Ordinalzahl, Ordnungszahl.* Adjetivo o sustantivo numeral que expresa el lugar que algo ocupa en una serie o sucesión: *primero, segundo, tercero,* etc.

Orgánico. 1.—Ascoli califica así a las formas que han obedecido en su evolución a las leyes* fonéticas. **2.—Comparativo, Superlativo orgánico.** Vid. *Comparativo, Superlativo.*

Original. En crítica textual, autógrafo* del autor. A veces se llama también original a la impresión cuidada por él. La noción de original, cuando se aplica a épocas antiguas, es muy compleja. Así, durante la Edad Media, en la Universidad de París, el autor escribía el autógrafo*; éste se copiaba, de ordinario, por un calígrafo, dando lugar al apógrafo*, que era revisado por el autor, y del apógrafo, los calígrafos sacaban el manuscrito, que se depositaba en la biblioteca. Del apógrafo solían extraerse copias, con destino al comercio. Vid. *Arquetipo.*

Orística. A. *Abgrenzungslehre.* Estudio de la función fónica delimitativa. Se opone a *diacrítica*.

Ornans (Epithetum). Vid. *Epíteto.*

Ornatus. Conjunto de medios retóricos para embellecer el estilo. Los tratadistas medievales distinguen entre **ornatus difficilis** (o *modus gravis et authenticus),* caracterizado por el empleo de los tropos*, y **ornatus facilis** (o *sermo levis),* consistente, sobre todo, en el empleo de las figuras de dicción y de pensamiento y en el empleo de las determinaciones*.

Orónimo. Nombre de un monte o de una cordillera.

Ortoepeya. Término poco usado con que se designa la rama de la Lingüística que se ocupa de la pronunciación correcta de una lengua.

Ortofonía. Pronunciación correcta.

Ortografía. A. _Rechtschreibung._ Parte de la Gramática que regula el modo correcto de escribir, es decir, el buen empleo de los signos gráficos dentro de la palabra, así como la distribución de los puntos y comas en la frase. El término alude también al modo correcto o incorrecto de escribir, cuando, por ejemplo, decimos de alguien que «tiene buena o mala ortografía». Vid. _Cacografía._

Ortología. Rama de la Gramática de una lengua que se ocupa de la recta pronunciación.

Ortótona. Palabra rizotónica*. (Ascoli).

Ortotónica. F _Orthotonoumène._ Con este nombre se designa la palabra que conserva su acento, cualquiera que sea su posición en la frase, frente a las palabras enclíticas y proclíticas, que lo pierden.

Osco-úmbrico. Vid. _Itálico._

Oscura (Vocal). Vid. _Clara._

Osthoff (Ley de). Ley formulada por Osthoff, en 1881, según la cual, en griego, una vocal larga se abrevia ante nasal, líquida o semivocal, seguida de consonante: γνω-ντ - ες > γνόντες.

Ovillejo. «Suma de diez versos en que figuran tres pareados, cada uno formado por un octosílabo y un quebrado a manera de eco, a los cuales sigue una redondilla que continúa la rima del último pareado y termina reuniendo los tres breves quebrados en el verso final: a a : b b : c c : c d d c» (Navarro Tomás): _¿Quién menoscaba mis bienes? / Desdenes. / Y ¿quién aumenta mis duelos? / Los celos. / Y ¿quién prueba mi paciencia? / Ausencia. / De ese modo, en mi dolencia / ningún remedio se alcanza, / pues me matan la esperanza / desdenes, celos y ausencia_ (Cervantes).

Oxímoron. F. _Alliance de mots._ Enfrentamiento de dos palabras de significado contrario: _la música ca_ *llada, la soledad sonora*. Pueden oponerse dos frases: *y abatíme tanto, tanto, / que fui tan alto, tan alto...*

Oxítona. A. *Endbetontes Wort.* 1. — En griego, palabra que lleva acento agudo en la última sílaba. 2. Por extensión, se toma como sinónimo de palabra aguda. 3.—**Ritmo oxítono.** Es aquel cuyos elementos fuertes van al final. Vid. *Ritmo barítono*.

Pachuco. Lengua jergal hispano-americana hablada al S. y al SO. de los Estados Unidos.

Paduano. Vid. *Italiano*.

Palabra. A. *Wort;* I. *Word;* F. *Mot.* **1.**—El concepto *palabra* es de muy difícil definición. Algunos lingüistas han negado su existencia como unidad, concibiéndola como un simple agregado de semantema y morfema. A. Meillet (1921) dio esta excelente definición: «Una palabra resulta de la asociación de un sentido dado a un conjunto dado de sonidos, susceptible de un empleo gramatical dado». V. Bröndal (1928), sin embargo, señaló que la forma exterior de una palabra no es fija y que puede modificarse con las terminaciones *(ando, andas, andamos),* con la alternancia y con la inflexión vocálica. Dichas distintas formas, ¿son variedades de una misma palabra o son palabras distintas? He aquí un problema actualmente litigado K. Bühler (1931) se ha enfrentado también con la definición de

Meillet; rechaza el término «asociación» por vago; hace constar que «conjunto de sonidos» no es exacto: se precisa que la palabra esté compuesta de fonemas; tampoco, según él, es afortunada la condición que alude a «un empleo gramatical»; debe sustituirse por la condición impuesta a toda palabra de funcionar en un campo* mostrativo (situación) o en un campo simbólico (contexto). Su definición es, pues: «Palabras son los signos acústicos de conformación fonemática y capacidad contextual simbólica o mostrativa». Laziczius, por su parte (1945), ha integrado esta definición en la concepción del lenguaje como sistema, modificándola así: «Las palabras son signos lingüísticos compuestos de elementos fónicos determinados, signos que son susceptibles de funcionar, bien en un contexto *(Zeichenfeld),* bien en una situación *(Zeigfeld),* y que, en un momento dado, en el seno de una sociedad dada, forman un sistema». Más sencilla e intuitiva, aunque quizá más vulnerable, es la reciente definición de B. Trnka (1948): «La palabra es el más pequeño signo intercambiable, apto para diferenciar las frases». La palabra puede ser simple o compuesta; primitiva o derivada; autónoma (= *principal*) o accesoria; llena o vacía; culta, vulgar, popular o semiculta; hereditaria o préstamo. (Vid. estos términos). Se da alguna vez el nombre de palabra-frase [A. *Satzwort*] a la frase compuesta de una sola palabra *(¡Callad!)* y el de palabra-raíz [A. *Wurzelwort*] a la raíz que funciona como palabra, sin elementos morfológicos añadidos *(haz, ve)*. Vid. *Permutación*. 2.—Palabras y cosas. Vid. *Wörter und Sachen*.

Paladar. A. *Gaumen;* I. *Palate;* F. *Palais*. 1.—Para los fonetistas, es la parte de la bóveda superior de la cavidad bucal, que comienza en los alvéolos y termina en la úvula. Se distinguen en él dos zonas: una fija, ósea, llamada paladar duro [A. *Harter Gaumen;* I. *Hard palate*], y otra móvil, muscular, llamada paladar blando [F. *Palais mou;* I. *Soft palate*] o velo del paladar [A. *Gaumensegel;* I. *Velum, Veil of the palate;* F. *Voile du palais*], cuyo extremo terminal es la úvula. El velo del paladar puede intervenir en las articulaciones como órgano activo (nasales) o pasivo (velares). 2.—Paladar artificial [A. *Künstlicher Gau-*

men]. Instrumento utilizado en Fonética experimental. Consiste en un molde del paladar del sujeto cuya pronunciación va a ser experimentada. Un sistema muy usado para obtener dicho molde consiste en hacer un vaciado en yeso, con técnica semejante a la de los dentistas; en la parte cóncava se adapta papel de filtro mojado; éste, una vez seco, adquiere cierta consistencia y constituye el paladar artificial. Se le recubre de una ligera capa de talco y se adapta al paladar del sujeto. Al articular éste una consonante, una vocal o una sílaba, la lengua deja una huella en el paladar artificial, que se denomina palatograma.

Palatal. 1.—Articulación cuyos órganos activo y pasivo son, respectivamente, el predorso de la lengua y el paladar duro. Según la zona del paladar duro en que se constituya el punto de articulación, la consonante palatal puede ser: prepalatal [A. *Vorderpalatal*], como ch, ll, ñ; o postpalatal [A. *Gaumenlaut*], como k, g, en las sílabas que, gui. Algunos lingüistas no distinguen entre *postpalatal* y *velar*. La prepalatal fricativa, sorda (š) o sonora (ž), es llamada por los lingüistas franceses *chuintante*. 2.—Vocales palatales [I. *Front vowel*]. Se designan así las vocales de la serie anterior*.

Palatalización. Proceso mediante el cual un sonido desplaza su punto de articulación hacia el paladar duro. Así, la *k* velar, atraída por la *i* palatal en c i s t e ll a, se palatalizó, haciéndose *ch* en español: *chistera*. Vid. *Infección*.

Palatoalveolar. Término con el que alguna vez son designadas las consonantes prepalatales.

Palatograma. A. *Gaumenbild.* Huella marcada por la lengua en el paladar* artificial, que permite señalar con toda precisión dónde se produce la articulación de un sonido.

Paleografía. Ciencia que se ocupa de la escritura, desde sus más remotas formas. Incluye en su estudio, como es natural, la escritura manuscrita y, en ocasiones, la mecánica. Vid. *Codicología.*

Paleontología lingüística. Ciencia inaugurada por Adophe Pictet, con su libro *Les origines indoeuropéennes* (1859-63), y cultivada posteriormente por D'Arbois de Jubainville, O. Schrader, S. Feits, V. Bertoldi, P. Fouché, A. Tovar, etcétera, que trata de reconstruir fenómenos sociales, étnicos, históricos, culturales, etc., de pueblos antiguos que no han dejado testimonios históricos, partiendo de los datos que suministran las lenguas de dichos pueblos, frecuentemente conocidas tan sólo por topónimos aislados e inscripciones.

Palimpsesto. Manuscrito antiguo que conserva huellas de una escritura anterior.

Palinodia. Escrito en que un autor se retracta de opiniones antes emitidas por él.

Pallarés. Vid. *Catalán.*

Pancronía. Término acuñado por Saussure (1916) para designar un estudio de la lengua que trascienda los sistemas idiosincrónicos* y que llegue a fijar las leyes generales de la estructura y el funcionamiento del sistema abstracto del lenguaje, del cual los diferentes sistemas lingüísticos son sólo casos particulares.

Panocho. Habla de la huerta de Murcia.

Pantoum. Tipo de poema que los románticos franceses imitan de la poesía malaya, formado por una serie de *quatrains* de rimas cruzadas, de este modo: ABAB BCBC...

XAXA. Termina, precisamente, con el verso inicial.

Papiamento. Lengua criolla hablada en la isla de Curaçao, al N. del litoral venezolano. Dicha isla fue incorporada a España por su descubridor, Alonso de Ojeda, en 1499. En 1634 la ocuparon los holandeses. Estaba entonces habitada por 1415 indios y 32 españoles. En 1648 comenzó el aflujo de esclavos negros que los portugueses importaban de Africa. En 1795, la isla pasó a poder de los franceses; en 1800 fue puesta bajo protectorado inglés, y en 1802, volvió de nuevo a Holanda. Su lengua oficial es el holandés, pero la que se usa normalmente es el *papiamento* (< *papia*, esp. ant. y port. ant. *papear* 'hablar'). Su base es el criollo negro-portugués que los esclavos negros llevaron de Africa, mezclado con el español hablado en las Antillas y litoral venezolano. Contiene también palabras holandesas (M. L. Wagner).

Papúes (Lenguas). Grupo de idiomas, con parentesco lingüístico discutible, hablados en Nueva Caledonia.

Parábola. Alegoría que expresa alguna verdad importante.

Paradiástole. Vid. *Separación.*

Paradigma. 1.—Conjunto de formas que sirven de modelo en los diversos tipos de flexión. El término se aplica con muy variada extensión. Así, el paradigma de una declinación consiste en la enumeración ordenada convencionalmente de todas y cada una de las formas que un tema, adoptado como modelo, presenta en los diversos casos gramaticales. En el verbo, podemos hablar del paradigma de la primera, segunda, tercera... conjugación, el cual está compuesto por los paradigmas de los distintos tiempos. El paradigma del tiempo consiste en la enumeración convencionalmente ordenada de las formas que presentan las tres personas del singular y las tres del plural, en dicho tiempo, considerado como arquetipo. **2.** Para su empleo en Glosemática, vid. *Clase.*

Paradigmático (Plano). Nombre que L. Hjelmslev da al *plano asociativo.*

Paradoja. 1.—Opinión, verdadera o no, contraria a la opinión general. **2.**—Unión de dos ideas en apariencia irreconciliables: *Que muero porque no muero* (Santa Teresa); *Mira al avaro, en sus riquezas pobre* (Arguijo). Recibe también los nombres de *antilogía* y *endíasis*.

Parafasia. Forma de la afasia, debida a dificultades nerviosas motoras, consistente en una continua alteración y desplazamiento de los sonidos, dentro de las palabras.

Paráfrasis. En el comentario de un texto, amplificación explicativa.

Paragoge. Adición de un elemento, ordinariamente una vocal, etimológico o no, al final de una palabra. Así, por ejemplo, *felice*, por 'feliz'; *huéspede*, por 'huésped'. Vid. *Epítesis.* Problema interesante es el de la *paragoge épica* de los cantares de gesta y de los romances. Menéndez Pidal (1933) ha señalado cómo, para dar un carácter arcaico a la lengua, los juglares mantenían en palabras finales de verso la -*e* final etimológica, ya perdida entonces, pero viva hasta el siglo XI (así, en el Cid, *trinidade, alaudare*), y añadían una -*e paragógica* a palabras que etimológicamente no la poseían (*mase* 'más', *sone* 'son', *alfoce* 'alfoz'), bien por ultracorrección arcaizante, bien por licencia poética.

Paragramatismo.   Aliteración.

Paralelismo. Disposición del discurso de tal modo que se repitan en dos o más versos (o miembros) sucesivos, o en dos estrofas seguidas, un mismo pensamiento o dos pensamientos antitéticos. La forma más elemental es aquella en que se reproducen las mismas palabras con una leve variación:

—Ay, pobre Xuana, de cuerpo garrido,
ay, pobre Xuana, de cuerpo galano,
donde le dexas al tu buen amigo,
dónde le dexas al tu buen amado.
—Muerto le dexo a la orilla del río.
muerto le dexo a la orilla del vado.

O bien, mantenimiento de una misma estructura en dos o más frases seguidas [A. *Konzinnität*]: *Con la gloria se desvanece, con la alegría se perturba, con los despojos se divierte, con las aclamaciones se asegura...* (Saavedra).

Paralelismo lógico - gramatical. Vid. *Logicismo.*

Paralipsis. Nombre que también recibe la *preterición*.*

Paraplasmo. Sustitución de una forma antigua por otra nueva, producida por analogía. Así, por paraplasmo, la forma latina *honos* fue desplazada por *honor*, a través de *honorem*, por analogía con *orator-oratorem*, etc. El mismo fenómeno explica la sustitución, en latín vulgar, de *postremus* por **postrarius* (> *postrero),* a consecuencia de un influjo analógico de *primarius.*

Paraptixis. Término con que alguna vez se designa la *epéntesis*.

Parasíntesis. Procedimiento de formación de palabras que participa de la composición y la derivación. «La parasíntesis funde ambos procedimientos y forma derivados y compuestos a la vez; como *picapedrero*, de *picar* + *piedra* + el sufijo -*ero; endulzar*, de *en*+*dulce*+*ar*. Los parasintéticos [A. *Praefixdenominative*] no deben confundirse con los derivados de voces compuestas. Así, *antepechado*, es derivado de *antepecho*, compuesto de *ante* + *pecho;* pero *desalmado* es parasintético, porque no tiene nuestra lengua los vocablos *desalma* ni *almado*». (GRAE).

Parásito. A. *E i n s c h u b l a u t, Schmarotzelaut.* Se denomina así alguna vez el elemento fonético no etimológico que aparece en los fenómenos d e prótesis, epéntesis, anaptixis, paragoge, etc.

Parastrato. Vid. *Adstrato.*

Parataxis. Término frecuentemente empleado como sinónimo de *coordinación.* Las oraciones unidas por parataxis se denominan **paratácticas.** D. Alonso (1951) ha especializado el término *parataxis* para designar la relación que une a los miembros de un sintagma* no progresivo.

Pareado. Estrofa formada por dos versos que riman entre sí.

Pareja correlativa. A. *Korrelationspaar;* F. *Couple de corrélation.* «Cada una de las oposiciones fonológicas cuyo conjunto forma una correlación. Ejemplo, en latín: *ā-a*» (TCLP). Trubetzkoy la define como el conjunto de dos fonemas que constituyen una oposición bilateral, proporcional y privativa.

Paremiología. Ciencia que se ocupa de los refranes.

Paremptosis. Epéntesis de una consonante que no forma sílaba nueva: *homine > hom'ne > hom're > hombre.*

Parénesis. Exhortación o amonestación. Lo relativo a la parénesis recibe el nombre de **parenético.**

Parentesco de lenguas. A. *Sprachverwandtschaft;* I. *Relationship of languages.* Relación que se establece entre dos o más lenguas derivadas de una lengua común. Se dice, por tanto, que las lenguas románicas están emparentadas [A. *Ver-*

wandt; I. Cognate]. Vid. *Familia, Alianza.* Muchas veces se da un *parentesco geográfico* o de *promiscuidad* entre lenguas vecinas, sin relaciones genéticas. Y un *parentesco cultural* [A. *Kulturelle Sprachverwandtschaft*], entre una lengua influyente y otra influida, que se manifiesta porque esta última adopta abundantes estructuras lingüísticas de la primera. Se produce, por ejemplo, entre el alemán y el húngaro, el francés y el turco, etc.

Paréntesis. Hipérbaton que consiste en introducir una interjección, un complemento o una oración, en el seno de una frase, con entonación independiente: *Tú —eso me ha dicho— vendrás con nosotros.*

Parentética (Oración). Oración que se introduce como paréntesis.

Parequema. Cacofonía que resulta del encuentro de dos sílabas iguales, en un contexto: *su misma mano.*

Parequesis. Paronomasia basada en la común etimología de las palabras: *hacer y deshacer todo es quehacer.*

Paretimología. Vid. *Etimología popular.*

Parmesano. Vid. *Italiano.*

Parole. Vid. *Habla.*

Paronimia. Paronomasia.

Parónimo. 1.—Palabra fonéticamente parecida a otra: *hombre - hambre, túmulo - tálamo,* etc. 2.— Atracción paronímica. Vid. *Etimología popular.*

Paronomasia. Figura que consiste en colocar próximos en la frase dos vocablos parónimos, bien por parentesco etimológico (*quien* reparte *se lleva la mejor* parte), bien por semejanza casual (*compañía de dos, compañía de* Dios). Se le da también el nombre de *annominación.*

Paroxítona. 1.—En griego, palabra que lleva acento agudo en la penúltima sílaba. 2.—Por extensión, se hace este término sinónimo de palabra *grave* o *llana.*

Parte. 1.—Partes del discurso, de la oración. Vid. *Categoría.* 2.—Para su acepción en Glosemática, vid. *Clase.*

Partición. Vid. *Clase.*

Participio. Categoría de palabras que participan a la vez del nombre y del verbo (griego μετοχή, latín *participium*). Admite, en efecto, declinación como el adjetivo, y puede expresar tiempo y voz, y recibir un régimen directo, como el verbo. El sistema español de participios es muy sencillo: hay un presente activo *(reinante)* llamado indistintamente presente o activo y un pasado pasivo *(reinado)* llamado pasado o pasivo. Son herederos de los participios latinos en *-nt-* y *-tus*, respectivamente. El participio activo expresa acción concomitante, es decir, que transcurre al mismo tiempo que la del verbo de la oración, y el pasivo, el estado adquirido (de ahí su uso en las lenguas románicas para formar los tiempos compuestos) y la acción pasada anterior a la del verbo de la oración *(hecho esto, se retiró)*. Hay participios con forma pasiva y significación activa *(nacido, muerto, resuelto, agradecido, callado*, etc.); Bello les da el nombre de *deponentes*. El participio puede formar en español una cláusula absoluta, a la que se da el nombre de ablativo absoluto. Tanto el participio activo como el pasivo, desempeñan funciones de rango secundario: son adjetivos verbales. Todos ellos están en un proceso de mayor o menor incorporación al adjetivo, con pérdida de sus valores verbales, y algunos partici-

pios activos se han sustantivado *(estudiante, presidente, escribiente,* etcétera). El latín poseía además un participio de futuro en *-urus (facturus, imitaturus)*, que formaba con *esse* una construcción perifrástica para indicar: a) que se tiene la intención de hacer algo; b) que se está destinado para hacer algo, y c) que algo va a producirse; y un adjetivo en *-ndus (faciendus, imitandus)*, que expresaba la idea verbal, suplía a veces al gerundio, señalaba la obligación, la intención de hacer algo y la posibilidad. A partir del siglo iii d. J. C., adquiere el papel de participio de futuro pasivo: *Hannibal cum tradendus Romanis esset* (Ernout-Thomas).

Partícula. 1.— Parte invariable de la oración, de escaso cuerpo fonético ordinariamente. 2.—Partícula prepositiva. «La castellana o latina que, antepuesta a otra palabra, forma con ella un vocablo compuesto: *sobre-llevar, sub-rayar, in-ofensivo».* (DRAE). 3. — Partícula **pendens.** Anantapódoton q u e se produce cuando los términos correlativos son dos partículas.

Partitivo. 1.—Se dice de cualquier elemento lingüístico que sirve para designar una parte del todo significado por otro elemento. Se habla, por ejemplo, de _genitivo partitivo._ El francés posee un _artículo partitivo_, que desempeña dicha función: _du pain_ 'parte, porción de pan'. **2. Numeral partitivo.** Vid. _Fraccionario._

Parto. Vid. _Indio-iranio (Grupo)._

Pasado. A. _Vergangenheit;_ I. _Past;_ F. _Passé._ **1.**—Término empleado con frecuencia como sinónimo de _pretérito._ Así, al pretérito indefinido se le da a veces el nombre de _pasado simple_ [F. _Passé simple_ o _défini_], y al pretérito perfecto, el de _pasado compuesto_ [F. _Passé composé_ o _indéfini_]. **2.**—Participio pasado. Vid. _Participio._

Pashtu. Dialecto iranio, convertido hoy en lengua oficial de Afganistán.

Pasitelegrafía. Sistema de lengua universal para las comunicaciones telegráficas propuesto por Ascoli (1851).

Pasivo. 1.—Voz pasiva. Vid. _Voz, Primera, Segunda._ **2.**—Organo pasivo. Organo que permanece inmóvil cuando otro órgano móvil, llamado por eso _activo_, se aproxima a él para constituir el punto de articulación. **3.**—Pasiva impersonal. Empleo gramatical de un verbo en voz pasiva sin agente: lat. _pugnatum est acriter_ 'se combatió duramente'; _has sido denunciado._ **4.**—Pasiva refleja. Se da este nombre a un tipo de construcción de significación pasiva, lograda con _se_ y el verbo en voz activa: _Se hizo lo que mandaste._ **5. Participio pasivo.** Vid. _Participio._

Pataquès. Vid. _Cuir._

Patema. A. _Verirrung._ Con este nombre, y el de _passione_ designa Ascoli las formas lingüísticas que presentan una evolución no «normal».

Patois. Vid. _Bable._

Patrimonial. A. _Bodenständig._ Término que alterna frecuentemente con hereditario*.

Patronímico. Nombre de persona derivado del nombre del padre o de un antecesor: _Fernández_ (hijo, descendiente de Fernando), _Ramírez_ (hijo, descendiente de Ramiro), etcétera.

Pausa. A. _Ruhepunkt._ **1.**—Silencio más o menos largo que se produce en la cadena oral tras un grupo fónico o una oración. Es la llamada _pausa gramatical_, y sirve para delimitar unidades sintácticas o de sentido. **2.**—Pausa rítmica. Silencio o detención que se establece en el interior de un verso (Vid. *Cesura),* o al final del mismo cuya aparición periódica engendra un ritmo. La pausa es también elemento fundamental de la prosa rítmica.

Pehleví. Vid. *Indio-iranio (Grupo).*

Pelví. Vid. *Indio-iranio (Grupo).*

Pendens. 1.—Partícula pendens. Vid. *Partícula.* **2.—Nominatiuus pendens.** Vid. *Nominativo.*

Penjabí. Vid. *Indio-iranio (Grupo).*

Pentadecasílabo. Verso de quince sílabas, del que Navarro Tomás ofrece las siguientes variedades: A) **Dactílico** (o óoo óoo óoo óoo óo): *Qué horrible me fuera brillando tu fuego fecundo.* B) **Compuesto a:** consta de un hexasílabo y un eneasílabo polirrítmicos: *Padre viejo y triste, rey de las divinas canciones.* C) **Compuesto b,** que consta de un heptasílabo y un octosílabo trocaicos: *¿En dónde los valientes que lucharon y vencieron?* D) **Ternario,** equivalente a la suma de tres pentasílabos polirrítmicos: *Soñé en un verso vibrante y prócer, almo y sonoro.*

Pentámetro. Verso clásico usado en la elegía (pentámetro elegíaco), que responde al esquema ‿ ∪ ∪ ‿ ∪ ∪ ‿ // ‿ ∪ ∪ ‿ ∪ ∪ ×.

Pentasílabo. Verso de cinco sílabas. N. Tomás distingue los siguientes tipos: A) **Pentasílabo trocaico** (o óo óo): *Llorad las damas.* B) **Pentasílabo dactílico** (óoo óo): *Ven, prometido.* Cuando ambas variedades se combinan en la estrofa, lo denomina **pentasílabo polirrítmico:** *Música triste, / lánguida y vaga, / que a par lastima / y el alma halaga.*

Pentemímeris. Vid. *Cesura.*

Penúltima larga acentuada (Ley de la). Ley que rige en griego, según la cual, cuando la vocal final es breve y la penúltima larga, esta última, si es tónica, ha de llevar por fuerza acento circunflejo, con exclusión del agudo.

Peón [A. *Päon*]. Vid. *Pie.*

Perceptibilidad. A. *Schallfülle, Klangfülle, Schallstärke;* I. *Audibility.* **1.—**Impresión más o menos intensa que ejerce un sonido en el oído. «Un sonido es más perceptible que otro cuando, en igualdad de circunstancias de intensidad, tono y cantidad, puede ser oído desde una distancia mayor». Algunos lingüistas llaman a la perceptibilidad *sonoridad* [A. *Sonorität;* I. *Sonority;* F. *Sonorité*], pero este término posee en español otro significado propio e inequívoco. 2.—**Escala de perceptibilidad.** Gradación que se establece entre los sonidos de un sistema, según su mayor o menor perceptibilidad. «Las vocales son más perceptibles que las consonantes; las vocales abiertas, más que las cerradas; la vocal más abierta, *a*, es asimismo la más perceptible; las consonantes sonoras son más perceptibles que las sordas; las consonantes vibrantes, laterales y nasales se perciben mejor que las propiamente fricativas, y éstas, a su vez, mejor que las oclusivas... A las vocales más perceptibles *(a, o)* se les suele llamar *fuertes* y *llenas*, y a las menos perceptibles *(i, u)*, *débiles;* la naturaleza de la perceptibilidad no tiene relación ninguna, sin embargo, con la idea de fuerza o intensidad articulatoria que estas denominaciones sugieren» (Navarro Tomás).

Perfectivación. Paso de un verbo imperfectivo a perfectivo por algún procedimiento morfológico: así, *obtener*, perfectivo, formado con la adición de un prefijo a *tener*.

Perfectivo (Aspecto). I. *Complet* o *Telic aspect*. Aspecto por el que «se expresa el estado presente del sujeto como resultado de una acción pasada. Ello significa que, si bien la atención del que habla recae especialmente en la situación presente, no obstante, flota en su espíritu el recuerdo de la acción que determinó el citado estado» (Bassols): *estoy a salvo*. Modalidades suyas son los aspectos **terminativo** o **efectivo**, y el perfectivo **ingresivo** (el cual expresa que una acción, apenas iniciada, alcanza su fin: *arrojar* una piedra). A veces se usan como sinónimos los términos *perfectivo* y *perfecto*. A. Bello llamó a los verbos de significación perfectiva, **verbos desinentes.**

Perfecto. 1. — Perfectum*, conjunto de formas verbales que, dentro de un paradigma, expresan acción acabada o perfecta. En español, son las formas *canté* y todas las compuestas, llamadas por eso tiempos perfectos. 2.—Se da el nombre de *perfecto*, por antonomasia, al pretérito indefinido: *canté*. 3.—Pretérito perfecto de indicativo. Expresa en español acción pasada y perfecta, pero dentro de una unidad de tiempo en que todavía se siente instalado el hablante: *ha cantado* (hoy, esta semana, este año...), frente al indefinido, cuya acción ocurre en un tiempo que el hablante siente como acabado: *cantó* (ayer, la semana pasada, hace cinco años). Esta oposición se altera, sin embargo, muchas veces en el uso. **4.—Pretérito perfecto de subjuntivo.** Expresa acción perfecta pasada *(quizá haya terminado)* o futura *(quizá haya terminado mañana).* **5.—Futuro perfecto de indicativo o de subjuntivo.** Vid. *Futuro.* **6.—Tema de perfecto.** Vid. *Tema.* **7.—Perfecto fuerte o débil.** Alternan indistintamente estos términos con los de *pretérito fuerte** o *débil*.*

Perfectum. Sistema de formas del verbo latino (opuestas a las que constituyen el *infectum)* que se derivan del tema de perfecto y significan acción terminada: *dixi, dixeram, dixero, dixerim, dixissem.* Las categorías de *perfectum* e *infectum* fueron fijadas por Varrón (siglo I a. J. C.). Vid. *Aspecto, Perfecto.*

Perífrasis. Rodeo que se emplea para expresar un concepto único. Puede ser de varios tipos: A) **Perífrasis gramatical,** que procede de la falta de una voz única para expresar un concepto único. Las más importantes, dentro de este tipo, son las **perífrasis verbales** o **conjugaciones perifrásticas,** en las que se unen un verbo auxiliar y el infinitivo, el gerundio o el participio del verbo auxiliado. Con ellas se logran precisiones de tiempo, modo y aspecto inexpresables con los recursos de la conjugación no perifrástica: *acaba de llegar, anda preocupándose de todo, tengo que irme, se echó a llorar.* El verbo auxiliar suele estar total o parcialmente gramaticalizado. B) **Perífrasis tabú.** Sirve para aludir a personas o cosas que no deben ser designadas por su nombre (Vid. *Tabú).* C) **Perífrasis literaria,** que se practica para evitar una palabra *(elusión)* con fines eufemísticos, embellecedores, o simplemente como alarde de ingenio. Por ejemplo, Calderón llama al *cielo,* perifrástica y metafóricamente, *mentira azul de las gentes.* Un tipo especial de perífrasis literaria es la *alusión,* usada abundantemente por Góngora, mediante la cual se «pone en contacto una noción real con un sistema fijo de referencias...; lo normal es que una palabra como *álamo* se vea siempre acompañada por una misma alusión mitológica *(los álamos, plantas en que fueron convertidas las hermanas de Faetón)»* (Dámaso Alonso).

Perifrástica (Conjugación). Vid. *Conjugación y Perífrasis.*

Período. 1.—Conjunto formado por una oración y todas las que con ella se relacionan, coordinativa o subordinativamente. Es lo mismo que *oración compuesta*. **2.**—Más imprecisamente, con este término se designa el conjunto de frases, simples o compuestas, que en un texto componen un ciclo de pensamiento unitario. Los tratadistas franceses distinguen entre *période carrée* formado de cuatro oraciones o miembros, y *période ronde*, en el cual los miembros están unidos estrechamente y dan una impresión de armonía; de esta noción retórica procede la expresión *redondear las frases* (fr. *arrondir ses périodes)* en el sentido, a veces peyorativo, de perfilarlas, rematarlas bien; hay, además, un *période croisée*, cuyos miembros se oponen dos a dos en antítesis. **3.**—En la poesía cantada antigua, unidad métrica delimitada por pausas (equivale al *verso* en la poesía recitada). Puede estar compuesto por uno o más miembros, y su extensión, a diferencia de lo que ocurre con el verso, puede variar. **4.** En un diagrama sinusoidal obtenido por el registro del sonido mediante un oscilógrafo, intervalo de tiempo medido de cresta a cresta de las ondas, o entre dos puntos correspondientes del trazado de las ondas. Se denomina también **vibración do-**ble y **ciclo** [F. *Cycle*]. Vid. *Amplitud.*

Perisología. 1.—Perífrasis gramatical o retórica abusiva: *la hora que a todos ha de llegar* (= la muerte), *el Evangelista Apeles* (= San Lucas). **2.**—Pleonasmo consistente en añadir a un pensamiento ya suficientemente expresado, otros términos sobrantes.

Perispómena. Se dice de la palabra griega que lleva acento circunflejo en la sílaba final: ᾽Αθηνᾶ.

Permanentes (Verbos). Término empleado por A. Bello para designar los verbos de aspecto imperfectivo. Vid. *Desinentes.*

Permisión («Permissio»). Figura retórica por la que, en el plano dialéctico, se autoriza al adversario para que haga lo que no querría el hablante que hiciese. Así, Dido, abandonada de Eneas, le dice: *Neque te teneo, neque dicta refello. / I, sequere Italiam ventis, pete regna per undas* (Virgilio); ... *Segad esta garganta, / siempre sedienta de la sangre vuestra; / que no temo la muerte, ni me espanta...* (Ercilla). A veces se identifica con la *concesión**.

Permisivo. Se da este nombre a la forma verbal con que se solicita o concede un permiso: ¿*abro?; que vaya.*

Permutables (Sonidos). Son los que, en una lengua dada, pueden encontrarse en el mismo contexto fonético. Por ejemplo, *a* y *o: cosa-caso.* Se distinguen de los impermutables en que éstos no se presentan en idénticos contextos fónicos. Así, en alemán, los segundos sonidos de las sílabas *ich* y *ach* son *impermutables,* porque el último sólo aparece detrás de *u, o, a, au,* mientras que el primero aparece en todas las demás posiciones, pero nunca detrás de *u, o, a, au.*

Permutación. 1.—Término poco usado, sinónimo de *metátesis* y *mutación.* **2.**—En Glosemática, mutación entre dos partes de una misma cadena, que ocasiona un cambio correspondiente en el plano opuesto (esto es, en el de la expresión, si el cambio se opera en el del contenido, y viceversa). Así, si en la cadena *el pastor mató al lobo* intercambiamos los sustantivos, obtendremos *el lobo mató al pastor.* Un cambio en el plano cenemático ha desencadenado otro en el pleremático. Diremos, pues, que entre *lobo* y *pastor* hay permutación. El

signo menor capaz de permutación es la palabra, que Hjelmslev define del siguiente modo: «Signo mínimo cuya expresión e, igualmente, su contenido, son permutables».

Perqué. «Serie de pareados octosílabos contrapuestos, generalmente precedidos de una redondilla o quintilla, con la cual enlaza el primer pareado, abba : ac : cd : de : ef, etcétera. Fue empleado por Cervantes en *El rufián dichoso,* primera jornada, con el nombre de *aquelindo*» (Navarro Tomás).

Persona. Categoría gramatical común al pronombre y al verbo. Tiene la misión de señalar si el proceso verbal es ejecutado por el que habla (**primera persona**) o por el que escucha (**segunda persona**). Según la gramática tradicional, hay una **tercera persona**, que corresponde a la persona o cosa de quien se habla. E. Benveniste (1946) ha mostrado la falsedad de dicho planteamiento, señalando que por tercera persona debemos entender lo que está fuera de *yo* y *tú; él* comporta una indicación del enunciado sobre alguien o algo, pero no referido a una persona específica: «la tercera persona no es una persona: es la forma verbal, que tiene por función expresar la *no persona*».

Ello explica su empleo en verbos no personales (*truena, llueve*). Vid. *Inclusivo, Exclusivo.*

Personal. 1.—Se dice de todo elemento lingüístico que comporta la noción de persona. Se opone a impersonal (*dicen*) y a no personal (*decir*). Vid. *Infinitivo personal.* 2.— **Pronombre personal.** Es la palabra de significación ocasional que señala, pura y simplemente, la persona gramatical. Su significación, decimos, es ocasional (como la de otros pronombres: *éste, aquél*, etc., y la de algunos adverbios: *aquí, allí*, etcétera), ya que sólo la adquiere en el contexto: únicamente el contexto podrá revelarnos el significado concreto de cada pronombre.

Personificatio. Vid. *Prosopopeya.*

Perspectiva. En la terminología de Guillaume, noción que considera la acción verbal según esté dirigida hacia su desarrollo ulterior (*prospectiva*) o carezca de referencias a dicho desarrollo (*retrospectiva*). Vid. *Remotospectiva.*

Pertinencia. A. *Relevanz;* I. *Relevancy;* F. *Pertinence.* Conjunto de elementos pertenecientes a una unidad fónica, que son fonológicamente distintivos. Dichos elementos se llaman **pertinentes** o **relevantes**; aquellos que no son distintivos se llaman **no pertinentes** o **irrelevantes**. Por ejemplo, en la palabra *verso*, el fonetista percibirá distintos matices de pronunciación, según los sujetos que la pronuncien. Unos partirán de una fuerte oclusión de la *b*, otros la pronunciarán de modo muy relajado; la *e* será más o menos abierta, la *r* más o menos alveolar, y el acento recaerá con mayor o menor intensidad, etc. Todos esos rasgos son no pertinentes. En cambio, el hecho de que el acento recaiga sobre la *e* y no sobre la *o* (*versó*), el que la *v*- sea sonora y no sorda, etcétera, son rasgos distintivos pertinentes.

Peyorativo. A. *Deteriorativ, Deteriorisierend, Verschlimmernd;* F. *Détérioratif.* Se dice de todo lo que expresa un sentido poco favorable: *ruin, provinciano, poetastro*, etc.

Phébus. Entre los retóricos franceses, estilo ampuloso. El término procede del título de la obra de Gaston de Foix, *Miroir de Phébus* (siglo XIV).

Φύσει. Vid. *Analogía.*

Piamontés. Vid. *Italiano.*

Picardo. Vid. *Francés.*

Pictavino. Vid. *Poitevino.*

Pictograma. Vid. *Escritura.*

Pidgin-English. Idioma mixto hablado en los puertos de China, constituido por vocabulario inglés, adaptado al sistema gramatical del chino. *Pidgin* es una deformación indígena de *business* 'negocio, comercio'.

Pie. 1.—A. *Fuss, Takt, Versfuss;* I. *Foot.* Para la definición de este término, vid. *Metro.* Sus nombres y estructuras son los siguientes: yambo (◡_), troqueo (_◡), espondeo (__), pirriquio (◡◡), anapesto (◡◡_), crético (_◡_), anfíbraco (◡_◡), baquio (◡__), antibaquio (__◡), moloso (___), tríbraco (◡◡◡), dáctilo (_◡◡), peón primero (_◡◡◡), peón segundo (◡_◡◡), peón tercero (◡◡_◡), peón cuarto (◡◡◡_), coriambo (_◡◡_), diyambo (◡_◡_), ditroqueo (◡_◡_), antispasto (◡__◡), jónico menor (◡◡__), jónico mayor (__◡◡), dispondeo (____), proceleusmático (◡◡◡◡), epítrito primero (◡___), epítrito segundo (_◡__), epítrito tercero (__◡_), epítrito cuarto (___◡). Son *pies teóricos* los siguientes: *espondeo, pirriquio, anfíbraco, moloso, tríbraco,* los *peones* (el primero y el cuarto son resolu-

ciones* de un crético), *diyambo, ditroqueo, antispasto, dispondeo, proceleusmático* y los *epítritos.* Estos términos son utilizados por una métrica convencional, puramente descriptiva. Vid. *Género, Arsis, Tesis, Marcado.* 2.—**Pie forzado.** Rimas establecidas caprichosamente, a las que tiene que ajustarse el escritor para componer un poema [F. *Bouts-rimés*].

Pirenaico. Vid. *Aragonés.*

Pirriquio. Vid. *Pie.*

Pisano. Vid. *Italiano.*

Pitiyambo. Dístico que puede adoptar dos esquemas: hexámetro dactílico seguido de dímetro yámbico, o bien hexámetro dactílico y trímetro yámbico puro.

Plano asociativo, Sintagmático, Paradigmático. Vid. *Asociativo, Sintagmático, Paradigmático.*

Plena (Forma). A. *Vollform, Lentoform;* I. *Full form;* F. *Forme pleine* o *allongée.* Se da este nombre (y el de *forma alargada*) a la forma más larga de una palabra que, en la misma lengua, posee otra forma más breve, llamada **forma abreviada** o **reducida** [A. *Kürzform, Schnell-*

sprechform, Allegroform; I. *Short, abridged,.reduced form, Stumpword, Clipped-word].* Así, en latín coexisten las formas plenas *calidus, solidus,* y las respectivas abreviadas *caldus, soldus,* y en español, *san, cien,* viven junto a *santo, ciento,* y *señá,* en la lengua vulgar, frente a *señora.* La forma abreviada suele ser una variante fónica de la forma plena, y ambas constituyen un **doblete fonético** distinto al *doblete* propiamente dicho, en el cual la significación de las dos palabras puede ser muy distinta. El doblete fonético suele estar condicionado por el *tempo.*.

Pleonasmo. A. *Abundanz.* «Esta figura, que vale lo mismo que *sobra* o *redundancia,* es viciosa cuando, sin necesidad, se usa de palabras que ni hacen falta en la locución ni le añaden belleza alguna; pero es útil cuando ciertos vocablos, al parecer superfluos, se emplean para dar más fuerza y colorido a la expresión...» (GRAE). Esto último ocurre en ejemplos como *lo vi con mis propios ojos, lo escribí de mi mano, volar por el aire, yo mismo estuve.*

Pleonástico. 1.—Se dice de todo elemento lingüístico q u e origina pleonasmo. 2.—Se aplica este término alguna vez al pronombre perso-

nal que da origen al llamado *dativo ético.*

Plerematemas. Nombre que se da, conjuntamente, a los pleremas y a los morfemas. Vid. *Pleremática.*

Pleremática. I. *Plerematic.* Uno de los dos planos en que la Glosemática considera dividida una lengua (Vid. *Cenemática);* es el plano del contenido o de la significación (de πλήρης 'lleno'). Tanto el plano pleremático como el cenemático constan de dos miembros: *constituyentes* [I. *Constituens*] y *exponentes* [I. *Exponents*]. Los constituyentes, en el plano pleremático, se denominan **pleremas,** y en el plano cenemático, **cenemas** [I. *Cenemes*]; y los exponentes, **morfemas y prosodemas,** respectivamente. Los pleremas se subdividen en *centrales* (los elementos radicales) y *marginales* (elementos de derivación). Los morfemas son de dos clases: *intensos,* que «pueden caracterizar sólo una cadena menor que la frase» (Hjelmslev), y se corresponden con los morfemas nominales: caso, comparación, género, número, artículo; y *extensos,* que «son aptos para caracterizar una f r a s e completa» (Hjelmslev), y se corresponden con los morfemas verbales: persona, voz, aspecto, modo, tiempo. Los· cenemas pueden ser también *centrales* (vocales) y *marginales* (consonantes), y los prosodemas se subdividen, igualmente, en *intensos* (acentos) y *extensos* (sintonemas).

Plerémica. Parte de la Pleremática* que estudia los pleremas.

Plosión. Término vago con que alguna vez se designa la *implosión* o la *explosión*. También se da este nombre a la tensión* de las oclusivas.

Plosiva (Consonante). Término con que alguna vez se designa la consonante oclusiva.

Plural. A. *Mehrzahl.* **1.**—Número gramatical que corresponde a los sustantivos o pronombres y a las palabras que con ellos conciertan (artículos, adjetivos y verbos) y que denota la existencia de dos o más seres en las lenguas que carecen de dual, o de más de dos seres en las lenguas que poseen dual. Vid. *Número.* **2.**—Plural poético. Forma plural que adopta el singular de nombres incontables, incapaces, por tanto, de expresar dicha noción plural. Tiene un fin embellecedor: *dio su suspiro a los aires.* **3.**—Plural enfático. Reposa sobre el mismo principio gramatical que el plural poético, pero sólo tiene finalidad enfática: *las aguas inundaron la ciudad.* Es también enfático el plural en que van a veces los nombres propios: *los Lucanos, los Sénecas.* **4.**—**Plural mayestático** [A. *Gemeinschaftsplural;* I. *Plural of social inequality* u *of majesty;* F. *Pluriel augmentatif*]. La primera persona *nosotros* puede considerarse formada por la suma *yo + vosotros, ellos.* Una hipertrofia de *yo,* a expensas de *vosotros, ellos,* da origen a que *nosotros* signifique solamente *yo,* constituyendo el plural *mayestático,* que magnifica a la persona que lo emplea: *Nos, el Rey.* **5.**—**Plural de modestia.** En la ecuación *nosotros = yo + vosotros, ellos,* la persona *yo* puede empequeñecerse, diluirse entre *vosotros, ellos,* perdiendo relieve. Se origina así el plural de modestia [I. *Editorial «we»*], propio de la primera persona cuando habla en público o escribe para muchos lectores, procurando no exhibir con exceso su personalidad: *nosotros sospechamos...* **6.** — **Plural elíptico.** Corresponde a una palabra que, al ir en plural, amplía su significado, entrando en él otras nociones no significadas por el singular. Así, *los condes,* en su significado de 'el conde y la condesa'. Vid. *Inclusivo, Exclusivo, Concinidad.*

Pluralia tantum. Se dice de las palabras que sólo poseen número plural: _albricias, exequias, nupcias,_ etcétera.

Pluralidad. Vid. _Correlación._

Plurativo. F. _Pluratif._ Morfema cuya función consiste en dar a una palabra un significado plural.

Pluscuamperfecto. I. _Pluperfect._ **1.** — Pretérito pluscuamperfecto de indicativo. Tiempo verbal que expresa «la anterioridad con respecto a un hecho pasado»: _Llegó cuando todo había terminado._ **2.** — Pretérito pluscuamperfecto de subjuntivo. Tiempo verbal que «en el subjuntivo expresa las mismas relaciones que en el indicativo expresan el pluscuamperfecto y el antefuturo hipotético» (S. Gili Gaya): _Ignoraba que hubiera_ (o _hubiese_) _respondido._

Poissard. Así califican los críticos franceses un tipo de estilo tosco y realista. El término alude a la lengua de los vendedores de pescado (fr. _poisson)_ en el mercado de París.

Poitevino. Se llama así (o _pictavino)_ al dialecto que tiene su centro en Poitiers. Hoy está enclavado en dominio lingüístico _francés,_ pero estudios recientes han puesto de manifiesto que durante la E. Media perteneció a la órbita provenzal.

Polaco. Vid. _Eslavo._

Polifonemático (Grupo). Grupo de signos, cada uno de los cuales puede funcionar como fonemas independientes. Tal acontece, en español, con los diptongos.

Polifonía. Capacidad que una letra posee de representar dos o más fonemas diferentes. Así, _c (casa-cera), r (para-rama), g (gala-giro)._

Poligénesis. Producción de un mismo fenómeno lingüístico en áreas separadas y sin relación entre sí.

Polimétrica (Estrofa). Vid. _Estrofa._

Polimorfo (Verso). Verso* libre.

Polinesio. Vid. _Malayo-polinesio._

Polipote. Vid. _Poliptoton._

Poliptoton. Figura retórica que consiste en repetir un nombre o un pronombre en diversos casos o formas, o un verbo en distintos tiempos: *Magnus est dicendi labor, magna res* (Cicerón). *¡Oh niñas, niño amor, niños antojos!* (Lope de Vega). Se denomina también *traducción* (lat. *Traductio*) y *polipote*. No debe confundirse con la *derivación**.

Polirrizo (Verbo). Verbo con varias raíces o temas: *caber (cab-, quep-, cup-).*

Polisemia. A. *Vielwertigkeit*. Fenómeno consistente en la reunión de varios significados en una palabra. *Cabo*, por ejemplo, es un vocablo **polisémico** por poseer varios significados: cabo de vela, grado del ejército, hilo o hebra, cabo geográfico, etc. En el caso frecuente de ser dos los significados, el fenómeno se llama *disemia*.

Polisílaba, polisílabo. A. *Mehrsilbiges Wort*. Palabra compuesta de más de una sílaba. Según el número de sílabas que la compongan, la palabra polisílaba recibe los nombres particulares de *bisílaba, trisílaba, tetrasílaba, pentasílaba*, etc.

Polisíndeton. Coordinación de varios elementos lingüísticos mediante abundantes y reiteradas conjunciones: *A ti y a tus hijos, y a tus hermanos, y a tus ascendientes...* Vid. *Síndesis*.

Polisintéticas (Lenguas). Nombre que alguna vez se da a las llamadas *lenguas incorporantes*.

Politonía o politonismo. «Presencia de la correlación* melódica, bien de las vocales, bien de las palabras, en un sistema fonológico» (TCLP). Las lenguas caracterizadas por el politonismo se llaman *lenguas politónicas* (griego antiguo, lituano, chino, japonés, etc.). Vid. *Monotonía*.

Popular. 1.—Etimología popular. Vid. *Etimología*. 2.—Voz popular. Por oposición a cultismo y semicultismo, se da este nombre a toda palabra de la lengua general en que se han cumplido todas las leyes fonéticas que podían afectarle, si no se han opuesto causas perturbadoras. Así, *artejo (articulum)* frente a *artículo*, que es un cultismo. Vid. *Vulgar*.

Porson (Zeugma de). Vid. *Zeugma*.

Portugués. Lengua románica nacional de Portugal y sus colonias, y de Brasil, hablada por 53 millones de personas. El portugués es una continuación histórica del *gallego-portugués*, idioma hablado en Galicia y N. de Portugal en la Edad

Media. La modalidad literaria de este idioma fue una coiné que superaba la diversidad dialectal, y en ella se escribió la poesía de los Cancioneros (s. xiii). Leite de Vasconcellos (1901) clasificó el dominio lingüístico en las siguientes agrupaciones dialectales: A) **Dialectos continentales** *(interamnense, trasmontano, beirano* y meridionales, con el *extremeño portugués,* el *alentejano* y *algarvés);* B) **Dialectos insulares** *(azorés* y *maderés);* C) **Dialectos ultramarinos** *(brasileño,* dialectos criollos de Diu, Damão; *indoportugués,* con el *norteiro* de la costa occidental de la India, portugués de Goa, dialectos criollos de Mangalor, Cananor, Mahé, Cochin y Coromandel; criollo portugués de Ceilán; *macaista* de Macao; *malayo-portugués,* con los criollos de Java, Malaca y Singapur; portugués de Timor; *caboverdiano* de Cabo Verde; criollo *guienés* de Guinea; criollos del golfo de Guinea; portugués de las costas de Africa); D) **Judeo-portugués** de Amsterdam y Hamburgo. Señala como codialectos portugueses el *gallego,* el *riodonorense,* el *guadramilense* y el *mirandés;* pero estos tres últimos son enclaves del leonés.

Posesivo. 1.—Palabra o elemento lingüístico que expresa la posesión. Así, los pronombres posesivos *(mío, tuyo, suyo),* los adjetivos posesivos *(mi, tu, su),* el genitivo posesivo, etc. **2.**—**Dativo posesivo. Vid.** *Simpatético.*

Posición. 1.—**Larga por posición. Vid.** *Cantidad.* **2.**—**Lingüística de posición. Vid.** *Método psicosistemático.*

Positio debilis. En la métrica clásica, lugar del verso en tiempo no marcado*, en el cual una sílaba prosódicamente *anceps* funciona como breve.

Positivismo. Actitud de los lingüistas que conciben el lenguaje como un conjunto analizable de elementos, independientes del hablante que los emplea. Culmina esta actitud a fines del siglo xix, con el apogeo de las ciencias de la naturaleza y del método analítico. Contra ella reaccionaron importantes lingüistas independientes, como Ascoli y Schuchardt, movidos por una mejor observación de los hechos en las lenguas vivas, y todos los adscritos al idealismo. Vid. *Neogramáticos.*

Positivo. A. *Grundstufe.* Recibe este nombre un grado de significación del adjetivo, que consiste en presentar la cualidad sin ningún matiz de intensidad, frente al *comparativo,* que confronta la intensidad que una cualidad presenta en un objeto con la que presenta en otro, y frente al *superlativo*, que expresa la cualidad en su mayor intensidad, relativa o absoluta. Así, *malo* frente a *peor* (comparativo), y *el peor, malísimo* (superlativos).

Pospretérito. Vid. *Condicional.*

Posse (Tiempo in). «Existen en la lengua palabras que basta pronunciar, aun sueltas, para que la idea de tiempo se despierte en el espíritu. Esta idea de tiempo que la palabra comporta, que es parte integrante de su significación, es el tiempo *in posse*, que se puede definir como el tiempo interior en la imagen de la palabra. Inversamente, el tiempo **in esse** es tiempo exterior a la imagen de la palabra, no el que se desarrolla en ella, sino aquel en que la palabra se desarrolla. La presencia del tiempo *in posse* es particularmente sensible en el verbo, que le debe lo que podría llamarse su **tensión,** es decir, la impresión de movilidad progresiva, que es inseparable de él» (Guillaume). El infinitivo *(cantar)* posee solamente *tensión;* el participio *(cantado)* sólo tiene *distensión,* esto es, tensión agotada, y el gerundio *(cantando)* consta de tensión y disten-

sión yuxtapuestas. Vid. *Fieri (Tiempo in).*

Postalveolar. Articulación que se forma en la parte superior de los alvéolos, en la zona inmediatamente anterior al paladar duro. Por ejemplo, la *t* inglesa.

Postdental. A. *Zahnflächenlaut.* Articulación que se forma en la cara interna de los dientes, en situación más elevada que la zona interdental y más baja que la alveolar. Son postdentales la *t* de *toro* y la *d* de *don.* El término se usa muchas veces como sinónimo de *dental.*

Postdorsal. Articulación en que interviene el postdorso de la lengua.

Posterior. 1.—Se da el nombre de **vocales posteriores** [A. *Hintervokal;* I. *Backvowel*], a las que se forman en la segunda mitad de la boca (llamadas también *vocales velares*). La **serie posterior** de vocales está integrada en español, por *a̯, ǫ, o, u̯, u.* 2.—**Consonantes posteriores** [A. *Hintere Konsonanten;* I. *Back consonants*]. Vid. *Anteriores (Consonantes).*

Postnominal. Palabra derivada de un nombre sustantivo o adjetivo:

cabecear es un postnominal de *cabeza*. Se opone a *postverbal*.

Postónica. Término con que es
designada la sílaba que sigue en la
palabra a la sílaba tónica. Así, *di*,
en *médico*. Se extiende también el
término a designar cualquiera de
los sonidos que van en la sílaba
postónica.

Postpalatal. Consonante cuyo
punto de articulación se produce al
acercarse el postdorso de la lengua
a la zona última del paladar duro,
próxima al velo del paladar. Así, *k*
en las sílabas *que, qui*.

Postprefijo. Vid. *Infijo*.

**Postsonánticas (Consonan-
tes).** Vid. *Presonánticas*.

Postverbal. Palabra originada
por derivación regresiva, partiendo
de una forma verbal. Así, *toque,
costo, gasto, saque, escucha*, etcétera. Malkiel (1959) ha criticado este
término —creado por Bréal— y ha
propuesto, para sustituirlo, el de
(sustantivos, adjetivos). **verbales rizotónicos.** Vid. *Deverbal*.

Potencial. Se aplica este término a la oración o a la forma verbal
que enuncian una condición posible,

realizable. Así, el subjuntivo potencial *vinieras*, en la frase *si vinieras
mañana, te lo agradecería*. Se opone a *irreal*. Vid. *Optativo, Condicional*.

Prácrito. Vid. *Indio-iranio (Grupo)*.

Prearquetipo. Los arquetipos
de textos antiguos, griegos- y latinos, se sitúan entre los alrededores
del·año 100 a. J. C. y del 450. En
casos especiales, cuando la tradición* diplomática es muy rica, es
posible remontarse, en la historia
del texto, a·una fecha anterior. Este arquetipo, muy antiguo, ha sido
designado por G. Pasquali como
prearquetipo (A. Dain).

Predicado. 1.—Función constitu-
tiva y esencial de la oración. La
desempeña un·verbo o un nombre
o construcción nominal, que (aparte el caso de las oraciones impersonales*) entabla relación necesaria
con un sustantivo, de modo que tal
relación constituya una oración por
sí misma. El predicado, cuando es
desempeñado por un verbo, se denomina **predicado verbal** (*el pez nada*); cuando está constituido por
un verbo copulativo y un nombre,
adjetivo o palabra adjetivada, se llama **predicado. nominal** (*el pez es li-*

gero); también recibe este nombre el predicado carente de verbo, esto es, el de la frase nominal (*perro ladrador, poco mordedor*). **2.**—Nombre, adjetivo o palabra adjetivada que se une al sujeto mediante un verbo copulativo: *el pez es ligero*. Muchos gramáticos lo llaman, en este caso, *atributo**. **3.** — **Predicado psicológico o lógico.** Así se ha denominado alguna vez a la parte de la frase que va en segundo lugar (sin tener en cuenta que, gramaticalmente, sea o no el predicado), entendiendo que, en la ordenación de los elementos oracionales, los primeros funcionan como sujeto lógico o psicológico de los que siguen. En una frase como *se ha ido tu padre*, la porción *se ha ido* es el sujeto psicológico o lógico, frente a *tu padre*, que es el predicado psicológico o lógico. La distinción entre ambos fue establecida por Henri Weil, que los llamó, respectivamente, *notion initiale* y *bout du discours*. La nueva denominación fue adoptada por otros lingüistas como Gabelentz, Mauthner y Schuchardt. Este último escribe: «Das Folgende ist immer Prädicat, das Vorausgehende Subject».

Predicativo. 1.—Se dice de todo elemento gramatical que pertenece al predicado, realiza esta función o posee un predicado. Así, **oración** predicativa será aquella cuyo verbo no es copulativo: *yo escribo cartas*. Se opone a *atributivo*. **2.**—**Atributo predicativo.** Vid. *Atributo*.

Predorsal. Articulación en que interviene el predorso de la lengua. Suele darse este nombre a una variedad de la *s* andaluza, «que se pronuncia con la lengua convexa y el ápice en los incisivos inferiores: domina en el centro y sur de Sevilla, en las provincias íntegras de Málaga y Cádiz, y penetra en algunas zonas de Córdoba y Granada. La convexidad del predorso lingual puede ser tanta que se produzca contacto con los incisivos superiores y fricación interdental semejante, pero no igual, a la *z* (θ) castellana» (R. Lapesa).

Prefijo. Afijo que se añade a una palabra por delante: *in-voluntario*.

Prefrase o Profrase. Monorema*.

Pregramatical. Término c o n que se califican fenómenos anteriores a la adquisición, aprendizaje o formación de una lengua. Así, se hacen hipótesis sobre lo que pudieron ser las fases pregramaticales en la invención del lenguaje por el hombre primitivo; o bien se habla de la expresión pregramatical del niño o del afásico.

Prelatino. Que pertenece a un estrato lingüístico anterior a la implantación del latín.

Prenombre. Término usado por algunos gramáticos de los s. XVIII y XIX, franceses sobre todo, para designar los adjetivos determinativos. Alternó con los de *artículo, adjetivo prepositivo* y *adjetivo metafísico.*

Prepalatal. Consonante cuyo punto de articulación se fija al aproximarse el predorso de la lengua a la parte anterior del paladar duro: *ch, ll, ñ.*

Preposición. A. *Präposition, Vorwort.* Categoría gramatical que ya fijó Aristóteles, si bien confundiéndola con la conjunción en una categoría única (σύνδεσμος 'palabra de unión'). Pronto, de dicha categoría fue extraída la πρόθεσις, es decir, la *praepositio* de los latinos. La preposición es ordinariamente invariable, y sirve de nexo entre un elemento sintáctico cualquiera y su complemento. R. Lenz la definió como «palabra invariable que sirve para transformar un sustantivo en atributo o complemento de otro elemento de la misma proposición».

Podemos también definirla como el morfema que, antepuesto a un sustantivo o a un pronombre, lo convierte en término de rango secundario o terciario en la frase. Puede preceder a una frase de valor sustantivo *(estoy cansado de no hacer nada)* y es el instrumento fundamental de la rección. Son, en español: *a, ante, bajo, cabe, con, contra, de, desde, en, entre, hacia, hasta, para, por, según, sin, so, sobre, tras.* Vid. *Inseparable.*

Prepositivo. 1.—Partícula prepositiva. Vid. *Partícula.* **2.— Adjetivo prepositivo.** Vid. *Prenombre.*

Prerromance. 1.—Que pertenece al latín vulgar y a las fases lingüísticas anteriores a la formalización de una lengua romance. **2.—**Prelatino.

Presentación. Término que emplea Trubetzkoy como sinónimo de *expresión* (Vid. *Funciones* del lenguaje).*

Presente. 1.—Presente de indicativo. Tiempo verbal correspondiente a un proceso que se realiza en el momento en que se habla: *Tú lees (ahora).* Es el llamado **presente actual** o **momentáneo,** para diferenciarlo de otros presentes no momentáneos: **presente iterativo** (de alternancia: *va y viene continuamente*; **habitual**: *por aquí pasa el tranvía*; de **regularidad**: *recibe todos los días*); **descriptivo** *(juega bien a la pelota, hay un buen camino)*; **durativo** *(llora sin cesar, suben los precios)*; **gnómico** o de **experiencia** *(quien lo escucha, se compadece)*; **omnitemporal** *(dos más dos son cuatro)*; **histórico** o **narrativo**, que actualiza acciones pasadas *(ayer, llego a la plaza y me lo encuentro)*; de **mandato** *(tú vienes conmigo)*; **presente-futuro** *(mañana me examino)*; **presente-pasado** *(me entero ahora mismo de que estabas esperándome)*; **incoativo** *(ahora mismo salgo)*, etc. **2.—Presente de subjuntivo.** Sistema de formas verbales, con valor temporal relativo. Expresa de ordinario una acción presente o futura dependiente de un verbo principal, en pretérito, presente o futuro: *me dicen que venga, me han dicho que venga, me dirán que venga. Venga* puede indicar acción presente o futura, pero nunca pasada. **3.—Tema de presente.** Recibe este nombre el tema que da origen a los tiempos que constituyen el *infectum*.

Presonánticas (**Consonantes**). Consonante o consonantes iniciales de sílaba. La final o finales reciben el nombre de *postsonánticas*.

Préstamo. A. *Entlehnung, Lehngut, Lehnwort*; I. *Loanword, Borrowing, Import*; F. *Emprunt*. **1.—** Elemento lingüístico (léxico, de ordinario) que una lengua toma de otra, bien adoptándolo en su forma primitiva, bien imitándolo y transformándolo más o menos. Está con el *extranjerismo* en la relación de especie a género: el préstamo es un extranjerismo incorporado al sistema. Tappolet distingue entre préstamos de lujo [A. *Luxuslehnwörter*] y préstamos de necesidad [A. *Bedürfnislehnwörter*]. Vid. *Adopciones* lingüísticas*. Un caso particular muy importante de préstamo es el *calco*. **2.—** El préstamo puede realizarse también dentro de la misma lengua, cuando algún término de una jerga especializada se incorpora a la lengua general, o viceversa.

Presunción. Vid. *Anticipación*.

Preterición («**Praeteritio**»). Figura que consiste en fingir que se pasan por alto circunstancias sobre las cuales se está hablando, so pretexto de querer eludirlas: *Nihil de illius intemperantia loquor, nihil de insolentia, nihil de singulari nequitia ac turpidine; tantum de quaestu* *et lucro dicam* (Cicerón); *No quiero llegar a otras menudencias, conviene a saber, de la falta de camisas y no sobra de zapatos, la raridad y poco pelo del vestido, ni aquel ahitarse con tanto gusto cuando la buena suerte les depara algún banquete* (Cervantes). Se denomina también **pretermisión** (lat. *Praetermissio*).

Pretérito. 1.—Tiempo verbal que expresa acciones pasadas. Vid. *Perfecto, Pluscuamperfecto, Imperfecto, Anterior, Indefinido.* **2.**— Por antonomasia, se da el nombre de *pretérito* al pretérito indefinido.

Pretónica. Vid. *Protónica.*

Preverbio. Prefijo que se antepone a un verbo: *recorrer.*

Primario. 1.— Grupo primario. Grupo consonántico que ya existía en latín. Así, *pr* en p r a t u m > *prado*. Vid. *Grupo secundario.* **2.**—Tema primario. Palabra primaria. Derivado primario. Vid. *Tema, Rango, Derivado,* respectivamente. **3.**—Significación primaria. Vid. *Lenguaje desplazado.*

Primera. En la gramática tradicional se denomina **primera de activa** a la oración que posee complemento directo, y **primera de pasiva,** a la que lleva expreso el agente de la acción verbal. Vid. *Segunda.*

Primitivo. 1.—Término con que se califica la palabra que no se deriva de otra perteneciente a la misma lengua: *mano,* frente a las derivadas *manaza, manecilla, manada,* etcétera. **2.**—Tiempo primitivo. Tiempo que proporciona el tema sobre el cual se forman los demás tiempos, llamados *derivados.* Son primitivos el presente de indicativo (*cant-o,* cuyo tema aparece en *cant-aba,* en *cant-aré...*); el pretérito indefinido (*cup-e),* sobre cuyo tema se forman *cup-iera, cup-iese, cup-iere,* etc. **3.**—Sentido primitivo. Vid. *Sentido.*

Principal. 1.—Oración o elemento integrante de la misma que no depende de otra oración o elemento oracional. Vid. *Subordinación.* **2.** **Acento principal** [I. *Primary accent*]. Acento que produce la mayor intensidad en una sílaba, con relación a las demás sílabas de una palabra, de un grupo de intensidad o de un verso. Vid. *Acento.* **3.**—**Palabra principal** o autónoma [A. *Hauptwort*]. Es aquella que no pierde su acento en la frase. O bien, la palabra que posee significación independiente (frente a las preposiciones, conjunciones, pronombres, que no la poseen). Se opone esta noción a la de palabra *accesoria*. Vid. *Ortotónica*.

Privativo. 1.—Se aplica a cualquier elemento lingüístico que expresa la exclusión o carencia de algo. Así, el prefijo *in-* en *inseguro*. **2. Oposición privativa.** Es la oposición en la cual uno de los términos está caracterizado por la existencia de una marca y el otro por la ausencia de dicha marca. Por ejemplo, la oposición *p/b* es privativa en español, porque la marca (vibración de las cuerdas vocales) falta en *p* (bilabial oclusiva sorda) y está presente en *b* (bilabial oclusiva sonora).

Proceleusmático. Vid. *Pie*.

Proceso. A. *Vorgang*. Término con que se suele designar la noción verbal fundamental, aludiendo al hecho de que el verbo presenta el desarrollo de un fenómeno con implicación y determinación de tiempo.

Proclisis. Situación en que se encuentran una o varias palabras cuando dependen del acento de la palabra que les sigue, vinculándose a ella y formando parte de un mismo grupo de intensidad: las palabras *a mi* se hallan en proclisis, en el grupo *a mi casa*. Las palabras sometidas a proclisis se llaman **proclíticas.** Vid. *Enclisis*.

Productivo. 1.—Se dice de cualquier elemento lingüístico que sirve para la formación de un crecido número de compuestos o derivados. El sufijo *-mente*, p. ej., es muy productivo en español. Vid. *Improductivo*. **2.—Verbo productivo.** Verbo cuyo complemento directo es el producto de la acción verbal *(escribe un libro)* frente al verbo **no productivo**, en que el complemento directo es un simple actuado, y existe independientemente de la acción verbal *(lee un libro)*. Vid. *Efectivo*.

Progresivo. Variedad del aspecto cursivo*, que presenta la acción verbal en un desarrollo creciente o decreciente: *se va extinguiendo por momentos*. Vid. *Asimilación, Derivación, Secuencia, Sintagma*.

Progreso lingüístico. Concepto y término acuñados por O. Jespersen (1894), el cual sostiene que las lenguas, en su evolución, van regidas por un oscuro movimiento de avance hacia resultados que faciliten el menor esfuerzo y la mayor claridad en el acto comunicativo.

Prohibitivo. Elemento lingüístico o frase que veda la ejecución de algo. Así, *no* (o la frase entera) en *no matar.*

Prolepsis. 1.—Anticipación gramatical, consistente en que un elemento que pertenece lógicamente a una unidad sintáctica, se sitúa en otra unidad sintáctica anterior: *ver vide, ut totum floret* (lógicamente sería: *vide ut ver totum floret).* **2.** Alteración en la exposición del orden de los sucesos, de tal modo que se anticipa lo que será una consecuencia de lo que sigue: *Muramos y lancémonos en medio del combate.* **3.**—Figura retórica, llamada también anticipación*.

Proléptico (Acusativo). V i d. *Acusativo.*

Pronombre. Categoría que Aristóteles fundió con el artículo en la designación común de ἄρθρον. El pronombre fue pronto desgajado como categoría independiente, con el nombre de ἀντωνυμία, que los latinos interpretaron como *pronomen*, es decir, 'lo que reemplaza al nombre, lo que hace sus veces' [A. *Fürwort*]. Aristarco hizo notar que el pronombre admitía una flexión de persona. J. C. Escalígero (1540) atacó la concepción del pronombre como nombre vicario, ya que los objetos de nombre desconocido suelen expre-

sarse con pronombres (*¿qué es aquello?).* Señaló tres funciones en el pronombre: a) dirigir la atención sobre un objeto presente; b) reemplazar al nombre mencionado anteriormente; c) figurar al lado del nombre (*yo, el Rey).* Las dos funciones primeras, las más importantes, han sido reconocidas y estudiadas minuciosamente e n nuestros días por K. Bühler (Vid. *Anáfora, Deixis, Campo).* Se dan unidas a la noción de persona gramatical en los **pronombres personales**; a la de persona y posesión en los **pronombres posesivos**; prevalece la función anafórica en los **pronombres reflexivos** y en los **pronombres relativos**, y la deíctica en los **pronombres demostrativos**; las funciones anafórica y catafórica, unidas a la interrogación, caracterizan a los **pronombres interrogativos**; por fin, los **pronombres indefinidos** ejercen funciones anafóricas, unidas a su propia significación vaga o general.

Pronominal. 1.—Lo referente al pronombre. **2.**—Verbo **pronominal.** Se da este nombre al verbo que se conjuga con el pronombre reflexivo, pero sin tener significado reflexivo. Así, *matarse,* en la frase *cayó a la calle y se mató* (frente a *se mató con un cuchillo).* Este tipo de verbo, tan abundante en español (*caer-*

se, *herirse, callarse*, etc.), parece haber heredado la función de la voz media. A. Bello llama a estos verbos *cuasi-reflejos*. **3.—Adverbio pronominal.** Vid. *Adverbio*.

Pronunciación. A. *Aussprache*. Emisión de sonidos articulados.

Proparoxítona. 1.— En griego, palabra que lleva acento agudo en la antepenúltima sílaba. **2.—Por extensión**, el término se utiliza como sinónimo de *esdrújula*.

Properispómena. Se dice de la palabra griega que lleva acento circunflejo en la penúltima sílaba: σφαῖρα.

Propiedad. 1.—Ajuste exacto entre la palabra empleada y lo que se desea significar con ella. No es lo mismo que corrección*. Vid. *Palabra propia**. **2.—Propiedad de correlación** [A. *Korrelationseigenschaft*]. «Oposición de la presencia y de la ausencia de un cierto carácter fónico, que diferencia varias ·parejas de unidades fonológicas y que, en un sistema fonológico dado, puede ser concebido abstracción hecha de ,parejas particulares en oposición. Ejemplo: la cantidad de las vocales en latín, es decir, la oposición de la duración larga de las vocales

y de la ausencia de duración larga» (TCLP).

Propio. 1.— Nombre propio [A. *Eigenname;* I. *Proper name;* F. *Nom propre*]. Vid. *Nombre* y *Connotativo*. **2.—Sentido propio.** Significado primitivo de una palabra, por oposición a los sentidos derivados o figurados; y también sentido exacto de una palabra; palabra propia es la que conviene exactamente a lo que se desea significar con ella. **3.— Derivación propia.** Vid. *Derivación*. **4.—Interjección propia.** Vid. *Interjección*.

Proporcional. 1.—Oposición proporcional. Es la oposición en la cual la relación que existe entre sus términos es idéntica a la relación que existe entre los términos de otra oposición u otras oposiciones en el mismo sistema. P. ej., en español, la oposición *p/b* es proporcional, pues la relación entre *p* y *b* (sorda-sonora) es la misma que hay entre *t/d* y *k/g*. **2.—Numeral proporcional.** Vid. *Múltiplo*.

Proposición. 1. — Gramaticalmente, equivale a *oración*. **2.** — En Retórica, parte de la pieza oratoria en que se enuncia lo que ha de ser objeto de demostración.

Propositivo. «Se dice de un sufijo que indica que el sujeto hablante no se expresa ni de manera categórica ni en el modo imperativo, sino que se limita a proponer, invitar a, sugerir que, etc.» (Meillet-Cohen).

Prosa. 1.— Forma ordinaria del lenguaje, no sometida a las leyes externas de la versificación ni del ritmo. **2.**—**Prosa rítmica.** Vid. *Cláusula.* **3.**—**Prosa rimada.** Prosa en la cual, a intervalos rítmicos, aparecen rimas. Se trata, pues, de versos dispuestos en la escritura bajo la forma de prosa.

Prosodema. Nombre que dan los fonólogos a la más pequeña unidad prosódica de una lengua, es decir, la sílaba en las lenguas que cuentan por sílabas, y la mora en las lenguas que cuentan por moras. Vid. *Rasgo prosódico*, Pleremática* y *Prosodia.*

Prosodémica. Parte de la Cenemática* que estudia los prosodemas. Vid. *Pleremática.*

Prosodia. 1.— En la Gramática tradicional, parte de la Gramática que enseña la recta pronunciación y acentuación. **2.**— Estudio de las particularidades de los sonidos que afectan a la métrica, fundamentalmente los acentos y la cantidad. **3.** Por los fonólogos se llama **prosodia** de una lengua al conjunto de rasgos fónicos que separan o ligan a los elementos componentes del discurso oral: acentos de intensidad y musicales, tonos, etc. La menor unidad del discurso oral diferenciada por dichos elementos es el **prosodema. 4.**—**Prosodia funcional.** Rama de la Lingüística que investiga la división de la cadena de la expresión.

Prosódico (Rasgo). Entre los fonólogos, rasgo diferencial pertinente que caracteriza un trozo determinado de la cadena hablada, no siempre coincidente con el fonema. La mínima unidad significativa, caracterizada por un rasgo prosódico, se denomina *prosodema.* El fonema o los fonemas caracterizados por el rasgo prosódico pertinente se denominan *soporte* o *centro* silábico.*

Prosopografía. Descripción de los rasgos exteriores de una persona o de un animal. Se opone a *etopeya*.*

Prosopopeya («Conformatio», «Deformatio», «Effiguratio», «Personificatio»). Figura retórica que consiste en atribuir cualidades humanas a seres inanimados, haciéndolos capaces de lenguaje. Se aplica también el término cuando se hace hablar a personas muertas o ausentes.

Prospectiva. Vid. *Perspectiva, Remotospectiva.*

Prospectivo (Subjuntivo). Empleo del subjuntivo con un valor simplemente prospectivo o futuro: *tunc ego sim* [= 'seré'] *Inachio notior arte.*

Próstesis. Término muy poco usado, sinónimo de *prótesis.*

Prótasis. Primera parte de una oración simple, o primera oración de una compuesta, cuyo sentido queda incompleto y pendiente de ser completado por la segunda parte de la simple o la segunda oración de la compuesta, llamada *apódosis. Poco a poco* (prótasis) *se va lejos* (apódosis); *lo que tienes, / no es grave.* El término se aplica principalmente a la subordinada condicional.

Prótesis. Metaplasmo que consiste en añadir a una palabra un elemento no etimológico por el principio: *espada* (< s p a t h a), *a-rradio* (vulgar por *radio)*, etc. E- y a- son vocales **protéticas.**

Protónica. Se dice de la sílaba que va, en la palabra, inmediatamente antes de la sílaba portadora del acento. Así, *ra* en *corazón.* Se extiende también el término a designar la vocal, diptongo o consonante que va en la sílaba protónica. Este término alterna ventajosamente con el de **pretónica,** alguna vez usado.

Provenzal. Muy tempranamente, el latín de Galia se escindió en dos grandes grupos de dialectos, uno al N. y otro al S., que serán llamados, respectivamente, *langue d'oïl* y *langue d'oc,* según el término que utilizaban para la afirmación. Los más antiguos monumentos de la lengua del S. son un fragmento de 257 versos sobre *Boèce* (h. 1000) y la *Chanson de Sainte Foy d'Agen,* 593 versos (mediados del siglo XI). Tuvo esta lengua múltiples dialectos, pero también una forma literaria empleada desde Limoges hasta el Mediterráneo, que sirvió de instrumento expresivo a los trovadores. Muy tempranamente recibió varios nombres: **langue romane,** basado en la creencia de que era la lengua matriz de todos los romances. Esta idea llegó hasta Raynouard (1761-1836), y fue científicamente rechazada por F. Diez; **lemosín, langue d'oc** y **provenzal.** Parece constituida desde fines del siglo XI, pero se desconoce su lugar de origen (se ha hablado de la región de Poitou y de Limoges). Este provenzal clásico alcanza su decadencia en el siglo XIV, poco a poco sustituido por el francés, que sofocó la lengua poética de los trovadores, pero no hizo desaparecer los dialectos hablados por el pueblo, que en su conjunto reciben el nombre de **provenzal moderno**, cuyas variedades más importantes son el **auvernés** (en Auvergne), el **lemosín** (Limoges), el **quercinol** (Quercy), el **ruergat** (Rouergue), el **languedociano** (que, de Agen, se extiende por Toulouse hasta Carcasona), el **bajolanguedociano** (alrededor de Montpellier), el **provenzal** propiamente dicho (con los subgrupos del Ródano, base de la lengua moderna, marsellés y alpino) y el **delfinés o delfinadense**. Vid. *Gascón*.

Proverbial (Frase). Vid. *Frase*.

Proverbio. Vid. *Refrán*.

Provincialismo. 1. — Rasgo de una lengua que subsiste o afinca en una provincia, cuando en el resto del territorio no se usa. **2.**—Dialectalismo, sobre todo referido a una amplia provincia y empleado por los hablantes sin voluntad diferencial.

Psicología del lenguaje. Rama de la Psicología que se ocupa de las mutuas relaciones entre psique y lenguaje o lengua.

Psicomecánica. Vid. *Psicosistemático (Método)*.

Psicosistemático (Método). Método lingüístico de G. Guillaume, llamado también *Lingüística de posición*, *Psicomecánica* y *Mecánica intuicional*, que, partiendo de un punto de vista estrictamente sincrónico, indaga el modo como el pensamiento guía a la lengua, y llega a esquemas abstractos, más tarde verificables en la práctica. Una definición de todos los supuestos de este método es aquí imposible. Consúltese R. Valin, *Petite introduction à la psychoméchanique du langage*, «Cahiers de linguistique structurale», núm. 3, Universidad de Laval (Canadá), 1955.

Psilosis. Desaparición en varios dialectos griegos de la aspiración inicial, que se ha mantenido en otros: jónico ($\dot{\alpha}\pi$-) $\mathit{i\eta\mu\iota}$ frente al ático ($\dot{\alpha}\varphi$-) $\mathit{i\eta\mu\iota}$, en que φ revela la aspiración de que iba precedida.

Psitacismo. Alteración de la facultad de hablar, consistente en que el hablante desconoce el sentido de las palabras que emite.

Ptiótico. Vid. *Griego.*

Puente. En Métrica, zeugma*.

Punto. 1.—Punto de articulación [*Artikulationsstelle*]. Zona o región en que un órgano activo se aproxima a otro, activo o pasivo, en el momento de la articulación. Atendiendo al punto de articulación, las consonantes se dividen en *bilabiales, labiodentales, interdentales, dentales, alveolares, palatales, velares,* etc. **2.—Punto de encuesta.** Cada una de las localidades exploradas para la elaboración de un mapa o un atlas lingüístico. **3.—Punto vocálico.** Vid. *Sílaba.*

Puntual (Aspecto). Aspecto que presenta la acción verbal con ausencia de la duración en el desarrollo del proceso: *cantó.* Se denomina también *momentáneo*, y se opone a *durativo*. Vid. *Lineal.*

Purismo. A. *Sprachreinheit.* Actitud de los que preservan o quieren preservar la lengua de todo influjo extranjero. En España, en los siglos XVIII y XIX sobre todo, *purismo* y *casticismo* son planos distintos, con una arista común: la seguridad de que la lengua española está formada y de que posee una suficiente abundancia de vocablos. Pero mientras en la vertiente casticista se pugna por actualizar los procedimientos lingüísticos tradicionales, más o menos olvidados, en la purista se levanta un obstinado muro, que opone su intransigencia a la menor penetración de neologismos.

Quatrain. En métrica francesa, estrofa de cuatro versos, isométrica o heterométrica, con rima de estos tipos: *aabb; abba; abab*. Una variedad es el *quatrain à clausule* (Ronsard): tres hexasílabos seguidos de un tetrasílabo.

Quechua o quichua. Importante lengua indígena sudamericana, que se extiende por Bolivia, Argentina, Ecuador, etc. Fue lengua de civilización del antiguo imperio de los incas. Son dialectos suyos el *ayacucho, chinchiya, boliviano, lamaño, quiteño*, etc. Se estima en unos cuatro millones el número de sus hablantes.

Quentin (Método de). Método de crítica textual propuesto por Dom Henri Quentin *(Mémoire sur l'établissement du Texte de la Vulgate*, 1922; *Essais de Critique Textuelle*, 1926), que, frente a Bédier*, supone que es posible una clasificación ordenada de los materiales de la tradición* diplomática, y que, de ellos, pueden extraerse reglas precisas para preferir las lecturas. Propone un criterio distinto al de las faltas comunes, s e g u i d o por Lachmann*.

Quiasmo. A. I. *Chiasmus;* F. *Chiasme.* Ordenación cruzada de elementos componentes de dos grupos de palabras, contrariando así la simetría paralelística: *matrem habemus, ignoramus patrem*.

Quinteto. Estrofa aconsonantada de arte mayor, cuyos versos pueden combinarse libremente, pero observando estas tres condiciones: a) no debe quedar ninguno libre; b) no han de rimar tres seguidos; c) los dos últimos no formarán pareado.

Quintilla. Estrofa aconsonantada de arte menor, cuyos versos riman a gusto del poeta, aunque observando las limitaciones impuestas al quinteto.

Radical. A. *Wurzel, Stamm.* 1.— «Por la eliminación de la desinencia [o cualquier otro elemento de flexión de una palabra] se obtiene el *tema de flexión* o *radical*, que es, de una manera general, el elemento común separado espontáneamente por la comparación con una serie de palabras emparentadas, flexionadas o no, y que lleva la idea común a todas ellas». Así, en español, en la serie *poblado, poblacho, poblezuelo, poblar,* etc., se percibe sin dificultad un radical *pobl-*. Hay radicales de varios grados. Así, en *amado, amable, amante,* etc., podemos aislar un radical *ama-* de primer grado. Pero éste no es irreductible. Si lo comparamos con la serie *amigo, amistad, amor, amé,* obtendremos otro radical, *am-* de segundo grado, y ya irreductible. «Se llama *raíz* a este elemento irreductible y común a todas las palabras de una misma familia» (F. de Saussure). 2.—**Elemento radical.** Elemento lingüístico (vocal, consonante, etc.) que pertenece a la raíz: *e,* es una *vocal radical* en la raíz *ver (-dad, -ídico, -az,* etcétera). 3. — **Consonante radical.** En Fonética, consonante postlingual, es decir, que tiene como órgano activo de su articulación el postdorso de la lengua. 4.— **Aspecto radical.** Según J. Holt, aspecto de la acción verbal caracterizado porque, de los dos verbos que constituyen la oposición, uno posee la cualidad distintiva y otro no. Tal sería, en español, según Gili Gaya, la oposición *ser / estar* (imperfectivo / perfectivo: *las casas son / están construidas;* el verbo *estar* sería el término marcado).

Ragusano. Vid. *Dalmático.*

Raíz. Vid. *Base* y *Radical.*

Ramistas (Letras). Se denominan así las letras *j* y *v* con que se representan a veces las semiconsonantes latinas. El término alude al nombre del divulgador de dichos caracteres, el gramático francés Petrus Ramus (Pierre La Ramée, 1515-1572).

Rango. I. *Rank.* Categoría funcional de una palabra. La noción se debe a O. Jespersen (1913), que la expone así: «Una palabra es definida (cualificada, modificada) por otra palabra, que, a su vez, puede ser definida (cualificada, modificada) por una tercera palabra, etc. Podemos, así, establecer diferentes rangos de palabras, según sus mutuas relaciones como definidas o definidoras. En la combinación *tiempo extremadamente cálido*, la palabra *tiempo*, que evoca evidentemente la idea principal, puede ser llamada **primaria**; *cálido*, que define a *tiempo*, **secundaria**, y *extremadamente*, que define a *cálido*, **terciaria**». Jespersen ha llamado a veces **principales, adjuntos (o anejos)** [I. *Adjuncts, Adnex*] y **subjuntos** [I. *Subjuncts*] a los términos de rango *primario, secundario* y *terciario*, respectivamente.

Real. 1.—Se utiliza este término muchas veces para expresar que la condición indicada en la prótasis de una condicional es realizable: *si vienes, hablaremos*. **2.**—Vid. *Virtual*.

Realia. Término latino con que se designa el conjunto de elementos ajenos al sistema lingüístico, que, sin embargo, pueden influir en él: historia, política de un pueblo, costumbres, contactos con otros pueblos, etc.

Realización del fonema. Vid. *Fonema*.

Realzadas (Consonantes). Vid. *Llanas (Consonantes)*.

Rebajadas (Consonantes). Vid. *Llanas (Consonantes)*.

Rección. I. *Government*. Relación necesaria que liga entre sí a dos palabras, de tal modo que una depende gramaticalmente de la otra. La palabra dependiente se llama **regida**, y aquella de la que ésta depende, **regente**. «El carácter esencial de la rección es la dependencia; si decimos que un término es regido por un verbo o por una preposición, queremos dar a entender que dicho término constituye un complemento de la significación propia del verbo o de la preposición» (Hjelmslev). La palabra regente determina las circunstancias morfológicas de la palabra regida. En latín, por ejemplo, *ab* exige ablativo en su régimen, y el verbo rige normalmente a su complemento directo en acusativo. Vid. *Relación, Régimen*.

Recensio o recensión. 1.—Primer momento preparatorio de una edición* crítica, que consiste en recoger todos los elementos de la tradición* diplomática del texto que va a ser editado. 2.—Hay **recensión cerrada** cuando todos los manuscritos y todos los impresos de un sistema* proceden de un solo modelo, que puede ser el original*, el apógrafo* o el arquetipo. Y **recensión abierta** cuando los materiales pueden ordenarse en grupos independientes. Vid. un ejemplo de recensión abierta s. v. *Stemma*. 3.—Se da también el nombre de *recensio* al conjunto de las operaciones denominadas *recensio* propiamente dicha (acepción 1), *collatio*, *eliminatio* *codicum descriptorum* y *clasificación* de los materiales, que se oponen a otra operación posterior: la *emendatio*.

Recentior. Se califica así al manuscrito antiguo que se diferencia de la tradición* diplomática anterior porque aporta nuevas faltas. Vid. *Deterior*.

Recesivo (Verbo). Se ha propuesto este término para designar los verbos que la Gramática tradicional llamaba «esencialmente reflexivos» o reflexivos por naturaleza (tipo *arrepentirse*).

Reciprocidad. I. *Reciprocity*. En Glosemática, función en que sólo participan funtivos de la misma cla-

se: o constantes* (interdependencia*) o variables* (constelación*).

Recíproco. A. *Wechselseitig, Wechselbezüglich*. 1.—Verbo recíproco. «Es el que denota reciprocidad o cambio mutuo de acción entre dos o más personas, animales o cosas: *Pedro y Antonio se cartean*» (GRAE). 2.—Pronombre recíproco. Se denomina así el pronombre que acompaña al verbo en los verbos recíprocos: *Pedro y Antonio se cartean; tú y yo nos leeremos los trabajos* ('tú leerás mi trabajo y yo leeré el tuyo'). 3.—Oración recíproca. Es aquella cuyo verbo es recíproco. 4.—Verso recíproco. Alguna vez se da este nombre al verso cuyas palabras están en el mismo orden, leído de principio a fin que de fin a principio: *Garza pareces y pareces garza*.

Recomposición. A. *Neukomposition, Neuzusammensetzung*. Reajuste en la forma de una palabra compuesta para conservar la forma de uno de los eleméntos componentes. Así, latín *consecrare* se hace *consacrare* por fidelidad a *sacrum*.

Reconstrucción. Proceso inductivo mediante el cual se llega a fijar hipotéticamente, partiendo de fenómenos lingüísticos conocidos, hechos pertenecientes a etapas idiomáticas no conocidas.

Recto. 1.—Dicho del número de un folio perteneciente a un códice o libro, alude a la página impar; se opone a *verso*, que señala la página vuelta o par. **2.—Oratio recta.** Por oposición a la *oratio obliqua**, se da este nombre al estilo directo*. **3.— Caso recto.** Vid. *Nominativo.*

Recuesta. Pregunta o adivinanza poética, frecuente en el s. xv, muchas veces en una copla de arte mayor.

Recursiva. Vid. *Eyectiva.*

Redición («Redditio»). Vid. *Epanadiplosis.*

Redondeada (Fricativa). A. *Rillenförmig.* Es aquella en cuya articulación los órganos se estrechan formando un canal: *s, z,* etc., frente a las alargadas*, cuya estrechez tiene forma de hendidura: *f, θ.*

Redondeamiento. Vid. *Labialización.*

Redondilla. Estrofa aconsonantada de versos de arte menor que riman del siguiente modo: *a b b a.* Muchos poetas y preceptistas de los siglos xvi y xvii llaman redondilla a la quintilla.

Reducción. 1.—Paso de la forma plena* a la forma reducida. **2.**—Abreviamiento de una palabra. **3.**—Desaparición de una vocal en un diptongo: *-iello* > *-illo* (cast. ant. *amariello* > *amarillo*). **4.**—Interacción de dos elementos inmediatos, de tal modo que uno de ellos se funde íntimamente con el otro. De ahí el nombre de *fusión* con que también se conoce este fenómeno [A. *Verschmelzung*]. Así, la reducción de *vuestra merced* > *usted*, a través de una serie de formas intermedias *(vuessa merçed, vuesançed, vuesansted, vuasted, vuested, vusted).* La reducción no permite el análisis de los elementos fundidos.

Reducida (Forma). Vid. *Plena (Forma).*

Redundancia. Repetición inútil de un concepto. Puede considerarse como un tipo de pleonasmo vicioso.

Reduplicación. A. *Verdoppelung;* F. *Redoublement.* **1.** — Repetición exacta o aproximada de uno o varios sonidos de la palabra, o de la palabra entera. Esta repetición puede dar origen a palabras nuevas *(tiquismiquis)* y suele poseer valores afectivos, rítmicos o acústicos, como sucede en la reduplicación que da origen a las *palabras gemelas**. **2.—**

Repetición de un elemento de la palabra, en forma de prefijo, con valor morfológico. Así, latín *de-dit:* la reduplicación da origen al tema de perfecto de *dare.* 3.—Geminación. 4.—Anadiplosis.

Reemplazantes (Morfemas). Vid. *Aditivos.*

Reflejo. 1.—Reflexivo. **2.**—Pasiva refleja. Vid. *Pasiva.*

Reflexivo. F. *Réfléchi.* **1.**—Verbo reflexivo o reflejo. Es aquel cuya acción vuelve a recaer sobre el mismo sujeto que la produce: *yo me peino.* Existen verbos reflexivos por naturaleza *(propios* los llama la GRAE), como *arrepentirse, atreverse,* y otros accidentalmente reflexivos, como *lavarse, cuidarse.* Vid. *Recesivo.* **2.** — Pronombre reflexivo. Es el pronombre que reproduce como complemento directo o indirecto a la persona que ejerce de sujeto de un verbo reflexivo: *me, te* y *se,* respectivamente, en *yo me alegro, tú te lavas, él se cuida.* **3.**—Oración reflexiva. Es aquella cuyo verbo es reflexivo. Es directa cuando el pronombre reflexivo hace el oficio de complemento directo: *tú te* lavas; indirecta, cuando dicho pronombre ejerce la función de complemento indirecto: *tú te* lavas las manos.

Refonologización. Transformación de una diferencia fonológica en otra, que se encuentra, respecto al sistema, en una relación distinta. Alarcos Llorach habla, en este caso, de transfonologización. Un ejemplo lo constituye el paso del antiguo fonema castellano *x* [š] a la realización [*x*]; de ser correlato de /š/, pasó a serlo de /k/.

Refracción. Fenómeno que se produjo en rumano, consistente en la aparición de una *a* epentética, tras *e, ie, o,* tónicas, cuando la palabra terminaba en *a* o *e.* Ejemplo: d i r e c t a > *dreaptă.*

Refrán. A. *Sprichwort;* I. *Adage, Proverb;* F. *Proverbe.* «Frase completa e independiente, que, en sentido directo o alegórico, y, por lo general, en forma sentenciosa y elíptica, expresa un pensamiento —hecho de experiencia, enseñanza, admonición, etc.— a manera de juicio, en el que se relacionan por lo menos dos ideas» (J. Casares). No se distingue esencialmente del *proverbio.*

Refuerzo. Procedimiento q u e tiende a evitar que se pierda o desvirtúe algún rasgo fonético de la palabra, con fines fonológicos o simplemente enfáticos. Un buen ejemplo de refuerzo es la epéntesis.

Régimen. Preposición que debe seguir necesariamente a un verbo, o caso en que debe ir .el sustantivo que sigue a una preposición o sirve de complemento a un verbo; así, *a* es el régimen de *referirse;* el ablativo, el régimen de la preposición latina *ab*, y el acusativo, el régimen que corresponde al complemento directo del verbo transitivo. Vid.. *Rección.*

Regir. I. *Govern;.* F. *Gouverner.* Acción que se origina cuando una palabra exige un régimen determinado, dando lugar a un fenómeno de rección.

Regla. A. *Regel;* I. *Rule.* **1.**—En la Gramática normativa, precepto referente al buen uso lingüístico, que debe ser obedecido. **2.**—En general, formulación de un procedimiento fonético, morfológico, sintáctico u ortográfico que representa el uso normal de una lengua.

Regresión. 1.—Fenómeno que se produce en la derivación* y en la asimilación* regresivas. **2.**—Con este término, y con el más frecuente de **falsa regresión**, se designa «la deducción de un primitivo, en vista de un nombre que se juzga derivado. De *rōs marinus* se hubo de decir *romarino* (fr. *romarin,* it. *rosmari-*

no), y luego, creyendo que -*ino* era sufijo diminutivo, se dedujo el simple *romero*» (Menéndez Pidal).

Regresiva (Secuencia). Vid. *Secuencia.*

Regular. Que se ,ajusta a reglas. Se opone a *irregular.* Vid. *Conjugación, Paradigma.*

Rehilamiento. Zumbido o vibración característica que acompaña a ciertas consonantes (así, *ʐ*, de *hazme*, *z* de *asma*, *ž* del fr. *jamais*, *ž* y *v* labiodental). Navarro Tomás lo define como «la vibración que estremece los órganos, no sólo en la laringe, sino en el punto de articulación, y el efecto acústico que de esto resulta». Y refiriéndose a las formas rehilantes de la *y* que aparecen principalmente con carácter dialectal en las provincias del S. de España y en algunas partes de la Argentina y de otros países hispanoamericanos, añade: «El rehilamiento hace que el timbre de la *y* fricativa se aproxime más o menos al de una *ž* sin labialización». A. Alonso define así el rehilamiento: «Vibración adicional que algunas consonantes sonoras adquieren al rozar el soplo en. el punto de articulación las mucosas de la lengua o, para la *v*, la membrana del labio inferior». «Hay que decir que en ninguna parte de España ni de América, ni siquiera en el Río de la Plata, donde el rehilamiento ha alcanzado su mayor desarrollo, la $\check{z}<ll$ tiene un rehilamiento tan largo e intenso como la $j = \check{z}$ francesa... Además, como consecuencia de su punto de articulación más delantero, el sonido de la *y* rehilada hispánica es más agudo que el de la $j = \check{z}$ francesa». Se describen variedades sordas en el habla de Buenos Aires.

Reiterativo. Que expresa la repetición de un hecho. Así, es reiterativa la frase *volvió a empezar*.

Relación. A. *Bezug, Beziehung;* F. *Rapport.* **1.**—Conexión, interdependencia de dos o más elementos lingüísticos. Vid. *Correlación.* **2.**— **Relación asociativa, sintagmática.** Vid. *Asociativo, Sintagmático.* **3.**— **Acusativo de relación.** Vid. *Acusativo.* **4.**—Término especializado por la Glosemática [I. *Jonction*] para designar la función que comporta la coexistencia de dos funtivos. Es, por tanto, característica del texto* en que coexisten los diversos elementos. **5.**—Ch. Bally da este nombre a la conexión entre dos objetos exteriores uno al otro, por ej., *libro* y *mesa* en la frase *el libro está sobre la mesa*. Se opone a *inherencia*.

La relación se expresa sintácticamente por la *rección*.

Relajado. A. *Lax;* I. *Relaxed, Lax, Loose;* F. *Relâché.* Se dice de todo sonido que se articula con escasa tensión muscular. Por el contrario, es *tenso* o *fuerte* [A. *Gespannt;* I. *Tense;* F. *Tendu*] el sonido que se pronuncia con gran tensión muscular.

Relativo. 1.—Se dice de todo elemento que hace referencia a algo ajeno a sí mismo; su forma, su función o su significación vienen condicionadas, pues, por dicha referencia. **2.**—Término con que nos referimos abreviadamente al **pronombre relativo.** Este ejerce dos funciones fundamentales. Una, anafórica, con relación al antecedente, y otra de nexo entre una oración principal y otra subordinada o inordenada. Así, en la frase *el libro que has leído es mío*, el pronombre *que* reproduce a *libro* y sirve de nexo conjuntivo entre la oración principal *(el libro es mío)* y la inordenada *(que has leído)*. Los relativos en español son *que, cual, quien, cuyo.* **3.**—**Oración de relativo o relativa.** Con este nombre y con el de *oración adjetiva o subordinada adjetiva* se designa toda subordinada o inordenada que se relaciona con la principal por

medio de un pronombre relativo.
Las oraciones relativas pueden ser
explicativas y *especificativas*. **4.—**
Relativo de generalización [I. *Inde-*
finite relative]. Se da este nombre
a los pronombres *que*, precedido de
artículo, y *quien*, sin artículo, cuando se refieren a una persona indefinida: *el que quiera oír, oiga; quien*
desee salir, puede hacerlo. **5.—Nom-**
bre relativo. Nombre que postula un
complemento preposicional: *ascen-*
sión [al monte...], *conversación* [de,
con...], *parecido* [con, entre...], etcétera. No es una categoría de límites muy nítidos, ya que muchos de
estos nombres pueden funcionar como absolutos*.

Relato. Vid. *Conexión y Correla-*
ción.

Relegada (Área). Vid. *Área.*

Relevación. Con este término
puede expresarse la noción de *mise*
en relief [A. *Hervorhebung*] con que
los lingüistas franceses designan el
medio de que se sirven el hablante
o el escritor para fijar la atención
del oyente o lector sobre algún pasaje de su discurso. Designa, pues,
multitud de nociones: tonales, fónicas, gráficas, etc.

Relevante. Término que alterna
con el de *pertinente*. Se opone a
irrelevante.

Remotospectiva (Perspecti-
va). «La perspectiva* recubre un
contenido basado en los contrastes
remoto / irremoto y *prospectivo /*
improspéctivo. Respecto al primer
contraste, las formas simples del español se agrupan en dos apartados:
a), formas que no indican tiempo
realizado, *irremotospectivas*, y b),
formas que indican tiempo realizado, *remotospectivas*. Las primeras,
que constituyen el miembro negativo
de la correlación, son los llamados
presentes y futuro *(canto, cante,*
cantaré). Las segundas, que constituyen el miembro positivo, son los
pretéritos y el futuro hipotético
(cantaba, canté, cantara - cantase,
cantaría). Respecto al segundo contraste, las formas se ordenan en
tres grupos: a), formas que no indican la virtualidad del tiempo, *im-*
prospectivas [*canto, cantaba, can-*
té]; b), formas que indican la virtualidad del tiempo, *prospectivas*
[*cantaré, cantaría*], y c), formas que
no establecen esta distinción, *neu-*
tras [*cante, cantara, cantase*]»
(Alarcos Llorach).

Rendimiento funcional. A.
Funktionelle Belastung. Se da este

nombre a la capacidad distintiva de un fonema. El rendimiento es máximo en los fonemas apareados* y en los que constituyen oposiciones constantes*. Y mínimo, en los fonemas no apareados y en los que constituyen oposiciones neutralizables*.

Repercusión de líquidas. Así llama Corominas el desarrollo de una líquida anorgánica* por efecto de otra que figura en la palabra: cast. *alpende* > gall. *alpendre*.

Repetitio. Anáfora (1).

Reposo (Posición de). A. *Indifferenzlage, Ruhelage;* I. *Position of rest;* F. *Position d'indifférence.* Posición de los órganos articuladores en silencio.

Reproducción. Calco (Ascoli).

Resolución. En la métrica clásica cuantitativa, la sustitución de una sílaba larga del esquema métrico típico por dos sílabas breves. Por contracción se entiende el fenómeno contrario, es decir, la sustitución por una sílaba larga de dos sílabas breves del esquema típico. Vid. *Biceps.*

Resonador. I. *Resonator.* En la fonación humana, cada una de las cavidades que se producen en el canal vocal, por la disposición que adoptan los órganos en el momento de la articulación. «A cada cavidad o resonador, según su forma y volumen, le corresponde una nota de una altura determinada (A. *Eigenton).* En este conjunto sonoro de tono fundamental y tonos secundarios, el resonador predominante es precisamente el que determina el *timbre* o matiz característico de cada sonido (A. *Klangfarbe)*» (Navarro Tomás). Vid. *Resonancia.*

Resonancia. «Toda vibración tiende a poner en movimiento los cuerpos elásticos que encuentra a su paso la onda sonora. Si la frecuencia* propia del cuerpo en cuestión es la misma que la de la vibración, éste se pone a vibrar también. Es éste el fenómeno llamado *resonancia,* una de las nociones fundamentales de la fonética. Cualquier unidad vibrante (diapasón, cuerda, cavidad, etc.), que refuerza así un sonido ya existente, se llama *resonador*.* Cuanto mayor es la diferencia entre la frecuencia propia de un resonador y la vibración en cuestión, menos importante es el efecto resonador. Si la diferencia rebasa ciertos límites, el refuerzo deja de producirse» (Malmberg). Vid. *Filtro.*

Restricción. Vid. *Especialización*.

Restrictiva (Oración). Vid. *Oración adversativa*.

Resultativo (Aspecto). Aspecto que presenta el significado del verbo como resultado de la acción por él mismo expresada: *está preparado*.

Responsión estrófica. Idéntica estructura métrica de estrofa y antiestrofa.

Reticencia («Reticentia»). Figura que consiste en detener la expresión de un pensamiento antes de haberlo acabado: *Más quiero en pobre ermita mi hospedaje / que vivir con mujer voluble, terca, /... / falsa, golosa, y... basta, musa mía* (Vargas Ponce).

Rético. 1.—Lengua no aria, muy mal conocida, afín a las lenguas preindoeuropeas mediterráneas (enlazadas en larga cadena desde los Pirineos al Cáucaso), que debió de sufrir un fuerte influjo etrusco. Su dominio geográfico, en la antigua Retia, es muy impreciso. **2.**—Retorrománico.

Retórica. En la Antigüedad, una de las artes liberales que se ocupaba de la construcción artística del discurso. En cuanto arte, constaba de cinco partes: *inventio*, dispositio*, elocutio*, memoria* (o recuerdo del discurso, para pronunciarlo) y *actio* (o declamación del discurso). La materia de la retórica *(materia artis)* comprende tres tipos de elocuencia: el discurso forense *(genus iudiciale)*, el deliberativo *(genus deliberativum)* y el panegírico *(genus demonstrativum)*. «La elocuencia deliberativa fue en un principio el discurso político pronunciado en los plebiscitos o en el Senado» (Curtius).

Retórico (Acento). Vid. *Acento*.

Retorromance. Término que alterna con el de retorrománico*.

Retorrománico. A. *Rätoromanisch;* I. *Rhaeto-Romanic;* F. *Rhétoroman.* Complejo de dialectos neolatinos hablados en la región alpina central y oriental (Suiza, Austria e Italia). Los lingüistas italianos prefieren llamarlo *ladino*, que se referiría mejor a las variedades del Centro (Tirol). El término *retorrománico*, preferido por los lingüistas alemanes, tampoco está exento de equívocos, ya que sólo una parte de aquellos dialectos se asienta sobre el territorio de la antigua Retia. Se distinguen tres grupos: A) **Occidental o Grisón**, formado por el **romanche** *(sobreselvano, subselvano o sotoselvano)*; el **engadino** y el habla del valle de Münster (Münstertal). B) **Central**, con los dialectos de pequeños valles (Fassa, Gardena, Badia, etc.). C) **Oriental**, cuyo principal dialecto es el *friulano*. En Trieste y Muggia se hablaba aún retorrománico a fines del siglo pasado.

Retroflexión. Proceso mediante el cual la punta de la lengua se eleva y se vuelve hacia el paladar. Este fenómeno afecta, por ejemplo, a las vocales en el inglés americano cuando van trabadas por *r*. Los sonidos articulados con retroflexión se llaman **retroflejos**, término hoy preferido al de *cacuminales, invertidos* y *cerebrales* con que también se les designa.

Retrogradación. Término poco usado como sinónimo de *regresión*.

Retrospectiva. Vid. *Perspectiva*.

Retruécano. Vid. *Conmutación*.

Ribagorzano. Vid. *Catalán*.

Rifeño. Vid. *Líbico-bereber*.

Riksmaal. Vid. *Noruego*.

Rima. A. *Reim*. Igualdad o semejanza de los sonidos en que acaban dos o más versos a partir de la última vocal acentuada [A. *Endreim*] (Vid. *Consonante* y *Asonante*). Cuando la rima se produce al final de un verso y al final del primer hemistiquio siguiente, se produce la **rima al mezzo** o **encadenada** [A. *Mittelreim, Binnenreim;* I. *Sectional rhyme;* F. *Rime médiane*]: *Nuestro ganado pace, el viento espira, / Filomena suspira en dulce encanto / y en amoroso llanto se amancilla; / gime la tortolilla sobre el olmo* (Garcilaso). Cuando riman dos palabras de un mismo verso se produce una **rima doble** [A. *Schlagreim;* F. *Rime redoublée*] como en los versos leoninos. En nuestro Siglo de Oro fue muy frecuente la **rima partida**. Consiste en prescindir de la última sílaba de los versos, rimando las penúltimas: *No te metas en dibu- / ni en saber vidas aje- / que en lo que no va ni vie- / pasar de largo es cordu-* (Cervantes). Los versos que riman así se denominan versos de **cabo roto**. En métrica española, son **rimas pobres** las que se producen con finales muy abundantes en la lengua (*-aba, -ente, -ado,* etc.), y **rimas ricas** en el caso contrario. Según el orden en que se producen las rimas, pueden ser **pareadas** [A. *Ungetrennte, gepaarte;*

I. *Plain; F. Suivies, accouplées, pla-*
tes]: *aa, bb, cc;* alternantes [A.
Wechselreime; I. *Interlaced; F. Croi-*
sées]: *abab;* cruzadas [A. *Umfor-*
mungsreime, Umarmende, Einge-
schlossene; I. *Enclosing; F. Em-*
brassées]: *abba;* encadenadas [A.
Verschlungene Reime, Tiradenrei-
me; I. *Crossed; F. Enlacées*]: *ab a,*
bcb, cdc, ded, etc. Vid. *Octava*
rima, Sexta rima, Tercia rima, Fe-
menina, Masculina.

Rimadas (Fórmulas). Vid. *Ge-*
melas.

Rinofonía. A. *Näselstimme o Nä-*
selnde Stimme; F. Nasillement. Alteración patológica de la fonación,
que comunica un tinte nasal a todas
las articulaciones. ·Es la también
llamada *voz nasal.*

Riodonorense. Vid. *Portugués.*

Riojano. Castellano hablado en
Rioja, con influjos vascos y navarro-aragoneses.

Ripio. A. *Schutt, Flickwort, Füll-*
wort; I. *Verse-filler; F. Cheville.*
Palabra o giro que sirve para completar la medida del verso o para
ajustarse a las exigencias de la rima, pero cuya inclusión en el mismo es superflua o poéticamente des-
afortunada.

Riqueza idiomática. Aptitud
que una lengua posee para permitir que el hablante pueda forjar y
expresar clara y distintamente sus
pensamientos. Supone, por tanto,
abundancia de léxico y precisión de
matices en los vocablos. La riqueza
idiomática ha sido muchas veces
erróneamente valorada por la existencia de numerosos sinónimos para expresar un solo concepto. En el
siglo XVIII, por influjo de la Gramática* general inspirada en el análisis lógico de Descartes, el concepto
de riqueza se hizo incompatible con
la existencia de sinónimos: una
lengua sería tanto más rica cuantos
menos sinónimos tuviera; es decir,
cuanto más especializado estuviera
el sentido de las palabras, porque
ello sería correlativo de una mayor
abundancia de conceptos.

Rítmica (Prosa). Vid. *Cláusula.*

Ritmo. Aparición de un elemen-
to determinado, de manera periódica, durante la producción sucesiva
de un fenómeno. Así, por ejemplo,
en una estrofa el ritmo puede ser
producido por la aparición periódica
de los siguientes elementos: pies
métricos (**ritmo cuantitativo**), acentos (**ritmo cualitativo**), cesuras, pausas, idénticos o parecidos sonidos fi-

nales de verso *(rima)*, aliteraciones, etcétera.

Rizotónica. 1.—Se da este nombre a la forma que lleva el acento en el radical, por ejemplo, el participio y el perfecto fuertes. **2.**— Sustantivos o adjetivos verbales rizotónicos. Vid. *Postverbal.*

Románico o Romeico. Vid. *Demótico.*

Romana (Lengua). Vid. *Provenzal.*

Romance, románico. 1.—Lengua romance o románica. Se da este nombre a cada una de las lenguas derivadas del latín (por lo que éstas se denominan también *lenguas neolatinas).* Son las siguientes: *rumano, dalmático, retorrománico, italiano, sardo, provenzal, francés, catalán, español, gallego, portugués.* **2.**—Filología romance o románica. Estudio filológico de las lenguas romances. **3.**—Lingüística romance o románica. Estudio lingüístico de los idiomas romances. **4.**—El término *romance* alude también a un tipo de estrofa que surge entre los siglos XIV y XV. Consta, ordinariamente, de una serie indefinida de versos octosílabos con rima asonante. Pero los versos pueden tener otras medi-

das. El de siete sílabas se llama *endecha* o *romance endecha;* el de seis, *romancillo,* y el de once, *romance heroico.*

Romanche. Vid. *Retorrománico.*

Romaní. Vid. *Gitano.*

Romania. Nombre utilizado para designar el total de las tierras en que se hablan lenguas derivadas del latín. Desde F. Diez, suele dividirse en **Oriental** y **Occidental.** W. von Wartburg señala como frontera de ambas una línea que corre en Italia entre La Spezia y Rimini. La Romania Oriental comprendería los territorios situados al E. y S. de dicha frontera, y la Occidental, los que se extienden al N. y al O. En la primera se produce pérdida de *-s* final y conservación de oclusivas sordas intervocálicas; en la segunda, conservación de *-s* y sonorización de las sordas intervocálicas. B. E. Vidos (1959) ha puesto serias dificultades a la exactitud del límite aludido. Se da el nombre de **Romania perdida** o **desaparecida** al conjunto de territorios del antiguo imperio romano que perdieron el empleo del latín o del romance, bien por imposición vigorosa de lenguas preexistentes, bien por adoptar otras impuestas por nuevos pueblos dominadores. Y

el de Romania nueva al conjunto de territorios en que los pueblos románicos europeos, por acción colonizadora, impusieron sus lenguas (América hispana, Brasil, Canadá, etcétera).

Romanismo. 1.—Con este término se denomina cualquier fenómeno o elemento lingüístico de origen románico. **2.**—Filología o Lingüística románicas.

Romanística. Se da este nombre alguna vez a la ciencia que se ocupa de las lenguas y literaturas románicas. Alterna, pues, con la designación, más corriente, de Filología o Lingüística románica.

Romanizadas (Formas). En los documentos latinos medievales, formas que suponen en el escriba un compromiso entre el latín, mal conocido, y el naciente idioma vulgar.

Romañés. Vid. *Italiano.*

Rondeau. En la métrica francesa, estrofa que presenta dos tipos principales: *rondeau simple*, formado por trece versos con dos rimas *(aa bb aaabaabba)*, con pausa tras los versos quinto y octavo; las primeras palabras se repiten tras los versos octavo y décimotercero, sin contar a efectos métricos. Y *rondeau redoublé* o *parfait*, con veinte versos distribuidos en cinco *quatrains**; los versos de la primera estrofa forman, sucesivamente, los versos últimos de las restantes. A veces se añade un sexto *quatrain*, llamado *envío** (fr. *envoi)*, tras el cual ha de repetirse la primera palabra o el primer hemistiquio del poema.

Rondel. En la métrica francesa, poema de catorce versos de ocho a diez sílabas, divididos en tres estrofas con dos rimas *(abba, abab, abbaab)*; el primer verso se repite en el séptimo y en el décimotercero; el segundo, en el octavo y en el décimocuarto. Se usó en España, aunque no siempre mantuvo esa estructura, que, por otra parte, no era fija.

Rosellonés. Vid. *Catalán.*

Rotacismo. 1.—Paso de -*s*- intervocálica a -*z*- (= *s* sonora) y posteriormente a *r*, que se produjo en latín, germánico y otras lenguas: latín *Valesius > Valezius > Valerius*. **2.**—**Rotacismo rumano.** Paso de -*n*- intervocálica a -*r*-, que se produjo en rumano *(buni > buri, bine > bire)*, si bien, en el siglo XVIII, se repuso la -*n*-.

Rotadas (Consonantes). Algunos lingüistas dan este nombre a las consonantes *vibrantes.*

Rumano. Lengua románica oriental, dividida en cuatro dialectos: A) **Dacorrumano,** hablado en el actual territorio de Rumanía, en Besarabia y Bucovina (hoy anexionadas a la URSS), en parte del Banato (Yugoeslavia) y en algunos pueblecitos de Bulgaria y Hungría vecinos a Rumanía. Es el idioma de unos 15.000.000 de habitantes. La lengua literaria rumana se basa en el dacorrumano de la región de Valaquia, aunque hay escritores que usan peculiarismos moldavos. B) **Macedorrumano o aromúnico,** hablado por unos 350.000 individuos, en Grecia del N. (Tesalia y Epiro), S. de Yugoeslavia y Albania. C) **Meglenorrumano o meglenítico,** hablado por unos 15.000 individuos al NE. de Salónica, en torno a la ciudad de Nanta. D) **Istriorrumano o istrorrumano,** hablado por cerca de 3.000 personas, en Istria, en un pequeño territorio, alrededor del monte Maggiore, cerca de Fiume.

Rúnicos (Caracteres). Caracteres usados en la escritura por los antiguos escandinavos.

Ruso. A. *Russisch, Grossrussisch;* I. *Russian, Great Russian;* F. *Russe, Grand-russe.* Lengua de la URSS, perteneciente al grupo eslavo* oriental, que cuenta con unos cien millones de hablantes. El dialecto moscovita sirvió de base al ruso literario y oficial, que recibió un gran impulso a partir del siglo XVIII.

Ruteno. Vid. *Ucranio.*

Sabélico. Vid. *Itálico*.

Sabeo. Lengua semítica*, llamada también *sudarábigo* y *yemenita*, conocida por inscripciones del Yemen y de los oasis al N. de Hedjaz.

Sabino. Vid. *Itálico*.

Sabir. 1.—Lengua mixta*, con elementos españoles, italianos, franceses, griegos y árabes, que sirve como *lingua franca* en los puertos del Mediterráneo. **2.**—Lengua mixta*, en general.

Sáfica (Estrofa). Se compone de tres períodos*. Los dos primeros son endecasílabos sáficos (‿◡‿◡‿◡ ◡‿◡‿◡); el tercero está compuesto por dos miembros: un endecasílabo sáfico y un adónico*. Alude su nombre a haber sido empleada por Safo, hacia el 600 a. J. C. Fue introducida en la poesía latina por Horacio. En métrica española se denomina estrofa **sáfico-adónica** la compuesta por tres endecasílabos y un pentasílabo, que tratan de reproducir acentualmente el esquema greco-latino: *Si de mis ansias el amor supiste, / tú, que las quejas de mi voz llevaste, / oye, no temas, y a mi ninfa dile, / dile que muero* (Villegas).

Salat. Vid. *Catalán*.

Saltillo. Vid. *Oclusión glótica*.

Salto. Vid. *Mutación*

Samoyedo. Lengua urálica, de las tribus nómadas que viven entre los Urales y el Yenisey.

Samprasārana. Desarrollo de una vocal en el interior de un grupo formado por consonante + sonante: latín *ager* (Cfr. ἀγρός). La sonante se hace entonces consonante.

Sandalwood-english. Vid. *Inglés*.

Sandhi. 1.—Con este término de origen indio (en sánscrito significa 'combinación') se designa todo cambio fonético que se opera al principio o al fin de una palabra [A. *Anlauts - Sandhi, Auslauts - Sandhi*], o, menos frecuentemente, en su interior [A. *Inlauts-Sandhi*], por influjo de los sonidos de la palabra vecina, en la frase. Por ello, el fenómeno es más frecuentemente conocido en español por el término, más vago, de fonética sintáctica [A. *Satzphonetik*]. En sardo, por ejemplo, la *c* de *cosa* ha sonorizado por hallarse en la frase, frecuentemente, en situación intervocálica: *una gosa*. Un fenómeno típico de sandhi es la *liaison* francesa, y hay sandhi interno en la ocasional asimilación *paster noster*. Vid. *Eclipse*. **2.—Falso sandhi.** Se designan así los fenómenos producidos por un erróneo análisis de los elementos de una palabra. Así, en *lectorile* > *latril* se supuso que *l-* representaba al artículo y se separó: *atril;* otras veces hay adición y amalgama de elementos que debían ir separados. El esp. *la reata* ha dado en el inglés de América *the lariat*, y en el francés de Luisiana, *l'ariate*. Vid. *Deglutinación*. **3.—Sandhi-form.** Vid. *Absoluto*.

Sánscrito. Vid. *Indio-iranio, Védico*.

Santongés. Vid. *Francés*.

Sarcasmo. Vid. *Ironía*.

Sardo. Conjunto de dialectos de Cerdeña, con exclusión de Alguer y Carloforte, que son, respectivamente, enclaves catalán y genovés. Los dialectos propiamente sardos son el **logudorés**, hablado en el centro de la isla (Logudoro); el **campidanés,** al S. (Campidano), con una variante de éste, el **nuorés**, que tiene la ciudad de Nuoro como centro. En la isla se hablan también el **galurés,** al NE. (Gallura), y el **sasarés, en** Sassari y sus cercanías, que son dialectos de tipo corso y corresponden,. por tanto, lingüísticamente, a **Italia.**

Sasarés. Vid. *Sardo*.

Satélites (Palabras). Vocablos que rodean a una palabra en el campo* asociativo, por sinonimia o proximidad significativa, más o menos afectiva o burlesca; por ejemplo, en torno a la voz *cabeza* giran las palabras satélites *calamorra, testa, chapitel, mechusa, molondra, coca, chola, cachola, tiesto, fraustina, terrado*, etc. El concepto de palabras satélites ha sido acuñado por Von Wartburg.

Satəm. Grupo de lenguas indoeuropeas, integrado por el indio, iranio, eslavo, báltico y **tracio-frigio-**

armenio (opuesto al de las llamadas lenguas *centum*), que han convertido la velar oclusiva sorda *k* en una sibilante *(s, š)*. Al latín *centum* (pron. kentum) se opone el iranio *satəm*.

Schallanalyse. Con este término alemán se designa una rama de la Fonética, cultivada por E. Sievers (1913), que trata de estudiar la acción del ritmo sobre la estructura y el sentido de la frase.

Schwa. F. *Chva*. Nombre hebreo con que se designa una vocal breve, de timbre probablemente indeciso, existente en el indoeuropeo, que se representa por ə y alguna rara vez por *v*. Corresponden a ella α *breve* en griego, *ă* en latín, *a* en germánico, *o* en eslavo e *i* en sánscrito: πατήρ, *păter*, gótico *fadar*, sánscrito *pitā*. Algunos lingüistas la llaman **schwa primum**, para distinguirla del **schwa secundum** o vocal de apoyo*. Vid. *Murmurada (vocal)*. También se habla, dentro de la teoría de las laringales indoeuropeas, de un **schwa tertium**.

Secuencia. Orden que siguen las palabras en la frase. Ch. Bally llama **secuencia progresiva** a la ordenación sujeto + verbo + atributo, complemento directo, indirecto y circuns-

tancial, y **regresiva** a la que altera este orden, procediendo a la **anticipación**, que dicho autor define como el fenómeno que se produce «cuando un signo necesario para la comprensión de otro precede a éste en lugar de seguirle». Vid. *Orden de palabras*.

Secundario. 1.—Grupo secundario. Grupo consonántico que se produjo en las últimas etapas de la evolución del latín por pérdida de una vocal. Así, *c'l* en o c u l u m > *oc'lum*. Se representa siempre con un apóstrofo en el lugar que ocupaba la vocal. Vid. *Grupo primario*. **2.**—Tema secundario. Palabra secundaria. Derivado secundario. Vid. *Tema, Rango, Derivado*, respectivamente.

Segmentada (Frase). Llama así Bally [F. *Phrase segmentée*] a la frase en cuyo interior hay alguna pausa: *de tal padre, tal hijo*. Se opone a la *frase ligada*.

Segmento. Vid. *Clase*.

Seguidilla. Estrofa fijada en el siglo XVI, muy empleada en la lírica popular, constituida ordinariamente por dos heptasílabos (versos primero y tercero) sin rima, y dos pentasílabos (versos segundo y cuarto) asonantes. La seguidilla termina a veces en un *bordón* o *estribillo*, formado por tres versos, dos pentasílabos (versos primero y tercero) con rima asonante distinta de la que tiene la seguidilla, y un heptasílabo libre (verso tercero). Su esquema es, pues: *7a 5b 7c 5b;* o bien, *7a 5b 7c 5b 5d 7e 5d.*

Segunda. En la Gramática tradicional, se denomina **segunda de activa** a la oración cuyo verbo es intransitivo, y **segunda de pasiva**, a la que no lleva expreso el agente de la acción verbal. Vid. *Primera.*

Selección. Vid. *Determinación.*

Sema. A. *Sema;* F. *Sème.* **1.—** Término usado alguna vez como sinónimo de *semantema.* **2.—**Entre los fonólogos, el más pequeño elemento gramatical. «Por ejemplo, en la palabra latina *barb / at / us,* los tres semas últimos: el masculino, el singular y el nominativo, están acumulados» (Skalička). Designa también, por tanto, la noción que expresa el morfema. Así, dice Mathesius: «[Distinto es el problema del llamado] *morfema cero,* es decir, de uno o de varios semas que son expresados por el cero fonológico. Esto sólo es posible en el seno de un pequeño sistema semántico (por ejemplo, en

el interior de una declinación), en el que es preciso reconocer, para el caso en cuestión, la existencia del sema. Por ejemplo, el gen. plural *zen* en checo, en el cual la unión bisemática del genitivo y del plural se expresa con el morfema cero».

Semantema. A. *Bedeutungselement.* Elemento de la palabra portador de la significación. Así, *cant* en *cantar, cantable, cante,* etc. Martín S. Ruipérez lo ha definido con toda precisión como «unidad que es término de una oposición significativa de vocabulario... Esta denominación [semantema] hace referencia al plano del significado: en lat., *lego legis legam* se habla de un semantema *leg,* entendiendo por tal la forma fónica y su significado». Boris, Cantineau y otros lingüistas prefieren el término **lexema.**

Semántica. A. *Bedeutungslehre.* **1.—**Rama de la lingüística que se ocupa de los cambios de significación que se han operado en las palabras. Es ciencia diacrónica, frente a la Lexicología, que opera en el plano sincrónico. No obstante, algunos lingüistas no diferencian ambas ciencias, y hablan de *semántica sincrónica* y *semántica diacrónica.* **2.—** El adjetivo **semántico** es empleado para aludir a todo lo que afecta a la significación. En este sentido se habla de los *cambios* semánticos*.

3.—Semántica lógica. El término *semántica* ha salido fuera del dominio lingüístico, y es empleado, en un sentido estrictamente lógico, como él conjunto de reglas «que determinan bajo qué condiciones es aplicable un signo a un objeto o a una situación, y que permiten poner en correlación los signos y las situaciones que son susceptibles de designar» (Carnap). Aparte este filósofo, cultivan la semántica lógica o **semiótica** los lógicos del círculo de Viena, Hilbert, Cassirer, B. Russell, etc. **4.— Filiación semántica.** Vid. *Filiación*.

Semasiología. Término frecuentemente empleado como sinónimo de *Semántica*. No debe confundirse con la *Semiología*.

Semasiológico. Término sinónimo de *semántico*.

Semema. I. *Sememe*. «Un morfema (vid. *Forma compleja**) puede ser descrito fonéticamente, puesto que está compuesto de uno o más fonemas; pero su significado no puede ser analizado dentro de los límites de nuestra ciencia. Por ejemplo, el morfema *pin* tiene parecido fonético con otros morfemas como *pig, pen, tin, ten,* y, sobre la base de estos parecidos, puede ser analizado y descrito en términos de tres fonemas; pero, puesto que estas semejanzas no se corresponden con semejanzas de significado, no podemos atribuir ninguna significación a los fonemas, y no podemos, en el ámbito de nuestra ciencia, analizar la significación del morfema. La significación de un morfema es un *semema*. El lingüista señala que cada semema es una constante y definida unidad de sentido, distinta de los restantes sentidos, incluyendo los restantes sememas en la lengua, pero no puede ir más lejos. Nada hay en la estructura de morfemas* como *wolf, fox* y *dog* que nos informe sobre la relación de sus significados. Es ésta una cuestión que compete al zoólogo. La definición zoológica de estos significados sea bien venida a nosotros como una ayuda práctica; pero no puede ser confirmada ni rechazada desde los supuestos de n u e s t r a ciencia» (Bloomfield).

Semianticadencia. Vid. *Tonema*.

Semicadencia. Vid. *Tonema*.

Semiconsonante. A. *Halbkonsonant*. Se da este nombre a un tipo de articulación que describe así Navarro Tomás: «Como punto de partida, los órganos forman una cierta estrechez. En el breve tiempo· en que se produce el sonido, dicha estrechez se hace cada vez más amplia. La actividad de los órganos representa un movimiento de transición entre la articulación fricativa y la vocal». Muchos lingüistas no distinguen entre semiconsonante y semivocal. Vid. *Yod* y *Wau*.

Semicultismo. Palabra que, o por su tardía introducción o por cualquier otra causa, no ha seguido una evolución completa y presenta un aspecto más evolucionado que el cultismo y menos que una voz popular. Así, s a e c u l o > *siglo* presenta sonorización de *c*, pero no continuó su evolución, que la hubiera llevado a *sejo*.

Semideponentes. Llámase así a ·los verbos latinos cuyas formas derivadas del tema de presente poseen flexión activa, mientras que las derivadas del tema de perfecto se conjugan en voz pasiva, si bien manteniendo su significación activa: *audēre (audeo, ausus sum), solēre (soleo, solitus sum)*, etc. Vid. *Deponente*.

Semidocta (Palabra). Semicultismo.

Semioclusiva. A. *Halbverschlusslaut;* F. *Demi-occlusive, mi-occlusive.* Término con que alguna vez es designada la articulación *africada*.

Semiología. Término propuesto por F. de Saussure (1916) para designar una futura ciencia (hoy ya iniciada) «que estudie la vida de los signos en el seno de la vida social... La Lingüística no es más que una parte de esta ciencia general».

Semiótica. Vid. *Semántica lógica*.

Semítico (Grupo). Grupo de lenguas del tronco camito-semítico*, formado por un subgrupo oriental (el **acadio**, llamado también *asirio, babilónico* o *asirio - babilónico*) y otro occidental, con una rama septentrional (el **cananeo*** y el **arameo***), y una rama meridional (**árabe***, sa-beo* y **etiópico** o **abisinio**).

Semivocal. A. *Halbvokal.* Articulación que Navarro Tomás describe así: «Movimiento articulatorio inverso al de las semiconsonantes. Transición desde la abertura vocálica a la estrechez fricativa. La abertura inicial disminuye progresivamente, dentro de la ordinaria brevedad del sonido». Vid. *Yod, Wau, Semiconsonante*.

Senario. A. I. *Senar.* Nombre latino · *(senarius)* del trímetro yámbico, cuyo esquema normal es ⏑ _ ⏑ _ ⏑ _ ⏑ _ ⏑ _ ⏑ _, si bien, en la comedia helénica y en latín, su forma es mucho más libre, respetándose casi únicamente el final en ⏑ _ _.

Sensum (Constructio ad). Vid. *Construcción.*

Sentencia («Sententia»). Reflexión profunda, expresada sucinta y enérgicamente: *El más áspero bien de la fortuna / es no haberla tenido vez alguna* (Ercilla).

Sentido. 1.—Acepción*. 2.—Sentido recto [F. *Sens propre*]. Significado literal de una palabra (un *enjambre* de abejas). Se opone a **sentido figurado** o traslaticio, en el que la significación es metafórica (un *enjambre* de pretendientes). 3.—Sentido fundamental o usual [A. *Grundbedeutung*]. Significado habitual de una palabra. Se opone a **sentido ocasional** [A. *Nebenbedeutung*], frecuente en la jerga (4.ª acepción). Por ejemplo, *carabela*, cuyo sentido usual es 'embarcación', tuvo hacia 1925 el sentido ocasional de 'cuproníquel de 25 céntimos', por haberse acuñado en aquella época monedas de tal valor con una carabela en el anverso. 4. — Sentido concreto (una regla de madera) frente a **sentido abstracto** (una *regla* matemática). 5.—Sentido primitivo. Significado antiguo, que, por evolución semántica, ha dado lugar a uno o varios **sentidos derivados.** El sentido primitivo de *orden* es 'fila de cosas', el cual da origen a multitud de sentidos derivados: 'fila de personas', 'formación militar', 'colocación adecuada', etc.

Separable. A. *Isolierbar;* I. *Isolatable;* F. *Isolable.* Se dice de cualquier elemento que entra en la formación de una palabra y que puede disociarse de dicha palabra.

Separación («Separatio»). Figura retórica que consiste en reunir en un contexto palabras de significado parecido, oponiendo sin embargo sus respectivos significados: *Fue constante sin tenacidad, humilde sin bajeza, intrépido sin temeridad* (Capmany). Se denomina también *paradiástole.*

Serie. A. *Reihe.* 1.—Serie correlativa [A. *Korrelative Reihe*]. «Serie de unidades fonológicas correlativas, caracterizadas por la presencia o, al contrario, por la ausencia de la misma marca de correlación. Ejemplo: vocales largas o vocales breves en latín» (TCLP). 2.—Serie correlativa marcada [A. *Merkmalhaltige korrelative Reihe*]. «Serie correlativa caracterizada por la presencia de la marca de correlación. Ejemplo: vocales largas en latín» (TCLP). 3.— Serie correlativa no marcada [A. *Merkmallose korrelative Reihe*].«Serie correlativa caracterizada por la ausencia de la marca de correlación. Ejemplo: vocales breves en latín» (TCLP). 4.—Serie anterior o posterior de vocales.Vid. *Anterior y Posterior*.

Sermocinación («**Sermocinatio**»). Dialogismo* en que una persona habla consigo misma.

Serventesio. Estrofa aconsonantada de versos de arte mayor que riman del siguiente modo: *ABAB*.

Servo-croata. Lengua eslava hablada en Servia, Croacia, Dalmacia, Bosnia, Herzegovina, Montenegro y parte de Istria.

Seseo. Realización del fonema /θ/ como *s*. El seseo andaluz se produce en parte de Huelva, N. de Sevilla, «llanura de Córdoba y, en Jaén, por las riberas del Guadalquivir hasta Baeza. El resto de las provincias de Córdoba, Jaén, Granada y Almería observa la distinción entre *s* y *z*. La consideración

social del seseo y ceceo es diferente; *pasiensia, sielo, siego* están más admitidos y se tienen por menos vulgares que *iglecia, pazar, coza*» (Lapesa). El seseo se produce, con similares características a las del andaluz, en el español de América, con pequeñísimos islotes de θ. En cambio,,no conoce el ceceo. Dentro de la Península hay también seseo en parte de Galicia, Cataluña, Valencia y Vascongadas. El español seseante de los procedentes de estas regiones —a diferencia del andaluz— se considera socialmente como gravemente defectuoso. Vid. *Siseo, Ceceo*.

Sēt (Bases). Vid. *Base*.

Seudo-derivado. Derivado que se forma partiendo del étimo de una palabra, y no de esta misma: *secundario* (y no *segundario*).

Seudomórfosis. Término utilizado por Américo Castro como sinónimo de *calco**.

Sexta rima. Composición poética cuyas estrofas son **sextinas** de arte mayor.

Sextina. 1.—Estrofa aconsonantada de arte mayor o menor, cuyos esquemas más frecuentes son

ABABCC y *AABCCB*. 2.—Combinación estrófica inventada por el trovador Arnaut Daniel (s. XII), que fue imitada por Dante y Petrarca, e introducida en España durante el siglo XVI. «Consta de seis estrofas, compuestas de seis versos endecasílabos, cada uno de los cuales acaba en una palabra, por lo general bisílaba, que no debe consonar con las demás. La primera estrofa da, pues, la sensación de estar escrita en versos sueltos. Ahora bien, en las siguientes reaparecen al final de cada verso y en orden diferente, pero riguroso, las mismas seis palabras con que acaban los versos de la primera. De este modo advertimos que la esencia de la sextina estriba en la reiteración, en todo lo largo del poema, de las seis palabras escogidas, las cuales cierran seis veces el verso en toda la composición. Esta acaba con una estrofa final, llamada *contera*, compuesta de tres versos, en la que forzosamente han de figurar las seis palabras características, tres al final y tres en el interior de los endecasílabos... La estructura de la sextina obedece al siguiente esquema:

1.ª estrofa *a b c d e f*
2.ª estrofa *f a e b d c*
3.ª estrofa *c f d a b e*
4.ª estrofa *e c b f a d*
5.ª estrofa *d e a c f b*
6.ª estrofa *b d f e c a*».

(M. de Riquer).

Sibilante. A. *Pfeifend, Zischlaut;* I. *Whistling;* F. *Sifflante*. Articulación en que el sonido fricativo o africado se acompaña de una especie de silbido característico, más agudo o más grave, según sea más o menos angosto el canal vocal. «*Sibilantes* llamamos a toda una familia acústica de consonantes de diferente estructura, pero coincidentes en un parentesco acústico, por oposición a las otras consonantes: θ, z, $š$, $ẓ$, z, $č$, $ǧ$, $ž$, $š$, por no citar más que las de las lenguas más familiares» (A. Alonso). Vid. *Asibilación*.

Sicigia. Vid. *Metro*.

Siciliano. Vid. *Italiano*.

Sículo. Vid. *Italo-celta (Grupo)*.

Sigla. Letra o signo que se emplea como abreviatura de una palabra.

Sigmático. Forma caracterizada por la presencia de *s*.

Sigmatismo. Abundancia de silbantes en una misma frase: *El silbo de los aires amorosos*.

Significación. A. *Bedeutung*. «La *significación* es el proceso que asocia un objeto, un ser, una noción, un acontecimiento, a un signo susceptible de evocarlos: una nube es signo de lluvia; un fruncimiento de cejas, signo de perplejidad; el ladrido de un perro, signo de cólera; la palabra «caballo», signo del animal» (Guiraud). El término *significación* se emplea a menudo como sinónimo de *significado, sentido* y *acepción.* Hay palabras a las que, junto a la **significación central, conceptual** [A. *Begriffsinhalt*], se asocia alguna **significación secundaria,** de tipo afectivo [A. *Nebensinn, Begleitgefühle*], que puede desarrollarse a expensas del significado primitivo. Así, el latín *captivus* 'prisionero' ha dado en it. *cattivo,* fr. *chétif* ('malvado'), desarrollando una significación secundaria. Vid. *Lenguaje desplazado*.

Significado. F. *Signifié.* 1.—Tecnicismo especializado por F. de Saussure para designar el concepto o idea, como elemento constitutivo del signo. 2.—Significación.

Significante. F. *Signifiant.* Elemento constitutivo del signo, que aporta la imagen acústica. Esta «no es el sonido material, cosa puramente física, sino su huella psíquica, la representación que de él nos da el testimonio de nuestros sentidos» (F. de Saussure).

Signo. A. *Zeichen;* I. *Sign.* 1.— Tecnicismo especializado por F. de Saussure para designar la «combinación del concepto y de la imagen acústica», o sea de un significado y un significante en la lengua. Vid. *Signo fraccionado.* 2.—Elemento de cualquier sistema visual de comunicación, principalmente de la escritura. Podemos hablar de *lenguaje de signos,* pero es preferible el término *lenguaje de señales.* 3.—Según la definición glosemática, signo es una unidad que consta de forma de contenido* y forma de expresión*.

Signos-grupos. Así llama Trubetzkoy (1939) a los grupos de fonemas que aparecen sólo en el límite entre dos unidades de significación; la primera parte de este grupo pertenece al final de la unidad significativa precedente, y la segunda, al comienzo de la unidad significativa siguiente. Así, en alemán, los grupos formados por *consonante* + *h: ein Haus, Wesenheit,* etc.,

Sílaba. A. *Silbe;* I. *Syllable;* F. *Syllabe.* 1.—Es el grupo fonético más elemental. Para los griegos había sílaba en cuanto aparecía una vocal o un diptongo. Modernamente se ha comprobado que existen sílabas sin tales elementos (Vid. *Sonante).* Para su definición es preciso conocer el lugar exacto en que una sílaba termina y empieza otra, es decir, el *límite silábico**. Saussure y Grammont han hecho ver cómo una sílaba termina en un sonido implosivo o decreciente, y comienza por un sonido explosivo o creciente. El límite silábico está en el lugar en que se pasa de la implosión a la explosión (⟍ ⟋). La sílaba puede, pues, ser representada así: ⋀ o ⟋⟍. El punto en que se pasa del último sonido creciente al primero decreciente se denomina **punto vocálico** o **centro* silábico***, porque es el lugar en que aparecen la vocal, el diptongo o la sonante, cuando forman parte de la sílaba. Grammont define la sílaba como «una serie de aberturas crecientes, seguida de una serie de aberturas decrecientes». **2.**—La Gramática tradicional divide las sílabas en *directas (ca, be)*, *inversas (in, ad)* y *mixtas (pan, sal)*. **3.**—**Sílaba libre** [A. *Freie Silbe;* I. *Open Syllable;* F. *Syllabe ouverte*] es la que acaba en vocal *(casa)*. Y **sílaba trabada** [A. *Gedeckte Silbe;* I. *Close* o *checked Syllable;* F. *Syllabe entravée* o *fermée*], la que acaba en consonante *(altar)*. **4.**—**Ley de las tres sílabas.** Vid. *Campo acentual.* **5.**—**Sílaba intercalada.** Vid. *Infijo.*

Silabación. División de las palabras en sílabas, atendiendo a los límites silábicos.

Silábico. 1.—**Límite** o **frontera silábicos** [A. *Silbengrenze*]. Fin de una sílaba y comienzo de otra. Estos límites son, para Sievers, Viëtor y Jespersen, depresiones de perceptibilidad [A. *Schallsilbe*]; para Sievers y Stetson, depresiones de espiración [A. *Drucksilbe*]; para Passy, decrecimientos de intensidad [A. *Intensitätssilbe*], entendiendo por *intensidad* unas veces la fuerza espiratoria y otras la sonoridad; para Saussure y Grammont, disminuciones de abertura [A. *Öffnungssilbe*]; para Fouché, momentos relativos de laxitud en la tensión [A. *Spannungssilbe*]. **2.**—**Centro, cima, núcleo, cumbre, ápice, soporte silábico** [A. *Silbengipfel, Silbenträger*]. Corresponden todos estos conceptos al de *punto vocálico.* Es un punto de máxima sonoridad en la sílaba; lo ocupa ordinariamente una vocal, pero puede ocuparlo también una sonante. **3.**—**Fonema silábico.** Es el que puede constituirse en centro silábico. Se opone a **fonema asilábico***. **4.** — **Escritura asilábica. Superposición silábica.** Vid., respectivamente, *Escritura, Superposición.* **5.** — **Función silábica.** Vid. *Sonante.* **6.**—**Acento silábico.** Vid. *Acento.* **7.**—**Fone-**

mas silábicos [I. *Syllabic phonemes*]. Fonemas que pueden constituir sílaba (vocales, semivocales, semiconsonantes y sonantes), frente a los no silábicos (I. *Non-syllabic phonemes*). Los grupos de fonemas no silábicos (consonantes) reciben en inglés el nombre de *clusters* (Bloomfield).

Silbante. Sibilante.

Silbidos (Lenguaje de). Lenguaje utilizado por pastores y campesinos en los municipios de Chipude y Alagero, de la isla de la Gomera (Canarias). Existía ya en el siglo XV, cuando el archipiélago fue incorporado a Castilla.

Silepsis. 1.—Alteración de la concordancia. Tipos importantes de silepsis son los fenómenos llamados ἀπὸ κοινοῦ y construcción *ad sensum*. **2.**—En Retórica, dilogía.

Silva. Composición poética formada por endecasílabos y heptasílabos, en número y combinación indeterminados. Los versos pueden rimar aconsonantados o asonantados, y puede quedar alguno libre.

Simbólica (Fonética). Vid. *Fonética*.

Símbolo. Algunas veces este término ha sido usado como sinónimo de *signo*. Saussure rechaza tal identificación, «porque el símbolo tiene por carácter no ser nunca completamente arbitrario, no está vacío: hay un rudimento de vínculo natural entre el significante y el significado. El símbolo de la justicia, la balanza, no podría reemplazarse por otro objeto cualquiera: un carro, por ejemplo». De ahí que se dé a veces el nombre de *signo simbólico* al *signo motivado**.

Simétrica (Entonación). Según Karcevskij, la que opone la parte ascendente a la parte descendente de la frase, y predomina sobre otras diferencias eventuales de entonación que en dicha frase puedan producirse: *si el sol dejase de lucir, la vida en la tierra desaparecería.* Vid. *Asimétrica (Entonación).*

Símil. Comparación embellecedora, en la que están expresos los medios gramaticales de la comparación. Así, Góngora presenta los cuerpos de dos luchadores abrazados en su pelea, *cual duros olmos de implicantes vides.* Vid. *Imagen, Metáfora.*

Similicadencia. Rima, perfecta o imperfecta, que aparece como elemento rítmico en el verso o en la prosa de la decadencia latina, al perder la cantidad su valor métrico y rítmico. La similicadencia dará origen a la rima románica. Se da también este nombre al *homoioteleuton**. Vid. *Similiter cadens*.

Similiter cadens, desinens. La figura llamada *similiter cadens* (u *homoioptoton*) consiste en la terminación de dos o más frases o miembros de frase con la misma forma casual: *Quanta deinde omnibus in rebus temperantia! Quanta fide! Quanta facilitate! Quanto ingenio!* (Cicerón). Mientras que la *similiter desinens* consiste en la terminación con la misma forma verbal: *Te puncen y te sajen, / te tundan, te golpeen, te martillen...* (Fr. D. T. González). Ambos son casos de *homoioteleuton*. A veces, *homoioteleuton* y *similiter desinens* se toman como términos sinónimos. Y se identifican también *similicadencia* y *similiter cadens*.

Similitudo. Vid. *Comparación*.

Simpatético (Dativo). «F e n ó-meno común a todas las lenguas indoeuropeas es el empleo del dativo en giros en que, lógicamente, debiera usarse, no dicho caso, sino un genitivo o pronombre posesivo. Así,

en latín, puede decirse: *fabula esse in ore omnibus* u *omnium*. Las lenguas románicas muestran una evolución análoga, y así, en castellano, puede decirse *lavo las manos a los niños*, o *de los niños, corto el pelo a mi hermano* o *de mi hermano*. Si bien el significado de estos giros es fundamentalmente el mismo, no obstante hay ciertos matices que los distinguen; en efecto, si se emplea el genitivo, se subordina el concepto expresado por dicho caso al complemento directo, con lo cual pierde todo contacto con la acción verbal; por el contrario, si empleamos el dativo, se contrapone, por así decir, dicho concepto al propio complemento directo, con lo cual adquiere un mayor relieve, en cuanto que es afectado, aunque sólo indirectamente, por dicha acción verbal; de ahí que el genitivo tenga en estos giros un valor más objetivo, más frío; en cambio, el dativo es una expresión más vehemente, más subjetiva. Lo dicho explica el significado del término gramatical empleado para designar este uso del dativo [simpatético; se debe a W. Havers, 1911], con el que se indica que el concepto por él expresado se ve afectado por la acción verbal. En el primitivo indoeuropeo, el dativo *sympatheticus* se usaba sólo tratándose de pronombres personales; pero la lengua latina extendió esta construcción a los sustantivos» (Bassols de Climent). Otros ejemplos de dativo simpatético: *no llores porque se me parte el corazón* (por *se parte mi corazón*); le *salí al encuentro (al encuentro de él);* s e *notaba las manos temblonas (notaba sus manos),* etc. Se denomina también **dativo enérgico** y **posesivo.**

Simple. 1.—Palabra simple [A. *Einfaches Wort*]. Es la que no se compone de palabras de la misma lengua a que ella pertenece. Se opone a *palabra compuesta.* **2.—Tiempo simple.** Por oposición a *tiempo compuesto,* es el que «no comporta más que un solo elemento morfológico» (L. Tesnière): *Voy, iré.* **3.—Oración simple.** Es la que posee un solo predicado, frente a la compuesta, que tiene más de uno. **4.—Oposición simple** [A. *Einfache Opposition*]. Oposición entre dos elementos lingüísticos, «cuando las unidades poseen en común un conjunto de nociones pertinentes (base de comparación) tal que la oposición se establece en torno a una sola noción: así, lat. *amo / amamus, amo / amor...* Este concepto de oposición simple... no es idéntico al concepto de *oposición bilateral** con que opera Trubetzkoy... En efecto, en francés, la oposición de localización *p / k* no sería bilateral, puesto que la base de comparación también aparece en otro fonema *t.* Sin embargo, *p / t / k* entra dentro del concepto de oposición simple» (S. Ruipérez). El término no ha sido acuñado por Vachek, el cual, refiriéndolo exclusivamente al plano fonológico, define así la oposición simple: «Diferencia fónica mínima susceptible de servir, en una lengua dada, para diferenciar significaciones intelectuales». Así, inglés *bad / pad,* esp. *bata / pata.* Se opone a oposición *compleja*.*

Sinafía. I. *Synaphea.* En la métrica clásica, unión entre dos miembros sucesivos, bien porque hay elisión entre la palabra final de uno y la inicial del siguiente, bien porque una palabra fonética es dividida, perteneciendo la parte inicial a un miembro y la final al siguiente.

Sinalefa. Fusión de la vocal o vocales finales de una palabra con la vocal o vocales iniciales de la palabra siguiente, de modo que se integren, a efectos fonéticos y métricos, en una sílaba: *Muerta la lengua* a Eurídice *respira* (Jáuregui). M. Niedermann, con razones etimológicas evidentes (cfr. gr. συναλιφή, lat. *synaliphe* o *synaliphā*) propone la sustitución del término tradicional por el de A. *Synaliphe;* I. *Synalipha;* F. *Synaliphe;* It. *Sinalife* [y, por tanto, esp. **Sinalifa**].

Sinarmonismo. Fenómeno habitual en ciertas lenguas turcas, consistente en que cada palabra no puede contener más que vocales anteriores y consonantes palatales, o bien vocales posteriores y consonantes velarizadas.

Sinatroísmo. Figura que consiste en acumular en el discurso palabras o frases cuya significación es correlativa: *Mi Amado, las montañas, / los valles solitarios, nemorosos, / las ínsulas extrañas, / los ríos sonorosos, / el silbo de los aires amorosos* (S. Juan de la Cruz). Se designa también con el término latino **congeries**.

Síncopa. A. *Synkope, Ausstossung;* I. *Syncopation;* F. *Syncope.* Desaparición de un sonido o grupo de sonidos en el interior de una palabra: c a l i d u s > *caldus* > *caldo.* La forma resultante es una *palabra sincopada.* Vid. *Ecthlipsis.*

Sincopada (Palabra). Palabra en la que se ha producido síncopa. Se habla así de **derivados sincopados, compuestos sincopados,** etc.

Sincretismo. Fenómeno que se produce cuando una forma asume diversas funciones. Se produjo, por ejemplo, cuando el ablativo latino asumió, con sus funciones, las del instrumental y locativo indoeuropeos. Por eso se dice del ablativo que es un caso **sincrético** [A. *Mischkasus*]. De igual modo, el fonema que pervive en una oposición neutralizable es un **fonema sincrético.** Vid. *Suspensión.*

Sincronía. Vid. *Diacronía.*

Síndesis. Término usado alguna vez como sinónimo de *polisíndeton.*

Sinécdoque. Tropo que responde al esquema lógico *pars pro toto* o *totum pro parte.* Se produce cuando se emplea una palabra por otra, estando sus conceptos respectivos en la relación de: *a)* género a especie o viceversa: *los mortales* = 'los hombres'; *b)* parte a todo o viceversa: *diez cabezas* = 'diez reses', *la ciudad se ha amotinado* = 'los habitantes de la ciudad'; *c)* singular a plural o viceversa: *el español es sobrio* = 'los españoles...', etc.

Sinenclítica. Palabra enclítica precedida de otra enclítica. Así, *lo* en *dámelo.*

Sinéresis. Fenómeno fonético, considerado en métrica como una licencia que consiste en la fusión de dos vocales contiguas, pero pertenecientes a sílabas distintas, en una sola sílaba: *álzala gorgeador alta en volandas* (G. Diego).

Singular. Vid. *Número*.

Singularia tantum. Se aplica este término a los nombres que no admiten plural: *cariz, oeste, grima,* etcétera.

Singulativo. «Morfema que tiene por función dar a una palabra un valor de singular, generalmente por oposición a un colectivo» (Meillet-Cohen).

Sinicesis. 1.—Llaman así los helenistas a «la articulación ocasional, en una sola sílaba, de dos vocales en hiato, la primera de las cuales es a menudo una ε. La sinicesis no se señala en la escritura; sólo es revelada por la escansión de los textos poéticos» (Lejeune). Vid. *Contracción*. **2.**—Algunas veces alterna este término con el de *sinéresis*.

Sinonimia. 1.—[A. *Gleichbedeutung*]. Coincidencia en el significado entre dos o más vocablos, llamados *sinónimos* [A. *Gleichbedeu-*

tend]: *can-perro, pelo-cabello*, etc. **2.**—Figura retórica, llamada también *metábole*, que consiste en usar palabras sinónimas en un mismo contexto: *Abiit, excessit, evasit, erupit* (Cicerón); *Acude, corre, vuela* (Fray Luis de León). Se diferencia de la *paradiástole**.

Sinsemántico. Se dice de un vocablo o de un formante que carecen de significación nocional.

Sintáctico. 1.—Relativo a la sintaxis. Los lingüistas franceses distinguen a veces entre *syntactique*, para referirse a la «simple disposición material de los diferentes elementos que componen el enunciado», y *syntaxique*, que hace referencia al papel gramatical de dichos elementos (Marouzeau). **2.**—**Fonética sintáctica.** Vid. *Fonética*. **3.**—**Compuestos sintácticos** [I. *Syntactic compounds*]. Así llama Bloomfield a los compuestos cuya relación gramatical es la misma que la de las palabras en la frase (así, inglés *blackbird*, esp. *sacacorchos*), frente a los **compuestos asintácticos**, en los que la forma de relacionarse sus miembros no tiene paralelo en la sintaxis de aquella lengua (inglés *doorknob*, esp. *coche-cama*).

Sintagma. 1.—Término acuñado por F. de Saussure, que lo define así: «Las palabras contraen entre sí, en virtud de su encadenamiento, relaciones fundadas en el carácter lineal de la lengua, que excluye la posibilidad de pronunciar dos elementos a la vez. Los elementos se alinean uno tras otro en la cadena del habla. Estas combinaciones que se apoyan en la extensión se pueden llamar *sintagmas*. El sintagma se compone siempre, pues, de dos o más unidades consecutivas (por ejemplo: *re-leer; contra todos; la vida humana; Dios es bueno; si hace buen tiempo, saldremos*, etc.), y colocado en un sintagma, un término sólo adquiere su valor porque se opone al que le precede o al que le sigue o a ambos... La noción de sintagma no sólo se aplica a las palabras, sino también a los grupos de palabras, a las unidades complejas de toda dimensión y de toda especie (palabras compuestas, derivadas, miembros de oración, oraciones enteras)... La *oración* es el tipo por excelencia de sintagma». El término *sintagma* ha conocido un gran éxito en la Lingüística actual. Sin embargo, la amplitud significativa que le concede Saussure ha determinado que se utilice a menudo con gran vaguedad. Hay sintagma, según él, en cuanto dos o más elementos lingüísticos se combinan. Estos elementos. pueden ser seman-

temas y morfemas *(reclam - ante, pre-decir, un día, corre-ve-i-di-le)*, semantemas *(ferro-carril, boca-manga)*, determinante y determinado *(libro de Juan, mar azul)*, sujeto y predicado *(Luis corre, tú vendrás)*. El estudio de los sintagmas, como vemos, no cae íntegro dentro del dominio de la Sintaxis; muchos sintagmas deben ser estudiados por la Morfología. Ch. Bally y, siguiéndole, F. Mikus, suponen que todo sintagma consta de dos elementos, es decir, es binario. He aquí el problema. Bally define el sintagma como «el producto de una relación de interdependencia gramatical establecida entre dos signos léxicos que pertenecen a dos categorías que se complementan entre sí. En este sentido se puede decir que todo sintagma es binario». Ello excluye la coordinación de la relación sintagmática, ya que «dos frases coordinadas, aunque relacionadas entre sí, son autónomas», y si en una frase dos o más términos se agrupan coordinativamente (en las enumeraciones, por ejemplo), cuentan, según Bally, como un solo término. «En la frase *los caballos, los perros, los gatos son animales inteligentes y útiles*, los tres sustantivos valen por un solo sujeto, y los dos adjetivos, por un solo predicado». A veces el carácter binario del sintagma es poco claro; esto ocurre cuando uno de los términos, o .los dos, encierran más de dos unidades sintagmáticas. Pero siempre, piensa Bally, se agrupan en binomios: *máquinas: de coser - Singer; modelos - de vestidos: para señoras y señoritas.* Si dos análisis son posibles, «el espíritu debe optar, pero no renunciar al análisis; así, *maestro de escuela de pueblo* significa, o bien *maestro de escuela* que enseña *en un pueblo*, o bien *maestro* que enseña *en una escuela de pueblo».* La interpretación de Bally no coincide con la de Saussure, ya que, según hemos visto, para éste el sintagma puede componerse «de dos o más unidades consecutivas». Hemos puesto ejemplos, anteriormente, de sintagmas compuestos por más de dos elementos. Trubetzkoy (1939), frente a Bally, admite la existencia de sintagmas coordinados. Distingue, en efecto, tres clases de sintagmas: **sintagmas determinativos**, compuestos de un determinante y de un determinado; **sintagmas predicativos**, compuestos de un sujeto y de un predicado..., y **sintagmas asociativos** [F. *Sociatifs*], cuyos dos términos se encuentran siempre en una relación sintagmática con algún miembro del mismo enunciado, y añade: «Entendemos, pues, por *sintagma asociativo* dos sujetos referidos al

mismo predicado, dos predicados al mismo sujeto, dos determinantes al mismo determinado, etc.». Puede verse cómo Trubetzkoy acepta la coordinación como relación sintagmática, pero no se libera de concebir el sintagma como complejo binario (dos sujetos..., dos predicados..., dos determinantes...). H. Frei (1948) ha enfocado el problema con extrema claridad, escribiendo: «Lo más prudente me parece conservar la noción de sintagma en la acepción general que Saussure le había dado, y distinguir entre **sintagmas de subordinación** (que comprendan los *sintagmas determinativos* y los *sintagmas predicativos* de Trubetzkoy), los cuales sólo pueden ser binarios, y **sintagmas de coordinación** —los *sintagmas asociativos* de Trubetzkoy— que son unos binarios y otros no binarios. Lo que conduce a reemplazar el teorema de Bally por el siguiente: *todo sintagma de subordinación es binario*, y como corolario, *todo sintagma no binario pertenece a la relación de coordinación».* 2.—Los fonólogos definieron el sintagma (1930) como «unidad sintáctica no susceptible de ser dividida en unidades sintácticas más pequeñas, es decir, una palabra con relación a una frase» (TCLP). En este sentido fue empleado el término por Baudouin de

Courtenay (1913). **3.**—Dámaso Alonso (1951) ha especializado el término para hacerle significar cualquier «relación sintáctica (de tamaño indefinido)». Hay sintagmas en los cuales cada valor sintáctico está representado por una sola palabra: *Juan tiró las plumas;* pueden ser llamados **sintagmas progresivos.** Pero hay veces en que «un valor sintáctico está representado por varias palabras: *Juan tiró las plumas y el tintero.* En este sentido, el sintagma que forma toda esa frase tiene una parte no progresiva *(las plumas y el tintero);* a esta parte misma se la puede llamar **sintagma no progresivo».** Esta última noción se corresponde aproximadamente con la de *sintagma asociativo* de Trubetzkoy. Vid. *Hipotaxis, Parataxis.* **4.**—J. Casares emplea el término *sintagma* en la acepción de *signo fraccionado.* **5.** Para Hjelmslev, «unidad compuesta por constituyentes* y exponentes*». El constituyente o conjunto de constituyentes del sintagma se denomina *base;* y el exponente o conjunto de exponentes, *característica.* Cuando la característica está constituida por la unidad mínima de morfemas, recibe el nombre de **sintagmatema.**

Sintagmatema. Vid. *Sintagma.*

Sintagmática. Fase analítica del método inmanente*, que consiste en dividir el texto en partes o unidades cada vez más pequeñas, hasta llegar a los elementos irreductibles. Vid. *Sistemática.*

Sintagmático. 1.—Se dice, en general, de todo lo relativo al sintagma. **2.**—**Relaciones sintagmáticas.** Son las que contraen las palabras al ser extraídas de la lengua (en sentido saussureano) y utilizadas por el hablante para su expresión. Se diferencian de las asociativas en que las relaciones sintagmáticas evocan «la idea de un orden de sucesión y de un número determinado de elementos» (Saussure). Vid. *Asociativo.* **3.**—**Gramática sintagmática.** Designación propuesta por A. Sechehaye (1926) para el estudio de todos los fenómenos sintagmáticos del lenguaje. **4.**—**Aspecto sintagmático.** Según J. Holt, aspecto de la acción verbal expresado por un sintagma binario, esto es, una forma compuesta; así, *he cantado,* en la oposición *canto / he cantado,* que guarda la proporción: proceso sin su término / proceso con su término. Se opone a *flexional*.*

Sintaxis. A. *Satzlehre, Wortgefüge.* Parte de la Gramática creada por Apolonio Díscolo (s. II d. J. C.) para el estudio de las relaciones que las palabras contraen en la frase. La palabra σύνταξις era usada hasta entonces en terminología militar para designar una determinada agrupación de soldados; metafóricamente, se empleaba por los gramáticos para designar la unión de las letras (o sonidos) para formar las palabras. Apolonio la aplicará por vez primera en el sentido mencionado. Vid. *Sintáctico*.

Sintético. 1.—Lenguas sintéticas. Vid. *Lenguas flexivas**. 2.—Lenguaje sintético. Se da este nombre a modernas tentativas realizadas en los Estados Unidos para la conversión de espectros* previamente dibujados (conforme a los modelos obtenidos con el espectrógrafo) en sonidos.

Síntoma. A. *Kundgabe*. Nombre que se da a veces a la función* que Bühler llama *expresión* [A. *Ausdruck*]. El término *Kundgabe* ha sido acuñado por el propio Bühler.

Sintonema. Línea que describen las sucesivas inflexiones del tono que integran un grupo fónico, en cuanto unidad* melódica. Su rama terminal es el tonema.

Siríaco. Vid. *Arameo*.

Sirio. Arabe moderno de Siria.

Siseo. «*Siseo* es término español corriente para designar el timbre particular de la *s*. Nosotros lo adoptamos, así como el adjetivo *siseante*, cuando queremos aludir al timbre de la *s*, no en lo que tiene de común con las otras sibilantes, sino en lo que tiene de peculiar. Y siguiendo la analogía, formamos los neologismos **ciceo** y **ciceante** con la significación de 'timbre particular de la *c*, *z* [θ] moderna, en oposición al de las otras sibilantes', o que le es pertinente, y así creemos poder distinguir cosas diferentes con nombres diferentes. [Efectivamente, el autor distingue entre *ceceo**, 'uso de *c* por *s*', y *ciceo* 'timbre particular de θ']. Alguna vez podremos emplear paralelamente los términos **chicheo** y **chicheante** para el timbre de *ch*» (A. Alonso).

Sistema. 1.— Conjunto de elementos lingüísticos solidarios entre sí. En este sentido, se habla de *sistema fonológico, sistema de preposiciones, sistema de casos*, etc. La lengua misma, a partir de Saussure, suele ser considerada como un sistema, en el que todos sus elementos integrantes se hallan relacionados. Por eso, muchas veces el término *sistema* se utiliza como sinónimo de *lengua*, aludiendo así a su naturaleza estructural. 2.—En métrica clásica, unidad compuesta por dos o más períodos.

Sistemática. Segunda fase del método inmanente*, que consiste en clasificar los elementos irreductibles hallados por la Sintagmática, según sus funciones mutuas, en clases cada vez más pequeñas, hasta que todos los elementos hayan sido definidos.

Sístole. 1.— Abreviamiento de una vocal larga por necesidades métricas. Vid. *Diástole.* 2.—Paso del acento a una sílaba anterior, dentro de una misma palabra, por razones de ritmo o de rima.

Sizain. En la métrica francesa, estrofa de seis versos, isométrica o heterométrica, con dos rimas *(a b a-b a b,* o *a a b a a b,* o *a a b a b b,* o *a b b a a b)* o tres *(a a b c c b,* o *ab-b a c c,* o *a a b c b c).*

Slang. Vid. *Jerga.*

Sobreselvano. Vid. *Retorrománico.*

Solecismo. Se emplea este término como opuesto a *barbarismo;* mientras éste es un error cometido por el empleo de una forma inexistente en la lengua, el solecismo consiste en el mal uso de una forma

existente. Tradicionalmente se admite, con escaso fundamento, que el término griego (σολοικισμός) aludía al mal uso lingüístico de los habitantes de Soli, ciudad de Cilicia.

Solidaridad. I. *Solidarity.* En Glosemática*, interdependencia* entre dos términos del texto*. Se da, por ejemplo, entre los morfemas de caso y de número en el nombre latino, o entre los morfemas de persona y número en las formas verbales personales. Vid. *Función semiológica, Interdependencia.*

Sombría (Vocal). Nombre que alguna vez se da a las vocales posteriores y a las redondeadas. Vid. *Clara.*

Sonante. A. *Selbstlaut, Hauptlaut.* 1.—Sonido no vocálico que; en muchas lenguas, puede ser centro de sílaba (Vid. *Silábico).* Pueden desempeñar este papel varias consonantes *(l, r, m, n,* etc.) de las que se dice entonces que cumplen una *función silábica* [A. *Silbische Funktion*], dando lugar a sílabas sin vocal [A. *Vokallose Silben*]. La consideración de los sonidos sonantes es, pues, funcional, ya que, fonéticamente, son consonantes. 2.—Se da también este nombre a las semiconsonantes.

Soneto. 1.—Estrofa formada por catorce endecasílabos. Los ocho primeros se ordenan en dos cuartetos, con las mismas rimas *(ABBA AB-BA)*. Los seis restantes se combinan al arbitrio del poeta, con dos o tres rimas. Las posibilidades combinatorias, pues, son grandes. He aquí algunas: *CDCDCD; CDECED, CDECDE,* etc. La rima de los cuartetos, fijada en el soneto clásico, como hemos dicho, se modifica a veces, dando lugar a otros esquemas m e n o s frecuentes: *ABABABAB, ABBAACCA, ABBACDDC, ABAB-CDCD, -AAB -CCB,* etc. Cuando los versos de un soneto son de arte menor, la estrofa recibe el nombre de *sonetillo.* Rubén Darío introdujo en nuestra literatura el soneto compuesto con alejandrinos. **2.**—**Soneto con estrambote.** Vid. *Estrambote.*

Sonido. A. *L a u t, Sprechlaut, Ton;* I. *Sound;* F. *Son.* En Lingüística, este término se aplica siempre al sonido articulado, que puede definirse como el conjunto de particularidades, tanto pertinentes* como no pertinentes desde el punto de vista fonológico, que aparecen en el punto preciso de la corriente sonora en que un fonema* se realiza. El sonido es producido mediante la articulación, y posee cuatro cualidades físicas fundamentales: tono, tim-

bre, cantidad e intensidad. La distinción entre sonido y fonema coincide muy aproximadamente con la que establece D. Jones (1938) entre **sonido concreto** [I. *Concrete sound*] y **sonido abstracto** [I. *Abstract Sound*]. Vid. *Variante, Fonema.*

Sonoridad. A. *Stimmton, Stimmhaftigkeit, Ton;* I. *Resonance.* Resonancia que produce la vibración de las cuerdas vocales. Algunas veces suele confundirse con la *perceptibilidad.* Para **acento de sonoridad,** vid. *Acento.*

Sonorización. A. *Stimmhaftwerden; Erweichung;* I. *Voicing;* F. *Adoucissement.* Paso de una sorda a sonora. P. ej., el paso $p > b$, en c e p u l l a $>$ *cebolla.*

Sonoro. A. *Stimmhaft, Tönend;* I. *Voiced;* F. *Vocalique, Voisé.* Sonido cuya articulación se produce con vibración de las cuerdas vocales. Son sonoras, en español, las vocales, las semiconsonantes, las semivocales y las consonantes *b, m, n, l, d, r, rr, y, ll, ñ, g.* Se emplean como sinónimos de sonora los términos *débil, dulce, suave.*

Soporte silábico. Vid. *Prosódico (Rasgo).*

Sorbio. Vid. _Eslavo._

Sordera verbal. Vid. _Afasia._

Sordez. A. _Stimmlosigkeit;_ I. _Voicelessness;_ F. _Sourdité._ Ausencia de vibración de las cuerdas vocales, característica de las articulaciones sordas.

Sordo. A. _Stimmlos, Geflüstert, Lautlos, Tonlos;_ I. _Sourd, Unvoiced, Voiceless, Breathed, Breath sound;_ F. _Sourd, Dévoisé, Soufflé._ 1.—Sonido en cuya articulación, al contrario de lo que ocurre con los sonoros, no vibran las cuerdas vocales. Son sordas en español las consonantes _ch, p, z, t, k, s, x, f, j._ 2.— **Vocal sorda.** Vid. _Clara._

Soriano. Castellano hablado en Soria, con escasos influjos vascos, riojanos y aragoneses.

Sostén (Vocal de). N o m b r e que recibe a menudo la vocal de _apoyo._

Stemma. Arbol genealógico de los manuscritos e impresos que han transmitido un texto. Ordinariamente se representa a éstos mediante una letra mayúscula (A, B, C...; o bien con una inicial que alude a su origen, propietario, etc.: S,

en la tradición manuscrita del _Buscón,_ por ejemplo, puede designar el códice de la Biblioteca Menéndez Pelayo, de Santander), y se representan con mayúsculas o minúsculas griegas los modelos perdidos: original,*, apógrafo* y arquetipo*. Pero en esto no hay criterio fijo. Algunos autores utilizan las últimas minúsculas del alfabeto latino para representar el original y los arquetipos, y hay quien las emplea para representar un arquetipo perdido, que debe reconstruirse con datos de materiales existentes y con otros de un arquetipo procedente de reconstrucción. Véase, por ejemplo, un _stemma_ de P. Rajna:

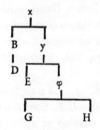

Stød. Vid. _Oclusión._

Suave. 1.—Consonante suave. Vid. _Sonora._ 2.—Encabalgamiento suave. Vid. _Encabalgamiento._

Subdialecto. Modalidad adoptada por un dialecto en un cierto territorio; sus isoglosas no son suficientes en número e importancia para caracterizarlo como dialecto independiente.

Subiectio. Vid. *Sujeción.*

Subjetivo. 1.—Con este término se denota la participación afectiva del hablante, o del sujeto de la oración, en el significado de la misma. **2.**—**Genitivo subjetivo.** Vid. *Genitivo.*

Subjuntivo. A. *Konjunktiv.* Modo actual del verbo indoeuropeo, que se ha desarrollado en la oración dependiente para expresar la subordinación. De ahí su nombre, si bien los gramáticos latinos le llamaban preferentemente *coniunctivus.* Antes de desempeñar este papel, poseía un valor modal propio (expresión de la voluntad, de la eventualidad y de la espera), que hoy subsiste todavía en muchos usos del subjuntivo en las lenguas indoeuropeas modernas (*quizá la conozcas*). En latín, asumió por sincretismo las funciones del optativo. Se describen muchos tipos de subjuntivos en las distintas lenguas: Los principales son: **volitivo, exhortativo, yusivo, consultivo, deliberativo, concesivo, desiderativo, potencial, optativo, prospectivo, de irrealidad,** etcétera. (Vid. estos términos).

Subjunto. Vid. *Rango.*

Subordinación. A. *Unterordnung.* Relación que se establece entre dos (o más) oraciones en el seno de una oración compuesta, cuando una de ellas, llamada **oración subordinada** [A. *Nebensatz*], depende lógica y gramaticalmente de la otra, llamada **oración principal** [A. *Hauptsatz*]. La subordinación o **hipotaxis** representa un procedimiento gramatical relativamente reciente en la historia de las lenguas indoeuropeas. Adelung (siglos XVIII-XIX) fue el primero en señalar que originariamente sólo había oraciones simples y que la *hipotaxis* procede de la *parataxis.* Así: *Timeo. Ne moriàtur!* 'Temo. ¡Que no se muera!', pasa a *Timeo ne moriatu* no que se muera'.

Subordinado. A. *Untergeordnet, abhängig;* F. *Subordonné.* Se dice de todo elemento lingüístico que depende de otro. Así, la *oración subordinada* con relación a la principal. Vid. *Subordinación* y *Oración.*

Subordinante. A. *Unterordnend;* I. *Subordinating;* F. *Subordonnant.* Se aplica a todo lo que subordina (la oración principal, por ejemplo) y a todo lo que contribuye a expresar formalmente la subordinación (como las conjunciones subordinantes).

Sudanés. Vid. *Negro-africanas* (*Lenguas*).

Sudarábigo. Vid. *Sabeo*.

Sueco. A. *Schwedisch;* I. *Swedish;* F. *Suédois.* Lengua nórdica*, hablada en Suecia y puntos de la costa finlandesa por unos seis millones y medio de personas.

Sueltos (Versos). Son los que, yendo en una composición en la que poseen rima los restantes versos, ellos no la tienen: *Goza tu juventud y tu hermosura / ¡oh sol!, que cuando el pavoroso día / llegue que el orbe estalle y se desprenda / de la potente mano / del Padre soberano, / y allá a la eternidad también descienda / deshecho en mil pedazos, destrozado, / y en piélagos de fuego / envuelto para siempre y sepultado, / de cien tormentas al horrible estruendo, / entonces morirá; noche sombría / cubrirá eterna la celeste cumbre. / ¡Ni aún quedará reliquia de tu lumbre!* (Espronceda). Vid. *Blancos (Versos), Verso* libre.

Sufijo. Morfema que, unido a una base en su parte final, forma un derivado: *-ico, -ote, -dor,* etc. No debe confundirse con la *desinencia,* llamada a veces, con término que

induce a error, *sufijo flexional.* Vid. *Infijo.*

Sujeción (**«Subiectio»** o **«Hypophora»**). Figura retórica que consiste en hacer el que habla o escribe preguntas a que él mismo responde: *¿Qué es la vida? Un frenesí. / ¿Qué es la vida? Una ilusión, / una sombra, una ficción...* (Calderón).

Sujeto. 1.—Término de la oración que funciona como actor (*el perro* ladra) o como soporte (*la calle* es ancha del predicado*. **2.**— **Sujeto aparente** [A. *Scheinsubjekt*]. Se da a veces este nombre al pronombre que aparece en algunas lenguas con los verbos impersonales*: fr. *il* pleut, al. *es* regnet. **3.**—Sujeto lógico, psicológico. Vid. *Predicado.* **4.**—Sujeto paciente. Actuado por un verbo en voz pasiva (este cuadro *fue pintado por Goya*).

Suletino. Vid. *Vasco*.

Suma. I. *Sum.* En Glosemática, «clase* que tiene función con otra u otras series del mismo rango» (Hjelmslev). La suma, en el texto*, se denomina *unidad,* y en el sistema, *categoría.* «Por ejemplo, en el texto siguiente: *¹ Las romerías se van, / ² me decía mustio un hombre alegre a estilo antiguo. / ³ El buen*

*humor, o se muere / ⁴o descansa
para reponerse,* encontramos una serie de clases, que provisionalmente llamamos frases y separamos con rayas verticales. Cada una de estas [cuatro] clases tiene función con alguna otra de entre ellas: entre 1 y 2, selección*; entre 3 y 4, solidaridad*...; cada una de ellas es una *unidad,* cadena que tiene relación con otras cadenas de la misma serie. Si agrupamos juntas todas las clases que tienen una misma función, obtendremos varios paradigmas: uno de «frases» seleccionantes, otro de «frases» seleccionadas, otro de «frases» solidarias, etc.; cada uno de estos paradigmas tiene función con algún otro paradigma de la misma serie: el paradigma de frases seleccionantes y el de frases seleccionadas contraen selección, etcétera; cada uno de ellos es una *categoría,* es decir, paradigma que tiene correlación con otros paradigmas de la misma serie» (Alarcos Llorach).

Sumerio. Idioma de difícil filiación, hablado en Mesopotamia antes de la invasión semítica.

Sumi. Vid. *Finlandés.*

Superestrato. Fenómenos producidos por una lengua llevada a otro dominio lingüístico en un proceso de invasión y que desaparece o no es adoptada ante la firmeza de la lengua aborigen. W. von Wartburg, creador del término (1933), ha hecho notar cómo, en estos casos, la lengua desaparecida puede teñir con algunos rasgos fónicos, léxicos y gramaticales a la lengua que persiste. Así, por ejemplo, la distinción que el francés y el italiano hacen en la diptongación entre sílabas libres y trabadas es, según Wartburg, la consecuencia de un residuo que los hábitos articulatorios de los germanos dejaron en el latín al adoptar éstos la lengua del Imperio conquistado y abandonar la suya propia: un fenómeno de superestrato, por tanto. Se han señalado también como acciones de superestrato las ejercidas por el español sobre el guaraní, el quechua y el náhuatl. Vid. *Sustrato, Adstrato.*

Superlativo. 1.—Grado máximo de significación de un adjetivo. Puede atribuir su cualidad a un objeto con independencia de los demás objetos *(muy alto, altísimo),* y recibe entonces el nombre de **superlativo absoluto.** O puede atribuirla a un objeto comparándola con la misma cualidad del mismo o de otros objetos *(está más pálido que nunca, el* *más alto de la clase)*; se le denomina en este caso superlativo relativo. **2.—Superlativo orgánico.** Es el superlativo inherente a la significación de un adjetivo, sin necesidad de utilizar medios sintácticos de expresión: *óptimo, máximo, mínimo,* etcétera. **3.—Superlativo hebraico.** Vid. *Hebraísmo.*

Superposición silábica. *Silbenschichtung, Silbenüberschichtung.* Se da este nombre, frecuentemente, a la *haplología.*

Supino. Es un nombre de acción, terminado en *-tum* (acusativo) o en *-tu* (dativo o ablativo), integrado en el sistema verbal latino. El término *supino* se empleó en principio para designar toda forma verbal indiferente desde el punto de vista de la voz, tiempo y modo por analogía con la actitud de un hombre acostado descuidadamente. Pronto se especializó para designar las formas en *-tum, -tu.* La primera de ellas acompaña ordinariamente a los verbos de movimiento: *ire dormitum* 'ir a dormir'; la forma en *-tu* suele emplearse con adjetivos que significan 'bello, bueno, digno, fácil, útil', etc., *res facilis dictu* cosa fácil de decir'.

Supleción. A. *Suppletivität, Suppletivismus.* Fenómeno que se produce cuando en una serie morfológica se cubren algunas formas que faltan con formas pertenecientes a otra serie. Así, *esse* tomó varias formas, en latín vulgar, a *sedere.* Las formas incorporadas al nuevo sistema *(sea, seas... sed, siendo,* etc., en español), se denominan **formas supletivas.** Alguna vez se distingue entre supleción en un paradigma nominal, y el fenómeno se denomina entonces **heteroclisis,** y supleción en un paradigma verbal, y entonces se le da el nombre de **heterosicigia.** Los lingüistas de Copenhague extienden la noción de *supleción* a los casos de sinonimia *(perro-can),* es decir, a las expresiones que corresponden a un solo contenido o plerema*.

Supletivo. Vid. *Supleción.*

Supplere. Operación de la *emendatio**, que consiste en completar conjeturalmente lagunas o pasajes deturpados del texto.

Supradental. Término que alterna alguna vez con *cacuminal.*

Supraglotales (Consonantes). Término que alterna con el de consonantes eyectivas* o recursivas.

Suspensión. 1.—En Glosemática, cesación de la vigencia de un funtivo, bajo ciertas condiciones. El concepto se corresponde con el fonológico de neutralización*, pero se aplica también a entidades más extensas. El conjunto de estos funtivos, cuya conmutación ha quedado suspendida, es un **sincretismo** [I. *Syncretism*]. El sincretismo tiene dos clases de manifestaciones: la *coincidencia** y la *implicación**. **2.— Tonema de suspensión.** Vid. *Tonema.* **3.—**Figura retórica que se produce cuando se mantiene suspenso el ánimo del lector u oyente. A veces el interés se distiende jocosamente: *Esto oyó un valentón, y dijo: «Es cierto / cuanto dice voacé, seor soldado, / y quien dijere lo contrario miente. / Y luego incontinente / caló el chapeo, requirió la espada, / miró al soslayo, fuese... y no hubo nada* (Cervantes). Se denomina también *sustentación**.

Suspensiva (Función). «Toda palabra variable afectada de una vocal temática o de un sufijo cuya función consiste en indicar que hay una pausa (suspensión) en un discurso que prosigue, se dice que está en función suspensiva» (Meillet-Cohen).

Sustancia lingüística. En Glosemática, recibe tal nombre el conjunto de elementos materiales de una lengua, o sea los sonidos (**sustancia de la expresión**) y la significación de dichos elementos (**sustancia del contenido**). Una lengua, según Saussure, es una *forma* y no una *sustancia.* Ello hace que la sustancia sea abstraída por el método glosemático, que se centra en el estudio de la forma, es decir, de las puras relaciones o funciones que existen en el seno de una lengua.

Sustantivación. A. *Substantivierung.* Metábasis* por la cual una palabra pasa a desempeñar una función típica del sustantivo. Algunos lingüistas distinguen entre **sustantivación usual** o **semántica** [A. *Usuelle o semantische Substantivierung*] (tipo *cantar* 'canción') y **sustantivación ocasional** o **sintáctica** [A. *Okkasionelle o syntaktische Substantiveirumg*] (tipo *su* r e í r *era contagioso*). La primera no está condicionada por circunstancias sintácticas [A. *Unbedingte Substantivierung*], mientras que la segunda depende de tales circunstancias [A. *Bedingte Substantivierung*]. Así, el infinitivo sustantivado *cantar* 'canción', puede funcionar como sustantivo independientemente de su papel sintáctico; el adjetivo *sabio*, en *Alfonso el Sabio* está sustantivado por cuanto desempeña la función de complemento yuxtapuesto de un nombre, que es típica del sustantivo.

Sustantivo. 1.—Nombre sustantivo Vid. *Nombre.* **2.**—Verbo sustantivo. Se da este nombre alguna vez al verbo *ser.* **3.**—Oración sustantiva. Alterna esta designación con la de *oración completiva.*

Sustentación. Vid. *Suspensión.*

Sustituto. Forma gramatical* caracterizada por el hecho de ser usada como equivalente convencional de otra forma. Así, el pronombre, como sustituto convencional del nombre (Bloomfield). El fenómeno se denomina **sustitución** [I. Substitución].

Sustractivos (Morfemas). Vid. *Aditivos.*

Sustrato. Por analogía con las capas geológicas, se da a este nombre a la lengua que, a consecuencia de una invasión de cualquier tipo, queda sumergida, sustituida por otra. La lengua invadida no desaparece sin dejar teñida a la invasora de algunos rasgos: palabras que sobrenadan en el hundimiento, hábitos fonéticos, de entonación, gramaticales, etc. Fueron A. Schleicher y Graziadio Isaia Ascoli (s. XIX) los primeros en señalar el influjo del sustrato. Muchos fenómenos en la Romania se atribuyen a este influjo; así, por ejemplo, la pérdida de *f-* inicial en castellano, atribuida a sustrato vasco, o el paso ct > *it* (cast. *ch*), que parece motivado por sustrato celta. Vid. *Adstrato. Superestrato.*

Svarabhakti. Término indio con el que alguna vez se designa la *anaptixis*.*

Svarita. Vid. *Anudātta.*

Swa. Vid. *Schwa.*

Tabú. A. *Tabu, Verbot;* I. *Taboo;* F. *Tabou, Mot interdit.* Voz polinesia que, en Lingüística, se utiliza para designar cualquier palabra que, por motivos religiosos, supersticiosos o de índole social, es evitada por el hablante, el cual debe aludir al concepto mediante una metáfora, una perífrasis (en este sentido, son *tabúes* muchos eufemismos) o una deformación del vocablo propio. En este último caso, la palabra resultante es llamada por los lingüistas franceses *mot taboué* 'palabra «tabuizada»', la cual aparece frecuentemente en juramentos y exclamaciones: *¡mecachis!, ¡¡joroba!* Vid. *Eufemismo, Atracción afectiva.*

Táctica (Forma). Vid. *Taxema.*

Tagalo. Lengua del grupo malayo-polinesio, hablada por una raza indígena de Filipinas que habita en el centro de la isla de Luzón. En Manila se ha formado una lengua mixta, el **tagalo-español** o *español de cocina,* de carácter muy irregular, con una participación muy variable de elementos españoles e indígenas.

Tagmema. Vid. *Gramatical (Forma).*

Tai. Vid. *Chino-tibetano.*

Taki-Taki. Vid. *Criollo (Idioma).*

Tardío. Se aplica a las lenguas o a los fenómenos lingüísticos cuando se presentan en las últimas fases de su evolución.

Tarraconense. Vid. *Catalán.*

Tatpurusha. Vid. *Compuesto.*

Tautofonía. Repetición de un mismo sonido o de un mismo grupo de sonidos en una palabra (l. *miserere,* esp. *tetraedro,* etc.), que da origen a numerosos fenómenos fónicos (disimilación, metátesis, apócope, etc.).

Tautofónico. Sonido que se repite en un fenómeno de tautofonía*.

Tautología. 1.—«Repetición de un mismo pensamiento expresado de distintas maneras. Suele tomarse en mal sentido· por repetición inútil y viciosa» (DRAE): *la razón de mi pensamiento y el motivo de mi creencia...* **2.**—Fenómeno que se produce en formaciones del tipo *puente de Alcántara, ciudad de Medina, calle de la Rúa,* etc., en que nombre y denominación significan lo mismo.

Tautosilábico. A. *Tautosyllabisch;* I. *Tautosyllabic;* F. *Tautosyllabique.* Se dice del grupo vocálico o consonántico que se encuentra en una sola sílaba: *cie-lo, trans-ferir.* Se opone a *heterosilábico.*

Taxema. I. *Taxeme.* Para Bloomfield y sus discípulos, rasgo simple de una estructura gramatical. Así, *Run!,* en inglés, contiene dos taxemas: el tonema exclamativo final y el rasgo selectivo, que consiste en el uso de un infinitivo (frente al que, por ejemplo, supondría elegir un nombre: *John!).* Cada uno de estos dos taxemas es una *forma táctica* [I. *Tactic form*] (Bloomfield).

Tecnicismo. Palabra que posee un sentido concreto y determinado dentro de la jerga propia de un oficio, arte, industria o ciencia.

Telesticha. Vid. *Acróstico.*

Tema. A. *Stamm;* I. *Stem.* Radical que permite la inmediata inserción de los elementos de flexión. Está, en general, constituido por la raíz, más uno o varios determinativos, llamados también **morfemas temáticos.** Si el determinativo es uno, el tema es **primario** *(can-t-o);* si son dos, **secundario** *(ama-bili-tat-is);* si son tres, **terciario** *(ama-si-uncu-lu-s),* etc. Si el tema se origina al despojar una palabra de desinencias casuales, se llama **tema nominal** [A. *Nominalstamm*]; y si se le ha privado de desinencias verbales, recibe el nombre de **tema verbal** [A. *Verbalstamm*]. El tema resultante de segregar las desinencias del presente de indicativo se llama **tema de presente** (am-o, -as, at...), y: el que resulta de segregar las desinencias del pretérito indefinido o perfecto absoluto, **tema de pretérito o de perfecto** (cup-e, -iste, -o). Según el tema termine. en vocal o en consonante, recibe el nombre de **vocálico o consonántico.** El tema nominal se denomina también *base sufijal.*

Temático. 1.—**Morfema temático.** Nombre frecuente que se da al determinativo de la raíz, es decir, al elemento que se añade a la raíz para constituir un tema de flexión. Si dicho morfema es una vocal, ésta se denomina **vocal temática**. Así, la *i* de *ag-i-mus*. 2.—**Nominativo temático**. Vid. *Nominativo*.

Tematología. Cualquier repetición hecha con intención estilística.

Tempo. Alude este término, tomado de la terminología musical, a la velocidad del enunciado (lento, rápido, etc.), que puede tener importantes consecuencias fónicas. Vid. *Forma plena*.

Temporal. Referente al tiempo gramatical. Se habla así de **desinencias temporales, aumentos temporales**, etc.

Tendencia. A. *Trieb;* I. *Drift.* Frente a la ciega necesidad que los positivistas atribuyeron a la manera de obrar de las leyes fonéticas, modernamente se tiende a valorar la existencia de tendencias, es decir, de oscuras propensiones que, en determinado tiempo y lugar, se perciben en algunos elementos del sistema, y que les llevan a una evolución concurrente, siempre, claro es, que fuerzas espirituales (analogía, etimología popular, evitación de homonimia, reacción culta, etc.) no contrarresten dichas propensiones.

Tensas (Consonantes). Fonemas consonánticos caracterizados porque el obstáculo que se opone a la salida del aire está reforzado por la tensión de los músculos bucales, lo cual obliga a que la presión del aire sea igualmente más intensa. Son las consonantes llamadas, con término latino, *fortes*. Se oponen a las *flojas**.

Tensión. A. *Klarphase, Halte, Stellungsphase, Verschlussdauer;* I. *Retention;* F. *Tenue, Phase typique.* 1.—Segundo momento de la articulación, que sigue al de intensión. En él, los órganos permanecen fijos durante algún tiempo, hasta que sobreviene la distensión. 2.—**Tensión muscular**. Vid. *Intensidad*. 3.—**Tensión verbal**. Vid. *Tiempo in posse**.

Tensivo (Aspecto). 1. — **Aspecto tensivo**. «Aspecto simple representado por el infinitivo no compuesto: fr. *marcher*, que llamaremos *aspecto tensivo*, ya que representa el verbo en tensión*» (Guillaume). Vid. *Extensivo, Biextensivo*. 2. **Rama tensiva**. Parte de la línea de entonación que corresponde a la prótasis gramatical. Vid. *Distensiva (Rama)*.

Tenso. Vid. *Relajado*.

Tenue. Consonante sorda*.

Terceto. Estrofa formada por grupos de tres versos de arte mayor, conforme al esquema *ABA, CDC, EFE...* Variedad importante son los tercetos encadenados, que obedecen a la fórmula *ABA BCB CDC... XYX YZYZ.* Vid. *Encadenamiento.*

Tercia rima. Composición poética cuyas estrofas son tercetos encadenados.

Terciario. Vid. *Tema, Rango, Derivado.*

Terminación. A. *Endung;* I. *Ending.* Término vago con que se designa la parte última de la palabra, ordinariamente el morfema (sufijo o desinencia) final.

Terminativo (Aspecto). Aspecto que presenta la-acción en su momento final, sin aludir a su comienzo ni a su desarrollo: *coincidimos en la puerta.*

Término. 1.—Palabra. Se utiliza ordinariamente cuando se piensa en la palabra como elemento funcional de una frase. Así, decimos: «este término es el sujeto de la oración», «término de rango primario», etc. **2.** Palabra especialmente empleada en una ciencia, un arte, un oficio. Puede alternar como sinónimo de *tecnicismo.* En este sentido hablamos de *términos judiciales, médicos, filológicos,* etc. **3.**—Andrés Bello especializó este nombre para designar la palabra o grupo de palabras en que termina la relación expresada por una preposición: *un libro de* Iriarte; *escribe con* una pluma de acero, etcétera. **4.**—Elemento del sistema lingüístico. Se da el nombre de **término marcado o caracterizado** [A. *merkmalhaft*] al que, en oposición (fonológica, morfológica, semántica, rítmica, etc.) lleva la marca* de correlación, y el de **término no marcado** o no caracterizado [A. *merkmallos*] al que no la lleva.

Terminología. «Conjunto de términos o vocablos propios de determinada profesión, ciencia o materia» (DRAE).

Tesalio. Vid. *Griego.*

Tesis. Término con que, en un principio, se designó, en la métrica clásica, el descenso del pie con que se regulaba el ritmo, coincidiendo con la sílaba larga como elemento caracterizado. Los gramáticos latinos tardíos, cuando la métrica pasa a basarse en la intensidad, dan a este término el valor contrario y pasa a significar el elemento no caracterizado. Hoy se prefiere la designación de *tiempo marcado* [A. *Hebung;* F. *Temps fort, frappé*]. Vid. *Arsis.*

Tetradecasílabo. Vid. *Alejandrino.*

Tetrámetro. Verso compuesto de cuatro metros. Con este término se designa ordinariamente el **tetrámetro trocaico cataléctico:** ‿ ‿ – ⏑ – ‿ ‿ – ⏑ – ‿ – ‿ – ⏑ ⏑.

Tetrástico monorrimo. Nombre que se da también a la cuaderna vía.

Texto. Término especializado por la Glosemática para designar todo conjunto analizable de signos. Son textos, por tanto, un fragmento de una conversación, una conversación entera, un verso, una novela, la lengua en su totalidad, etc.

Tibetano. Vid. *Chino-tibetano.*

Tiempo. 1.— Momento (pasado, presente o futuro) en que transcurre la acción verbal. Es una verdadera categoría gramatical, cuya expresión corresponde a las desinencias verbales. Un sistema de formas

gramaticales que expresen la misma noción temporal, con sólo variaciones de número y persona, constituye un *tiempo verbal.* Así, pues, el término *tiempo* alude, a la vez, al tiempo lógico como categoría de pasado, presente o futuro [A. *Zeitstufe;* I. *Time;* F. *Temps*] y a un sistema homogéneo de formas (presente de indicativo, futuro imperfecto, etcétera) [A. *Zeitform;* I. *Tense;* F. *Temps*]. La categoría de tiempo se interfiere, en las formas verbales, con la de modo y con la de aspecto. Resultan así, lógicamente, tiempos pasados, presentes y futuros, perfectos e imperfectos, de indicativo y subjuntivo. Un tiempo verbal que expresa su noción temporal con referencia exclusiva al sujeto se denomina **tiempo absoluto:** *Luis vino ayer; iré pronto;* cuando su noción temporal va referida a otro tiempo del contexto gramatical, se denomina **tiempo relativo:** *cuando llegó, ya había terminado.* Vid. *Tiempo simple y compuesto, Gnómico.*
2.—**Tiempo marcado o no marcado.** Vid. *Ictus, Marcado, Arsis, Tesis.*
3.—**Tiempos de la articulación.** Se da este nombre a los momentos que pueden percibirse en el desarrollo de una articulación. Son **intensión, tensión** y **distensión.**

Tilde. (Diacrítico (˜) que aparece en la escritura sobre algunas abre-

viaturas, como constitutivo de la letra ñ, etc. En algunos manuscritos
medievales aparece sin función diacrítica; Menéndez Pidal lo llama entonces tilde ociosa o inútil.

Timbre. «El movimiento vibra-
torio generador del sonido es, en
general, un fenómeno complejo en
que intervienen simultáneamente, de
una parte, un movimiento vibra-
torio principal (A. *Grundton),* y de
otra, uno o más movimientos vibra-
torios secundarios (A. *Obertöne).*
En el lenguaje, el tono fundamental
de cada sonido es el que producen
las vibraciones de las cuerdas vocales, y los tonos secundarios resultan de las resonancias que aquél
produce en la cavidad o cavidades
formadas en el canal vocal por la
especial disposición de los órganos
articuladores. A cada cavidad o resonador, según su forma y volumen,
le corresponde una nota de una
altura determinada (A. *Eigenton).*
En este conjunto sonoro de tono
fundamental y tonos secundarios, el
resonador predominante es precisamente el que determina el *timbre*
o matiz característico de cada sonido (A. *Klangfarbe).* Los sonidos son
por su timbre, así como por su tono, *agudos* o *graves,* según la nota
que corresponde a su resonador
predominante» (Navarro Tomás).
Vid. *Armónico.*

Tipo La Lingüística del siglo XIX
clasificó las lenguas en varios *tipos*
o grupos, según los procedimientos
morfológicos de que se valían para
relacionar las palabras en la frase:
*flexivas, aglutinantes, isolantes, po-
lisintéticas,* etc. Vid. *Tipología lingüística.*

Tipología lingüística. Rama de
la Lingüística creada por N. Finck,
y desarrollada modernamente (Ginneken, Lévy-Bruhl, Lewi, etc.), que
se ocupa de agrupar las lenguas en
tipos que se correspondan con posibles tipos o estructuras mentales
de los diversos pueblos, sin tener
en cuenta razones de historia lingüística. Desde este punto de vista,
el inglés, p. ej., lengua históricamente germánica, puede agruparse
en un mismo tipo con el francés,
el español, etc.

Tixleira. Vid. *Jerga.*

Tmesis. Hipérbaton que consiste en intercalar una palabra entre
los dos elementos de otra compuesta: *epistula illa nobis valde utilis
perque grata fuit (pergrata)* 'aquella carta nos fue muy útil y muy
grata'; port. *fálo-ei* 'lo haré'.

Tocario. Idioma indoeuropeo del
Turquestán chino, descubierto en

1908 en manuscritos del primer milenio d. de J. C.; pertenece al grupo *centum*.

Tonalidad. 1.—Altura relativa de una vocal. **2.**—Entonación.

Tonema. 1.—Inflexión que recibe la entonación en la frase, a partir de la última sílaba de una frase enunciativa. Esta acepción ha sido propuesta por Navarro Tomás, que describe en español cinco tipos de tonemas: A) **Tonema de cadencia.** Terminación grave, con descenso de la línea de entonación por debajo de la que se ha seguido en el cuerpo de la frase. Se da en la terminación de una frase enunciativa independiente: *el libro es malo*. Corresponde a la rama distensiva. B) **Tonema de anticadencia.** Inverso al anterior. Corresponde al final de la rama tensiva. C) **Tonema de semicadencia.** Terminación descendente, pero no tanto como en la cadencia. «Expresa el concepto o proposición o serie semántica, la aseveración insegura, la idea insuficientemente definida»: *el libro no es malo*. D) **Tonema de suspensión.** La línea de entonación continúa hasta el final, sin sufrir elevación ni descenso. Es propio de las frases interrumpidas o pendientes de continuación. E) **Tonema de semianticadencia.** Ter-

minación menos alta que la de anticadencia. «Corresponde a unidades interiores de sentido continuativo y señala oposiciones y contrastes de carácter secundario». **2.**—Acento musical o de intensidad susceptible de diferenciar dos formas: *canto-cantó*. **3.**—Término propuesto por D. Jones (1950) para designar una familia de tonos, en una lengua tonodistintiva, cuyas diferencias se deben al contexto fonético o tonal, y que cuentan, a efectos lingüísticos, como si fueran un mismo tono.

Tonética. Rama de la Fonética (o de la Fonología) destinada al estudio de los tonos y de la entonación.

Tónico. A. *Hochtonig, betont.* Se dice del elemento (vocal, sílaba) que lleva el acento musical o el acento de intensidad. A veces se da el nombre de acento tónico al acento de intensidad.

Tonillo. Vid. *Acento.*

Tono. A. *Tonhöhe, Höhe;* I. *Pitch;* F. *Hauteur musicale.* **1.**—Cualidad física del sonido, que «depende de la frecuencia de las vibraciones que producen el sonido: a medida que esta frecuencia aumenta o disminuye, el tono del sonido

se eleva o desciende, respectivamente. Por razón de su altura relativa,
los sonidos se llaman *agudos* o *graves*. Las vibraciones de un sonido
agudo son, pues, dentro de la unidad de tiempo, más numerosas que
las de un sonido grave. La distancia
entre dos sonidos de tono diferente
se llama *intervalo*. La línea de altura musical determinada por la serie
de sonidos sucesivos que componen
una palabra, una frase o un discurso se llama **entonación»** (Navarro
Tomás). **2.**—Acento musical. No debe confundirse con el acento de intensidad. En griego, este acento musical puede ser agudo* [A. *Steigton,
Hochton;* I. *Acute accent;* F. *Accent aigu*], **grave*** [A. *Tiefton*] y
circunflejo [A. *Zweigipfliger Ton*].
Por constituir el grave la ausencia
de tono, sólo había dos tonos: el
agudo y el circunflejo. Un gramático del siglo ı a. J. C. «habla también de un **tono medio**, μέσος [A.
Mittelton; I. *Middle tone*], que figura siempre al lado del agudo; es
que no se puede pasar del agudo al
grave mediante un descenso carente
de duración, sino por un estado intermedio, que, partiendo de la altura del agudo, llegue progresivamente a la del grave... El μέσος es exactamente el equivalente del tono que
los hindúes llaman *svarita* (descendente) y que es intermedio entre el

udātta (alto, agudo) y el *anudātta*
(no alto, bajo, grave). Según Dionisio
de Halicarnaso, que vivía en época
de Augusto, en la lengua hablada la
voz no subía para el agudo más de
tres tonos y medio, y no bajaba más
para pasar del agudo al grave»
(Grammont). **3.**—Los términos **tono
agudo, grave** y **circunflejo** se emplean a veces como sinónimos de
entonación o **inflexión ascendente** [A.
Aufton, Steigender Ton; I. *Rising
tone* o *intonation;* F. *Ton montant*
o *ascendent*], **entonación** o **inflexión
descendente** [A. *Abton;* I. *Falling
.tone*] y **ascendente - descendente** o
descendente - ascendente [I. *Rising-
falling* o *Falling-rising*], respectivamente, según que el tono aumente,
decrezca, o suba y baje, o viceversa,
de principio a fin de sílaba. Así, el
«primer tono» del sueco y del noruego, llamado tono o acento agudo,
por su carácter ascendente. **4.**—Se
distingue en algunos idiomas entre
dos tipos de tono, que en alemán se
designan con los términos *Stosston*
o *Gestossener Akzent* y *Geschleifter*
o *schleifender Akzent* o *Schleifton*
o *Gedehnter Ton*, y en francés, *accent frappé* y *accent aiguisé*, respectivamente; el primero es un tipo
de entonación que se produce al
principio de la emisión vocálica, sobre todo en los diptongos; el segun-

do se produce en el centro de una vocal prolongada (Heffner).

Tonodistintiva (Lengua). I. *Tone language.* Término con que traducimos el propuesto por D. Jones (1950) para designar toda lengua en la cual el tono ejerce función distintiva. Las principales lenguas tonodistintivas actuales son: chino, birmano, siamés, lenguas bantúes, noruego, sueco, lituano y servocroata.

Toponimia o Toponomástica. A. *Ortsnamenkunde;* I. *Study of place-name.* 1.—Rama de la Onomástica destinada al estudio de los nombres de lugar. 2.—**Toponimia de una región, de un pueblo,** etc. Conjunto de nombres de lugar de tal región o pueblo. Se subdivide en **toponimia mayor** o de grandes lugares: pueblos, ríos, montes, valles, etc., y **toponimia menor,** o nombres de pequeños lugares: arroyos, torrenteras, solanas, riscos, altozanos, hondonadas, etc.

Topónimo o toponomástico. A. *Ortsname;* I. *Place-name;* F. *Nom de lieu.* Nombre de lugar; es llamado también **nombre toponímico.**

Tortosino. Vid. *Catalán.*

Trabada (Sílaba). Vid. *Sílaba.*

Trabalenguas. A. *Zungenbrecher.* Palabra o expresión difíciles de pronunciar, en especial cuando se proponen como juego.

Tracio-frigio (Grupo). Grupo de lenguas indoeuropeas mal conocidas, habladas antiguamente al N. de la península balcánica, costa occidental del Mar Negro (tracios), proximidades de Macedonia y Asia Menor (vid. *Armenio*). Del tracio se conserva una breve inscripción del siglo V a. de J. C.; del frigio, dos series de inscripciones en caracteres griegos: una de entre los siglos VII y V a. J. C., y la otra, de los siglos III-IV d. J. C.

Tradición diplomática. Conjunto de manuscritos* o impresos que han transmitido hasta nosotros un texto literario *(tradición directa)* así como de sus fuentes literarias, sus traducciones a otras lenguas, comentarios, alusiones, citas, imitaciones, parodias, etc., que puedan ayudar de algún modo a fijar el citado texto *(tradición indirecta).* La reunión de todos estos materiales constituye la *recensio*.

Tradicional (Acento). Vid. *Acento.*

Traducción («Traductio»).
Vid. _Poliptoton_ y _Antanaclasis._

Traiectio. Interposición de una palabra entre dos ideológicamente enlazadas: _En la llanura venció del mar_ (Herrera). «En la poesía clásica... es frecuente poner al fin, con el sustantivo intercalado, un segundo adjetivo correlativo (**adjetivo adyecticio**): _A la pesada vida y enòjosa_ (Garcilaso)... También es frecuente colocar al fin un segundo sustantivo correlativo (**sustantivo adyecticio**): _Nuestros niños prender y las doncellas_ (Herrera)» (García de Diego). Vid. _Interposición._

Transcendente (Lingüística). Nombre que se da a la Lingüística tradicional, que considera la lengua como medio de comunicación del pensamiento o de la emotividad, y se atiene a sus elementos materiales. Sus postulados son ajenos a la esencia del lenguaje. Frente a ella se alza hoy la Lingüística basada en el principio de inmanencia*.

Transcripción. 1.—Escritura en un alfabeto de lo que está escrito en otro (**transliteración**). **2.**—Escritura en alfabeto fonético de lo que está escrito en alfabeto ordinario o de lo que se oye pronunciar al hablante, procurando la mayor fidelidad en la percepción y representación de los sonidos (**transcripción fonética**; A. _Lautschrift_) **3.**—**Transcripción no alfabética.** Tipo de transcripción fonética ideado por O. Jespersen [I. _Analphabetic Notation_]. Cada sonido está representado por varios símbolos, consistentes en letras griegas (que indican los órganos articuladores) y cifras (que expresan el grado de abertura). A veces se usan letras latinas como exponentes. La palabra inglesa _man_, por ejemplo, se representaría así: α0 δ2 ε1.

Transfonologización. Vid. _Refonologización._

Transición (Sonido de). A. _Übergangslaut, Gleitlaut;_ I. _Glide-Sound._ Sonido que a veces se desarrolla entre dos articulaciones muy diversas en su punto o en su modo de articulación, para facilitar el paso de una a otra. Así, fue un sonido de transición la _b_ que se desarrolló en la evolución del grupo secundario _m'n > m'br > mbr:_ h o m i n e > _hombre._

Transicional (Aspecto). Vid. _Efectivo (Aspecto)._

Transitivo. 1.—**Verbo transitivo.** Es el que admite complemento directo. Hay verbos usados como transitivos, es decir, que siendo ordinariamente intransitivos, funcionan, en un caso concreto, como transitivos o activos*: *anduvo el camino;* vid. *Acusativo interno, Activo, Intransitivo.* 2.—**Oraciones transitivas.** Oraciones cuyo predicado es un verbo transitivo o usado como tal.

Translaticio. «Aplícase al sentido en que se usa un vocablo para que signifique o denote cosa distinta de la que con él se expresa empleado en su acepción primitiva o más propia y corriente» (DRAE). Así, *luminosa,* en *una luminosa hipótesis.*

Transliteración. Transcripción de las palabras escritas en un alfabeto, con letras de otro alfabeto más familiar al lector. La transliteración se efectúa letra a letra, según la correspondencia de los sonidos por ellas representados. Cuando dicha correspondencia no es exacta suelen emplearse diacríticos auxiliares. Vid. *Transcripción.*

Transmisión textual. Vías que han seguido los manuscritos y ediciones de un texto antiguo para llegar hasta nosotros. La transmisión puede ser *vertical,* es decir, proveniente del original*, del arquetipo* o de un apógrafo*; *horizontal,* cuando se produce por el cotejo de diversos ejemplares de la misma época y del mismo lugar; *transversal,* cuando este cotejo se ha realizado con materiales de épocas y lugares diversos, y *contaminada* (Vid. *Contaminatio*).

Transmontano. Vid. *Portugués.*

Transponere. Operación de la *emendatio**, que consiste en alterar el orden de las palabras de un texto cuando éste parece viciado.

Trasposición. 1.—Ch. Bally ha especializado este término para hacerlo sinónimo de *metábasis.* 2.— Metátesis.

Traspositor. Llama así Ch. Bally al elemento gramatical que facilita o determina la metábasis. Así, *el,* en *el azul del mar.*

Trentino. Vid. *Ladino.*

Trevisano. Vid. *Italiano.*

Triada epódica. Vid. *Epódica.*

Trial. A. *Dreizahl;* I. *Trinal;* F. *Triel.* Número gramatical que denota la existencia de tres. Se da en lenguas de Tierra de Fuego y Melanesia.

Triángulo de vocales. Disposición gráfica de las vocales, que permite comprender intuitivamente la posición relativa de sus distintos puntos de articulación. Fue ideado por Hellwag (1781):

$$u \quad \ddot{u} \quad i$$
$$o \quad oe \quad e$$
$$a$$

Los vértices están ocupados, respectivamente, por la vocal extrema velar *u*, la extrema palatal *i* y la media *a*.

Tríbraco o tribraquio. Vid. *Pie.*

Tridecasílabo (Verso). Verso de trece sílabas. Navarro Tomás distingue estos tipos: A) **Dactílico** (oo óoo óoo óoo óo): *Yo palpito tu gloria mirando sublime.* B) **Compuesto de 7-6:** *Hay manos alevosas que de sus retiros.* C) **Compuesto de 6-7** (o óoo óo: o óo óo óo): *¿Sus dioses? El miedo, las sombras y la muerte.* D) **Ternario** (ooo óo oo óo oo óo): *En el jardín hay un olor de primavera.*

Triemímeris. Vid. *Cesura.*

Trímetro. Verso compuesto por tres metros.

Triolet. En la métrica francesa, poema de ocho versos, ordinariamente octosílabos, con rimas combinadas generalmente así *a b a a a b a b;* los versos 1, 4 y 7, 2 y 8, son idénticos.

Tripolitano. Vid. *Árabe.*

Triptongo. Complejo fónico formado por una semiconsonante, una vocal y una semivocal: *iai, uei,* en *limpiáis, averigüéis.*

Tronco lingüístico. Conjunto de familias de lenguas que poseen como ascendiente una remota y supuesta lengua común. El tronco principal es el indoeuropeo.

Tropo. A. *Bildlicher Ausdruck.* Figura consistente en que una palabra es empleada en un sentido que no es el habitual o normal. Los más importantes tropos son la **metáfora**, la **metonimia** y la **sinécdoque.**

Tropología. Empleo de lenguaje figurado.

Tropológico. Referente a los tropos*.

Troqueo. Vid. *Pie.*

Tuareg. Vid. *Líbico-bereber.*

Tunecino. Vid. *Arabe.*

Tupí-Guaraní (Grupo). Grupo de lenguas indígenas sudamericanas, compuesto de 68 idiomas, de los cuales se conservan 28. Sus primitivos hablantes estuvieron situados con toda probabilidad «en la región entre el Paraná y el Paraguay, y el ·guaraní es todavía la lengua dominante en la República de Paraguay. Sin embargo, antes del descubrimiento del continente, tribus guaraníes emigraron a la costa brasileña, hasta la desembocadura del Amazonas (aunque pocas de ellas permanecen allí ahora), y después remontaron el río casi hasta su fuente, estableciéndose a lo largo de muchos de sus afluentes, especialmente hacia el S. Mientras la rama meridional de la familia, el *guaraní,* permanece como vernácula en Paraguay, el **tupí** sirve como *lingua geral* en toda la cuenca del Amazonas y aun en todo el Brasil» (L. Gray).

Turanio. Vid. *Uralo-altaico.*

Turco. Vid. *Uralo-altaico.*

Turinés. Vid. *Italiano.*

Ucranio o ucraniano. Idioma eslavo, llamado también **ruteno**, hablado en Ucrania. Ha recibido gran influjo del polaco. Pedro el Grande prohibió la difusión escrita de esta lengua, imponiendo el empleo del ruso. La prohibición no fue eficaz.

Udātta. Vid. *Anudātta.*

Ugrofinés. Vid. *Fino-ugro.*

Ultraautoafirmación. Fidelidad de los hablantes a su lengua, que origina falsas acomodaciones al propio sistema de sonidos, voces, giros, etcétera, que presentan semejanza con otros de hablas vecinas, frente a las que se quiere mantener independencia idiomática. Ha forjado este concepto von Wartburg.

Ultracorrección. Fenómeno que se produce cuando el hablante interpreta una forma correcta del lenguaje como incorrecta y la restituye a la forma que él cree normal. El hablante yeísta, p. ej., tiene conciencia de su confusión de *ll* e *y*, y al escribir o hablar con cuidado, introduce erróneamente el fonema *ll* en palabras que deberían llevar el fonema *y: aller* 'ayer', *rellerta* 'reyerta'. Cuando tal error se produce en la escritura, los lingüistas alemanes lo denominan *Umgekehrte Schreibung*, y los franceses, *Contrépel*. A ultracorrección hay que atribuir pronunciaciones como *Bilbado, expléndido, périto, buevo* (huyendo de *güevo* 'huevo'), etc. Las formas en que ha operado la ultracorrección se denominan *ultracorrectas* [A. *Überhochsprachliche, Übermundartliche*]. Los lingüistas españoles prefieren el término *ultracorrección* al de **hipercorrección**, preferido por los lingüistas alemanes, franceses e ingleses. Estos hablan también de **hiperurbanismo**, considerando la ultracorrección como un intento de adaptación al habla culta de las ciudades, y de **hipernormalización** [A. *Hypernormalisierung, Übersteigerung*], pensando en la intención normalizadora que determina el error del hablante.

Ultraenajenación. A. *Überent-äusserung.* Palabra acuñada por Th. Gartner para designar el fenómeno, frecuente en situaciones de bilingüismo, consistente en abandonar una costumbre fonética para aceptar otra más allá de lo que se debiera. Por ej., cuando un gallego rústico que practica en su habla cotidiana la *geada* desea expresarse en castellano, procura corregir su *j*, y llega a sustituirla en palabras españolas que deben llevar dicho fonema, pronunciando *Guetafe*, por *Getafe, guefe* por *jefe,* etc.

Ultralarga. A. *Überlänge;* I. *Over-long.* Se da este nombre a la vocal, diptongo o sílaba, de duración normal larga, cuando se aumenta dicha duración por necesidades métricas. Existe también, fuera del verso, en las lenguas que, como el estonio, tienen largas de tres moras con valor distintivo.

Umbro. Vid. *Itálico.*

Umlaut. Vid. *Inflexión.*

Unidad. 1.— Unidad fonológica [A. *Phonologische Einheit*]. «Término de una oposición fonológica cualquiera». 2.—Unidades fonológicas correlativas [A. *Korrelative phonologische Einheiten*] o correlativos fonológicos [A. *Phonologische Korrelate*]. «Miembros de una pareja correlativa. Ejemplo: en latín *ā* y *a;* *ō* y *o,* etc.». 3.—Unidades fonológicas disjuntas [A. *Disjunkte phonologische Einheiten*]. «Unidades fonológicas que pertenecen a un sistema, sin formar entre ellas una pareja correlativa. Ejemplo: en latín, *a* y *u, a* y *n,* etc.» (TCLP). Vid. *Disjunción.* 4.—Para su acepción en Glosemática, vid. *Suma.* 5.—Unidad melódica. Se da este nombre, y el de *grupo melódico,* al grupo* fónico, aludiendo al hecho de que éste, por lo común, se constituye en la más pequeña unidad de entonación, dentro de la entonación del discurso en que se inscribe.

Unilateral. Se dice de la *l* cuando el canal vocal se produce a un solo lado de la boca, entre la lengua y los molares.

Unión. A. *Bindung, Anschluss;* I. *Connection;* F. *Liaison.* 1.—Vocal de unión [A. *Bindevokal*]. Se introduce, a veces, entre los elementos de un compuesto o de un derivado, o entre un tema y los elementos de flexión: *ag-i-mus.* Vid. *Morfema temático.* 2.—Elemento de unión. Se designa así a la vocal de unión y a cualquier tipo de *nexo.*

Unipersonal. Se da este nombre alguna vez al verbo *impersonal*, aludiendo al hecho de que sólo posee la forma correspondiente a la tercera persona del singular: *llueve, nevará, relampagueaba,* etc.

Univerbación. A. *Univerbierung;* I. *Juxtaposed compound.* Unión en un compuesto de dos o más palabras, cada una de las cuales conserva su valor propio. Así, los compuestos* copulativos frente a los aposicionales.

Uralo - altaico (Grupo). Supuesto grupo lingüístico (llamado también **turanio**), constituido por las lenguas **urálicas** [F. *Ouraliennes*] y las **altaicas.** Las primeras forman un vasto conjunto de idiomas hablados desde la costa septentrional de Noruega y las orillas del Latja, afluente del Danubio, hasta más allá del río Yenisey (Siberia). No ocupan un territorio continuo, sino enclaves (Hungría, Finlandia, Estonia, Curlandia, establecimientos fino-ugros de Rusia europea, colonias samoyedas de Siberia). Se clafisican en dos ramas: las lenguas **fino-ugras** o **fino-ugrias** (cuyos más importantes reresentantes son el *lapón, finés* —con el *sumi* o *finlandés* y el *carelio*— y el *húngaro* o *magiar,* que cuenta con unos once millones de hablantes; y las **samoyedas** de Siberia. Al grupo altaico pertenecen el *turco,* el *mongol,* hablado desde el Volga, en Rusia asiática, Turquestán chino y Mongolia, y el *manchú,* que se habla en Manchuria, NO. del Irán y N. de Afghanistán.

Urbanismo. Rasgo lingüístico propio de la ciudad. Vid. *Ultracorrección.*

Urdu. Vid. *Indo-iranio (Grŭpo).*

Uso. 1.—Empleo medio que los hablantes hacen de la lengua. El *uso* es invocado, a menudo, para decidir en los problemas de corrección lingüística. 2.—Lengua de uso [A. *Umgangsprache;* I. *Colloquial Speech;* F. *Langue d'usage*]. Modalidad lingüística que utilizan los hablantes de una lengua en sus relaciones cotidianas. Se opone a *lengua especial.* Se denomina también *lengua coloquial,* y no debe confundirse con *lengua vulgar* (= lengua del vulgo inculto).

Usus scribendi. Vid. *Emendatio.*

Ovula. A. *Zäpfchen;* F. *Luette.* Extremo terminal del velo del paladar.

Uvular. Articulación cuyos órganos pasivo y activo son, respectivamente, la úvula y el postdorso de la lengua. Así, *j,* en las sílabas españolas *ja, jo, ju.*

Vacías (Palabras). [F. *Mots vides*]. Vid. *Llenas (Palabras)*.

Valenciano. Vid. *Catalán y Lemosín*.

Valón. Vid. *Francés*.

Valor lingüístico. Concepto elaborado por Saussure. Con él se expresa el hecho de que cualquier elemento lingüístico forma parte de un sistema de relaciones entre dos cosas de orden diferente: significante y significado, sonidos y pensamiento. De ello se deduce que la «lengua es una forma y no una sustancia».

Variable. 1.—A. *Flexionsfähig, Veränderlich*. Que admite flexión. Las partes variables de la oración son el nombre, el adjetivo, el pronombre, el artículo y el verbo. Vid. *Invariable*. **2.**—En Glosemática, «funtivo cuya presencia no es condición necesaria para la presencia del funtivo con relación al cual desempeña su función» (Hjelmslev). Se opone a constante*. Vid. *Determinación y Constelación*.

Variante. 1.—En Fonología se distinguen los siguientes tipos importantes de *variantes*: A) **Variante combinatoria de un fonema** [I. *Positional variant*]. Forma que adopta un fonema al ser realizado, según los sonidos contiguos y su posición en la palabra (inicial, final, etc.). B) **Variante estilística.** Forma que adopta un fonema para someterse al estilo del habla (matices emocionales, tempo, etc.). C) **Variante fundamental** [A. *Grundvariante*]. «Aquella de las variantes de un fonema que depende menos de los fonemas que le rodean y que es realizada en un lenguaje desprovisto de matiz emocional y en la posición de diferenciación* máxima». D) **Variantes accesorias** [A. *Nebenvarianten*]. «Todas las variantes dadas de un fonema, salvo su variante fundamental». E) **Variante individual.** «Desviación individual de la realización corriente de un fonema, perceptible y admitida en una lengua dada». F) **Matices de los sonidos del habla** [A.

Lautschattierungen]. «Oscilaciones facultativas o individuales en la manera de realizar un fonema, que, al contrario de lo que ocurre con las variantes de un fonema, escapan a la conciencia lingüística. Toda obra de fonética experimental contiene una gran cantidad de ejemplos de estas oscilaciones, que forman verdaderas gamas de matices» (TCLP). **Vid.** *Sonido.* **2.**—Recibe tal nombre en Glosemática cada parte del texto que está constituida por elementos que se repiten en otras partes del texto. Por ejemplo, la palabra *cielo* es una variante; hay en ella elementos que se dan en otras palabras: *c (cesar), ie (viejo), l (palo), o (oso).* La sílaba *lo* es otra variante, por idéntica razón: *loco, malo, solo,* etc. **Vid.** *Invariante, Conmutación.* **3.**—Cada una de las distintas formas que aparecen en los manuscritos o ediciones de un mismo texto, correspondientes a un mismo pasaje. **4.**—Alótropo.

Varífona. I. *Variphone, Free phoneme.* Término propuesto por D. Jones para designar el conjunto de variantes involuntarias, sin valor distintivo, con que los distintos hablantes de una lengua emiten un sonido. La varífona viene a ser equivalente, en términos de Fonología, a la suma de realizaciones de un fonema.

Vasco. Lengua del País' Vasco español y francés. «El problema de los orígenes de la lengua vasca se ha aclarado considerablemente, gracias, sobre todo, al esfuerzo de Schuchardt. Hoy podemos afirmar, y ello es ya una verdad del dominio común, que en su íntima estructura, y en caracteres verdaderamente típicos, el vasco se parece a las lenguas del Cáucaso, lo cual impone un parentesco remotísimo en el tiempo, que nos traslada a varios milenios antes de Cristo. El país de lengua vasca tenía casi los mismos límites que el actual, por el O. (?), el N. y el S., ya en época romana, extendiéndose hacia el E. más que ahora, hasta el centro de la actual provincia de Huesca o, según otros, hasta la de Lérida» (A. Tovar). Los dialectos vascos fueron repartidos por el Príncipe Bonaparte (1863) en los siguientes grupos: *vizcaíno, guipuzcoano, altonavarro septentrional, labortano* (San Juan de Luz), *altonavarro meridional, suletino* (Tardets, Roncal), *bajonavarro oriental* y *bajonavarro occidental.* La identidad del vasco y el ibero parece descartada, si bien Bosch Gimpera supone que los antiguos vascos pudieron ser cultural y lingüísticamente iberizados. Se acostumbra a dar el nombre de vasco-románico [A. *Romanobaskisch*] al abundante conjunto de elementos lingüísticos de origen latino y románico que, por adstrato y bilingüismo, han sido incorporados y adoptados por el sistema vasco.'

Védico. Forma arcaica del sánscrito, empleada, sobre todo, como lengua sacerdotal. Poco a poco ha sido eliminada por el idioma *bhāsā*, o sáncrito clásico, utilizado en las escuelas de brahmanes.

Veglioto. Vid. *Dalmático.*

Velar. A. *Gaumensegellaut, Hintergaumenlaut.* 1.—Articulación cuyo órgano pasivo es el velo del paladar; p. ej., en castellano, *k, g* ante *a, o, u,* o bien *n,* en *anca;* y en catalán, toda *l* implosiva. Vid. *Postpalatal.* 2.— Vocales velares. Vid. *Posterior.*

Velarización. A. *Velarisierung.* Proceso mediante el cual un sonido desplaza su punto de articulación hacia el velo del paladar. Por ej., la *n* final de sílaba, en contacto con una consonante velar siguiente, se velariza: *banco (báŋko), lengua (léŋgwa),* etc.

Velo del paladar. Vid. *Paladar.*

Velours. Vid. *Cuir.*

Vendo. Vid. *Eslavo.*

Vendryes (Ley de). Rige en griego, y señala que toda properispómena cuya sílaba antepenúltima es breve se hace, en ático, proparoxítona.

Veneciano. Vid. *Italiano.*

Véneto. A. *Venetisch;* I. *Venetic;* F. *Vénète.* Idioma primitivo indoeuropeo hablado en el NE. de Italia, emparentado con el grupo itálico (Beeler, 1949; Krahe, 1950), y no con el ilírico, como se creía. Se conservan de él unas 200 inscripciones, de entre los siglos VI y I a. J. C., en las regiones de Este, Mantua, Padua, Trieste y valle del Piave; fue importado hacia el s. VIII a. J. C. a Italia del Sur.

Verbal. 1.—Referente al verbo. 2. Nombres verbales [A. *Verbalnomina*]. Se da este nombre al infinitivo, al supino *(sustantivos verbales)* y al participio *(adjetivo verbal).*

Verbo. Parte del discurso, fijada y descrita por Aristóteles como término de predicación (ῥῆμα). Fue

considerada como el núcleo central
de la frase. Los latinos adoptaron
para designarla el término *verbum*.
La distinción entre *verbo transitivo*
y *verbo intransitivo* fue conocida de
los latinos. La noción de *verbo auxiliar* data del Renacimiento. La definición de verbo ha sido muy deba-
tida desde la Antigüedad. Los gramáticos greco-latinos lo definen con
arreglo a los siguientes criterios
morfológicos: a) no admite flexión
casual; b) indica tiempo (de ahí el
término alemán *Zeitwort);* c) expresa acción o estado. Desde el punto de vista sintáctico, el verbo apareció pronto como la categoría del
predicado. Modernamente se han
señalado defectos en tales caracteri-
zaciones. A. Meillet define el verbo
como palabra que «indica un proceso» (Vid. *Proceso).* J. Larochette
(1950) ha opuesto con claridad las
nociones de *nombre* y *verbo:* «El
nombre no *indica* un objeto, un ser,
una entidad, sino que expresa una
«*cosa*» [= todo lo que se presenta
a nuestra conciencia: personas, animales, plantas, colores, estados, movimientos, etc.] *bajo la forma* de
objeto, de ser, de entidad, es decir,
la representa *en el espacio.* El verbo
no *indica* una acción, un movimiento, un estado, un proceso, sino que
presenta una cosa *bajo la forma* de
acción, de movimiento, de estado,

de proceso, es decir, la representa
en el tiempo». (Para las definiciones
de las distintas clases de verbos
incoativos, auxiliares, afectivos, etcétera, buscar estos términos). Vid.
Frase nominal.

Verboides. Término propuesto
por R. Lenz para designar las formas del *verbum infinitum.*

Verb-pattern. Término con que
algunos lingüistas ingleses (así, H.
E. Palmer) designan cada uno de
los posibles esquemas combinato-
rios de los verbos con sus complementos en una frase. Así, la posibilidad del esquema verbo + complemento directo es «verb-pattern»
que conviene a *to take (I take it),*
pero no a *to wait,* por ejemplo, al
que corresponde la combinación
verbo + preposición + complemento preposicional *(I wait for it)* como «verb-pattern».

Vernáculo. Se aplica a las lenguas, dialectos y fenómenos lingüísticos en general, para señalarlos como arraigados en un lugar concreto, y propios de él.

Verner (Ley de). Ley formulada por el lingüista danés K. Verner (1877), que complementa la ley
de Grimm. Dice así: las espirantes

sordas del germánico común han permanecido sordas entre dos vocales, cuando el tono heredado del indoeuropeo caía sobre la primera de las dos vocales.

Veronés. Vid. *Italiano.*

Versificación. 1.—Técnica de hacer versos. 2.—Conjunto de particularidades métricas de una obra, de un autor, de una época, etc. 3.— **Versificación regular.** Empleo de versos de igual medida en la estrofa. El empleo de versos desiguales se denomina **versificación irregular.**

Verso. A. *Zeile, Stichos.* 1.—Unidad métrica caracterizada fónicamente por ir entre dos pausas necesarias que poseen valor métrico. Gráficamente, tal caracterización se señala por el hecho de ocupar cada verso una línea distinta. En el verso se distribuyen determinados elementos fónicos (acentos, cantidades, pausas, rimas, etc.) que, repetidos con un orden determinado en los distintos versos de la estrofa, engendran un ritmo. El verso es, pues, una forma en el sentido lógico de esta palabra, un «molde», con determinados relieves fónicos, a los cuales se adaptan las frases de que consta el poema; la unidad signifi-

cativa o frase puede coincidir con el verso *(esticomitia*)* o puede exceder sus límites *(encabalgamiento*).* En cualquier caso, los elementos fónicos de la frase deben supeditarse a las exigencias rítmicas del verso. 2.—**Verso libre.** Se designó con este nombre el verso que se somete a todos los preceptos de la regularidad estrófica (número de sílabas, acentos, pausas, etc.), pero carece de rima. Modernamente, se prefiere dar a este tipo de verso el nombre de **verso blanco,** y reservar, el de *verso libre* o *versículo* al que, careciendo de rima, no guarda tampoco regularidad estrófica. El tamaño de este tipo de verso es muy variable y, a efectos rítmicos, se nos aparece muchas veces como una entidad autónoma, independiente de los demás versos del poema. Vid. *Sueltos (Versos).* 3.—Disposición del discurso en versos. Se opone a prosa. 4.—Versos de cabo roto. Vid *Rima.* 5.—Folio verso. Vid. *Recto.*

Versus intercalaris. En la métrica clásica, verso que se introduce a modo de estribillo en una composición estíquica a intervalos más o menos regulares. La repetición de dicho verso da la impresión de que el poema posee una estructura estrófica. El ejemplo clasico lo constituye el Idilio I de Teócrito.

Vetativo. Sinónimo poco usado de *prohibitivo*.

Vibración. Movimiento que produce una onda sonora. Puede ser *simple* (como los movimientos de un péndulo) o *compuesta* (que corresponde a los sonidos que normalmente oímos, ya que, cuando un cuerpo vibra, cada una de sus partes vibra con una rapidez variable). Así, cuando una cuerda de guitarra vibra, origina un sonido, cuyo tono *fundamental* es el que corresponde a la cuerda entera, y una serie de *armónicos*, cuyas respectivas frecuencias son múltiplos enteros de la frecuencia de la cuerda. Vid. *Periodo*.

Vibrante A. *Schnurrlaut, Zitterlaut;* I. *Flapped, Trilled.* Articulación que se produce mediante la vibración de un órgano activo elástico (glotis, úvula, velo, lengua, etc.) que obstruye y abre el paso al aire repetida y rápidamente. En español, son vibrantes *r* y *rr*. P. Passy utiliza el término francés *roulé* [A. *Gerollt;* I. *Rolled*] como sinónimo de *vibrante*. Algunos lingüistas oponen, sin embargo, *r roulé* (la *r* española, p. ej.) a *r grasseyé* [A. *Zäpfchen-r*], producida por el contacto vibrante o fricativo del postdorso de la lengua con la región velar o uvular

(*r* francesa, p. ej.). El fenómeno se denomina *grasseyement* [A. *Schnarren;* I. *Burring*]. P. Passy, también, propone dar el nombre de *semiroulées* «a una variedad de consonantes *roulées*, en las cuales el órgano elástico golpea la pared opuesta sin interceptar completamente el paso del aire, pero sólo una vez». Es decir, *r* española de *pero*, frente a *rr* de *perro* Vid. *Rotada*.

Vicio («*Vitium*»). Defecto, imperfección grave en los usos lingüísticos o métricos.

Vida del Lenguaje. Algunos lingüistas, sobre todo en el s. xix, y por influjo de las ciencias de la Naturaleza, conciben el lenguaje como un ser vivo, sujeto a los azares de la vida: nacimiento, crecimiento, madurez, decadencia y muerte. A. Darmesteter, p. ej., decía en 1855: «Si hay una verdad evidente hoy, es que las lenguas son organismos vivos, cuya vida, no por ser de orden puramente intelectual, es menos real, y puede compararse a la de los organismos del reino vegetal o del reino animal». La Lingüística actual concibe la llamada *vida del lenguaje* como un expediente cómodo e intuitivo para concebir las vicisitudes de las lenguas, pero no como una realidad objetiva; el lenguaje se halla inmediatamente ligado al espíritu de los hablantes y carece de la independencia que le atribuían muchos lingüistas ochocentistas.

Villancico, villancete. Composición poética de arte menor, formada por una cancioncilla inicial —el _villancico_ propiamente dicho— seguida de una estrofa o varias estrofas más largas, llamadas _mudanzas_, seguidas a su vez de un verso _de enlace_ (que es característico del _villancico_, frente al _zéjel_ del cual procede), y de otro verso _de vuelta_ que rima con el villancico inicial, anunciando la repetición parcial o total de éste. La parte del villancico que se repite se llama _estribillo_. Ejemplo: [_Villancico_] Míos fueron, mi corazón, / los vuestros ojos morenos. / ¿Quién los hizo ser ajenos? / [_Mudanza_] Míos fueron, desconocida, / los ojos con que miráis, / y si mirando matáis, / con miraros dais la vida. / [_Verso de enlace_] No seáis desconocida, / [_Verso de vuelta_] no me l̇os hagáis ajenos / [_Estribillo_] los vuestros ojos morenos. Vid. _Zéjel._

Virelai. En la métrica francesa, breve poema de versos cortos, con dos rimas, que comienza por cuatro versos, de los cuales, los dos primeros se repiten en las restantes estrofas. A veces, sin embargo, su estructura coincide con la de la canción* trovadoresca castellana.

Virtual. Así califica Saussure al signo lingüístico, en cuanto forma parte de la lengua* y carece, por tanto, de contextura material. Cuando el signo es actualizado e incorporado al habla, deja de ser virtual para hacerse _real._

Visarga. Término sánscrito que designa la impresión acústica de aspiración sorda en que se convierte la -_s_ final cuando la corriente de aire se detiene bruscamente al articular la vocal anterior.

Visible (Lenguaje). I. _Visible speech._ Moderna rama de la Acústica que, con el empleo del espectrógrafo y de los filtros acústicos, se ocupa de la transformación de las ondas sonoras en registros o espectros* gráficos, y de la interpretación de dichos espectros. El conocimiento del sonido físico ha progresado mucho en estos últimos años, mediante estos inventos. Y se intentan multitud de aplicaciones prácticas del lenguaje visible (hacer accesible el lenguaje hablado a los sordomudos, en telefonía, transmisión de mensajes secretos, etc.).

Viva. 1.—Lengua viva [A. _Lebendige Sprache;_ I. _Living language_].

Lengua que se habla en la actualidad. Se opone a lengua _muerta_. **2.—Conjugaciones vivas.** Los gramáticos franceses distinguen entre _conjugaciones vivas_, formadas por los verbos del grupo primero (infinitivo en _-er_, presente en _-e: aimer, j'aime_), y segundo (infinitivo en _-ir_, presente en _-is_, infijo _-iss-_ en ciertas formas: _finir, finis, finissais_), y _conjugación muerta_, formada por una serie de verbos con infinitivo en _-ir_ (sin infijo _-iss-_), en _-oir_ y en _-re_. Mientras las primeras son regulares y se muestran productivas a efectos de la formación de nuevos verbos (más la primera que la segunda), la última es irregular, no es productiva y se empobrece poco a poco.

Vizcaíno. Vid. _Vasco_.

Vocablo. Se utiliza este término como rigurosamente sinónimo de _palabra_.

Vocabulario. A. _Wortschatz_. **1.** Léxico. **2.** — Conjunto de palabras empleadas por un autor, un hablante, una escuela literaria, una ciencia, etc.

Vocal. Define así Navarro Tomás las articulaciones abiertas o **vocales:** «La disposición de los órganos forma una abertura de amplitud distinta en cada caso; pero siempre suficientemente ancha para que el aire salga sin obstáculo; la cavidad bucal en estas articulaciones forma un resonador que imprime un timbre característico al sonido producido por las vibraciones de la glotis: _i, i̯, e, ȩ, a, ą, ǫ, o, u̯, u_». Vid. _Consonante, Anterior, Posterior_.

Vocálico. **1.**—Lo referente a la vocal, lo que participa de la naturaleza de la vocal. **2.**—**Punto vocálico.** Vid. _Sílaba_.

Vocalismo. **1.**—Sistema de vocales de una lengua dada. **2.**—Modo de presentarse las vocales en una palabra, en una raíz y, en general, en un elemento lingüístico cualquiera. **3.**—**Vocalismo mínimo** [A. _Minimalvokalismus_]. Término utilizado por Jakobson (1939) para designar el sistema de tres vocales (una abierta, otra cerrada y una tercera intermedia o resultante de la escisión de la cerrada en dos vocales, una palatal y otra velar; _a, i, u_, normalmente) que aparece, en primer lugar, en el lenguaje infantil de todos los hablantes del mundo.

Vocalización. Conversión de una consonante en vocal. Así, _l > u_ en a l t a r i u > _autairo > otero_.

Vocaloide. Bloomfield utiliza este término para designar la *r* inglesa (y de otras lenguas), que, a diferencia de las consonantoides*, puede funcionar como fonema silábico en sílabas tónicas.

Vocativo. Forma que presenta la palabra cuando expresa que un individuo, persona o cosa personificada, es invocado o llamado. Aparece en la frase con entonación independiente. Dionisio Tracio (s. II a. J. C.) incluyó el vocativo entre los casos; la inclusión se afianzó hasta nuestros días. Hoy se discute la naturaleza casual del vocativo.

Volapük. Vid. *Artificial (Lengua)*.

Volitivo. Forma o construcción que sirven para expresar la voluntad. Así, por ejemplo, el subjuntivo volitivo latino: *faciant* 'que hagan'. El término alterna con *voluntativo*.

Voluntativo. Vid. *Volitivo*.

Voseo. Se denomina así el uso del pronombre *vos* en lugar de *tú*, en Hispanoamérica. Gili Gaya explica así el fenómeno: «*Vos*, como tratamiento, distinto del *tú* que se aplica sólo a personas considera-das como inferiores o iguales en un plano de gran confianza, se mantuvo en España hasta después del Siglo de Oro. *Vuestra merced* > *usted*, y sus formas intermedias, eran tratamientos de gran respeto, reservados a personas nobles. A medida que *usted* fue haciéndose general, iba quedando sin empleo el tratamiento de *vos*, el cual está hoy limitado en la Península a los casos en que quiere imitarse el lenguaje arcaico... Por el contrario, en gran parte de América, al extenderse el tratamiento de *usted*, descendió *vos* al plano de confianza entre iguales o para inferiores en que se usaba *tú*, el cual quedó sin aplicación y dejó de usarse. No ha desaparecido, sin embargo, el caso complementario *te*, y por ello se oyen en estos países construcciones chocantes como *a vos te parece bien, vos te coméis* (o *comerés* o *comerás)* *este pastel*... Mientras México, Antillas, Perú y Bolivia, mantienen generalmente el tuteo como en España, Argentina, Uruguay, Paraguay y buena parte de Centroamérica practican el *voseo* general».

Vox nihili. A. *Phantomwort, Gespenstwort;* I. *Ghostword.* Palabra que debe su existencia a una falta de escritura o a un error del editor de un texto. Por ejemplo, *al-*

modonear, que sólo aparece en un texto cervantino, y que es, posiblemente, errata por *almonedear*.

Voz. I. *Voice;* F. *Voix.* Categoría gramatical que se realiza en el verbo e indica si el sujeto es exterior o interior al proceso. Recibe también el nombre de diátesis. «La diátesis se asocia a la persona y al número para caracterizar la desinencia verbal. Se tiene, pues, reunidas en un mismo elemento un conjunto de tres referencias, que, cada una a su modo, sitúan al sujeto con relación al proceso y cuyo agrupamiento define lo que se podría llamar el campo posicional del sujeto: la persona*, según que el sujeto entre en la relación de persona *yo-tu* o que sea no-persona (en la terminología usual, 3.ª persona); el número, según que sea individual o plural; la diátesis, en fin, según sea exterior o interior al proceso. Estas tres categorías, fundidas en un elemento único y constante, la desinencia, se distinguen de las oposiciones modales, que se manifiestan en la estructura del tema verbal». Según esta definición, debida a Benveniste (1950), hay dos clases fundamentales de voz: **activa**, la cual expresa que el sujeto es exterior al proceso: *yo amo;* y **media**, en la cual el proceso se verifica en el sujeto o en el ámbito estrechamente relacionado con el sujeto: latín *nascor*, español *me caigo.* De ésta se derivó históricamente la **pasiva**, la cual expresa que el sujeto es asiento de un proceso ejecutado por otro. Jespersen (1924) rechaza los términos *voz* y *genus verbi* (con que también se designa esta categoría), y utiliza el término inglés *turn.* Vid. *Cuerdas vocales.*

Vulgar. 1.—**Palabra vulgar** [A. *Erbwort, volkstümliches Wort;* I. *Vernacular word;* F. *Mot populaire*]. Alterna esta designación con la de *palabra popular**. No debe confundirse con *vulgarismo.* 2.—**Lengua vulgar.** Lengua usada por la masa en sus relaciones ordinarias. Se opone a *lengua culta.* Se prefiere utilizar la designación **lengua coloquial** o **conversacional**, reservando la de **lengua vulgar** para designar a cualquiera de las lenguas románicas, frente al latín, llamado a veces **lengua culta.** 3.—**Latín vulgar.** Vid. *Latín.*

Vulgarismo. Fenómeno lingüístico de índole vulgar, aplebeyado e inadmisible en la lengua de uso. Por ejemplo, el uso de *andé* por *anduve*, el de *-z* en lugar de *-d* final *(Madriz, verdaz)*, etc. Vid. *Vulgar.*

Wau. Se da este nombre, de procedencia hebrea, a la *u* semiconsonante explosiva agrupada con la consonante anterior *(agua)* o semivocal implosiva agrupada con la vocal precedente *(fauna)*. El *wau* semiconsonante se suele representar en alfabeto fonético con *w* y el semivocal con *u̯*.

Wellerismo. Vid. *Dialogismo*.

Wheeler (Ley de). Rige en griego, y precisa que todo polisílabo oxítono, con vocal final breve, se hace paroxítono si su sílaba penúltima es breve y su antepenúltima larga.

Wörter und Sachen. Movimiento científico iniciado durante el siglo XIX por R. Meringer y H. Schuchardt, los cuales postulan la necesidad de estudiar simultáneamente los vocablos y las realidades por ellos expresadas, para poder obtener una imagen clara de la evolución de una lengua y de su situación en un momento dado. Este método (cuya designación se suele traducir literalmente por **Palabras y cosas**) se conjugó pronto con la Geografía lingüística y la Fonética experimental en las investigaciones dialectales.

Xipella. Vid. *Catalán.*

Xíriga. Vid. *Jerga.*

Yámbico (Abreviamiento). Vid. *Abreviamiento*

Yambo. Vid. *Pie*

Yeísmo. Fenómeno que consiste en pronunciar la *ll* como *y*, por tendencia a hacer central una articulación lateral. Son yeístas Madrid, Toledo, Ciudad Real, Extremadura, Andalucía y Canarias. En Hispanoamérica hay distinción entre *ll* y *y* en varias provincias de Argentina, Chile, Perú, Colombia y Ecuador.

Yemenita. Vid. *Sabeo*.

Yiddish. F. *Yidich*. Dialecto del alto alemán*, llamado también *judío-alemán* [A. *Jüdisch-deutsch*], de origen fráncico*, que constituye la lengua de los judíos Achkenazim, a partir del s. XIV, en que comienzan las persecuciones y las expulsiones. Hay dos grupos de dialectos yiddish: el *oriental*, del Báltico al mar Negro (comunidades judías de Lituania, Polonia, Rusia y parte de Rumanía), transportado hoy a

U S. A. por millares de emigrantes se escribe en caracteres hebreos y el *occidental*, restringido, en nuestros días, a las comunidades judías de Alsacia. En Alemania desapareció en el s. XVIII · los judíos, por influjo de Mendelssohn adoptaron el alemán

Yod. A. *Jod*. Se da este nombre de procedencia hebrea. a la *i* semiconsonante explosiva agrupada con la consonante anterior (*pie*) o semivocal implosiva agrupada con la vocal precedente (*reino*) La *yod* (M. Pidal antepone a este término el artículo femenino) produjo importantes inflexiones en español Dicho maestro distingue cuatro tipos de yod: A) **Yod primera,** de los grupos latinos *TY, CY*. que produjeron *ç* o *z* en castellano antiguo v i t i u > *vezo*, a c i a r i u > *acero* No produjo inflexión. B) **Yod segunda,** de los grupos latinos *LY C'L, G'L, T'L* (que dieron *ll* > *j*, en español: a p i c (u) l a > *abeja*), *NY GN* y *NG^e* (que produjeron *ñ*. i n s i g n i a > *enseña*). Inflexionó las vocales abiertas *ę* y *ǫ*, impidiendo su diptongación, salvo la yod de *ñ*, que no inflexionó la *ǫ*; y, a la inversa; no inflexionó las vocales cerradas *ẹ* y *ọ*, salvo la yod de *ñ*, que inflexiona la *ọ*. C) **Yod tercera**, de los grupos *GY*, *DY* (> *y*) *VY* (>*y* o *vi*): r a d i a > *raya*, p l u v i a > *lluvia*, f o v e a > *hoya*. Inflexionó a *ẹ* y *ǫ*, impidiendo su diptongación, y vacila ante *ẹ*, *ǫ*, inflexionándolas unas veces (*ẹ* > *i*, *ǫ* > *u*) y otras no. D) **Yod cuarta**, de los grupos *CT*, *UL + consonante* (> *ch*), *KS* (> *j*), *GR* (> *ir*) y la de *RY*, *SY*, *PY*, que fue atraída a la sílaba anterior: l a c t e > *leche*, m u l t u > *mucho*, t a x u > *tejo*, i n t e g r u > *entei-ro* > *entero*, c a l d a r i u > *caldai-ro* > *caldero*. También es yod cuarta la producida por síncopa de sonidos latinos: p r o b a v i > *probai* > *probei* > *probé*. Inflexiona a todas las vocales (*ẹ* > *e*, *ǫ* > *o*, *ẹ* > *i*, -salvo etc- *ǫ* > *u*) y se combina con *a* > *e*. La yod semiconsonante suele representarse en el alfabeto fonético con *j* y la semivocal con *i̯*.

Yotización o Yotatización. A.

Jotazismus, Itazismus, Jodierung; I. *Iotacism;* F. *Iotacisation, Iotacisme, Itacisme.* **1.**—Conversión de un sonido en yod: por ejemplo, la *c*

de l a c t e > *laite* > *leite* > *leche;* la *e* de a r e a > *aera* > *aira* > *era*. **2.** Proceso característico del griego tardío, que ha reunido en el sonido *i* (*iota*) varias vocales y diptongos del griego clásico: η, υ, ει, οι. Se prefiere llamarlo **itacismo**.

Yusivo. Forma que expresa un mandato, o bien, el deseo de que algo se hubiera realizado en el pasado. Así, el subjuntivo latino en *moreretur, inquies...* 'dirás que él hubiera debido morir'.

Yuxtaponentes (Lenguas). A.

Anreihende Sprachen; I. *Juxtaposing languages;* F. *Langues yuxtaposantes.* Se da este nombre a las lenguas que emplean clasificadores* como procedimiento morfológico ordinario.

Yuxtaposición. A. *Zusammenrückung.* Unión asindética de dos elementos lingüísticos, ordinariamente, de dos frases. Las **frases yuxtapuestas** pueden equivaler a una oración compuesta (*decídete pronto; tengo que marcharme*), o pueden ser independientes (*el tren partió; sentí cierta nostalgia*).

Zéjel. Estrofa derivada de la muwaššaḥa; sus respectivas formas estróficas son «fundamentalmente análogas» (M. Pidal). Tienen forma zejelesca muchas cantigas gallego-portuguesas y los villancicos* castellanos, así como muchos rondeles franceses y otros poemas provenzales e italianos. El zéjel, de ordinario, consta de un estribillo sin estructura fija, que cantaba el coro, y de cuatro versos que cantaba el solista. De estos cuatro versos, los tres primeros constituyen la *mudanza* y son asonantes y monorrimos; el cuarto, llamado *de vuelta*, rima con el estribillo. Servía de señal para el coro, que repetía a continuación el estribillo. Ejemplo: [*Estribillo*] Allá se me ponga el sol / do tengo el amor. / [*Mudanza*] Allá se me pusiese / do mis amores viese / antes que me muriese / [*Verso de vuelta*] con este dolor. / [*Estribillo*] Allá se me ponga el sol / do tengo el amor. Vid. *Muwaššaḥa, Jarya.*

Zendo. Vid. *Indo-iranio.*

Zetacismo. Conversión de una consonante en θ. Así ç, antigua (ś), a comienzos del siglo XVI: *pla-ça > plaza.*

Zeugma. 1.—Figura que consiste en hacer intervenir en dos o más enunciados un término que sólo está expresado en uno de ellos: *Extrañó ella que un varón discreto viniese, no ya solo, mas sí tanto* (Gracián). Si el término va expreso en la primera oración, el fenómeno se denomina **prozeugma** o **protozeugma**; si va en el enunciado central, **mesozeugma**, y si pertenece a la oración final, **hipozeugma**. Se distingue también entre zeugma simple, en el cual la palabra no expresada es la misma que figura en el enunciado en que aparece *(sus razones son buenas, y sus argumentos irrebatibles)*; y zeugma compuesto, en que la palabra necesitaría alguna variación morfológica, si fuera expresada *(su tono era grave, y sus gestos grandilocuentes)* El zeugma puede dar lugar a regímenes irregulares o impropios: *calzaba guantes grises y sombrero negro.* 2. En la métrica grecolatina, se denominan así [A. *Brücke*] ciertas exigencias del verso; los principales son: **Zeugma de Hermann** (1772-1848), consistente en la exclusión de la cesura después del cuarto troqueo, esto es, después de la primera breve del cuarto dáctilo, en el hexá. metro. Las excepciones en Homero son escasas. **Zeugma de Porson** (1759-1808), que se formula así: cuando un trímetro yámbico o un tetrámetro trocaico acaban en una palabra o grupo de palabras que forman la combinación ‿◡◡, o bien ◡◡◡‿, la sílaba anterior debe ser

breve, si no es un monosílabo; siguen esta regla los yambógrafos y trágicos, pero existen excepciones en la comedia, etc.

Zipf-Trubetzkoy (Ley o fórmula de). Se denomina así la adaptación fonológica de una teoría de G. K. Zipf relativa a la frecuencia de un fonema, que Trubetzkoy ha formulado así: de los dos términos de una oposición privativa, el término no caracterizado aparece más frecuentemente en la ·cadena hablada que el término caracterizado. El propio Trubetzkoy señala que esta regla no carece de excepciones.

ADVERTENCIA

Damos a continuación la relación de los términos alemanes, ingleses y franceses citados en el texto.

Cada uno de ellos va referido a un término español, en cuyo artículo está citado dicho tecnicismo.

Téngase, pues, muy en cuenta que el término español que acompaña a cada término extranjero no es siempre su equivalente. Para encontrarlo, se hace imprescindible consultar el artículo correspondiente en el Diccionario.

TÉRMINOS ALEMANES

Abglitt. Distensión.
Abgrenzende Funktion. Función.
Abgrenzungslehre. Orística.
Abhängig. Dependiente, Oración, Subordinado.
Abklatsch. Calco.
Abkürzung. Abreviatura.
Ablaut. Alternancia, Apofonía.
Ablautbasis. Base.
Ableitung. Derivación.
Abnormal. Irregular.
Abschliessende Funktion. Entonación.
Absichtssatz. Final.
Abstufung. Alternancia.
Abton. Tono.
Abtönung. Alternancia.
Abwandlung. Conjugación.
Adnomination. Adnominación.
Adoneus. Adónico.
Affektbetonung. Acento.
Affektische Attraktion. Atracción.
Affix. Afijo.
Affizierens (Verbum des). Afectivo.
Affiziertes Objekt. Afectivo.
Agglutinierende Sprachen. Aglutinantes (Lenguas).
Akkusativ des Inhalts. Acusativo.
Akkusativ des inneren Objekts. Objeto.

Akrophonisches Alphabet. Acrofonética.
Aktion. Aspecto.
Aktionsart. Aspecto.
Aktualisierung von Sprachmitteln. Actualización.
Akut. Agudo.
Akzent. Acento.
Akzentverlust. Inacentuación.
Allativus. Adlativo.
Allegroform. Plena (Forma).
Allgemeine Grammatik. General.
Allgemeine Sprachwissenschaft. General.
Alliterierend. Aliteración.
Ammensprache. Infantil (Lenguaje).
Amoibaion. Amebeo.
Analogiemuster. Analogía.
Analogische Ausgleichung. Nivelación.
Analytische Vergleichung. Comparación.
Anfangs-. Inicial.
Anfügende Sprachen. Aglutinantes Lenguas).
Angleichung. Asimilación.
Anglitt. Intensión.
Animalisierung. Metáfora.
Anlautend. Inicial.
Anlauts-Sandhi. Sandhi.
Anleimende Sprachen. Aglutinantes (Lenguas).

Anpassung. Acomodación.

Anrede. Apóstrofe.

Anreihende Sprachen. Yuxtaponentes (Lenguas).

Anreim. Aliteración.

Anschluss. Unión.

Ansteckung. Contagio.

Appell. Apelación, Función.

Aramäisch. Arameo.

Archaisierend. Arcaizante.

Artikel. Artículo.

Artikulationsart. Articulación.

Artikulationsstelle. Articulación, Punto.

Artikulierte Sprache. Articulado (Lenguaje).

Aspekt. Aspecto.

Assibilierung. Asibilación.

Assimilatorischer Lautzuwachs. Asimilación.

Assumptiv. Hipotético.

Asymmetrische Intonation. Asimétrica (Entonación).

Asyndese. Asíndeton.

Athematisch. Atemático.

Attribut. Atributo.

Aufgehobener Gegensatz. Neutralizable (Oposición).

Aufhebbarer Gegensatz. Neutralizable (Oposición).

Aufhebung. Neutralización.

Aufton. Tono.

Ausatmung. Aspiración.

Ausdruck. Expresión, Función, Locución.

Auseinanderstellung. Disyunción.

Ausgleichung. Asimilación.

Auslassung. Elipsis.

Auslauts-Sandhi. Sandhi.

Auslösung. Función.

Ausruf. Exclamación, Interjección.

Ausrufungssatz. Exclamativa (Oración).

Aussage. Enunciado.

Aussagesatz. Enunciativa (Oración).

Ausschliessend. Exclusivo, Adversativo.

Äussere Sprachform. Forma.

Ausstossung. Caída, Síncopa.

Ausstrahlung. Irradiación.

Automatisierung. Automatización.

Bakcheus. Baquio.

Bedeutung. Acepción, Significación.

Bedeutungsabschwächung. Debilitamiento.

Bedeutungselement. Semantema.

Bedeutungserweiterung. Cambio.

Bedeutungslehnung. Calco.

Bedeutungslehnwort. Calco.

Bedeutungslehre. Semántica.

Bedeutungsunterscheidende Funktion. Función.

Bedeutungsverengerung. Cambio.

Bedeutungswandel. Cambio.

Bedeutungswechsel. Cambio.

Bedingter Lautwandel. Cambio.

Bedingte Substantivierung. Sustantivación.

Bedingungs-. Condicional

Bedürfnislehnwort. Préstamo.

Begleitgefühle. Significación.

Begriffschrift. Escritura.

Begriffsinhalt. Significación.

Begriffsname. Abstracto.

Behauptungssatz. Enunciativa (Oración).

Beiordnende Konjunktion. Conjunción.

Beiordnung. Coordinación.

Beiwort. Adjetivo.

Belebtes Genus. Animado (Género), Género.

Benennung. Denominación.

Berufssprache. Jerga.

Beschränkend. Adversativo.

Beschreibende Benennung. Denominación.

Bestandteil. Elemento.

Bestätigungsfrage. Interrogación.
Bestimmend. Determinante.
Bestimmt. Definido, Determinado.
Bestimmte Form. Definido.
Bestimmter Artikel. Artículo.
Bestimmtheit. Determinación.
Betont. Tónico.
Betonung. Acento, Entonación.
Beugung. Flexión.
Bezeichnungslehre. Onomasiología.
Beziehung. Relación.
Bezug. Relación.
Bilderschrift. Escritura.
Bildersprache. Figurado.
Bildlicher Ausdruck. Tropo.
Bindevokal. Unión.
Bindewort. Conjunción.
Bindung. Unión.
Binnenreim. Rima.
Bodenständig. Patrimonial.
Brücke. Zeugma.
Buchstabe. Letra.
Buchstabenschrift. Escritura.
Buchstäblich. Literal.
Buchwort. Cultismo.

Cäsur. Cesura.
Crement. Incremento.

Chiasmus. Quiasmo.

Darstellung. Función.
Dauer. Duración.
Dehnstufe. Alternancia.
Dehnung. Alargamiento.
Dehnungszeichen. Circunflejo.
Deteriorativ. Peyorativo.
Deteriorisierend. Peyorativo.
Deutsch. Alemán.
Digraph. Digrama.
Dingname. Abstracto.
Direkte Rede. Directo.
Disjunkte phonologische Einheit. Unidad.
Diskrepanz (Lautliche). Discrepancia fónica.

Distanzkomposita. Compuesto.
Doppelkonsonant. Geminada.
Dreiecksystem. Fonológico (Sistema).
Dreisilbengesetz. Campo.
Dreizahl. Trial.
Druckakzent. Acento.
Drucksilbe. Sílaba.
Druckstärke. Intensidad.

Effizierens (Verbum des). Efectivo.
Effiziertes Objekt. Efectivo.
Eigenname. Nombre, Propio.
Eigenschaft. Cualidad.
Eigenschaftswort. Adjetivo.
Eigenton. Timbre, Resonador.
Eigentonkorrelation. Correlación.
Einatmung. Aspiración.
Einfach. Simple.
Einfache Benennung. Denominación.
Einfache Opposition. Simple.
Eingeschlossene Reime. Rima.
Einheit. Unidad.
Einsatz. Ataque.
Einschiebung. Epéntesis.
Einschränkend. Adversativo.
Einschub. Epéntesis.
Einschublaut. Parásito.
Einschubelement. Parásito.
Einschubvokal. Anaptixis, Apoyo (Vocal de).
Einsilbig. Monosílabo, Base.
Einverleibende Sprachen. Incorporantes (Lenguas).
End. Final.
Endbetont. Oxítona.
Endreim. Rima.
Endung. Desinencia, Terminación.
Energikus. Energético (Modo).
Engelaut. Fricativa.
Entfaltung. Desarrollo.
Entfernteres Objekt. Complemento.
Enthauchung. Desaspiración.
Entlehnung. Préstamo.
Entrundung. Deslabialización.

Entscheidungsfrage. Interrogación.
Entwicklung. Evolución.
Epode. Epodo.
Erbwort. Vulgar.
Ergänzender Satz. Completiva (Oración).
Ergänzung. Complemento.
Ergänzungsfrage. Interrogación.
Erhaltend. Conservador.
Erlebte Rede. Indirecto.
Ersatzdehnung. Alargamiento.
Erschöpfung. Creación.
Erstarrte Form. Arcaísmo.
Erstarrung. Arcaísmo, Fijación.
Erweichung. Mojamiento.
Exkursive Formansverbreitung. Extensión.
Expresivität. Expresividad.

Fall. Caso.
Färbung. Infección.
Feld. Campo.
Fernassimilation. Asimilación.
Fernkomposita. Compuesto.
Fernversetzung. Metátesis.
Fest Akzent. Acento.
Fester Akzent. Acento.
Fester Anschluss. Acento.
Fester Einsatz. Ataque.
Flämisch. Holandés.
Flektierbar. Flexionable.
Flektierende Sprachen. Flexivas (Lenguas).
Flexionsfähig. Variable.
Flickwort. Expletivo, Ripio.
Flüstern. Cuchicheo.
Folgend. Consecuente.
Folgesatz. Consecutiva.
Formalausgleichung. Nivelación.
Formsprache. Formantes (Lenguas).
Formansverbreitung (Exkursive). Extensión.
Formem. Formema.

Formenlehre. Morfología.
Formsprachen. Formantes.
Frage. Interrogación.
Fragenebensatz. Interrogativo.
Fragesatz. Interrogativo.
Fragewort. Interrogativo.
Frei. Libre, Acento.
Freie Silbe. Sílaba.
Freiheit. Licencia.
Füllwort. Expletivo, Ripio.
Funktionelle Belastung. Rendimiento funcional.
Fürwort. Pronombre.
Fuss. Pie.

Gattungsname. Nombre.
Gaumen. Paladar.
Gaumenbild. Palatograma.
Gaumenlaut. Palatal.
Gaumensegel. Paladar.
Gaumensegellaut. Velar.
Gebärdensprache. Gestos (Lenguaje de).
Gedankenfigur. Figura.
Gedeckte Silbe. Sílaba.
Gedehnter Ton. Tono.
Geflüstert. Sordo.
Gegensatz. Oposición.
Gegensinn. Antifrase.
Gegenstrophe. Antistrofa.
Gehaucht. Aspiración.
Geist der Sprache. Genio.
Gemeinschaftsplural. Plural.
Gemeinsprache. Común (Lengua), Coiné.
Genus. Género.
Genusendungen. Genérico.
Gepaarter Reim. Rima.
Geräuschlaute. Consonadores (Sonidos).
Gerollt. Vibrante.
Gerundeter Laut. Labial.
Gerundium. Gerundio.
Gerundivum. Gerundio.
Geschlecht. Género.

Geschleifter Akzent. Tono.
Geschlossen. Cerrado.
Gesetz. Ley.
Gespannt. Relajado.
Gespenstwort. Vox nihili.
Gestossener Akzent. Tono.
Gewöhnlich. Familiar.
Gipfelbildende Funktion. Función.
Gleichbedeutung. Sinonimia.
Gleitlaut. Transición (Sonido de).
Glimpfwort. Eufemismo.
Glottal. Glótico.
Grammatikalisierung. Gramaticalización.
Gravis o fallender Akzent. Grave.
Grossrussisch. Ruso.
Grundbedeutung. Sentido.
Grundkarte. Fondo de mapa lingüístico.
Grundstufe. Comparación, Positivo.
Grundton. Timbre.
Grundvariante. Variante.
Grundvokal. Cardinal.
Grundzahl. Cardinal.
Gruppenakzent. Acento.

Halbkonsonant. Semiconsonante.
Halbstimme. Murmurada (Voz).
Halbvers. Hemistiquio.
Halbverschlusslaut. Semioclusiva.
Halbvokal. Semivocal.
Halte. Oclusión, Tensión.
Hamitisch. Camito - semíticas (Lenguas).
Handschriftenkunde. Codicología.
Haplologischer Silbenschwund. Haplología.
Harmonisierung. Asimilación.
Hart. Fuerte.
Harter Einsatz. Ataque.
Harter Gaumen. Paladar.
Hauch. Aspiración.
Hauptlaut. Sonante.
Hauptsatz. Oración.
Hauptton. Acento.

Hauptwort. Principal.
Hebräisch. Hebreo.
Hebung. Tesis.
Hell. Clara.
Hervorhebung. Relevación.
Hilfsverbum. Auxiliar.
Hilfsvokal. Apoyo (Vocal de).
Hilfswort. Auxiliar.
Hintere Konsonanten. Posterior.
Hintergaumenlaut. Velar.
Hintervokal. Posterior.
Hoch. Agudo, Alto.
Hochsprache. Cultura (Lengua de).
Höchststufe. Comparación.
Hochton. Acento, Tono.
Hochtonig. Tónico.
Höhe. Altura, Tono.
Holländisch. Holandés.
Hüllwort. Eufemismo.
Hyperanalytisch. Hiperanalítico.
Hypercharakterisierung. Hipercaracterización.
Hypernormalisierung. Ultracorrección.

Indifferenzlage. Reposo (Posición de).
Indirekte Rede. Indirecto.
Injektiv. Implosiva.
Injunktive. Injuntivo.
Inkorporierende Sprachen. Incorporantes (Lenguas).
Inlauts-Sandhi. Sandhi.
Inneren Objekts (Akkusativ des). Objeto.
Innere Sprachform. Forma.
Intellektuell. Lógico.
Intensitätsbetonung. Acento.
Intensitätssilbe. Sílaba.
Isländisch. Islandés.
Isoglotte. Isoglosa.
Isolierbar. Separable.
Isolierende Sprachen. Isolantes (Lenguas).
Itazismus. Yotización.

Jambenkürzungsgesetz. Abreviamiento.

Jod. Yod.

Jodierung. Yotización.

Jotazismus. Yotización.

Junggrammatiker. Neogramáticos.

Kardinalzahl. Cardinal.

Kehlkopflaut. Gutural.

Kehlkopfverschlusslaut. Oclusión.

Kehllaut. Laríngea.

Kennzeichen. Característica.

Kindersprache. Infantil (Lenguaje).

Klangfarbe. Resonador, Timbre.

Klangfülle. Perceptibilidad.

Klarphase. Tensión.

Klausel. Cláusula.

Klischee. Cliché.

Knacklaut. Eyectiva (Consonante), Oclusión.

Komparationsbildung. Grado, Comparación.

Komparationsgrad. Grado.

Kompositionsglied. Componente.

Kondensation (Lexicale). Condensación léxica.

Kongruenz. Concordancia.

Konjunktiv. Subjuntivo.

Konsonantenausstossung. Ecthlipsis.

Kontaktkomposita. Compuesto.

Kontaktversetzung. Metátesis.

Korrelationseigenschaft. Propiedad de correlación.

Korrelationsmerkmal. Marca de correlación.

Korrelationspaar. Pareja correlativa.

Korrelative phonologische Einheit. Unidad.

Korrelative Reihe. Serie.

Kreolische Sprache. Criollo (Idioma).

Kreuzung. Cruce.

Kulturelle Sprachverwandtschaft. Parentesco de lenguas.

Kultursprache. Cultura (Lengua de).

Kundgabe. Función, Síntoma.

Künstlicher Gaumen. Paladar.

Künstliche Sprache. Artificial (Lengua).

Kurz. Cantidad.

Kurzform. Plena (Forma).

Kürzung. Abreviamiento.

Kymrisch. Címbrico.

Lallwort. Infantil (Lenguaje).

Lang. Cantidad.

Längung. Alargamiento.

Laut. Sonido.

Lautbild. Onomatopeya.

Lautbildung. Fonación.

Lauterzeugung. Fonación.

Lautgesetz. Ley.

Lautlehre. Fonética.

Lautlich. Fónico.

Lautliche Diskrepanz. Discrepancia.

Lautliche Nivellierung. Nivelación.

Lautlos. Sordo.

Lautmalerei. Onomatopeya.

Lautschattierung. Variante.

Lautschrift. Escritura, Transcripción.

Lautsymbolisch. Fonosimbólicas (Palabras).

Lautumstellung. Metátesis.

Lautverschiebung. Mutación.

Lautversetzung. Metátesis.

Lautwandel. Cambio.

Lautwechsel. Cambio.

Lautzuwachs (Assimilatorischer). Asimilación.

Lax. Relajado.

Lebendige Sprache. Viva (Lengua).

Lehngut. Préstamo.

Lehnübersetzung. Calco.

Lehnübertragung. Calco.

Lehnwort. Préstamo.

Leihte Basen. Base.

Leiser Einsatz. Ataque.

Leitwort. Analogía, Base.

Lenierung. Lenición.

Lentoform. Plena (Forma).
Lettisch. Báltico (Grupo).
Letzt. Final.
Lexikalische Kondensation. Condensación léxica.
Lexikalisch. Léxico.
Lied. Lied.
Lineares System. Fonológico (Sistema).
Lippenlaut. Labial.
Lippenzahnlaut. Labiodental.
Litauisch. Báltico (Grupo).
Lokalis. Locativo.
Loser Anschluss. Acento.
Lösung. Explosión.
Luxuslehnwort. Préstamo.

Mehrsilbiges Wort. Polisílaba.
Mehrzahl. Plural.
Merkmalhaft. Término.
Merkmalhaltige korrelative Reihe. Serie.
Merkmallos. Término.
Merkmallose korrelative Reihe. Serie.
Metapher. Metáfora.
Minimalkonsonantismus. Consonantismo mínimo.
Minimalvokalismus. Vocalismo.
Mischbildung. Contaminación.
Mischkasus. Sincretismo.
Mischsprache. Mixto.
Missverständnis. Equivalencia.
Mitteilung. Enunciado.
Mitteldeutsch. Alemán.
Mittellaut. Central, Medio (Sonido).
Mittelton. Tono.
Mittelreim. Rima.
Momentane Aktionsart. Momentáneo.
Momentanlaut. Oclusiva.
Monophthongierung. Monoptongación.
Morphologische Alternation. Alternancia.

Moulliert. Mojado.
Mouillierung. Mojamiento.
Mundart. Habla, Dialecto, Bable.
Mundhöhle. Oral.
Mundlaut. Oral.
Murmellaut. Murmurada (Voz).
Murmelstimme. Murmurada (Voz).
Murmelvokal. Murmurado.
Muttersprache. Materna (Lengua).

Nahkomposita. Compuesto.
Nahassimilation. Asimilación.
Näheres Objekt. Complemento.
Nahversetzung. Metátesis.
Namenkunde. Onomástica.
Nasalierung. Nasalización.
Nasalitätskorrelation. Correlación.
Näselnstimme. Rinofonía.
Nasenhöhle. Nasal.
Nasenlaut. Nasal.
Nebenbedeutung. Sentido.
Nebensatz. Oración.
Nebensinn. Significación.
Nebenton. Acento.
Nebenvariante. Variante.
Nebenwort. Accesoria (Palabra).
Neubildung. Neologismo.
Neukomposition. Recomposición.
Neuzusammensetzung. Recomposición.
Nomen. Nombre.
Nominale Satzequivalente. Equivalentes nominales de frase.
Nominalsatz. Nominal.
Nominalstamm. Tema.
Nordisch. Nórdico.
Norwegisch. Noruego.
Nullstufe. Alternancia.

Oberdeutsch. Alemán.
Oberton. Timbre.
Oeffnung. Abertura.
Oeffnungssilbe. Silábico.
Offen. Abierto.

Okkasionelle Substantivierung. Sustantivación.
Ordinalzahl. Ordinal.
Ordnungszahl. Ordinal.
Ortsgleiche. Homorgánico.
Ortsname. Topónimo.
Ortsnamenkunde. Toponimia.

Paariges Phonem. Apareado (Fonema).
Päon. Peón.
Personenname. Antropónimo.
Pfeifend. Sibilante.
Phantomwort. Vox nihili.
Phonemunterscheidung. Diferenciación.
Phonologie. Fonología.
Phonologische Einheit. Unidad.
Phonologischer Gegensatz. Oposición.
Phonologischer Gehalt. Contenido.
Platt. Bable.
Präfixdenominativo. Parasintético.
Präposition. Preposición.

Qualität. Cualidad.
Quantität. Cantidad.
Quantitätsakzent. Acento.
Quantitätsbetonung. Acento.
Quantitätskorrelation. Correlación.

Rachenlaut. Faríngea.
Rätoromanisch. Retorrománico.
Rechtschreibung. Ortografía.
Rede. Habla.
Redensart. Locución.
Redeteil. Categoría lingüística.
Reduktionsstufe. Alternancia.
Reduplikation. Geminación.
Reduplizierung. Geminación.
Refrain. Estribillo.
Regel. Regla.
Reibelaut. Fricativa.
Reihe. Serie.
Reim. Rima.

Reimende Verbindung. Gemelas (Palabras).
Rekursiv. Eyectiva (Consonante).
Relevanz. Pertinencia.
Retrograde Ableitung. Derivación.
Rhetorische Frage. Interrogación.
Rillenförmig. Redondeada (Fricativa).
Romanobaskisch. Vasco.
Rotwelsch. Jerga.
Rückbildung. Derivación.
Ruhelage. Reposo (Posición de).
Ruhepunkt. Pausa.
Rundung. Labialización.
Russisch. Ruso.

Sanftklingend. Estridentes.
Satz. Oración.
Satzakzent. Acento.
Satzequivalente (Nominale). Equivalentes nominales de frase.
Satzlehre. Sintaxis.
Satzphonetik. Sandhi.
Sauglaut. Avulsivo (Sonido), Clic.
Schallanalyse. Vid. esta misma palabra.
Schallfülle. Perceptibilidad.
Schallgipfel. Apice silábico.
Schallnachahmung. Onomatopeya.
Schallsilbe. Silábico.
Schallstärke. Perceptibilidad.
Schaltsatz. Incidental (Oración).
Scharf geschnittener Akzent. Acento.
Scharfklingende Kosonanten. Estridentes (Consonantes).
Scheidewort. Alótropo.
Scheinsubjekt. Sujeto.
Schema. Figura.
Schlagreim. Rima.
Schleifton. Tono.
Schleifender Akzent. Tono.
Schliessung. Cerrazón, Implosión.
Schluss. Final.
Schmarotzelaut. Parásito.
Schnalz. Clic.

Schnalzlaut. Avulsivo (Sonido), Clic.

Schnarren. Vibrante.

Schnellsprechform. Plena (Forma).

Schnurrlaut. Vibrante.

Schöpfung. Creación.

Schreibweise. Grafía.

Schrift. Escritura.

Schriftsprache. Cultura (Lengua de)

Schutt. Ripio.

Schüttelform. Contrepetterie.

Schüttelreim. Contrepetterie.

Schwach. Débil, Dulce.

Schwach geschnittener Akzent. Acento.

Schwachtonig. Inacentuado.

Schwächung. Debilitamiento.

Schwebende Diphthonge. Diptongo.

Schwedisch. Sueco.

Schwere Basen. Base.

Schwund. Caída, Caduco.

Schwundstufe. Alternancia.

Seitenlaut. Lateral.

Selbstbewusstsein (Sprachliches). Conciencia lingüística.

Selbstkorrektur. Epanortosis.

Selbstlaut. Sonante.

Sema. Sema.

Semantische Substantivierung. Sustantivación.

Senar. Senario.

Senkung. Arsis.

Silbe. Sílaba.

Silbenakzent. Acento.

Silbengipfel. Silábico.

Silbengrenze. Silábico.

Silbenschichtung. Haplología, Superposición.

Silbenschrift. Escritura.

Silbenton. Acento.

Silbenträger. Silábico.

Silbenüberschichtung. Superposición.

Silbische Funktion. Sonante.

Sinn. Acepción.

Sonorität. Perceptibilidad.

Spaltförmig. Alargada.

Spannung. Intensión.

Spannungssilbe. Silábico.

Spaltung. Disyunción.

Spätlatein. Bajo latín.

Sperrung. Disyunción.

Sporadischer Lautwandel. Esporádico.

Sprachbau. Lengua.

Sprachbund. Alianza de lenguas.

Sprache. Lengua, Lenguaje, Habla.

Sprachentwicklung. Evolución.

Sprachfamilie. Familia de lenguas.

Sprachgebrauch. Habla.

Sprachgeographie. Geografía lingüística.

Sprachliches Selbstbewusstsein. Conciencia lingüística.

Sprachreinheit. Purismo.

Sprachrichtigkeit. Corrección lingüística.

Sprachverwandtschaft. Parentesco de lenguas.

Sprachwandel. Evolución.

Sprachwissenschaft. Lingüística.

Sprechäusserung. Enunciación.

Sprechlaut. Sonido.

Sprechtakt. Grupo.

Sprichwort. Refrán.

Sprossilbe. Anaptixis.

Sprunghafter Lautwandel. Esporádico.

Stabreim. Aliteración.

Stamm. Radical, Tema.

Stammabstufung. Alternancia.

Stammbaumtheorie. Arbol genealógico.

Standard. Norma.

Stark. Fuerte.

Stärke. Intensidad.

Stark geschnitter Akzent. Acento.

Steigend. Diptongo, Agudo, Creciente.

Steigender Ton. Tono.

Steigend-fallend. Circunflejo.

Steigerung. Gradación.

Steigton. Tono.

Stellungslaut. Fricativa.

Stellungsphase. Tensión.

Stichische Komposition. Estíquica (Composición).

Stichomythie. Esticomitia.

Stichos. Verso.

Stimmbänder. Cuerdas vocales.

Stimmbeteiligungskorrelation. Correlación.

Stimmbildung. Fonación.

Stimmfalten. Cuerdas vocales.

Stimmhaftigkeit. Sonoridad.

Stimmlippen. Cuerdas vocales.

Stimmlos. Sordo.

Stimmlosigkeit. Sordez.

Stimmloswerden. Ensordecimiento.

Stimmritze. Glotis.

Stimmton. Sonoridad.

Stoss. Agudo.

Stosston. Tono.

Streckform. Ampliada (Forma).

Stufe. Alternancia.

Stufenwechsel. Alternancia.

Stumm. Mudo.

Stümmelform. Acortada (Forma).

Stützvokal. Apoyo (Vocal de).

Substantivierung. Sustantivación.

Substanzbezeichnendes Substantivum. Abstracto.

Suffixbasis. Base.

Summton. Murmurada (Voz).

Suppletivität, Suppletivismus. Supleción.

Symbolfeld. Campo.

Synesis. Construcción.

Synkope. Síncopa.

Synonymalableitung. Derivación.

Syntaktische Substantivierung. Sustantivación.

Teilfrage. Interrogación.

Teilungsartikel. Artículo.

Themavokalisch. Temático.

Themavokallos. Atemático.

Tief. Grave.

Tiefton. Tono.

Tieftonig. Átono.

Tiermetaphern. Metáfora.

Tiradenreime. Rima.

Ton. Acento, Sonido, Sonoridad.

Tonanschluss. Enclisis.

Tönend. Sonoro.

Tonfall. Acento, Entonación.

Tonfrequenzspektrometer. Espectrógrafo.

Tonhöhe. Tono, Acento, Altura.

Tonlos. Sordo.

Tonstärke. Acento.

Tonstufenkorrelation. Correlación.

Tontakt. Grupo.

Tonverlaufkorrelation. Correlación.

Totalfrage. Interrogación.

Tote Sprache. Muerta (Lengua).

Traditioneller Akzent. Acento.

Trieb. Tendencia.

Übereinstimmung. Concordancia.

Überentäusserung. Ultraenajenación.

Überflüssig. Expletivo.

Übergangslaut. Transición (Sonido de).

Überhochsprachlich. Ultracorrección.

Überkennzeichnung. Hipercaracterización.

Überlänge. Ultralarga.

Überleben. Arcaísmo.

Übermundartlich. Ultracorrección.

Überschneidung. Encabalgamiento.

Überschreiten. Encabalgamiento.

Übersetzungslehnwort. Calco.

Übersteigerung. Hiperurbanismo, Hipernormalización.

Überstrahlung. Irradiación.

Übertragung. Encabalgamiento.

Umarmende Reime. Rima.

Umdeutung. Etimología.

Umfeld. Campo.

Umformungsreime. Rima.

Umgangssprache. Uso.

Umgekehrte Schreibung. Ultracorrección.

Umkehrung. Metátesis.
Umlaut. Inflexión, Metafonía.
Umschreibung. Circunlocución.
Umstands-. Circunstancial.
Umstandswort. Adverbio.
Umstellung. Metátesis.
Umwandlung. Infección.
Unabhängig. Independiente, Oración.
Unbedingter Lautwandel. Cambio.
Unbedingte Substantivierung. Sustantivación.
Unbelebtes Genus. Animado (Género), Género.
Unbestimmt. Indefinido, Indeterminado.
Umbestimmter Artikel. Artículo.
Unbetont. Inacentuado, Atono.
Undeklinierbar. Indeclinable.
Ungetrennte Reime. Rima.
Univerbierung. Univerbación.
Unorganisch. Inorgánico.
Unpaariges Phonem. Apareado (Fonema).
Unpersönlich. Impersonal.
Unregelmässig. Irregular.
Unsilbiges Phonem. Asilábico (Fonema).
Untergeordnet. Subordinado.
Unterordnung. Subordinación.
Unterordnend. Subordinante, Conjunción.
Unterscheidungslehre. Diacrítica.
Unthematisch. Atemático.
Unveränderlich. Invariable.
Ursächlich. Causal.
Ursprache. Común (Lengua).
Usuelle Substantivierung. Sustantivación.

Velarisierung. Velarización.
Venetisch. Véneto.
Veränderlich. Variable.
Verbalabstraktum. Deverbal.
Verbalnomina. Verbal.

Verbalstamm. Tema.
Verbindend. Conjuntivo.
Verbindung. Combinación.
Verblümter Ausdruck. Floreo verbal.
Verbot. Tabú.
Verbreitung. Extensión.
Verdoppelung. Reduplicación, Geminación.
Vergangenheit. Pasado.
Vergleichende Grammatik. Comparada (Gramática).
Vergleichung. Comparación.
Vergleichungsstufen. Comparación, Grado.
Vergrössernd. Aumentativo.
Verirrung. Patema.
Verkennung (Volkstümliche). Etimología.
Verneinung. Negación.
Verschleierte Rede. Indirecto.
Verschlimmernd. Peyorativo.
Verschlungene Reime. Rima.
Verschluss. Cerrazón, Oclusión.
Verschlussdauer. Tensión.
Verschlusslaut. Explosiva.
Verschmelzung. Reducción, Contracción.
Versfuss. Pie.
Versteinerung. Fijación.
Verstummen. Enmudecimiento.
Verstummend. Evanescente.
Verwandt. Parentesco de lenguas.
Virtuelle morphologische Basis. Base.
Volkstümliche Verkennung. Etimología.
Vordere Konsonanten. Anterior.

Wahlverwandtschaft. Convergencia.
Wandel. Evolución.
Wertdruck. Acento.
Wechsel. Alternancia.
Wechselbezüglich. Recíproco.
Wechselseitig. Recíproco.
Wechselgesang. Amebeo-

Wechselreim. Rima.
Welch. Dulce.
Welcher Einsatz. Ataque.
Welterbildung. Derivación.
Welterweisende Funktion. Entonación.
Wellentheorie. Ondas (Teoría de las).
Wendung. Figura.
Wort. Palabra.
Wortakzent. Acento.
Wortanalyse. Análisis.
Wortarten. Categoría lingüística.
Wortbildungslehre. Morfología.
Worteinung. Compuesto.
Wörter und Sachen. Vid. este mismo término.
Wörterbuch. Diccionario.
Wortfigur. Figura.
Wortfolge. Orden de palabras.
Wortfrage. Interrogación.
Wortfügung. Construcción.
Wortgefüge. Sintaxis.
Wörtlich. Literal.
Wortphonologie. Fonología.
Wortschatz. Vocabulario.
Wortspiel. Juego de palabras.
Wortstellung. Orden de palabras.
Wortton. Acento.
Wurzelbasis. Base.
Wurzeldeterminativ. Determinativo.

Zahl. Número.
Zahlwort. Numeral.
Zahnflächenlaut. Postdental.
Zahnlaut. Dental.
Zäpfchen. Uvula.
Zeichen. Signo.

Zeichenfeld. Palabra, Campo.
Zeichensprache. Gestos (Lenguaje de).
Zeigfeld. Palabra, Campo.
Zeile. Verso.
Zeitart. Aspecto.
Zeitform. Tiempo.
Zeitstufe. Tiempo.
Zerdehnung. Ampliada (Forma), Diéctasis.
Zielstamm. Conativo.
Zigeunerisch. Gitano.
Zischlaut. Sibilante.
Zitterlaut. Vibrante.
Zufällig. Arbitrario (Signo).
Zunge. Lengua.
Zungenbrecher. Trabalenguas.
Zungenkrone. Lengua.
Zungenrand. Lengua.
Zungenrücken. Lengua.
Zungenspitze. Lengua.
Zungenspitzenlaut. Apical.
Zuruf. Grito.
Zusammengezogen. Contracción.
Zusammenrückung. Yuxtaposición.
Zusammengesetztes Wort. Compuesto.
Zusammensetzung. Composición.
Zusammenziehung. Contracción, Elisión.
Zustandsverbum. Estado.
Zweidimensionales System. Fonológico (Sistema).
Zweifelhaft. Dubitativo.
Zweifelnde Frage. Interrogación.
Zwischenglied. Eslabón.
Zweisilbige Basis. Base.
Zweisprachigkeit. Bilingüismo.
Zweizahl. Dual.

TÉRMINOS INGLESES

Abbreviation. Abreviatura.
Aberrant. Irregular.
Abnormal vowel. Intermedia (Vocal).
Abridged form. Plena (Forma).
Absolute position. Inclusa (Posición).
Abstract form. Abstracto.
Abstract sound. Sonido.
Accent (Primary). Principal.
Accidence. Flexión.
Acoustic phonetics. Acústica.
Acrophonetic writing. Acrofonética.
Actualization of the means of language. Actualización.
Acute accent. Tono.
Additive morphemes. Aditivo.
Adjunct. Rango.
Adnex. Rango.
Affix. Afijo.
Agglutinative languages. Aglutinantes (Lenguas).
Agreement. Concordancia.
Allative. Adlativo.
Alliteration, Alliterative. Aliteración.
Allomorph. Alomorfo.
Allophone. Fonema, Alófona.
Alloseme. Alosema.
Amplificative. Aumentativo.
Analphabetic Notation. Transcripción.
Animate gender. Animado (Género).

Annomination. Annominación.
Apostrophe. Apóstrofe, Apóstrofo.
Aramaic. Arameo.
Articulation. Clase.
Assumptive. Hipotético.
Asymmetry.
Atelic. Imperfectivo.
Audibility. Perceptibilidad.
Augmentative. Aumentativo.
Auxiliary verb. Auxiliar.
Auxiliary word. Auxiliar.

Baby word. Infantil (Lenguaje).
Back. Lengua.
Back-consonant. Posterior.
Back-formation. Derivación.
Back-vowel. Posterior.
Bilingualism. Bilingüismo.
Blending. Contaminación.
Blends. Entrecruzadas (Palabras).
Borrowing. Préstamo,
Both-and (Function). Conexión.
Bound forms. Forma.
Breath chanel. Canal vocal.
Breath group. Grupo.
Breathed. Sordo.
Breathing. Espíritu.
Bright. Clara.
Broad. Clara.
Broken plural. Cortado (Plural).
Buccal. Oral.
Burring. Vibrante.

Cant. Jerga.
Carrying-over. Encabalgamiento.
Catalysis. Catálisis.
Catch. Oclusión.
Chains. Clase.
Checked syllable. Sílaba.
Chiasmus. Quiasmo.
Chrone. Crono.
Chronem. Cronema.
Class. Clase.
Class formative. Clasificador.
Class-meaning. Forma.
Clause. Oración.
Clause of statement. Enunciativa (Oración).
Click. Clic.
Clipped-word. Plena (Forma).
Close, Closed. Cerrado.
Close nexus. Acento.
Close stress. Acento.
Close syllable. Sílaba.
Closure. Cerrazón.
Clusters. Silábico.
Coalescence. Contracción, Coincidencia.
Cognate. Parentesco de lenguas.
Cognate accusative. Acusativo.
Cognate object. Objeto.
Colloquial speech. Uso.
Common language. Común (Lengua).
Commutation. Conmutación.
Comparison. Comparación.
Comparative philology. Comparada (Gramática).
Complementarity. Interdependencia.
Complet aspect. Perfectivo.
Complex form. Complejo.
Complex wave. Onda compleja.
Compound. Compuesto.
Concrete sound. Sonido.
Connection. Unión, Conexión.
Connectives. Conectivos.
Consciousness (linguistic). Conciencia lingüística.
Constituent. Complejo, Pleremática.

Contactual contrast. Contraste.
Constrasting stress. Acento.
Creolized language. Criollo (Idioma).
Crossing. Cruce.
Cry. Grito.
Cultural language. Cultura (Lengua de).
Cycle. Periodo.

Dark. Clara.
Dead language. Muerta (Lengua).
Declension. Declinación.
Definite. Definido, Determinado.
Definite article. Artículo.
Definite form. Definido.
Degree (Adverbs of). Adverbio.
Degrees of comparison. Grado, Comparación.
Delabialization. Deslabialización.
Denominal. Denominativo.
Devocalization. Ensordecimiento.
Devoicing. Ensordecimiento.
Diaphone. Diáfona.
Digraph. Digrama.
Direct speech. Directo.
Disappearance. Caída.
Disjunction. Disyunción.
Displaced language. Desplazado (Lenguaje).
Distinctive feature. Distintivo.
Divergents variants. Fonema.
Drift. Tendencia.
Duration. Cantidad.
Dutch. Holandés.

Editorial «we». Plural.
Either-or (Función). Correlación.
Ejective. Eyectiva (Consonante).
Ellipse. Elipsis.
Emphasis of intensity. Acento.
Emphasis of prominence. Acento.
Enclosing rhyme. Rima.
Ending. Desinencia, Terminación.
Energetic mood. Energético (Modo).
Enlargement. Complemento.

Enunciation. Enunciado.
Episememes. Forma.
Epithetologue. Epitetólogo.
Epode. Epodo.
Equalisation. Igualación.
Exponents. Exponentes.
Extension. Complemento.

Falling. Diptongo, Decreciente, Tono.
Figurative speech. Figurado.
Filter. Filtro.
Flapped. Vibrante.
Flemish. Holandés.
Flexible. Flexionable.
Flexional languages. Flexivas (Lenguas.).
Folk etymology. Etimología.
Foot. Pie.
Formal languages. Formantes (Lenguas).
Formant. Formans.
Formula. Locución.
Free accent. Acento.
Free form. Forma.
Free phoneme. Varífona.
Front-consonants. Anterior.
Front-vowel. Palatal.
Full form. Plena (Forma).
Full grade. Alternancia.
Full word. Llena.
Function both-and. Conexión.
Function either-or. Correlación.

Gender. Género.
German. Alemán.
Gerund. Gerundio.
Gerundive. Gerundio.
Gesture language. Gestos (Lenguaje de).
Ghostword. Vox nihili.
Gingival. Alveolar.
Glide. Apoyo (Vocal de), Anaptixis.
Glide-sound. Transición (Sonido de).
Glottal. Glótico, Oclusión.

Glottalic. Eyectiva (Consonante).
Glottalized. Eyectiva (Consonante), Oclusión.
Govern. Regir.
Government. Rección.
Gradation. Alternancia, Base.
Grade. Alternancia.
Gradual beginning. Ataque.
Grammatical word. Accesoria.
Grapheme. Grafema.
Great Russian. Ruso.
Group-stress. Acento.
Gypsy. Gitano.

Hamitic. Camito - semíticas (Lenguas).
Hard. Fuerte.
Hard palate. Paladar.
Heteronomous phonetic change. Cambio.
Heteroplane function. Heteroplana.
High. Alto, Acento.
Highest stress. Acento.
Hortatory. Cohortativo.

Icelandic. Islandés.
Idiom. Locución.
Immutable. Invariable.
Implication. Implicación.
Import. Préstamo.
Improper speech-form. Impropio.
Inanimate gender. Animado (Género).
Included position. Inclusa (Posición).
Incomplete. Imperfectivo.
Incontiguous assimilation. Asimilación.
Indefinite article. Artículo.
Indefinite relative. Relativo.
Independent morpheme. Accesoria.
Indirect speech. Indirecto.
Inflexion. Flexión.
Inflexional languages. Flexivas (Lenguas).

Initial glide. Ataque.
Injunctive. Injuntivo.
Inner form. Forma.
Insertion. Epéntesis.
Inspiration. Aspiración.
Intellective. Lógico.
Interlaced rhyme. Rima.
Inversion. Metátesis.
Iotacism. Yotización.
Isograph. Isoglosa.
Isolatable. Separable.
Isolating languages. Isolantes (Lenguas).

Jonction. Relación.
Juxtaposed Compound. Univerbación.
Juxtaposing languages. Yuxtaponentes (Lenguas).
Juxtapositional assimilation. Asimilación.

Language. Habla.
Laryngal. Laringales.
Laryngeal. Laríngea, Laringales, Oclusión.
Latvian. Báltico (Grupo).
Law. Ley.
Lax. Laxo, Relajado.
Learned word. Cultismo.
Length. Cantidad.
Lengthening. Alargamiento.
Letter. Letra.
Lettish. Báltico (Grupo).
Lexical. Léxico.
Linguistic consciousness. Conciencia lingüística.
Linking. Liaison.
Little language. Infantil (Lenguaje).
Lithuanian. Báltico (Grupo).
Living language. Viva (Lengua).
Loan-translation. Calco.
Loan-word. Préstamo.
Long. Cantidad.
Loose. Laxo, Relajado.

Loose nexus. Acento.
Losable. Caduco.
Loss of accentuation. Inacentuación.
Low latin. Bajo latín.
Low stress. Acento.

Main clause. Oración.
Main stress. Acento.
Malapropism. Malapropismo.
Manner of articulation. Articulación.
Meaning. Acepción.
Medial. Medio (Sonido), Central.
Mellow consonants. Estridentes.
Members. Clase.
Mentalistic theory. Mentalismo.
Middle tone. Tono.
Mixed language. Mixto.
Momentary aspect. Momentáneo.
Morph. Formantes de un morfema.
Morphological alternation. Alternancia.
Morphological extension. Extensión.
Morphophonemics. Morfofonémica.
Mother-tongue. Materna (Lengua).
Mouth cavity. Oral.
Murmur. Murmurado.
Murmur diphthong. Murmurado.
Mutation. Inflexión.
Mute. Mudo.

Narrowing. Cambio.
Nasal cavity. Nasal.
Native-language. Materna (Lengua).
Neo-grammarians. Neogramáticos.
Neutral vowel. Murmurado.
Normal grade. Alternancia.
Non-syllabic phonemes. Silábico.
North Germanic. Nórdico.
Norwegian. Noruego.
Noun. Nombre.
Number. Número.
Nursery language. Infantil (Lenguaje).

Object. Complemento.
Obsolescent. Arcaizante.
Off-glide. Distensión.

On-glide. Intensión.
Open. Abierto.
Open consonants. Oclusión.
Open stress. Acento.
Open syllable. Sílaba.
Opening. Abertura.
Ordinary stress. Acento.
Outer form. Forma.
Over-long. Ultralarga.
Overrunning. Encabalgamiento.

Palate. Paladar.
Palindrome. Capicúa.
Paradigms. Clase.
Parenthetical c l a u s e. Incidental
(Oración).
Parsing. Análisis.
Partition. Clase.
Parts. Clase.
Parts of speech. Categoría lingüística.
Past. Pasado.
Pattern. Lengua.
Pedigree-theory. Arbol genealógico.
Personal name. Antropónimo.
Pet-name. Hipocorístico.
Petrification. Fijación.
Pharyngal. Faríngea.
Phase. Fase.
Phonematics. Fonología.
Phonemical opposition. Oposición.
Phonemics. Fonología.
Phonetic change. Cambio.
Phonetic form. Forma.
Phonetics. Fonología.
Phonological opposition. Oposición.
Phonology. Fonología.
Phrase. Locución.
Physical phonetics. Acústica.
Pitch. Tono, Altura.
Place-name. Topónimo.
Plain rhyme. Rima.
Plerematic. Pleremática.
Plosion. Explosión.
Pluperfect. Pluscuamperfecto.

Point. Lengua.
Portmanteau - words. Entrecruzadas
(Palabras).
Position of rest. Reposo (Posición
de).
Positional variant. Variante.
Predicate. Atributo.
Primary accent. Principal.
Primary stress. Acento.
Primitive language. Común (Lengua).
Proper name. Propio (Nombre).
Pun. Calambur.

Quality. Cualidad.
Quantitative stress. Acento.
Question. Interrogación.

Radiation. Irradiación.
Rank. Rango.
Reality noun. Abstracto.
Reciprocity. Reciprocidad.
Reduced form. Plena (Forma).
Reduplication. Geminación.
Refrain. Estribillo.
Relationship of languages. Parentesco de lenguas.
Relaxed. Relajado.
Release. Explosión.
Relevancy. Pertinencia.
Replacive morphemes. Aditivo.
Reported speech. Indirecto.
Resonance. Sonoridad.
Resonator. Resonador.
Rest (Position of). Reposo (Posición
de).
Restrictive. Especificativo.
Retention. Tensión, Oclusión.
Rhaeto-Romanic. Retorrománico.
Rising. Creciente, Diptongo.
Rising tone o intonation. Tono.
Root basis. Base.
Rough breathing. Espíritu.
Rough glide. Ataque.
Rounded. Labial.

Rounding. Labialización.
Rule. Regla.
Run-over. Encabalgamiento.
Russian. Ruso.

Sandalwood-english. Inglés.
Sandhi-form. Absoluto.
Sandhi-n. Eclipse.
Secondary stress. Acento.
Sectional rhyme. Rima.
Selection. Determinación.
Semantic change. Cambio.
Sememe. Semema.
Semi-occlusive. Africada.
Senar. Senario.
Sense. Acepción.
Sentence. Oración, Frase.
Sentence-stress. Acento.
Sentence-type. Oración.
Sex gender. Género.
Shift (Consonant). Mutación.
Short. Cantidad.
Short form. Plena (Forma).
Shortening. Abreviamiento.
Sign. Signo.
Silencing. Enmudecimiento, Evanescente.
Silent. Mudo.
Slang. Jerga.
Smooth breathing. Espíritu.
Soft. Dulce.
Soft glide. Ataque.
Soft palate. Paladar.
Solidarity. Interdependencia, Solidaridad.
Sonority. Perceptibilidad.
Sound. Sonido.
Soundless. Mudo.
Sourd. Sordo.
Specification. Determinación.
Spectrum. Espectro.
Speech-community. Comunidad hablante.
Spelling. Grafía.
Spoonerism. Contrepetterie.

State (Verbs of). Estado.
Statement. Enunciado, Enunciativa.
Stative verb. Estado.
Stem. Tema.
Stem basis. Base.
Stemgradation. Alternancia.
Stereotyped-expression. Cliché.
Stichomythia. Esticomitia.
Stop. Oclusiva, Implosión, Oclusión.
Stop consonants. Oclusión.
Stress. Acento.
Strong. Fuerte.
Stump-word. Plena (Forma).
Subjuncts. Rango.
Subsidiary members. Fonema.
Sub-phonemic variants. Fonema.
Substitution. Sustitución.
Substractive morphemes. Aditivo.
Suction sound. Clic.
Sum. Suma.
Survival. Arcaísmo.
Swedish. Sueco.
Syllabic phonemes. Silábico.
Syllable. Sílaba.
Synaphea. Sinafía.
Syncopation. Síncopa.
Syntactic compounds. Sintáctico.

Taboo. Tabú.
Tactic-form. Taxema.
Tagmemes. Forma.
Taxeme. Taxema.
Telic aspect. Perfectivo.
Tense. Relajado, Tiempo.
Thought-name. Abstracto.
Three syllable law. Campo.
Tip. Lengua.
Tone. Acento.
Tone language. Tonodistintiva (Lengua).
Tongue. Lengua.
Traditional stress. Acento.
Translation loan-word. Calco.
Trilled. Vibrante.

Trinal. Trial.
Turn. Voz.

Ultimate. Final.
Ultimate constituens. Complejo.
Unaccented. Inacentuado.
Unbound. Independiente.
Unrounding. Deslabialización.
Unstressed. Inacentuado.
Unvoiced. Sordo.
Unvoicing. Ensordecimiento.
Utterance. Enunciado, Enunciación.

Variphone. Varífona.
Veil of the palate. Paladar.
Venetic. Véneto.
Verb-pattern. Verb-pattern.
Verbs of state. Estado.
Vernacular word. Vulgar.
Verse-filler. Ripio.
Visible speech. Visible (Lenguaje).
Voice. Voz.

Voiced. Sonoro.
Voiceless. Sordo.
Voicing. Sonorización.
Vowel-gradation. Alternancia, Apofonía.

Wave (Complex). Onda compleja.
Wave-theory. Ondas (Teoría de las).
Weak. Débil.
Weakening. Evanescente, Debilitamiento.
Whisper. Cuchicheo.
Whistling. Sibilante.
Widening. Cambio.
Word. Palabra.
Word accent o stress. Acento.
Word-classes. Categoría lingüística.
Writing. Escritura.

Young-grammarians. Neogramáticos.

Zero line. Amplitud.

TÉRMINOS FRANCESES

Aberrant. Irregular.
Abrègement. Abreviamiento.
Abréviation. Abreviatura.
Accent à coupe faible o forte. Acento.
Accouplées (Rimes). Rima.
Accord. Concordancia.
Adjectif détaché. Adjetivo.
Adjectif en apposition. Adjetivo.
Adjectif verbal en «-ndus». Gerundio.
Adonien. Adónico.
Adoucissement. Sonorización.
Affaiblissement. Debilitamiento.
Affection. Cambio.
Affixe. Afijo.
Aigu (Accent). Tono.
Aiguisé (Accent). Tono.
Allatif. Adlativo.
Alliance de mots. Oxímoron.
Allitérant. Aliteración.
Allongée (Forme). Plena (Forma).
Allongement. Alargamiento.
Amuïssement. Enmudecimiento.
Annective (Force). Anectiva (Fuerza).
Annomination. Annominación.
Aphérèse. Aféresis.
Apostrophe. Apóstrofe, Apóstrofo.
Apparié (Phonème). Apareado (Fonema).
Apposition (Adjective). Adjetivo.
Appuyée. Apoyada.

Araméen. Arameo.
Argot. Jerga.
Arrondi. Labial.
Arrondissement. Labialización.
Assonance. Asonancia.
Assomptif. Hipotético.
Asyndète. Asíndeton.
Attribut implicit. Adjetivo.
Attribut indirect. Adjetivo.
Augmentatif. Aumentativo.

Bacchée. Baquio.
Ballade. Balada.
Barytonaison. Baritonesis.
Barytonèse. Baritonesis.
Barytonie. Baritonesis.
Bas-latin. Bajo latín.
Bienséanse. Decoro.
Bout du discours. Predicado.
Bruyantes. Consonadores (Sonidos).
Buccal. Oral.

Caduc. Mudo.
Calembour. Calambur.
Calque. Calco.
Carré (Période). Período.
Catalyse. Catálisis.
Catastase. Implosión, Catástasis.
Cavité nasal. Nasal.
Chamitique. Camito-semíticas (Lenguas).
Champ intonable. Campo.

Changement. Cambio.

Cheville. Ripio.

Chiasme. Quiasmo.

Chronotypes. Cronotipos.

Chuchée (Voyelle). Murmurado.

Chuchotement. Cuchicheo.

Chuintante. Palatal.

Chute. Caída.

Chva. Schwa.

Césure. Cesura.

Civilisation (Langue de). Cultura (Lengua de).

Clair. Clara.

Claquante (Son). Clic.

Claquement. Clic.

Conformisme. Concordancia.

Consonne double. Geminada.

Contrépel. Ultracorrección.

Contrepetterie. Vid. esta palabra.

Coup de glotte. Oclusión.

Coupe. Cesura.

Couple (Phonème de). Apareado (Fonema).

Couple de corrélation. Pareja correlativa.

Coupure (Fausse). Análisis.

Crase. Contracción.

Crément. Incremento.

Créole (Parler). Criollo (Idioma).

Cri. Grito.

Croisée (Période). Período.

Croisées (Rimes). Rima.

Croisement. Cruce.

Croissant. Creciente.

Cuir. Cuir.

Cumul. Cúmulo.

Cycle. Período.

Déaspiration. Desaspiración.

Décroissant. Decreciente.

Défini. Definido.

Degré. Comparación, Grado, Alternancia.

Délabialisation. Deslabialización.

Demi-occlusive. Semioclusiva.

Dénominal. Denominativo.

Dénominatif. Denominativo.

Désaccentuation. Inacentuación.

Désarrondissement. Deslabialización.

Détaché (Adjectif). Adjetivo.

Détente. Distensión.

Détérioratif. Peyorativo.

Dévocalisation. Ensordecimiento.

Dévoisé. Sordo.

Digramme. Digrama.

Disjonction. Correlación, Disyunción.

Dissimilation renversée. Disimilación.

Dizain. Dizain.

Dos. Lengua.

Doux. Dulce.

Dure (Consonne). Fuerte.

Durée. Cantidad.

Éjective. Eyectiva (Consonante).

Ellipse. Elipsis.

Embrassées (Rimes). Rima.

Emprunt. Préstamo.

Enchaînement. Encadenamiento.

Enjambement. Encabalgamiento.

Enlacées (Rimes). Rima.

Enoncé. Enunciado.

Entourage phonique. Contexto fónico.

Entravée. Sílaba.

Envoi. Envío.

Epode. Epodo.

Etirée (Forme). Ampliada.

Expressifs mots. Fonosimbólicas (Palabras).

Faible. Débil.

Faisceaux de corrélations. Haces.

Fausse coupure. Análisis.

Fermé. Cerrado.

Fermée (Syllabe). Sílaba.

Fermeture. Cerrazón.

Flamand. Holandés.

Fléchi. Flexionable.

Flexible. Flexionable.

Flexionnel. Flexionable.
Fonctif. Funtivo.
Forme allongée. Plena (Forma).
Frappé (Accent). Tono.

Gérondif. Gerundio.
Gitan. Gitano.
Glottal. Glótico.
Glottale (Consonne à occlusion)
Eyectiva (Consonante).
Gouverner. Regir.
Grand russe. Ruso.
Grasseyement. Vibrante.
Groupe de souffle. Grupo.

Harmonisation. Asimilación.
Haut. Alto.
Hauteur. Altura, Tono.
Hébreu. Hebreo.
Homo-jonctionnelle (Relation). Homo-unitiva (Relación).
Hortatif. Exhortativo.
Huitain. Huitain.

Implicite (Attribut, Prédicat). Adjetivo.
Inconditioné (Changement). Cambio.
Indifférence (Position d'). Reposo (Posición de).
Injective. Implosiva.
Injonctiv. Injuntivo.
Insertion. Epéntesis.
Inspiration. Aspiración.
Instable. Mudo.
Intellectif. Lógico.
Intellectuel. Lógico.
Iotacisation. Yotización.
Iotacisme. Yotización.
Isolable. Separable.
Itacisme. Yotización.

Jonction. Relación.
Jumeaux (Mots). Gemelas (Palabras).

Lâche. Laxo.
Lai. Lai.
Laisse. Laisse.
Laryngal. Laríngea, Laringales.
Lette. Báltico (Grupo).
Lexical. Léxico.
Liaison. Sandhi, Unión, Ligazón.
Liée (Phrase). Ligada (Frase).
Lituanien. Báltico (Grupo).
Loi. Ley.
Longue. Cantidad.
Longueur. Cantidad.
Lourde (Base). Pesada.
Luette. Uvula.

Médiale. Medio (Sonido).
Médiane. Medio (Sonido), Rima, Central.
Mesure. Medida.
Métaphonie. Inflexión.
Métastase. Explosión.
Mi-occlusive. Semioclusiva, Africada.
Mise en relief. Relevación, Enfasis.
Montant (Ton). Tono.
Mot. Palabra.
Mot interdit. Tabú.
Mot savant. Cultismo.
Mot outil. Accesoria.
Mots jumeaux. Gemelas (Palabras).
Mouillé. Mojado.
Mouillement. Mojamiento.
Mouillure. Mojamiento.
Muet. Mudo.

Nasillement. Rinofonía.
Néogrammairiens. Neogramáticos:
Notion initiale. Predicado.
Nom. Nombre.
Nombre. Número.
Nom de lieu. Topónimo.
Nom de nombre. Numeral.
Norvégien. Noruego.

Orthotonoumène. Ortofónica.

Ouraliennes (Langues). Uralo-altaico.
Outil (Mot). Accesoria.
Ouvert. Abierto.
Ouverte (Syllabe). Sílaba.
Ouverture. Abertura.

Palais. Paladar.
Pantoum. Pantoum.
Parler. Habla.
Parole. Habla.
Partiers du discours. Categoría lingüística.
Passé. Pasado.
Pataquès. Cuir.
Patois. Bable.
Pertinence. Pertinencia.
Pharyngal. Faríngea.
Phase typique. Tensión.
Phébus. Phébus.
Phonème hors de couple. Apareado (Fonema).
Plates (Rimes). Rima.
Pluratif. Plurativo.
Pluriel. Plural.
Point vocalique. Punto.
Poissard. Poissard.
Position d'indifférence. Reposo (Posición de).
Prédicat indirect. Adjetivo.
Proposition. Oración.
Propre (Nom). Propio (Nombre).
Propre (Sens). Sentido.

Quantité. Cantidad.
Quatrain. Quatrain.

Rapport. Relación.
Rayonnement. Irradiación.
Récursive. Eyectiva (Consonante).
Redoublée (Rime). Rima.
Redoublement. Reduplicación.
Réduplication. Geminación.
Réfléchi. Reflexivo.
Refrain. Estribillo.

Rejet. Encabalgamiento.
Relâché. Relajado.
Renversée (Dissimilation). Disimilación.
Rhéto-roman. Retorrománico.
Rime. Asonancia.
Ronde (Période). Período.
Rondeau. Rondeau.
Rondel. Rondel.
Roulé. Vibrante.

Savant (Mot). Cultismo.
Segmentée (Phrase). Segmentada (Frase).
Sème. Sema.
Semi-roulé. Vibrante.
Sens. Acepción, Sentido.
Sifflante. Sibilante.
Signifié. Significado.
Sizain. Sizain.
Son. Sonido.
Sonorité. Perceptibilidad.
Soufflé. Sordo.
Souffle (Groupe de). Grupo.
Sourd. Sordo, Mudo.
Sourde. Clara.
Soutien (Voyelle de). Apoyo (Vocal de).
Stichomythie. Esticomitia.
Subordonnant. Subordinante.
Subordonné. Subordinado.
Suédois. Sueco.
Suivies (Rimes). Rima.
Superposition syllabique. Haplología.
Survivance. Arcaísmo.
Syllabe. Sílaba.
Syncope. Síncopa.

Temps faible. Arsis.
Temps fort. Tesis.
Temps frappé. Tesis.
Temps levé. Arsis.
Tendu. Relajado.
Tension. Intensión.

Tenue. Fricativa, Tensión, Oclusión.

Ton montant o ascendent. Tono.

Tour. Giro.

Triel. Trial.

Triolet. Triolet.

Usure. Desgaste.

Velours. Cuir.

Virelai. Virelai.

Voix. Voz.

Voile du palais. Paladar.

Voyelle d'appui. Apoyo (Vocal de).

Voyelle de soutien. Apoyo (Vocal de).

Yidich. Yiddish.

Yuxtaposantes (Langues). Yuxtaponentes (Lenguas).

BIBLIOTECA ROMÁNICA HISPÁNICA

Dirigida por: DÁMASO ALONSO

45. Dámaso Alonso: *Dos españoles del Siglo de Oro*. Reimpresión. 258 págs.
46. Manuel Criado de Val: *Teoría de Castilla la Nueva (La dualidad castellana en la lengua, la literatura y la historia)*. Segunda edición ampliada. 400 págs. 8 mapas.
47. Ivan A. Schulman: *Símbolo y color en la obra de José Martí*. Segunda edición. 498 págs.
49. Joaquín Casalduero: *Espronceda*. Segunda edición. 280 págs.
51. Frank Pierce: *La poesía épica del Siglo de Oro*. Segunda edición revisada y aumentada. 396 págs.
52. E. Correa Calderón: *Baltasar Gracián (Su vida y su obra)*. Segunda edición aumentada. 426 págs.
53. Sofía Martín-Gamero: *La enseñanza del inglés en España (Desde la Edad Media hasta el siglo XIX)*. 274 págs.
54. Joaquín Casalduero: *Estudios sobre el teatro español*. Tercera edición aumentada. 324 págs.
57. Joaquín Casalduero: *Sentido y forma de las «Novelas ejemplares»*. Segunda edición corregida. Reimpresión. 272 págs.
58. Sanford Shepard: *El Pinciano y las teorías literarias del Siglo de Oro*. Segunda edición aumentada. 210 págs.
60. Joaquín Casalduero: *Estudios de literatura española*. Tercera edición aumentada. 478 págs.
61. Eugenio Coseriu: *Teoría del lenguaje y lingüística general (Cinco estudios)*. Tercera edición revisada y corregida. 330 págs.
62. A. Miró Quesada S.: *El primer virrey-poeta en América (Don Juan de Mendoza y Luna, marqués de Montesclaros)*. 274 págs.
63. Gustavo Correa: *El simbolismo religioso en las novelas de Pérez Galdós*. Reimpresión. 278 págs.
64. Rafael de Balbín: *Sistema de rítmica castellana*. Premio «Francisco Franco» del CSIC. Tercera edición aumentada. 402 págs.
65. Paul Ilie: *La novelística de Camilo José Cela*. Con un prólogo de Julián Marías: Segunda edición. 242 págs.
67. Juan Cano Ballesta: *La poesía de Miguel Hernández*. Segunda edición aumentada. 356 págs.
69. Gloria Videla: *El ultraísmo*. Segunda edición. 246 págs.
70. Hans Hinterhäuser: *Los «Episodios Nacionales» de Benito Pérez Galdós*. 398 págs.
71. J. Herrero: *Fernán Caballero: un nuevo planteamiento*. 346 págs.
72. Werner Beinhauer: *El español coloquial*. Con un prólogo de Dámaso Alonso. Segunda edición corregida, aumentada y actualizada. Reimpresión. 460 págs.
73. Helmut Hatzfeld: *Estudios sobre el barroco*. Tercera edición aumentada. 562 págs.
74. Vicente Ramos: *El mundo de Gabriel Miró*. Segunda edición corregida y aumentada. 526 págs.
76. Ricardo Gullón: *Autobiografías de Unamuno*. 390 págs.

107. Carmelo Gariano: *El mundo poético de Juan Ruiz.* Segunda edición corregida y ampliada. 272 págs.
109. Donald F. Fogelquist: *Españoles de América y americanos de España.* 348 págs.
110. Bernard Pottier: *Lingüística moderna y filología hispánica.* Reimpresión. 246 págs.
111. Josse de Kock: *Introducción al Cancionero de Miguel de Unamuno.* 198 págs.
112. Jaime Alazraki: *La prosa narrativa de Jorge Luis Borges (Temas-Estilo).* Segunda edición aumentada. 438 págs.
114. Concha Zardoya: *Poesía española del siglo XX (Estudios temáticos y estilísticos).* Segunda edición muy aumentada. 4 vols.
115. Harald Weinrich: *Estructura y función de los tiempos en el lenguaje.* Reimpresión. 430 págs.
116. Antonio Regalado García: *El siervo y el señor (La dialéctica agónica de Miguel de Unamuno).* 220 págs.
117. Sergio Beser: *Leopoldo Alas, crítico literario.* 372 págs.
118. M. Bermejo Marcos: *Don Juan Valera, crítico literario.* 256 págs.
119. Solita Salinas de Marichal: *El mundo poético de Rafael Alberti.* Reimpresión. 272 págs.
120. Oscar Tacca: *La historia literaria.* 204 págs.
121. *Estudios críticos sobre el modernismo.* Introducción, selección y bibliografía general por Homero Castillo. Reimpresión. 416 páginas.
122. Oreste Macrí: *Ensayo de métrica sintagmática (Ejemplos del «Libro de Buen Amor» y del «Laberinto» de Juan de Mena).* 296 págs.
123. Alonso Zamora Vicente: *La realidad esperpéntica (Aproximación a «Luces de bohemia»).* Premio Nacional de Literatura. Segunda edición ampliada. 220 págs.
126. Otis H. Green: *España y la tradición occidental (El espíritu castellano en la literatura desde «El Cid» hasta Calderón).* 4 vols.
127. Ivan A. Schulman y Manuel Pedro González: *Martín, Darío y el modernismo.* Reimpresión. 268 págs.
128. Alma de Zubizarreta: *Pedro Salinas: el diálogo creador.* Con un prólogo de Jorge Guillén. 424 págs.
129. Guillermo Fernández-Shaw: *Un poeta de transición. Vida y obra de Carlos Fernández Shaw (1865-1911).* X + 330 págs. 1 lámina.
130. Eduardo Camacho Guizado: *La elegía funeral en la poesía española.* 424 págs.
131. Antonio Sánchez Romeralo: *El villancico (Estudios sobre la lírica popular en los siglos XV y XVI).* 624 págs.
132. L. Rosales: *Pasión y muerte del Conde de Villamediana.* 252 págs.
133. Othón Arróniz: *La influencia italiana en el nacimiento de la comedia española.* 340 págs.
134. Diego Catalán: *Siete siglos de romancero (Historia y poesía).* 224 páginas.

162. Geoffrey Ribbans: *Niebla y soledad (Aspectos de Unamuno y Machado).* 332 págs.
163. Kenneth R. Scholberg: *Sátira e invectiva en la España medieval.* 376 págs.
164. A. A. Parker: *Los pícaros en la literatura (La novela picaresca en España y Europa. 1599-1753).* 2.ª edición. 220 págs. 11 láminas.
165. Eva Marja Rudat: *Las ideas estéticas de Esteban de Arteaga (Orígenes, significado y actualidad).* 340 págs.
166. Angel San Miguel: *Sentido y estructura del «Guzmán de Alfarache» de Mateo Alemán.* Con un prólogo de Franz Rauhut. 312 págs.
167. Francisco Marcos Martín: *Poesía narrativa árabe y épica hispánica.* 388 págs.
168. Juan Cano Ballesta: *La poesía española entre pureza y revolución (1930-1936).* 284 págs.
169. Joan Corominas: *Tópica hespérica (Estudios sobre los antiguos dialectos, el substrato y la toponimia romances).* 2 vols.
170. Andrés Amorós: *La novela intelectual de Ramón Pérez de Ayala.* 500 págs.
171. Alberto Porqueras Mayo: *Temas y formas de la literatura española.* 196 págs.
172. Benito Brancaforte: *Benedetto Croce y su crítica de la literatura española.* 152 págs.
173. Carlos Martín: *América en Rubén Darío (Aproximación al concepto de la literatura hispanoamericana).* 276 págs.
174. José Manuel García de la Torre: *Análisis temático de «El Ruedo Ibérico».* 362 págs.
175. Julio Rodríguez-Puértolas: *De la Edad Media a la edad conflictiva (Estudios de literatura española).* 406 págs.
176. Francisco López Estrada: *Poética para un poeta (Las «Cartas literarias a una mujer» de Bécquer).* 246 págs.
177. Louis Hjelmslev: *Ensayos lingüísticos.* 362 págs.
178. Dámaso Alonso: *En torno a Lope (Marino, Cervantes, Benavente, Góngora, los Cardenios).* 212 págs.
179. Walter Pabst: *La novela corta en la teoría y en la creación literaria (Notas para la historia de su antinomia en las literaturas románicas).* 510 págs.
180. Antonio Rumeu de Armas: *Alfonso de Ulloa, introductor de la cultura española en Italia.* 192 págs. 2 láminas.
181. Pedro R. León: *Algunas observaciones sobre Pedro de Cieza de León y la Crónica del Perú.* 278 págs.
182. Gemma Roberts: *Temas existenciales en la novela española de postguerra.* 286 págs.
183. Gustav Siebenmann: *Los estilos poéticos en España desde 1900.* 582 págs.
184. Armando Durán: *Estructura y técnicas de la novela sentimental y caballeresca.* 182 págs.